WERNER BERGENGRUEN

DIE SCHÖNSTEN NOVELLEN

WERNER BERGENGRUEN

DIE SCHÖNSTEN NOVELLEN

IN DER AUSWAHL DES DICHTERS

MIT 50 ZEICHNUNGEN VON HANS FRONIUS

IM VERLAG DER ARCHE · ZÜRICH
NYMPHENBURGER VERLAGSHANDLUNG MÜNCHEN

Printed in Switzerland
Berechtigte Lizenzausgabe für Westdeutschland
Darf nicht exportiert werden

Inhalt

Das Vogelschälchen 7
Erzählung vom Zeitlichen und vom Ewigen 19
Wettstreit der Großmut 32
Novelle von den fünf Strophen 38
Das Karnevalsbild 50
Der Abenteurer 73
Trivulzio und der König 85
Der Marschall und sein Sekretär 93
Der Ritter 99
Dawson und Mary 103
Die Schildwache 113
Die Brüder Orban 117
Das königliche Spiel 130
Musketengeschichte 142

Der Sohn und die Mutter 149
Männer und Frauen 169
Zorn, Zeit und Ewigkeit 191
Die Flamme im Säulenholz 218
Die Bärenbraut 241
Der Mann mit dem Helm 254
Der Augenblick 285
Der Sandarzt 291
Die Augenkur 304
Der alte Husar 328
Das Florettband 342
Die Greiffenschildtschen Damen 375
Jakubsons Zuflucht 404
Schneider und sein Obelisk 418
Der Seeteufel 436
Der Kopf 448
Der Schutzengel 457
Die drei Falken 466

Das Vogelschälchen

Cola di Rienzo, dessen Vater eine Kneipe unweit der Tibermühlen gehabt hatte, regierte nun das römische Volk, und alle Könige und Städte kannten seinen Namen. Aber bis zu dem kleinen Dorf hinter Anagni, in welchem sein Oheim Gabrini lebte, war die Nachricht von der Neuerung noch nicht gekommen.

Gabrini, muß man wissen, ist ein Witwer, und das ist ihm nicht unlieb, denn wenn man neunzehn Jahre lang seine Frau gehabt hat, dann möchte man zuletzt seine Ruhe haben. Kinder hat er nicht, und seine Landwirtschaft ist klein, da besorgt er sie selbst; höchstens, daß er sich im Frühling und Herbst für ein paar Wochen ein Waisenkind aus Anagni zur Hilfe ausleiht, Waisenkinder kosten ja nicht viel.

Man darf nicht denken, Gabrini habe kein Herz, weil er seine Ruhe und Witwerschaft liebt. Darüber hinaus nämlich liebt er mit großer Wärme seinen kleinen Beppino.

Der kleine Beppino ist ein Rosenstar. Darum hat er einen rosenfarbenen Bauch und eine rosenfarbene Brust, alle andern Gefiederteile aber sind blauschwarz und haben einen schönen Glanz. Beppino wohnt in einem Käfig von Weidenruten, und jedes Jahr nach der Mauser flicht Gabrini ihm einen neuen. Die Mauser macht überhaupt einen Abschnitt in Beppinos Leben und in Gabrinis Leben auch. Beppino ist nicht nur der schönste, sondern auch der klügste aller Rosenstare. Man kann sich schwer vorstellen, was er alles erlernt; leider hat er es immer vergessen, wenn er aus der Mauser kommt, das ist bei den Rosenstaren nicht anders. Dann beginnt der Unterricht von neuem mit Vorpfeifen und Vorsprechen, und so hat Gabrini seine Unterhaltung. Es versteht sich, daß er dem Beppino nach jeder Mauser etwas Neues beibringt, der Abwechslung halber, und so kann es noch viele Jahre weitergehen; denn Gabrini ist rüstig und zäh, und die Rosenstare werden ja fast so alt wie die Papageien, wenigstens ist Gabrini davon überzeugt. Im vorigen Jahre hatte Beppino gerufen: «Es leben die Herren Colonna!» Jetzt aber ruft er: «Einen schönen guten Morgen und immer noch ein Becherchen!» Indessen ist die Mauser nicht mehr weit, da wird er es bald vergessen haben, und Gabrini denkt schon viel darüber nach, was er ihn dann lehren soll; sehr reich an Einfällen, das muß man zugeben, ist Gabrini nicht.

Gabrini sitzt nach Feierabend vor seinem Häuschen, und neben ihm steht der Weidenkäfig auf der Bank. Beppino geht nickend auf und nieder und besieht neugierig, was sein Herr ihm diesmal an Futter ins Bauer getan hat. Das ist jeden Tag verschieden, so ein Rosenstar frißt ja alles: Maulbeeren, Trauben, Früchte, Sämereien, Heuschrecken und Käfer. Er pickt hierhin und dorthin, und dazwischen tunkt er seinen Schnabel in das Wasserschälchen. Dies ist eine Scherbe von einem zerbrochenen Tongefäß, und Gabrini findet eigentlich, sein Rosenstar müßte etwas Besseres haben.

Gabrini hört Hufschlag, und gleich darauf hält ein Reiter vor ihm; man muß schon sagen, ein sehr erstaunlicher Reiter. Er ist prächtig gekleidet, er trägt einen weißen Mantel. Waffen hat er nicht, sondern nur einen silbernen Botenstab, um den ein Ölzweig gewunden ist.

«Bist du Gabrini?» fragt der Reiter.

«Ja, das bin ich, jeder kann es dir bestätigen.»

«Einen schönen guten Morgen und immer noch ein Becherchen!» ruft Beppino. Der Bote lächelt ein klein wenig, aber dann besinnt er sich, daß er in seinem Dienst ist, darum steigt er ernst vom Pferde und hält Gabrini einen Brief hin.

«Ich kann nicht lesen», sagt Gabrini.

Der Bote liest ihm den Brief vor. Es stehen viele herrliche und schwierige Worte darin. Zum Schluß heißt es: «Gegeben zu Rom, im kapitolinischen Palast» und die Unterschrift lautet: «Nicolaus, der Gestrenge und Gnädige, durch göttlichen Beistand erlauchter Befreier der römischen Republik, Eiferer für Italien und Freund des Erdkreises, durch die Gnade des heiligen Geistes erhabener Tribun der Freiheit, des Friedens und der Gerechtigkeit, Schirmherr der Armen, Witwen und Waisen.»

Gabrini versteht vieles nicht, der Bote muß ein zweites Mal lesen und ihm dann erklären, daß dies alles ja sein Neffe Cola ist, wirklich, sein Neffe Cola! In dem Brief aber steht, es zieme sich nicht, daß Verwandte des erlauchten Tribunen in Dürftigkeit und Verborgenheit leben. Darum soll Gabrini unverzüglich und für immer seine Landwirtschaft verlassen und zu ihm nach Rom kommen.

Allmählich läßt Gabrini sich überzeugen, daß dies in der Tat der Cola ist, dieser verteufelte Schwätzer! «Sieh an, sieh an», sagte er, «und ich hatte gedacht, er brächte es nie zu einem gesicherten Einkommen.»

Der Bote zählt ihm eine Geldsumme hin, damit er auf anständige Weise und in ordentlicher Kleidung nach Rom reisen kann. Darauf gibt er ihm noch einige Antworten, Auskünfte und Anordnungen und reitet davon.

Beppino sagt: «Einen schönen guten Morgen und immer noch ein Becherchen!»

Gabrini wundert sich sehr. Aber schließlich ist das ja von der Obrigkeit gekommen, also wird er tun, was man ihm vorgeschrieben hat.

Er zählt die Summe nach und findet sie sehr hoch. Er wäre ein schöner Narr, wenn er das alles für Kleidung und Reise ausgeben würde.

Gabrini verkauft sein bißchen Vieh einem Nachbarn und überläßt ihm auf Halbkorn Bestellung und Nutzung seines Bodens. Er geht zu einem Pfandleiher in Anagni und sucht sich einen Anzug aus, wie man ihn in Anagni bei den großen Heiligenfesten trägt; beim gleichen Trödler kauft er sich auch Schuhe, richtig aus Leder gemachte, keine hölzernen, und es gelingt ihm, noch etwas vom Preise abzuhandeln, darüber wird er sehr guter Laune.

Von seinem Gelde vergräbt er vier Fünftel unter dem großen Kirschbaum, der hinter seinem Häuschen steht. Dann macht er sich auf den Weg.

In Anagni mietet er ein Maultier, obwohl es ihm um das Geld leid tut. Aber der Bote hatte ihm das so vorgeschrieben. Gabrini meint freilich, er könnte ebensogut zu Fuß reisen, denn wie weit ist es schon von Anagni nach Rom? Und früher hat er den Weg ja auch zu Fuß gemacht, wenn er Colas Vater besuchen ging und in dessen Schankwirtschaft ordentlich essen und trinken wollte.

Unterwegs plaudert er mit dem Maultiertreiber, sie sprechen vom Felderstand und von einer neuen Art des Ölpressens. Gabrini erzählt ihm auch, er wolle in Rom seinen Neffen besuchen, der es dort zu etwas gebracht haben solle. Aber mehr erzählt er nicht, damit der Treiber keine Nachforderungen stellt.

«Na ja», meint der Treiber, «das kommt vor, aber meistens kehren die Bengels doch wieder ins Dorf zurück, wenn sie in der Stadt nichts mehr zu fressen haben.»

Colas Abgesandter hat ihm freilich verboten, irgend etwas von seinen Habseligkeiten mit nach Rom zu bringen, aber das ist ja selbstverständlich, daß Gabrini sich nicht von seinem Rosenstar trennt. Er hält also den Käfig vorsichtig an die Brust gedrückt, und von Zeit zu Zeit muß der Maultiertreiber ihn ablösen, damit ihm die Arme nicht steif werden. Das Wasserschälchen kollert dabei hin und her. Einige Male ruft Beppino: «Einen schönen guten Morgen und immer noch ein Becherchen!» Dann lachen die beiden, machen eine kleine Pause und trinken von dem Wein, den Gabrini für die Reise mitgenommen hat. Und so kommt also Gabrini nach Rom.

Im kapitolinischen Palast wollen die Wachen ihn anhalten, und zugleich lachen sie über das Vogelbauer; aber Gabrini zeigt ihnen den Brief mit dem großen Siegel, und da führt ihn einer mit vielen Bücklingen hinein zu einem vornehmen Herrn, und der vornehme Herr macht auch Bück-

linge und führt ihn weiter, und so kommen sie in einen Gang, da begegnet ihnen plötzlich Cola. Er ist noch genau wie früher mit seinen schönen feurigen Augen und seinem aufgeregten Wesen, nur andere Kleider hat er. Sie umarmen sich, und Gabrini zwickt seinen Neffen ins Ohrläppchen und sagt: «Du verdammter Bengel du, weißt du noch, wie du bei mir warst? Meine selige Frau hat dir den großen Rührlöffel an den Kopf geworfen, weil du unsere ganzen Frühkirschen gefressen hattest. Sie sagte auch immer, du hättest zu nichts Sitzfleisch und Ausdauer. Na, nun sieht man es!»

Beppino schreit: «Einen schönen guten Morgen und immer noch ein Becherchen!» Cola meint, das ist ja ein hübscher Vogel, den Gabrini sich mitgebracht hat, und so sprechen sie noch ein paar Worte; aber dann muß Cola hastig in eine Ratsversammlung, und der Haushofmeister führt Gabrini in sein Zimmer.

Da lebt er nun also im Kapitolspalast, inmitten der ganzen Sippschaft, in einem eilfertigen Glanz. Der Palast ist befestigt und ausgebaut worden, den ganzen Tag lang wird noch gehämmert. Gabrini sieht gern zu und spricht ein paar Worte mit den Arbeitern, unter denen er einen Bekannten entdeckt hat, aber das sehen die im Palast nicht gern. Die im Palast, das sind sehr viele; Gabrini hat Mühe, sie auseinanderzuhalten; denn dieser Cola sorgt für seine Anverwandten – alles, was recht ist. Seine Eltern leben ja nicht mehr, aber da sind seine Frau und seine Kinder und Schwiegereltern und deren Tanten und Geschwister, die auch wieder Kinder und Schwiegerkinder haben; da ist Colas Schwester, die mit einem hohen Herrn verlobt werden soll, da sind Neffen und Nichten und Basen und Vettern, alle in Gold und Pracht. Da ist auch Colas Mutterbruder Gianni, der früher eine Barbierstube in Trastevere hatte und Gabrini immer umsonst rasierte, wenn er zu Besuch bei seinen Verwandten in Rom war; damals haben sie sich gern Witze erzählt und sich vor Lachen auf die Schenkel geschlagen. Aber jetzt will er nicht mehr Gianni Barbieri heißen, sondern läßt sich Messer Gianni Rosso nennen, trägt goldene Sporen und ein goldenes Schwert, tut, als habe er Gabrini nie gesehen, und hat immer ein halbes Dutzend Pagen um sich. Auch Colas Frau läßt sich immer von solchen Lausejungens die Schleppe tragen und dies holen und das holen, das ist schon, als wäre im Palast eine Kinderschule eingerichtet. Einmal hat Gabrini einem von ihnen eine Backpfeife gegeben, da ist ein gewaltiges Geschrei entstanden; es hieß, der Bengel sei aus einem großen Hause, und darum dürfe er keine Backpfeife kriegen. Alle hatten Gabrini gescholten, Vettern und Basen und Neffen und Nichten, nur Cola hat sich nicht um die Geschichte gekümmert, der hat seine eigenen Narrheiten im Kopf.

Man hat Gabrini gesagt, er solle sich immer an den Haushofmeister wenden, wenn er etwas brauche, aber das tut er nicht sehr gern. Der Haushofmeister hat ihm feine Kleider gegeben, aber die vielen Falten und Stickereien machen das Tuch steif, darin kann man sich nicht behaglich fühlen, und so trägt Gabrini lieber den schönen Anzug aus Anagni.

Gabrini muß bei großen Empfängen dabeistehen, das ist unbequem, und unbequem ist es auch bei Tisch. Er findet, daß es streng hergeht, obwohl Essen und Trinken ja reichlich gegeben wird, da kann man nicht klagen. Aber es sind

immer Fremde dabei, Ritter und Hauptleute und Doktoren und Gesandte, die lange, unverständliche Reden führen. Gabrini kann sich nicht genug wundern, daß sie mit Cola umgehen wie mit ihresgleichen. Zugleich ist es ihm lieb, daß sie sich nicht um ihn selber kümmern.

Die andern, alle die Verwandten, die jetzt prächtige Titel und Ämter haben und miteinander von Welt- und Stadthändeln reden, die kümmern sich zuviel um Gabrini, findet er. Sie haben es ihm verboten, den Weidenkäfig zum Essen in den Speisesaal mitzubringen und vor sich auf die Tafel zu stellen. Sie kümmern sich um seine Kleidung, indem sie allerlei Bemerkungen machen. Einmal ist ein Fest gefeiert worden, da mußte dem Metallpferde, auf dem der Kaiser Constantin sitzt, vor dem lateranischen Palast, roter und weißer Wein aus den Nasenlöchern fließen, und jeder durfte trinken. Gabrini hat sich in die Menge gezwängt und auch getrunken. Deshalb hat ihn die Sippschaft ausgezankt und gefragt, ob er nicht im Palast genug Wein bekäme. Nun, gewiß, es war auch nicht der beste seiner Weine, den Cola aus den Roßnüstern laufen ließ; aber es hatte doch Freude gemacht, mit allen andern zusammen zu trinken, sich gegenseitig wegzuschubsen und seine Ansprache zu haben.

Indessen meinte die Sippschaft, Gabrini habe seine Ansprache im Kapitolspalast zu suchen.

So hat Gabrini denn auch seinen Ärger und beginnt der Sippschaft etwas aus dem Wege zu gehen; die Räume sind weitläufig, da kann man das, und es scheint auch bald, als seien Cola und die Seinigen mit allerhand Sorgen und Aufregungen beschäftigt, da achten sie nicht mehr so sehr auf Gabrini wie zu Anfang. Ja, vielleicht hat man ihn gänzlich vergessen in dem hastigen Durcheinander all der vielen Menschen; das ist ihm recht lieb.

Gabrini speist auch nicht mehr mit ihnen, er hat herausgefunden, daß es noch eine andere Tafel gibt, nämlich die Tafel für die Dienerschaft. Man muß nicht denken, daß hier schlechter gespeist wird als im großen Saal, nein, in Anagni speist nicht einmal der Vogt der Herren Colonna von solchem Geschirr, und auch den Herren Colonna kann er nicht solche Dinge vorsetzen, wenn sie kommen, um ihn zu besuchen und in Anagni nach dem Rechten zu schauen. Aber man kann hier herzhafter zulangen, und da sind auch verständige Männer, mit denen sich ein Wort reden läßt. Dazu ist hier immer ein lustiges Kommen und Gehen, es werden Witze gemacht, und es gibt viel zu lachen. Mit den Lausejungens von Pagen hat man hier nichts zu tun, und was die Küchenjungen sind, denen kannst du ruhig eins auf die Schnauze hauen, das findet jeder in der Ordnung. Gabrini wird sehr geehrt und bekommt die besten Stücke, und vor ihm auf dem Tisch steht der Weidenkäfig. Beppino spaziert hüpfend auf und ab, und alle bewundern seine schönen Farben und seinen hohen Verstand.

Im Anfang ist es vorgekommen, daß dieser oder jener den Gabrini beiseite genommen hat: er solle mit dem Tribunen oder seiner Frau reden oder mit dem Haushofmeister und etwas durchsetzen, einen Urlaub oder eine Gehaltsbesserung. Aber mit solchen Bitten behelligen sie ihn nicht lange, sie sind ja erfahrene Städter und merken bald, daß Gabrini kein höfischer Fürsprecher ist.

An der Dienertafel erzählen sie ihm auch, wie alles zugegangen ist, was Cola mit dem Papst und dem Kaiser zu schaffen hat und daß er alle Kurfürsten nach Rom bestellen wird, damit die Wirtschaft endlich aufhört und alles seine richtige Ordnung bekommt. Manches leuchtet dem Gabrini gleich ein, anderes ist schwer zu verstehen. Sie erzählen ihm auch, wie Cola in der lateranischen Taufkapelle in dem kostbaren Steinbecken gebadet hat, in welchem der heilige Vater Sylvester vor tausend Jahren den Kaiser Constantin taufte und dadurch vom Aussatz reinigte; sie erzählen, wie Cola sich die Ritterwürde erteilen und sich unter großen Feierlichkeiten und Prozessionen krönen ließ mit Kränzen von sieben verschiedenen Laubarten und zuletzt mit einer silbernen Krone. Gabrini hört aufmerksam zu, dann aber schüttelt er den Kopf und zieht die Schüssel mit den Artischocken an sich.

So fühlt sich denn Gabrini von Herzen wohl. Nach der Mauser, als Beppino vergessen hat, wie man «Einen schönen guten Morgen und immer noch ein Becherchen!» ruft, da lehrt Gabrini ihn rufen: «Es lebe Cola di Rienzo!», denn er will sich doch auch erkenntlich zeigen für die noble Bewirtung.

Gabrini spaziert häufig in der Stadt umher. Er geht auf die Wiesen und in die Gärten hinter dem Kapitol, um für Beppino Heuschrecken und Käfer zu fangen, und er geht auch in die Kneipe an den Tibermühlen, die früher Colas Vater gehört hat.

In der Kneipe wird Gabrinis schöner Anzug bewundert und von Colas Ruhm gesprochen. Ein alter Sattler, den Gabrini von früher her kennt, der sagt: «Seine Mutter hat für uns Wäsche gewaschen. Da kann man nichts sagen, sie hat ihre Sache gut gemacht. Nur einmal hat sie mir eine Unterhose verdorben, weil sie zu scharfe Lauge genommen hatte. Es heißt ja, dieser Cola habe einen Teufelsgeist in das Kreuz auf seinem Szepter gebannt, der muß ihm alles ausführen.»

Andere meinen, es sei nicht gut gewesen, daß Cola ein paar große Hauptleute hat hinrichten lassen, denn von denen hätten viele Männer Sold bekommen und ihn unter die Leute gebracht. Schließlich hat es sich unter den Baronen auch leben lassen.

Ja, und warum er denn den Salzpreis heraufgesetzt habe? Und man rede auch von einer neuen Weinsteuer, wegen der Kriegskosten.

Gabrini hört sich das an, und nachher an der Dienertafel fragt er danach. Nun, hier ist der Wein umsonst, da braucht man sich vor keiner Steuer zu fürchten. Und wie er vom Salz spricht – denn er will doch zeigen, daß er auch etwas wahrnimmt von allem, was in der Welt vorgeht –, da lacht einer und sagt: «Hier gibt's Salz genug. Wenn du magst, schütte dir nur das ganze Fäßchen in die Suppe!»

Und damit schiebt er ihm das Salzfäßchen zu, mit einer allzu kräftigen Bewegung, so daß es umfällt. Das Salz ist verschüttet, und Gabrini sieht sich das kupferne Schälchen genau an; es ist ein wenig verbeult, aber schön blankgeputzt, und er nimmt es wohlgefällig in die Hand. Vor sich hat er den neugeflochtenen Käfig mit der armseligen irdenen Scherbe darin, und da kommt auch Beppino schon angeflattert, steckt den Schnabel durch die Weidenruten und nickt. Gabrini bewundert Beppinos Verstand; und zugleich schämt er sich fast, daß er nicht längst von selber diesen Einfall gehabt hat.

Also ergreift er das Salzfäßchen, wischt es mit dem Ärmel aus, gießt ein wenig Wasser hinein und stellt es ins Bauer. Die alte Scherbe aber nimmt er aus dem Käfig und wirft sie auf die Knochenschüssel. Beppino taucht sein Schnäbelchen in das schöne Kupferschälchen und ruft «Es lebe Cola di Rienzo!», und so entsteht am Tisch eine große und freundschaftliche Heiterkeit.

Nicht lange danach erwacht Gabrini in der Morgenfrühe von Lärm und Geschrei, im Palast wird die Sturmglocke geläutet. Er geht ans Fenster: von allen Seiten kommen

Leute mit Waffen angelaufen, und zwischen ihnen reiten Barone. Er zieht sich an, er lugt aus der Zimmertür. Durch die Gänge rennen Menschen: Hofbeamte, Pagen, Diener, Sippschaft, manche nur halbbekleidet, manche bewaffnet, manche mit Bündeln oder Kostbarkeiten beladen. Innerhalb des Palastes sind schon Fremde, das Sturmgeläut klingt immer noch, es wird geschrien: «Tod dem Salzverteurer!» — «Nieder mit der Weinsteuer!» — «Schlagt sie tot!» — «Es leben die Herren Colonna!» — «Niemand darf heraus!» — «Alles ist Eigentum des Volkes!» — «Feuer!» — «Es brennt!»

Gabrini kehrt in sein Zimmer zurück und zieht sich geschwind die Schuhe an, die schönen ledernen aus Anagni, während ein paar Steine durchs Fenster fliegen. Dann ergreift er das Vogelbauer und geht.

Er nimmt seinen Weg durch die rückwärtigen Gebäudeteile, da, wo die Dienerwohnungen und die Wirtschaftsräume liegen. Von der Vorderseite her, von der Staatstreppe und den Prunksälen, dringt wüster Lärm, Kampfgeschrei, Angstgeschrei, Wutgeschrei, Todesgeschrei.

Gabrini kommt durch verlassene Räume, in denen es sehr still ist. Er läuft über den Wirtschaftshof, da ist ein offenstehendes Seitenpförtchen, von hier führt ein Pfad abwärts, an der Klostermauer von Sancta Maria in Ara Coeli. Gabrini gelangt an das Pförtchen, da laufen ihm wilde, bewaffnete Männer entgegen. Er stutzt, plötzlich hat sich der Hof hinter ihm ebenfalls gefüllt, die Glocken läuten sehr zum Erschrekken, und die Luft riecht nach Rauch. «Tod dem Tribunen! Es leben die Herren Colonna!» schreien die Leute. Gabrini ist umstellt.

«Schon wieder so einer!» brüllt ein Mann von der Fleischerzunft mit einem großen Beil. «Schlagt ihn tot, der will was wegschleppen!»

Gabrini schlottern die Knie. Wahrhaftig, er hat nicht gewußt, daß man sich so fürchten kann. Den Vogelkäfig hält er eng an sich gepreßt, denn an irgend etwas muß der Mensch sich ja halten können in seiner Not.

Da ist nun viel Geschrei und Tumult, darum muß Beppino auch mittun. Also sperrt er sein Schnäbelchen auf und ruft, so laut er kann: «Es lebe Cola di Rienzo! Es lebe Cola di Rienzo!»

Aber Gabrini hustet aus aller Kraft und plappert, was ihm gerade einfällt, und dazwischen schreit er laut: «Es leben die Herren Colonna!», und so hat keiner auf den Rosenstar gehört.

«Ach, laß nur, den kennen wir ja», sagt einer aus der Kneipe und lacht. «Der bringt nicht mehr heraus, als er hineingebracht hat. Lauf zu, Alter!»

Unten, noch in der Gegend von Ara Coeli, bleibt Gabrini stehen, lehnt sich an die Mauer und wischt sich den Schweiß ab. Das Bauer stellt er auf die Erde. Beppino spaziert nickend hin und her und möchte seinen Schnabel ins Wasser tauchen; das Wasser ist nun freilich verschüttet, aber das Schälchen, das schöne, blanke Schälchen, ja, das hat Gabrini gerettet!

Gabrini kehrt nach Hause zurück, diesmal macht er den Weg zu Fuß, dennoch aber in großer Zufriedenheit. Daheim gräbt er das Geld wieder aus, kauft sein Vieh zurück und noch ein paar Stücke dazu. Der Halbkornvertrag wird gelöst, es bleibt immer noch ein Überschuß, und von nun an hält Gabrini sich ein Waisenkind für das ganze Jahr.

Das Schälchen reibt er jeden Morgen blank, ehe er es mit frischem Wasser füllt, und es ist nicht zu sagen, was für ein Blitzen es gibt, wenn der Rosenstar seine glänzenden blauschwarzen Flügelchen im Sonnenschein hineintaucht und sie dann schüttelt, daß die blanken Tropfen davonstäuben. Übrigens ruft Beppino von der nächsten Mauser ab mit großer Munterkeit: «Es leben die Herren Colonna!»

Kommt jemand zu Gabrini, dann läßt er den Rosenstar seinen Spruch hersagen, und dann zeigt er das Kupferschälchen und erzählt, wie es in Rom mit dem Salzpreis gewesen ist.

Und auf diese Weise lebte er noch eine beträchtliche Folge von Jahren.

Erzählung vom Zeitlichen und vom Ewigen

Am Tage vor Kreuzerfindung, im leuchtenden Frühling, waren die Abgesandten der Herren und Städte eingeritten. Es hielt sich viel Volk auf den Straßen auf, um die Ankömmlinge zu sehen, die mit großem Glanz und stattlichem Gefolge prangten. Was aber den Müßigen noch mehr zu reden Anlaß gab als Rüstungen, Dienerschaft und Rosse, das war das hohe Alter der Gesandten, deren manche gekrümmt und versunken in ihren reichen Sätteln kauerten und aus scharfgebliebenen Augen gelassen über die Gaffer wegsahen. Der älteste war Piero della Spina, der Gesandte des Markgrafen von Bola, ein siebenundneunzigjähriger Mann, der nicht mehr zu Pferde steigen konnte und in einer prunkvollen Sänfte durch die Porta Maggiore in die Stadt getragen wurde.

Es hatten damals die Minoritenbrüder ihr Predigen angehoben: sie gingen durch die Ortschaften und mahnten zum Frieden. Das Volk lief zusammen und hörte auf sie. Unter den Vornehmen fanden sich einige von der Botschaft der Bettelmönche im Herzen angerührt. Die übrigen merkten, wohin der Wind wehte, auch mußten sie sich sagen, daß mit Hadern und Fehdeführen wenig gewonnen worden war. Darum war eine Anzahl von Städten und selbständigen Herren übereingekommen, miteinander einen ewigen Frieden zu schließen und einen ewigen Bund zu machen. Zu diesem Behufe sollte eine Versammlung ihrer Abgesandten am Kreuzerfindungstage zusammentreten. Sie hatten aber miteinander ausbedungen, daß kein Gesandter geschickt werden sollte, der nicht das siebzigste Jahr bereits überschritten hätte, damit nicht jugendliche Eigensucht oder Ungeduld das Werk der Einung gefährdete. Und fast sah es aus, als wollten sie jetzt an den Lebensjahren ihrer Abgeordneten miteinander wetteifern, wie sie vorher an kriegerischen Zurüstungen gewetteifert hatten.

Am Kreuzerfindungstage hörten die Vertreter der Herren und Städte miteinander die Messe im Dom und begaben sich dann in den Konvent zum Heiligen Geist, in welchem die Beratungen statthaben sollten.

Es war hier in der gewölbten Halle eine lange Tafel aufgestellt, an der saßen die drei Ältesten und prüften die Vollmachten, und wessen Vollmacht für gültig befunden war, der setzte sich dazu. Da waren nun Leute von allerlei Art, kleine, listige Greise mit boshaften Augen und flinken und zuckenden Bewegungen, und hohe, sehnige Männer, deren Körper die Jahre zu Haut und Knochen getrocknet hatten, mit scharfen Raubvogelnasen und faltigen Lippen, die über verschwundenen Zähnen eingefallen waren, Lederzähe und Fettgedunsene und auch solche, die eine große Milde und sanftmütige Klugheit hatten.

Alle die Gesandten hatten ihre Plätze eingenommen bis auf einen, welchen die übrigen mit Verwunderung betrachteten, ohne recht zu wissen, was sie aus ihm machen sollten. Das war Gian Giacomo de' Mironi, ein reich, aber ohne Sorgfalt gekleideter Mann, dem man mit einem Blick ansah, daß er nicht älter sein konnte als dreißig und einige Jahre. Er hatte eine bleiche Gesichtsfarbe und Augen, in welchen die kalte Glut eines ungemessenen Ehrgeizes brannte; dazu Lippen, deren Winkel sich tief nach unten zogen.

Dieser Mann trat auf Piero della Spina zu, verneigte sich vor ihm und seinen beiden Beisitzern und nannte dann seinen Namen und den seiner Stadt. Darauf überreichte er ihnen seine Vollmacht.

Piero della Spina las sie und gab sie dann den beiden anderen. Als auch diese sie gelesen hatten, sagte er: «Eure Vollmacht, Messer Gian Giacomo de' Mironi, ist gültig und gut. Allein die Herren Eurer Stadt scheinen unsere Abrede vergessen zu haben. Wie alt seid Ihr?»

Der Gesandte lächelte mit einer Mischung von Höflich-

keit und Geringschätzung, wie es seine Art war, und erwiderte: «Ich kann es Euch nicht genau auf das Jahr sagen, Messer Piero della Spina. Allein es ist gewiß, daß ich das hundertste Jahr überschritten habe.»

Die Greise sahen ihn groß an. Er erklärte sich:

«Als ich ein Knabe war, da gingen diese erlauchten und edlen Städte, deren Abgesandte hier sitzen, miteinander einen Bund auf vierzig Jahre ein. Dieses Bundes Ende habe ich erlebt. Auch erinnere ich mich an den Landfrieden, welchen die Häuser Frangipani und Orsini zu Rom mit dem Heiligen Vater aufrichteten auf fünfzig Jahre. Dieses Landfriedens Ende habe ich gleichermaßen erlebt. Und ferner gedenke ich an das Bündnis der lombardischen Städte, welches für dreißig Jahre geschlossen wurde, und auch sein Ende habe ich erlebt. Daran mögt Ihr erkennen, daß ich über hundert Jahre alt sein muß. Und darum hat die Signoria meiner Vaterstadt gemeint, ich sei alt genug, um nun auch einen ewigen Frieden und einen ewigen Bund schließen zu helfen.»

Einige ärgerten sich über diese Worte, andere lachten beifällig. Piero della Spina aber meinte, es würde ein schlechtes Vorzeichen sein, wollte man die Friedensberatung mit einem Streit beginnen, statt mit Entgegenkommen und Versöhnlichkeit.

So erkannten sie Gian Giacomo de' Mironi an als von seiner Stadt zu Recht entsandt, und er setzte sich zu den übrigen an die Tafel.

Es war ihm eine Anzahl von Reitern mitgegeben worden mit der Bestimmung, daß er täglich einen Boten schickte, um über den Gang der Verhandlungen Bericht zu tun. Am ungeduldigsten aber wartete seine Stadt auf die erste Nachricht, denn man war sich nicht gewiß, ob es Gian Giacomo de'Mironi dahin bringen werde, daß die anderen ihn als Gesandten anerkannten. Eifer und Ehrgeiz hatten ihn seiner Vaterstadt bereits manchen Dienst leisten lassen; hier aber glaubte er eine Gelegenheit zu sehen, sich in der entschiedensten Weise hervorzutun und seinen Aufstieg nicht nur zu sichern, sondern auch zu beschleunigen. Darum hatte er der Signoria vorgestellt, man tue am besten, sich an die Abrede wegen des Alters der Gesandten nicht zu kehren; so habe man den Vorteil, unter den Fähigsten wählen zu können, während die übrigen Gemeinwesen in ihrer Wahl beschränkt blieben. Es müsse nur der zu Wählende geschickt und beredt genug sein, um seine Anerkennung durchzusetzen. Sein Wort galt viel, man pflichtete ihm bei und bestimmte ihn selbst, wie er es gewünscht und erwartet hatte.

Unter den ausgesuchten Leuten seiner Begleitung war der stattlichste der junge Massagnone, welcher bei der Zunft der Wollweber angeschrieben war. Diesen entsandte er noch am Abend des Kreuzerfindungstages mit der Nachricht seiner Anerkennung und der Versicherung seiner Zuversicht; es werde ihm gelingen, Nachgiebigkeit und Beharrlichkeit so geschickt gegeneinander abzuwägen, daß der zu schließende Vertrag seiner Stadt alle erwünschten Vorteile gewinnen müsse.

Massagnone ritt mit dieser Botschaft davon, anzusehen wie ein rechter Siegesherold in der Schönheit und Kraft seiner jungen Jahre, und die Blütenzweige schimmerten allenthalben an den Straßenrändern. Am folgenden Tag langte er zu später Stunde an, überreichte das mitgebrachte Schreiben, erstattete seinen Bericht und begab sich zu Fuß in das Haus des Gian Giacomo de' Mironi.

Der Gesandte hatte eine schöne, junge Frau, die wohl an seinem Willen zu Macht und Ansehen ihren Anteil nahm, es aber nicht verstehen wollte, daß solches Streben keine Nebenbuhlerschaft leidet und manches andere über ihm zurückgesetzt werden muß.

Die Dienerschaft wußte, daß Massagnone der Gesandtschaft zugeteilt worden war. So führte man ihn augenblicks zur Herrin, die er zierlich begrüßte.

«Mein erster Weg war zur Signoria, mein zweiter ist zu Euch, Madonna Gemma», sagte er und teilte der Frau mit, was er der Signoria mitgeteilt hatte.

Sie fragte, ob ihr Mann ihn zu ihr schicke.

«Nein, Madonna Gemma, ich bin aus freien Stücken gekommen, weil ich meinte, Ihr würdet an dieser Botschaft Freude haben.»

«Hat mein Herr Euch keinen Gruß für mich aufgetragen? Keinen kurzen Brief mitgegeben?»

«Nein, Madonna Gemma», erwiderte Massagnone, wie es auch die Wahrheit war.

Die Frau machte ein finsteres Gesicht, welches ihrer Schönheit schadete. Dann aber bedachte sie sich rasch und fragte den Boten freundlich, ob er schon zur Nacht gegessen habe.

«Nein», antwortete Massagnone, «ich habe mir auch unterwegs nur wenig Zeit zum Rasten genommen und mein Pferd fast zuschanden geritten.»

Nun bat sie ihn, seine Rüstung abzulegen, und er stand in seinem kostbaren Gewande vor ihr, beglänzt von der jugendlichen Freude an der gebrachten Botschaft, dem gefundenen Empfang, dem sich verheißenden Abenteuer.

Sie ließ ein ausgewähltes Mahl herrichten und saß bei ihm, während er aß und trank, nachdem sie ihr Gesinde zur Ruhe geschickt hatte. Massagnone sah Madonna Gemma aus brennenden Augen an und sagte: «Es will sich nicht schicken, daß eine schöne und junge Frau einen Greis zum Gatten hat. Euer Mann aber ist in Wahrheit über hundert Jahre alt.»

Einige Tage darauf erließ die Signoria an Gian Giacomo de' Mironi ein Schreiben, in welchem sie dankbar anerkannte, was er bisher erreicht hatte, und ihn noch auf verschiedene Punkte hinwies, die er bei den Unterhandlungen in Rechnung setzen sollte. Mit diesem Brief wurde ein Bote abgeschickt, welcher bedächtig und ein Mann von Jahren war. Nachdem er dem Gesandten das Schreiben übergeben hatte, sagte er ihm in aller Bescheidenheit und mit redlichem Ernst, er sei ums Morgengrauen ausgeritten und habe dabei den Wollweber Massagnone heimlich des Gian Giacomo de' Mironi Haus verlassen sehen.

Gian Giacomo de' Mironi zuckte zusammen, biß sich auf die Lippen und wandte sich ab. Nach einer Weile kehrte er dem Boten sein Gesicht wieder zu, gab ihm Geld und hieß ihn schweigen, was der Bote auch eidlich gelobte. Darauf trachtete der Gesandte vorderhand zu vergessen, was er gehört hatte, denn er bedurfte aller Klarheit und Kraft seines Geistes zu seiner Arbeit. Und so groß war sein Ehrgeiz und die Stärke seines Willens, daß ihm solches Vergessen gelang.

Die Verhandlungen mit den Greisen, den zähen und den friedfertigen, währten einige Wochen. Dann wurde der Vertrag unterschrieben, welcher einen ewigen Frieden und ein ewiges Bündnis aufrichtete. Einige freuten sich über das Erreichte, andere murrten darüber, daß Gian Giacomo de' Mironi seiner Stadt so wichtige Vorteile und Vergünstigungen zu sichern gewußt hatte.

Hierauf empfingen die Gesandten miteinander im Dom den Leib des Erlösers, dem geschlossenen Bunde zur Besiegelung. Als sie aus dem Portale traten, zu dessen Seiten die beiden altertümlichen Löwen aus weißem Marmor standen, da sagte Gian Giacomo de' Mironi: «Ich habe geglaubt, ich müsse sterben wie andere auch. Nun aber ist mir ein ewiges Leben gewiß: denn ich habe einen ewigen Frieden unterschrieben und weiß doch, daß ich sein Ende erleben werde. Es ist mit jeder Art Ewigkeit nicht anders als mit den ewigen Lampen in den Kirchen. Füllt man das Öl rechtzeitig wieder auf, so mögen sie wohl eine Zeitlang brennen.»

Piero della Spina verwies ihm diese Worte, sprach von der Predigt der Minoritenbrüder und sagte, mit solchen Gesinnungen hätte Gian Giacomo de' Mironi den Vertrag nicht unterzeichnen und seine Stadt hätte einen anderen Gesandten schicken sollen.

«Das hätte Euch wohl gefallen», erwiderte jener.

Dann trennten sie sich, und es kehrte ein jeder in die Stadt zurück, welche ihn gesandt hatte.

Gian Giacomo de' Mironi hatte die Signoria durch seine Boten von allem in Kenntnis erhalten. Daher wurde er jetzt mit großen Ehren empfangen. Die Signoria hatte sich mit den Vorstehern der Zünfte vereinigt, mit denen sie sonst häufig in Hader gewesen war, und sie überreichten dem Heimgekehrten gemeinsam eine goldene Halskette mit einer Schaumünze. Die Münze trug eine Inschrift, welche die Verdienste des Gesandten pries und ihn der ewigen Dankbarkeit seiner Mitbürger versicherte. Und nun, da es ihm selbst galt, fiel es ihm nicht ein, wie spottenswürdig dieses Wort «ewig» ihm noch vor wenigen Tagen erschienen war.

Von dem Palast der Signoria begab er sich nach Hause, und jetzt endlich überließ er sich dem Gedanken an das, was der Bote ihm berichtet hatte. Madonna Gemma empfing ihn und wollte ihm Glück wünschen.

Er stieß sie zurück. «Ich weiß, was mit Massagnone geschehen ist.»

Die Frau wurde bleich.

«Du kannst nicht leugnen. Ich werde dich töten. Hast du mir nicht vor dem Priester ewige Treue geschworen?»

Madonna Gemma lachte, halb böse, halb furchtsam. Dann sagte sie: «Das habe ich. Allein du selbst hast uns gelehrt, die Ewigkeit mit zeitlichem Maße zu messen.»

Er wollte sich auf sie stürzen, aber sie schützte sich, indem sie hinter den langen Tisch des Gemaches trat.

Eine Weile starrten sie sich an. Gian Giacomo de' Mironi erwog, welche Schande es ihm brächte, wenn seine Hahnreischaft ruchbar würde, dadurch, daß er seine Frau nach Gebühr strafte. Er hatte viel erreicht und wollte noch mehr erreichen. Allein ein betrogener Ehemann ist lächerlich, und ein Lächerlicher kann kein Ansehen haben.

Madonna Gemma mochte seine Gedanken von seinem Gesichte lesen und sagte: «Kümmere dich nicht um Geschwätz. Ich kann dir einen großen Dienst leisten. Du weißt, daß mein Bruder neidisch auf dich ist. Aber ich kann meinen Vater und meine Oheime dahin bringen, daß sie alle deine Pläne fördern. Dann wird auch mein Bruder dir zur Seite treten. Ich habe große Dinge mit dir im Sinn: du sollst die Signoria stürzen und eine eigene Herrschaft aufrichten, wie entschlossene Männer es in anderen Städten getan haben. Das vermagst du aber nicht ohne die Hilfe meiner Verwandtschaft.»

«Ich werde Massagnone töten», sagte er.

«Das wirst du nicht tun», erwiderte die Frau. «Massagnone hat einen großen Anhang unter der Handwerkerschaft und allen kleinen Leuten.»

«Er wird reden und dich und mich in Schande bringen.»

«Nein, davor wird er sich hüten. Er ist kein Schwätzer. Und zudem weiß er, daß ihn in dieser Sache jedes unnütze Wort zum Tode bringen könnte.»

Darauf machten die Eheleute einen Frieden.

Von nun an hielt Gian Giacomo de' Mironi sein Haus und sein Weib so wohl verwahrt, daß Massagnone keinen Zugang zu ihr finden konnte. Hierauf antwortete dieser in seinem Gemüt nicht wie ein Liebender, der vom Gegenstand seiner Sehnsucht getrennt ist, sondern wie ein herrischer Mann, der seinen leidenschaftlichen Willen beschränkt sieht.

Massagnone hatte von einem Glanz gekostet, der ihm sein Wollweberleben verleidete. Als sie in die fremde Stadt eingeritten waren, da hatten, so meinte er, die Leute mehr auf ihn geschaut als auf den Gesandten selbst. Heimgekehrt, hatte er einen Rausch mächtigen Herrenglücks genossen. Er begann, sich mit verbissenem Eifer den Zunftgeschäften hinzugeben, und er erreichte es bald, daß er zum Vorsteher gewählt wurde, obwohl er noch nicht das vorgeschriebene Alter hatte; hierin kam ihm das Beispiel des Gian Giacomo de' Mironi zustatten.

Da die Stadt nach außen hin Frieden hatte, so kümmerten sich die Bürger mehr um die Dinge der städtischen Herrschaft und Verwaltung als ehedem. Massagnone führte in der Stille das Wort unter seinen Leuten und hielt ihnen das Beispiel anderer Städte vor, in welchen die Zünfte den Adel vertrieben und die Regierung an sich genommen hatten. Viele hörten auf ihn.

In dieser Zeit kam ein Gerücht auf, Gian Giacomo de' Mironi wolle sich mit Hilfe der Verwandtschaft seiner Frau zum Alleinherrscher machen. Die Signoria, in welcher sein Schwiegervater und dessen Brüder von Einfluß waren, unternahm nichts. Aber die Zünfte traten eines Nachts unter die Waffen und besetzten die Stadttore und den Palast der Signoria. Und mit so viel Heimlichkeit und Geschick hatte Massagnone seine Vorbereitungen getrieben, daß die Absicht erst ruchbar wurde, als ihr nichts mehr in den Weg gestellt werden konnte.

Im Morgengrauen wurde Gian Giacomo de' Mironi geweckt. Einer seiner Vertrauten brachte ihm die Nachricht. Er rief nach einem Diener, nach Waffen und Rüstungsstükken. Ehe er das Haus verließ, ging er noch einmal zu seiner Frau, die sich im Bette dehnte.

«Du bist schuld!» rief er ihr zu. «Du hast mich gehindert, Massagnone zu töten!»

Die Frau krümmte achselzuckend die Lippen und erwiderte nichts.

Gian Giacomo de' Mironi eilte zu seinem Schwiegervater und rief Freundschaft und Verwandtschaft zur Ratschlagung zusammen.

Einige kamen, andere blieben daheim. Es zeigte sich, daß die Geschlechter unter sich uneins waren. Manche Herren verschanzten sich in ihren Turmhäusern und blieben auf die eigene Sicherheit bedacht. Andere meinten, man müsse sich zunächst der Zunfthäuser bemächtigen. Gian Giacomo de' Mironi aber verlangte den Angriff auf die Stadttore und den Palast der Signoria und dachte daran, er werde Massagnone im Kampf begegnen und ihn mit den eigenen Händen töten.

Die Anwesenden widerstanden seiner Beredsamkeit nicht. Aber unter den nicht Gekommenen waren einige mächtige Männer, deren man zu bedürfen meinte. Als alles vereinbart war, machte Gian Giacomo de' Mironi sich mit geringer Begleitung auf, um zu ihnen zu gehen und sie zu gewinnen.

Es hieß, die Straßen jenes Stadtviertels, in welchem vorzugsweise die Geschlechter ihre Sitze hatten, seien noch sicher. Aber in einem schmalen Bogengang hinter San Michele sprangen plötzlich Bewaffnete aus den Häusern. In wenigen Augenblicken war Gian Giacomo de' Mironi von seinen Begleitern getrennt, niedergeworfen und gefesselt. Darauf führten sie ihn zum Palast der Signoria, dessen Turm die städtischen Gefängnisse beherbergte.

An diesem Tage fanden auf Straßen und Plätzen einige Kämpfe statt, in welchen, da es den Geschlechtern an einem Anführer und an einheitlichem Willen fehlte, die Partei der Zünfte die Oberhand gewann. So wurde die Herrschaft des Volkes ausgerufen.

Die Leute liefen auf den Straßen einher im Überschuß ihres jungen Machtglückes und sagten, jetzt wollten sie die Stadt groß machen; vor dem Kriegführen scheuten sie sich nicht, nun sie wüßten, daß jedes Sieges Ertrag ihnen selbst zugute kommen müsse; um Bündnisse und Friedensverträge der Signoria brauchten sie sich nicht zu kümmern.

Als Massagnone seine Sache für gewonnen halten durfte, da trennte er sich gegen Abend von den Seinen und ging zum Hause des Gian Giacomo de' Mironi.

Er stand vor dem roten backsteinernen Gemäuer, das im Licht der schon schräg fallenden Sonnenstrahlen glühte, und rief zum Turme hinauf, man möge ihm öffnen, er habe Madonna Gemma Botschaft von ihrem Manne zu bringen.

Zwischen den schwalbenschwänzigen Zinnen der Turmbrüstung erschien ein gepanzerter Mann, neigte den Oberkörper vor und rief hinunter, er wisse nicht, mit wem er es zu schaffen habe; dürfe man sich da trauen, ihn einzulassen?

«Ich bin Massagnone», antwortete dieser stolz.

Der Mann auf dem Turme schien zu zweifeln und drückte seine Ungewißheit in allerlei Bewegungen aus.

Massagnone verlor die Geduld. «Sieh doch her, du Tölpel!» schrie er zur Höhe; zugleich riß er mit einer heftigen Bewegung den Helm vom Kopfe. Sein schönes Gesicht mit dem gelockten Haar flammte in der Abendsonne. Er stand in einer freien und ritterlichen Haltung. Die reichverzierte stählerne Rüstung, die vom Halse bis zur Sohle seinen Leib einhüllte, loderte augenblendend im rötlichen Licht. Ja, er stand da, von einer Glorie umflossen und nicht unähnlich dem Bilde des riesigen Erzengels in der unlängst vollendeten großen Kirche San Michele, auf welche die Stadt stolz war.

Ein Fensterladen wurde aufgestoßen, es war im Hauptgebäude, das mit der Nordseite an den Unterbau des Turmes grenzte. Madonna Gemma beugte sich vor und rief leidenschaftlich: «Massagnone! Massagnone!»

Mit einem Ruck wandte Massagnone ihr sein Gesicht zu.

Ob nun der Mann von der Turmbrüstung bereits eine Absicht gehabt hatte, als er Massagnone durch seine Zweifel zum Abnehmen des Helmes veranlaßte, oder ob diese Absicht sich seiner erst jetzt bemächtigte, nachdem Massagnone den Kopf entblößt hatte, genug, er war hinter den Zinnenkranz zurückgetreten. Gleich danach schwirrte eine Bogensehne, Massagnone schwankte und stürzte zu Boden.

Als Massagnones Tod in der Stadt bekannt wurde, da beklagten ihn viele. Aber es war nun allenthalben eine so freudige Erregung, und die Leute hatten ein so hitziges Bewußtsein ihrer selbst, daß keine Trauer Bestand haben konnte. Zudem fehlte es nicht an Männern, die sich an Massagnones Stelle drängten, und bald kam ein Geflüster auf, er habe der Sache der Freiheit im Grunde nicht weniger eigensüchtig in den Weg treten wollen als Gian Giacomo de' Mironi. Und so geriet die Herrschaft über die Stadt in die Hände eines Ausschusses aus den Zünften.

Dieser Ausschuß beriet auch über das Schicksal des Gian Giacomo de' Mironi und wurde sich einig, daß er sein Leben nicht behalten dürfe. Doch scheute man eine öffentliche Hinrichtung, da man den Anhang der Geschlechter nicht unnötig erregen wollte. Denn nach den Tagen des ersten Überschwanges hatten die Ruhigeren das Vorgewicht erlangt, und nun hieß es, es sei genug, daß man den Geschlechtern die Macht nehme, man wolle sie aber weder ausrotten noch, wie es anderswo geübt worden sei, aus der Stadt treiben; es könne sein, daß man ihrer kriegerischen Kraft binnen kurzem gegen andere Orte bedürfen werde, und so müsse man auf billige Verständigung bedacht sein.

Gian Giacomo de'Mironi erwachte eines Nachts in seinem Kerker von Anruf und allerlei Geräusch. Es standen Männer um ihn, und im Hintergrunde qualmte rotgelblich eine Fakkel. Er kam nicht recht zu sich, da war alles schon vorüber, und sie hatten ihn erdrosselt mit jener goldenen Kette, die ihm Zünfte und Signoria als Zeichen einer ewigen Dankbarkeit geschenkt hatten.

Den Leichnam überließ man der Witwe zur Bestattung. Massagnone war in San Michele eine öffentliche Beisetzung von großer Feierlichkeit zuteil geworden. Das Begräbnis des Gian Giacomo de' Mironi aber habe, so wurde Madonna Gemma bedeutet, in Stille zu geschehen.

Die Exequien wurden bei Nacht vollzogen. Es war in der Kirche der Minoritenbrüder, und es war niemand zugegen als Madonna Gemma. Die Witwe stand unbeweglich in sehr aufrechter Haltung vor dem offenen Sarge. Sie war schwarz gekleidet, und unter dem dichten Schleier war ihr Gesicht nicht wahrzunehmen. Und so hätten auch die Minoriten nichts darüber aussagen können, welches der Zustand ihres Gemütes gewesen ist.

Die Kerzen flackerten. Über dem Sarg klangen die Gebetsworte: «Requiem aeternam dona ei, Domine! Lux perpetua luceat ei! – Ewige Ruhe schenke ihm, o Herr! Das ewige Licht leuchte ihm!»

Wettstreit der Großmut

Eine Erbfeindschaft zwischen Familien kennen wir Heutigen nicht mehr. Es mag einer noch so große Stücke auf seine Vorfahren halten, er wird keinen Zorn auf die Nachkommen des Mannes haben, der seinem Urgroßvater übel begegnete. In früheren Jahrhunderten, als, möchte man sagen, die Geschlechterkette noch dichter geflochten war, hat es Feindschaften gegeben, die mehrere Menschenalter überdauerten, bis der Gedanke der Erbfeindschaft von den Familien auf die Nationen überging; für die Welt war der frühere Zustand der bekömmlichere.

In Siena gab es eine überlieferte blutige Feindschaft zwischen den Geschlechtern Salimbeni und Montanini. Wie es heißt, hatte sich bei einer Wildschweinsjagd in den Maremmen ein Streit darüber erhoben, von wessen Hand ein wütender alter Keiler zur Strecke gebracht worden sei.

Im Laufe der Jahrzehnte unterlagen die Montanini, denn die Macht in der Stadt war den Salimbeni zugefallen, und in allen Ämtern saßen ihre Anhänger. In einigen Streitigkeiten mit anderen Staatsgebilden wurden die Montanini des Verrats bezichtigt und demgemäß gestraft. Die ehedem groß gewesene Familie verlor Liegenschaften, Ansehen, Einfluß. Von da an achteten die Salimbeni nicht mehr auf sie. Endlich bestand das Geschlecht der Montanini nur noch aus einem Geschwisterpaar, Carlo und Angelica, und von dem reichen Besitz hatte sich nichts erhalten als ein ärmliches Landgut vor dem Römischen Tore.

Auch dieses sollte ihnen nicht gegönnt bleiben. Ihr Nachbar Agolanti, ein Parteigänger der Salimbeni, wünschte mit seinem Erwerb den eigenen Grund abzurunden. Carlo lehnte den Verkauf ab. Agolanti, der sich seinen Schutzherren durch Feindseligkeit gegen die Geschwister zu empfehlen und gleichzeitig von ihnen gedeckt zu werden rechnete, erhob Klage auf guelfische Gesinnung und Umtriebe. Man setzte Carlo gefangen, und es wurde ihm eine Buße von zweitausend Goldgulden auferlegt, zahlbar in wenigen Wochen, andernfalls habe er den Kopf verwirkt. Nicht einmal die Zinsen dieser Summe hätte er aufzubringen vermocht.

Carlo lag anderthalb Wochen im Turm, als ihm frühmorgens angekündigt wurde, er könne gehen, die zweitausend Goldgulden seien erlegt.

«Von wem?» fragte Carlo, ungläubig und fast bestürzt.

Der Beamte wußte es nicht, er hatte nur einen schriftlichen Freilassungsbefehl des Gerichts erhalten.

Carlos Vater hatte seinerzeit den Stadtpalast verkaufen müssen und sich nur ausbedungen, daß der Familie für zwei unansehnliche, nach dem Hofe gelegene Kammern ein Wohnrecht gewahrt bliebe und daß das Wappen der Montanini nicht vom Hauptportal entfernt werden dürfe; um dieser zweiten Bedingung willen hatte er sich mit einer empfindlichen Minderung des Kaufpreises abzufinden gehabt. Hierhin ging Carlo aus dem städtischen Gefängnis. Es gab da eine alte Dienerin, die zum Haushalt des jetzigen Besitzers gehörte, in ihrer Jugend aber in den Diensten der Montanini gewesen war und aus Anhänglichkeit noch jetzt die beiden Kammern in Ordnung hielt.

Sie küßte Carlos Hände und bekreuzte ihn schluchzend. Dann richtete sie ihm eine stattliche Mahlzeit her, und es war offenbar, daß sie sich dazu der Vorräte ihrer jetzigen Herrschaft bediente. Während Carlo speiste, bereitete sie ihm ein Bad, und während er sich in der hölzernen Bütte säuberte, reinigte sie seine Kleidung, die vom Staub und Stroh des Gefängnisses gelitten hatte. Sie ließ auch ihren Enkel kommen, einen Barbiergesellen, damit er in der Mittagsstunde, wo er seine freie Zeit hatte, dem jungen Herrn den Bart abnähme und das Haar schöre. Carlo hatte nicht einmal einige kleine Münzen, um solchen Dienst zu vergelten.

Carlo ließ sich alles geschehen wie ein Betäubter. Er sprach wenig. Er war gänzlich mit seinen Gedanken nach dem Erleger der Summe beschäftigt.

In seiner Verwandtschaft war kein Mensch, welcher dergleichen vermocht hätte, und um ihrer Armut willen lebten die Geschwister so zurückgezogen, daß sie keine Freunde hatten gewinnen können. Carlo ging aus, um sich beim Gericht zu erkundigen.

Er brauchte nicht weit zu gehen. Die Neuigkeit hatte sich soeben ausgebreitet, mit lauten Worten und stolzen, feurigen Gebärden redeten auf allen Straßen die Leute davon, daß das Geschehene zum Ruhm der Stadt geschehen sei und daß alle Städte sie um diesen Ruhm beneiden würden.

Denn das Geld war erlegt worden durch Anselmo Salimbeni, einem unvermählten Mann zu Anfang der Dreißigerjahre, der als das Haupt des Geschlechtes galt.

In den Palast zurückgekehrt, schrieb Carlo einen Brief an seine Schwester und bat die Alte, ihn durch einen Boten auf sein Landgut tragen zu lassen.

«Fräulein Angelica wird glückselig sein!» sagte die Dienerin.

Carlo ging abermals aus und erkundigte sich, zu welcher Stunde er gewiß sein könne, Anselmo Salimbeni in seinem Palaste anzutreffen. Der Palast der Salimbeni und jener, der ehemals den Montanini gehört hatte, lagen nicht weit voneinander im nämlichen Stadtdrittel und an der städtischen Hauptstraße, die von der Porta Camollia zum Rathausplatz führt.

Angelica kam in die Stadt, wie es Carlo geheißen hatte. Sie fiel ihm um den Hals und küßte ihn wild. Carlo blieb sehr ernst. Dann gab er ihr seine Befehle. Angelica hörte ihn schweigend an. Auch nachdem er zu reden aufgehört hatte, schwieg sie noch eine längere Weile, indem sie, an Carlo vorbei, regungslos geradeaus blickte. Endlich richtete sie sich zu ihrer schönen, vielen als hochmütig geltenden Haltung auf und sagte:

«Ich werde tun, was du befiehlst, denn ich weiß nicht schlechter als du, daß wir uns von niemandem an Hochherzigkeit übertreffen lassen dürfen. Aber wenn ich getan habe, was ich der Ehre unseres Hauses schuldig bin, dann werde ich tun, was meine eigene Ehre von mir fordert.»

Carlo sah zu Boden und antwortete nicht.

Zwei Stunden nach Sonnenuntergang betraten beide die große Halle im Palast der Salimbeni. Anselmo ging ihnen entgegen. Neben dem Kamin hing, kunstvoll hergerichtet und mit gleichmütig blickenden gläsernen Augen, der Kopf des Keilers, an dem sich der Unfriede zwischen den beiden Familien entzündet hatte.

Carlo verneigte sich tief und sagte: «Wir kommen, um unseren Dank abzustatten. Aber warum habt Ihr das getan?»

Anselmo antwortete. «Es geziemt vielleicht einem Agolanti, nicht aber einem Salimbeni, sich am Unglück seiner Gegner zu freuen.»

Nun sagte Carlo: «Ihr habt uns eine Großmut bewiesen, die wir in dieser Stadt nie zu finden geglaubt hätten. Von nun an gehören Euch unsere Seelen und unsere Leiber. Verfügt über beides als über Euer Eigentum. Ich bin bereit, für Euch jeden Kampf auf mich zu nehmen und zu töten, wen Ihr befehlt.»

Er verneigte sich tief, drückte seiner Schwester rasch die Hand und entfernte sich.

Anselmo sah das Mädchen an. Angelica schlug die Augen nicht nieder, sondern erwiderte seinen Blick mit Festigkeit.

Angelica trug die letzten Schmuckstücke, die dem Hause Montanini verblieben waren. Nach dem Willen des Bruders hatte sie sich so reich und stattlich gekleidet, wie sie es irgend vermochte, und auf den Straßen hatten viele dem schönen Mädchen nachgeblickt, das sich aus Stolz fast nie in der Stadt sehen ließ. Auch Anselmo sah Angelica zum ersten Male.

Dieser Austausch der Blicke währte nur einige Atemzüge lang. Dann rief Anselmo nach Dienern und befahl, unverzüglich alles herbeizurufen, was an Verwandtschaft im

Palast lebte, bis hinab zu seinen jüngsten Neffen und Nichten, die neun und elf Jahre zählten.

Auf der Straße liefen die Leute zusammen und staunten den Zug an. Voran und zu den Seiten gingen fackeltragende Diener. Inmitten der Salimbeni und ihrer Verwandten schritten Anselmo und Angelica, und es war geschwind eine Anzahl von Nachbarn und Freunden dazugebeten worden.

Es war schwer, den Leuten im Palast mit den beiden Kammern begreiflich zu machen, daß dieser Aufzug nicht ihrer Herrschaft galt. Begleitung und Gefolge drängten sich auf den Fluren und im Stiegenhause. Von einem der Diener angemeldet, betraten Anselmo, Angelica, Anselmos Schwester und die Schwester seines verstorbenen Vaters, dazu zwei ältere Vettern, die vordere Kammer. Die Tür nach dem Stiegenhause mußte geöffnet bleiben, anders hätten diese alle nicht Raum gefunden.

Carlo stand vor ihnen und starrte sie an wie ein emporgerissener Schläfer.

Anselmo sagte: «Ich führe Euch Eure Schwester zu, die edle Jungfrau Angelica, indem ich unter der Zeugenschaft meiner Verwandten, die Ihr hier seht, ihre Hand von Euch erbitte.»

In die Stille scholl das Aufschluchzen der alten Dienerin, die hinter dem Türspalt in der anderen Kammer gestanden hatte. Nun stürzte sie hervor und küßte erst Angelica, dann Anselmo Salimbeni die Hände. Und die verworrene Rede, die sie erhob, um dem Freier darzutun, welches Glück ihm da widerfahre, machte die Anwesenden lächeln. Sie sahen einander an und fühlten, daß dem Vorgang nicht seine Würde, wohl aber seine Beklemmung genommen war. Anselmo sprach zu der Alten mit großer Höflichkeit. Er hoffe, so sagte er, sie werde ihre ererbte Herrschaft auch in Zukunft nicht ohne Anhänglichkeit lassen.

Wenige Tage danach wurde die Trauung vorgenommen, und nicht viel später das gegen Carlo ergangene Urteil überprüft und schließlich aufgehoben. Die zweitausend Goldgulden wurden zurückgegeben, doch weigerte Anselmo sich, sie wiederzunehmen. Carlo erkannte, daß es ihm unmöglich war, Anselmo an Großmut zu übertreffen. So gewann er sich die Hochherzigkeit ab, sich nicht zu sträuben. Er nahm das Geschenk so freimütig an, wie es geboten worden war.

Von diesen Vorfällen ist in Siena durch Jahrhunderte gesprochen worden, und es heißt, Anselmos und Angelicas Nachfahren seien stolze, schöne, ehrgeizige und leidenschaftliche Menschen gewesen; ähnliches wurde auch von Carlos Nachkommenschaft gesagt.

Novelle von den fünf Strophen

Andrea del Siro, ein Jüngling aus gutem Cremoneser Hause, studierte in Bologna die Rechtswissenschaft. Man sagt, daß die Studenten in Bologna zu Gelehrten, in Pavia zu Soldaten und in Padua zu Buhlern werden, dieses wegen der Nachbarschaft von Venedig. Andrea del Siro war ein junger Mann, der zu allen drei Arten das Zeug hatte. Er liebte es, schönen Frauen aufzuwarten, er war ein geschickter Fechter und galt mit Recht für einen Kenner der Wissenschaften und für einen Dichter, der zierliche Liebessonette ebenso gewandt zu setzen wußte wie stachlige und spitzige Spottverse. Hierin wetteiferte mit ihm eine Anzahl seiner Freunde.

Es konnte geschehen, daß sie halbe Nächte hindurch darüber stritten, ob in der Stanze der Reimstellung der Sirima oder der Volte der Vorzug gebühre, ob der Schlußvers einer Kanzone mit der zehnten betonten Silbe schließen dürfe und ob heiteren Gedichtgegenständen sieben- oder aber elfsilbige Stanzenverse angemessen seien.

Es lebte damals in Bologna eine schöne Waise, Luigia di Giano. Unter den Studenten war es Gebrauch, sie in Gedichten zu besingen und ihre Schönheit zum Gegenstand gelehrter Disputationen zu machen. Bald verglich man sie mit den Göttinnen der Heiden, bald mit den Frauengestalten des Francesco Francia, bald mit der erhabenen Novella d'Andrea, welche ehemals an der Universität zu Bologna gelehrt hatte und um ihrer Schönheit willen den Blicken der Studenten durch einen Vorhang verborgen werden mußte, bald mit der edlen Lucia Viadagola, die, wie man sagte, dem armen König Enzio die dreiundzwanzig Jahre seiner bolognesischen Gefangenschaft zu dreiundzwanzig Tagen liederreicher Herzensseligkeit gemacht hatte. Indessen war es wie eine ohne Worte geschlossene Übereinkunft, daß keiner der Studenten die Waise für sich begehrte und sich ihr hinter dem Rücken der anderen zu nähern suchte.

Eines Tages hieß es, ihr Vormund habe sie einem sehr alten Witwer, namens Alfioni, anverlobt. Dieser Alfioni war ein reicher Mann von unbändigem Stolz, der mit den Pepoli gleichen Ursprungs zu sein behauptete. Er hatte lange Zeit in fremden Heeren Dienst getan und lebte jetzt zu Bologna in einiger Zurückgezogenheit. Von Gelehrten oder Studenten hielt er nichts; auch waren seine Sitten rauh.

Die ungleiche Heirat empörte die Studenten. Sie waren der Meinung, es sei in ihre Rechte eingegriffen worden. Indessen wurde die Ehe vollzogen, und von nun an durfte Donna Luigia nicht einmal zur Messe ohne die Begleitung ihres Mannes gehen.

Kurze Zeit darauf verbreitete sich in der Stadt ein Gedicht, eine Kanzone von fünf untadelig geschliffenen Strophen, welche mit einer Bissigkeit ohnegleichen und mit dem behenden Witz eines reichen und scharfsinnigen Geistes den Bund zwischen Alfioni und Luigia di Giano besang. Die Kanzone war so kunstvoll und gewandt abgefaßt, daß sie die junge Frau mit keinem Worte verletzen konnte, vielmehr eine wahre Huldigung für sie bedeuten mußte, während Alfioni dem Gelächter der Bologneser durchaus anheimgegeben wurde.

Dieses Gedicht wurde häufig abgeschrieben und ging von einem zum andern, und bald kam es dahin, daß Alfioni sich kaum mehr auf der Straße oder in der Kirche blicken lassen konnte, ohne daß man hinter beflissener Höflichkeit mühsam und schlecht ein Lächeln verbarg oder auch umsonst zu verbergen suchte. Ja, es geschah, daß ihm spielende Kinder auf der Straße zu einer selbsterdachten Melodie wunderlich verstümmelte Verse der Kanzone nachsangen.

In seinem Stolz aufs ärgste getroffen, hatte Alfioni keinen anderen Wunsch als den, an dem Dichter der Kanzone Rache zu nehmen. Doch konnte er es eine Zeitlang noch nicht über sich gewinnen, durch eine Frage nach dem Dichter seine Kenntnis des Liedes zuzugeben. Er selbst aber wußte von den Dichtern der Stadt fast nichts; ja, auch von der Dichtkunst überhaupt hatte er keine andere Kenntnis als eine dunkle Erinnerung daran, daß ihn vor vielen Jahrzehnten sein Hofmeister vergeblich mit den Versen des Virgil zu quälen versucht hatte.

Endlich überwand er sich und fragte mit finsterem Gesicht den Vormund seiner Frau, wer die vornehmlichsten Versemacher von Bologna seien. Dieser, dem weder an seinem Mündel noch an Alfioni viel gelegen war, antwortete mit der spöttischen, wiewohl ernsthaft vorgebrachten Gegenfrage, ob Alfioni sich vielleicht eine lange und prächtige lateinische Grabschrift zu bestellen gedenke, und empfahl ihm für diesen Fall einen gelehrten Dominikaner; brauche er ein Glückwunschgedicht, das nicht viel kosten dürfe, so möge er sich an den einfältigen Lautenmeister Cecini wenden; solle es aber ein feuriges Liebeslied sein oder etwa eine spöttische Kanzone, die einen Feind auf den Tod zu verwunden wisse, so sei unter keinen Umständen zu einem anderen Dichter zu raten, als zu dem Studenten Andrea del Siro von Cremona. Bei diesen Worten lächelte er.

Alfioni dankte ihm kurz und ging.

In der übernächsten Nacht kehrte Andrea del Siro von einem Liebesabenteuer heim. Auf der Straße lag ein weißer Mondschein, und Licht und Schatten waren mit großer Schärfe voneinander geschieden. In den gewölbten Bogengängen hallten seine Schritte so hohl wider, als würde gegen einen leeren Sarg geschlagen.

Als er durch den Portico della Morte kam, sprangen hinter einem Pfeiler zwei Schatten hervor. Der Student griff nach seinem Degen, allein seine hochgerühmte Fechtkunst konnte ihm nicht dienen, denn bevor er die Waffe gezogen hatte, waren ihm fünf Dolchstiche in den Leib gefahren. Er hörte die Bravi noch sagen, es sei der Ehrensold, den Alfioni, ihr Herr, ihm sende, für die Kanzone, die er ihm zu Lobe gesungen habe: so sei er für jede einzelne der fünf Strophen bezahlt. Dann schwand ihm das Bewußtsein. Die Bravi ließen ihn liegen und liefen davon.

Nach einer Weile kamen Leute des Weges, die schafften den Studenten in seine Wohnung und holten einen Wundarzt. Dieser erklärte, es gebe keine Hoffnung.

Am Morgen kehrte dem Verwundeten die Besinnung wieder, und er konnte erzählen, was ihm geschehen war. Dann sagte er:

«Gott hat gewollt, daß ich durch den Portico della Morte gehe. Ich habe nach dem Ruhm eines Dichters getrachtet: diesen Ruhm muß ich jetzt mit meinem Leben bezahlen. Ich weiß wohl, daß viele mich für den Urheber der Kanzone halten und habe ihre Bewunderung ohne Widerspruch hingehen lassen. Allein ich schwöre im Angesicht des Todes und bei den Heiligen Petronius und Dominicus, daß ich sie nicht verfaßt habe.»

Darauf begehrte er einen Priester.

Des Verwundeten eidliches Bekenntnis wurde Alfioni hinterbracht. Als Andrea del Siro gebeichtet und die Sterbesakramente empfangen hatte, erschien ein Diener Alfionis, fiel auf die Knie und erbat im Namen seines Herrn des Studenten Verzeihung.

«Warum kommt dein Herr nicht selbst?» fragte der Sterbende.

Der Diener antwortete: «Donna Luigia ist vor Schrecken in ein Fieber gefallen, und mein Herr mag sie nicht verlassen.»

«Dann verzeihe ich ihm», antwortete Andrea del Siro und verschied.

Als die Kunde von der Tötung des Andrea del Siro nach Cremona gelangte, rief seine Verwandtschaft und Freundschaft die Bologneser Gerichte an. Allein, da sie Fremde waren, Alfioni aber zu Bologna in Macht und Ansehen stand, so erreichten sie nichts.

Zu den Freunden des Erstochenen hatte auch Pulignani gehört, ein junger Bolognese, welcher wohl wußte, daß seine Kraft zu einer körperlichen Rache an Alfioni nicht ausreichte. Daher beschränkte er sich darauf, die Kanzone im Andenken der Leute lebendig zu erhalten, ja ihre Wirkung durch immer neue Witzworte zu verstärken. So nannte er Alfioni mit Rücksicht auf seine Haarfarbe den schneeweißen Schwan, der, selber schon zur Liebe unfähig, als ein dienendes Tier den Wagen der Liebesgöttin ziehen müsse; und er brachte es dahin, daß an Alfioni der Name «Schwan» haften blieb — welches Tier, wie man weiß, ein Alter von dreihundert Jahren zu erreichen vermag. Auch ließ Pulignani sich mehrfach vernehmen, er kenne den Dichter, über dessen Person zahlreiche Vermutungen im Umlauf waren. Dies wurde dem Alfioni zugetragen.

Eines Tages kam Pulignani in Gesellschaft einiger Studenten durch den großen Laubengang bei San Petronio, als ihm Alfioni, von mehreren seiner Bravi begleitet, entgegentrat.

Alfioni grüßte den Studenten lässig und fragte ihn, ob es wahr sei, daß er den Dichter kenne.

«Ich kenne ihn wie mich selbst», erwiderte Pulignani, den die Anwesenheit seiner Freunde mutig machte.

«So habt Ihr den verfluchten Wisch geschrieben?» schrie Alfioni.

«Hätte ich das Gedicht verfaßt», antwortete Pulignani mit Leidenschaft, «so wäre es nicht so vollkommen, wie es ist. Allein ich wollte wohl, meine Kunst wäre so groß.»

«Also seid Ihr es nicht gewesen. Das ist Euer Glück. Ich möchte Euch sonst wohl geben, was Ihr verdient.»

«Nein, es ist nicht meine Arbeit. Aber ich wollte Gott alle Tage meines Lebens dafür Dank sagen, wenn ich so etwas zu schreiben vermocht hätte. Auch wollte ich mich ohne Scheu und mit Stolz dazu bekennen und es nicht aus Furcht vor Euch ableugnen.»

Alfionis Gesicht war rot geworden im Zorn.

«Du bist es doch gewesen und niemand sonst!» schrie er plötzlich, zog seinen Degen und griff Pulignani an. «Der Schwan beißt!»

Im Augenblick waren auch die Studenten und Bravi handgemein geworden. Von diesen blieb einer tot auf dem Platze, Pulignani aber schwer verwundet. Endlich liefen Leute zusammen und trennten die Streitenden.

Alfioni ging nach Hause und fand hier einen Brief vor.

Donna Luigias Vormund hatte dem Alfioni den Namen des Lautenmeisters Cecini genannt. Mit diesem hatte es folgende Bewandtnis:

Er hatte sein bescheidenes Auskommen davon, daß er die Studenten im Lautenschlagen unterwies. Da er ein eitler Mann war, hatte er dabei manches von ihrem Wesen angenommen, und weil viele von ihnen damals eine besondere

Liebe zur Dichtkunst hatten, so hatte er sich ebenfalls in eine solche Liebe begeben und sagte häufig, wer kein Poet sei, der könne auch kein Musikant sein. Er verfertigte gegen geringe Bezahlung die jämmerlichsten Gedichte, und gleich als müsse er beständig eines großen Andranges gewärtig sein, so befestigte er an einem Hause in seiner Nähe ein Schild mit der Aufschrift: «Zu dem Dichter Cecini geht es linker Hand um die Ecke». Darüber lachten viele Leute in Bologna.

Der einfältige Mann meinte auch, als Dichter und Musikus müsse er eine Herzensdame haben, an die er seine Lieder richten könne. Dazu hatte er sich ein hübsches Mädchen seiner Nachbarschaft ausersehen und brachte ihm manche Nachtmusik – worüber diese Herzensdame sich häufig mit ihren Freundinnen lustig machte –, ohne daß er es je gewagt hätte, sie anzureden.

Dieses Mädchen wurde an den Sattlermeister Capodilegno verheiratet, einen sauertöpfischen und eifersüchtigen Menschen. Capodilegno ärgerte sich über die auch jetzt noch fortgesetzten Ständchen und Lieder, weil er sich sagte: «Entweder verführt der Lautenschläger meine Frau, und das ist schlimm; oder er macht sie und mich lächerlich, und das ist auch schlimm.» Dabei scheute er sich aber, etwas gegen Cecini zu tun, weil er fürchtete, die Studenten, die ihre Reitzeuge bei ihm arbeiten zu lassen pflegten, könnten sich der Sache ihres Lautenmeisters annehmen.

Dieser Capodilegno hörte von den in Rede stehenden Vorfällen und richtete an Alfioni einen Brief ohne Namensunterschrift, in welchem er die Meinung aussprach, Cecini und kein anderer sei der Urheber des Schmähgedichts.

Als Cecini am gleichen Abend mit seinem Musikinstrument vor Capodilegnos Haus erschien, fielen einige vermummte Männer über ihn her und töteten ihn. Das war der dritte Mann, der wegen der Kanzone sein Leben verlor.

Pulignani war heimgeschafft worden. Er hatte seine Wohnung im Hause eines Baders, und dieser Bader sorgte mit Eifer für seine Wunden und wich nicht von seinem Bette, da der Student wohlhabend war. Pulignani lag im Fieber und war nicht mehr Herr über seine Zunge. Er fürchtete sich vor dem Tode mehr, als es einem Manne angemessen ist, und mochte in seinen Phantasien glauben, er werde immer noch um des Schmähgedichtes willen angegriffen und verfolgt. Daher schrie er in seiner Angst einmal über das andere: «Ich war es nicht! Ich war es nicht! Bei allen Heiligen, ich war es nicht! Giorgetti ist der Dichter, Giorgetti, der Florentiner! Ich war es nicht!»

Gegen Abend, als der Schwerverwundete bei klarem Bewußtsein war, hielt der Bader ihm dieses Bekenntnis vor und fragte ihn, ob er dabei bleibe. Nun wollte Pulignani seine unfreiwillige Aussage gern zurückziehen, um den Studenten Giorgetti nicht bloßzustellen, welcher sein Freund war, wie er auch der Freund des Andrea del Siro gewesen war. Allein er war nicht genug Herr seiner selbst, um sich geschickt verstellen zu können. So ließ er sich von dem Bader in die Enge treiben und gab endlich zu, daß die Kanzone in der Tat von Agostino Giorgetti herrührte.

Ob nun die Wiederkehr des Bewußtseins nur der Vorbote des beginnenden Todeskampfes gewesen oder ob Pulignanis zerrütteten Kräften mit dieser eindringlichen Befragung, diesem Leugnenwollen und zuletzt doch Zugebenmüssen zu viel geschehen war – genug, er starb noch in der gleichen Nacht. Am nächsten Tage ging der Bader in aller Morgenfrühe zu Alfioni.

Kaum hatte dieser des Baders Botschaft gehört, als er ihm Schweigen gebot und ihn mit einem Trinkgelde wegschickte und nach einem seiner Diener rief, um den Befehl zurückzunehmen, den er Cecinis wegen erteilt hatte. Allein es wurde ihm gemeldet, daß sein Befehl in der Nacht vollzogen und Cecini getötet sei.

«Es ist wieder der Unrechte!» schrie Alfioni rasend. «Aber ich will nicht nachlassen, bis ich an den Rechten gerate!»

Darauf setzte er eine Summe Geldes aus, damit für die Seele des Cecini Messen gelesen werden konnten. Weiteres erwuchs ihm daraus nicht, denn Cecini war ein unbedeutender und alleinstehender Mensch gewesen, um dessentwillen sich niemand Alfionis Feindschaft zuziehen wollte.

Dreimal hatte Alfioni sich getäuscht gefunden. Jetzt beschloß er, vorsichtiger zu Werke zu gehen, um nicht abermals betrogen zu werden. Darum wandte er sich an Pierluigi della Casa, einen armen Edelmann, der seit Jahren seine Gastfreundschaft genoß und von ihm zu allerlei Aufträgen gebraucht wurde. Diesen sandte er zu Giorgetti, um ihn zu befragen, und schärfte ihm zuvor ein, mit großer Sorgfalt auf Giorgettis Mienen und Gebärden zu achten, welche vielleicht verraten könnten, was sein Mund leugnen würde.

Pierluigi della Casa machte sich auf den Weg und fand in Giorgetti einen jungen Menschen von niedrigem Wuchs, dessen kluges und von kalter Leidenschaftlichkeit gezeichnetes Gesicht ihm bereits manches Mal auf der Straße aufgefallen war. Er wurde höflich empfangen. Als er den Namen seines Auftraggebers nannte, sah er Giorgetti erbleichen. Auf des Studenten hohe und gewölbte Stirn traten große Schweißtropfen. Er stand auf und begab sich zum Fenster, neben welchem an der Wand ein Degen hing.

Der Abgesandte, der in allem von Alfioni abhängig war, wollte es seinem Herrn zu Dank machen, keinesfalls aber sich selbst einer Gefahr aussetzen. Darum beeilte er sich, den Studenten zu beruhigen.

«Herr Alfioni ist weit entfernt, Euch ein solches Werk zuzutrauen», sagte er. «Nur weiß er von Eurem Freunde Pulignani, dessen plötzliches Ableben wir mit Euch beklagen, daß Ihr den Urheber des bewußten Schandgedichtes kennt. Darum bittet er Euch, mir seinen Namen zu nennen, wofür er Euch gewiß gern erkenntlich sein wird. Euch aber als dem bloßen Namensnenner wird nichts geschehen.»

Giorgetti sah stumm vor sich hin. Endlich sagte er halblaut: «Pulignani mag im Wundfieber gesprochen haben. Ich kenne den Verfasser nicht.»

«Ihr kennt ihn, Ihr kennt ihn», beharrte Pierluigi della

Casa. «Pulignani war bei vollem Bewußtsein und hat sein Zeugnis beschworen.»

«Es ist wahr, ich kenne ihn», murmelte Giorgetti nach einer Pause mühsam. «Allein es ist deren einer, die in dieser Sache bereits ihr Leben verloren haben.»

«Besinnt Euch. Ich dränge Euch nicht. Ihr habt nichts von mir zu besorgen», sagte Pierluigi della Casa, schnallte seinen Degen ab und stellte ihn in eine entfernte Ecke.

Giorgetti wandte sich von ihm, so daß der andere sein Gesich nicht sehen konnte. So verharrte er eine geraume Weile. Als er Alfionis Abgesandten endlich sein Gesicht wieder zukehrte, war es von einer kalten Entschlossenheit verzerrt.

Nun sprach er mit großer Ruhe: «Pulignani hat die Wahrheit gesagt. Ich kenne den Dichter und bin bereit, ihn zu nennen. Denn ich will nicht, daß abermals ein Unschuldiger für ihn büßen muß. Mag der verderben, welcher an allem Schuld hat.»

«Wer war es?» fragte Pierluigi della Casa.

Giorgetti erwiderte: «Ich will es Alfioni sagen und nicht Euch.»

Der Abgesandte freute sich trotz dieser Weigerung und glaubte nicht anders, als er habe den Studenten durch seine Geschicklichkeit so weit gebracht.

«Wollt Ihr die Güte haben, mich zu begleiten?» fragte er.

«Nein», versetzte Giorgetti. «Es ist eine große Heimlichkeit nötig, denn ich will nicht, daß der Dichter oder einer seiner Freunde es erfährt, daß ich den Angeber gemacht habe. Und das möchten die Leute schon mutmaßen, wenn sie mich mit Alfioni zusammen sehen. Darum kann ich nicht in sein Haus kommen und ihn auch nicht bitten, mich in meiner Wohnung aufzusuchen.»

Pierluigi della Casa schlug vor, der Student möge Alfioni in einem wohlversiegelten Briefe den Urheber namhaft machen und ihm diesen Brief mitgeben. Allein Giorgetti lehnte auch das ab und sagte: «Ich habe kein Mißtrauen gegen Euch, aber es kann an mein Leben gehen, wenn der Brief in unrechte Hände käme. Darum müßt Ihr verstehen, daß ich nur Alfioni selbst meine Auskunft geben kann und auch nur so, daß ich von niemandem dabei gesehen werde. Ich werde morgen früh beim Angelusläuten an der Wegekreuzung vor der Porta Castiglione sein, dort, wo in dem kleinen Wäldchen der Bergweg nach dem Kloster San Michele in Bosco abzweigt. Dort mag Herr Alfioni sich einstellen, und er soll auf Ehre und Seligkeit erfahren, was er zu erfahren wünscht.»

Mit diesem Bescheide kehrte Pierluigi della Casa zu Alfioni zurück. Beide waren wiederum zweifelhaft, ob Giorgetti das Gedicht verfaßt hatte oder einer seiner Bekannten und ob er die Rache des verhöhnten Ehemannes fürchten zu müssen glaubte oder die des zu verratenden Dichters.

Zur gehörigen Zeit machte Alfioni sich auf den Weg und nahm zwei seiner Bravi mit sich. Diese stellte er an jenem Rande des Wäldchens auf, welcher der Stadt zugekehrt ist. Darauf ging er allein weiter und erreichte die Wegekreuzung gerade, als die Glocken von San Michele in Bosco zum Engel des Herrn läuteten. An der Wegekreuzung gewahrte er Giorgetti. Beim Klange der Glocke nahmen beide die Hüte ab und bekreuzten sich.

Alfioni trat näher und sah an einer Pappel ein Pferd stehen, das trug einen Mantelsack an den Sattel geschnallt.

Einige Vögel pfiffen. Es war noch kühl in der Morgenfrühe, und Giorgetti trug einen Mantel.

Alfioni wünschte ihm einen guten Morgen. Der Student verneigte sich mit ernsthafter Höflichkeit. Sein Gesicht war bleich, und es schien ihn, dem Mantel zum Trotz, in der Kühle zu schauern.

Alfioni begann: «Ich bin gekommen, um den Namen zu hören, den Ihr mir zu sagen versprochen habt.»

Giorgetti starrte auf den Waldboden und schwieg.

Alfioni drängte: «Antwortet!»

Giorgetti entgegnete: «Ich selber kann noch nicht antworten. Allein ich habe jemanden mitgebracht, dessen Mund wird Euch die Antwort sagen.»

Bei diesen Worten riß er eine Pistole aus dem Mantel und schoß. Alfioni fiel zu Boden.

«Vier Männer haben sterben müssen, fünf Strophen hat die Kanzone. Ihr müßt der fünfte und letzte sein. Solche Verse zu schreiben, vermag niemand als ich.»

Die Bravi hörten einen Schuß fallen und stürzten hin. Sie sahen einen davongaloppierenden Reiter. Ihren Herrn fanden sie im Sterben und schafften ihn als einen Toten in die Stadt.

San Michele in Bosco ist nicht weit von der Florentiner Straße entfernt. Giorgetti ritt in Eile durch die Gebirge über Pianoro und Firenzuola und gelangte nach zwei Tagen in seine Vaterstadt.

Donna Luigia unternahm nichts, um ihren Mann zu rächen, sondern nachdem um ihretwillen fünf Männer zum Tode gekommen waren, verließ sie die Stadt und begab sich in ein Klarissinnenkloster. Die von Bologna aber wandten sich mit einer Klage nach Florenz, empfingen jedoch einen Bescheid, wie sie ihn um der Cremoneser willen nicht anders verdient hatten: Giorgetti gäbe vor, in der Notwehr gehandelt zu haben, und die großherzoglichen Behörden sähen keinen Anlaß, gegen ihn vorzugehen.

Giorgettis Vater war ein angesehener Mann. Er verschaffte seinem Sohne eine vorteilhafte Stelle im Dienste des Großherzogs, der bald Ursache hatte, mit dem scharfsinnigen und gewandten Juristen zufrieden zu sein. Indessen fanden die Florentiner ihn nach seiner Rückkehr von Bologna verändert: galliger, verschlossener, bitterer und noch zungenschärfer als vorher. Dies nahm zu, vor der zielgewissen Erbarmungslosigkeit seiner Stachelverse war niemand sicher, und wie ihm das anfangs Bewunderung und Gunst eingetragen hatte, so zog es ihm in der Folge Feindschaft und Haß zu. Warnungen verfingen nicht, und als das fressende Gift seiner kunstvollen Strophen auch die Mätresse des Großherzogs traf, da ließ dieser ihn eines Nachts aufheben und ihm in aller Stille den Prozeß machen.

Das Karnevalsbild

Zu Anfang der Karnevalszeit, nicht lange nach dem Tage Sankt Johannis mit dem güldenen Munde, verbreitete sich in der Stadt Trequerce die Nachricht, der Herzog habe seinen Günstling und obersten Ratgeber Gianandrea Raspanti plötzlich aller seiner Würden entkleidet und seines gesamten Vermögens entsetzt. Doch wußte niemand, aus welchem Grunde Herr Raspanti in eine solche Ungnade gefallen war, und es gehörte auch nicht zu den Gepflogenheiten des Herzogs, seinen Untertanen Begründungen für seine Entschlüsse oder Urteile zu geben.

Das Volk erging sich in mancherlei Mutmaßungen, deren viele von greller und abenteuerlicher Natur waren, wie die kleinen Leute sie lieben. Im Grunde aber kam nicht viel darauf an, ob eine einzelne, eine genau bestimmbare Handlung des Günstlings seinen Sturz herbeigeführt hatte und welche es gewesen sein mochte. In jedem Falle war er allzu mächtig geworden und allzu bedenkenlos in der Ausübung und im Genusse seiner Macht. Dies hatte ihm Feinde geschaffen, unter redlichen Männern nicht weniger als unter solchen, die ihm seine Macht und den schnell erworbenen Reichtum neideten und gern sich selber oder einen ihnen Nahestehenden in seiner Stelle gesehen hätten. Als den Urheber seines Sturzes und zugleich als seinen Nachfolger in den Staatsämtern bezeichneten die meisten seinen Gegner Alardo Vognana, welcher als das Haupt einer der städtischen Parteien galt und, ein noch unverheirateter Mann jüngeren Alters, im Hause seiner Mutter lebte.

Unter den einfachen Leuten, die in das verzwickte Gefüge des staatlichen Wesens einen Einblick weder hatten noch zu gewinnen trachteten, hatte es Gianandrea Raspanti nicht an

Beliebtheit gefehlt. Seine Freigebigkeit war die eines eilfertigen Verschwenders gewesen; seine Freude am Glanz hatte Geld unter die Gewerbsleute gebracht. Vielleicht würden von nun an die lohnenden Aufträge seltener, die an Feiertagen ausgeschütteten Spenden bescheidener werden; mancher Bettler würde an verschlossen bleibende Türen klopfen. Viele bedauerten auch Raspantis Frau, Monna Onesta, die einer edlen, aber güterlos gewordenen Familie der benachbarten Stadt Cimanera angehörte.

Zwei Tage später wurde in Schenken, Kaufgewölben und Wohnhäusern versichert, Raspanti sei auf herzoglichen Befehl im Kerker erdrosselt worden.

Manche wollten daran zweifeln. Indessen belehrte schon nächsten Morgens der Augenschein auf eine ungewöhnliche Art jeden Zweifler darüber, daß Raspanti nicht mehr am Leben war; und doch schien er auf den ersten Blick das Gegenteil zu beweisen. Nämlich wer sich in der Morgendämmerung der Kirche der Unschuldigen Kinder näherte, sah Raspanti in dem schwarzen Samtgewande, das er so gern trug, doch ohne den gewohnten Schmuck, links neben dem Portal auf einem Schemel sitzen, an eine Säule gelehnt, den entblößten Kopf gesenkt, und so, als sei er an diesem Orte und in dieser Stellung vom Schlaf übermannt worden. Und es fiel auf, daß er in den auf den Oberschenkeln ruhenden Händen einen hellfarbigen Gegenstand hielt. Trat man näher hinzu, so erkannte man in diesem ein hölzernes Schüsselchen, wie es die Bettelmönche auf ihren Almosengängen umherzutragen pflegten. Über seinem Kopfe aber war an der Säule eine Tafel mit einer Schrift befestigt, die jedoch, der nur langsam sich entfaltenden Morgenhelle wegen, von den ersten der Hinzutretenden und betroffen Stehenbleibenden noch nicht entziffert werden konnte.

Die Zahl dieser Hinzutretenden und Stehenbleibenden wuchs rasch. Es waren Leute, die an ihre Arbeit gehen oder die Frühmesse besuchen wollten, doch auch solche, die von Tanzfesten, Trinkgelagen oder Liebesabenteuern kamen, und viele waren noch in Maskenverkleidung und trugen Larven oder hatten weißgeschminkte Gesichter, die in dem übernächtigten, fahlen Morgenlicht über dem bunten Aufputz der Gewänder fast geisterhaft erschienen.

Es war in der Nacht ein Regen gefallen, und die zahllosen kleinen Gipskügelchen, mit denen am Vortage die Ausgelassenen einander auf der Straße beworfen hatten, wie es die Sitte war, hatten sich mit dem aufgeweichten Erdboden zu einem schmutzigfeuchten, trübseligen Brei verbunden, in den auch die bunten, teilweise vom Regen entfärbten Papierfetzen eingegangen waren. Andere aber hatte der Vorfrühlingswind erfaßt und trug sie durch die bleiche Morgenluft davon; ihrer manche hingen schlangengleich an Türen, Häuservorsprüngen und Standbildern und bewegten sich, ein Leben vortäuschend, im Lufthauche. Eine solche Schlange von unsauberem, verwaschenem Hellgrün hatte sich an der beschriebenen Tafel zu Raspantis Häupten verfangen und schaukelte dort gleichgültig auf und nieder, mit ihrem unteren Ende zuweilen seine blasse Stirn anrührend.

Im Anfang war unter den des Weges Kommenden und nun Verhaltenden noch manches Geräusch gewesen von Lachen und Reden, von quäkenden hölzernen Blasinstrumenten und Klappern, wie sie in der Karnevalszeit an den Straßenecken feilgehalten wurden. Einige Paare tanzten auf der Straße, und aus der Ferne kam eine übermütige Musik. Hie und da trällerte jemand einen in Schwang gekommenen Gassenhauer vor sich hin, und dieser und jener stimmte in den Kehrreim ein. Betrunkene stießen übertrieben jauchzende Schreilaute aus, als wollten sie sich damit die Fortdauer einer Lustigkeit bestätigen, die doch schon angewelkt, ja hingestorben war. Im nähern Umkreis des Kirchenportals aber war es still geworden, und von hier aus breitete die Stille, unheimlich ausgreifend, sich weiter. Sie erfaßte mit einer ungewissen, ans Schaurige streifenden Ahnung auch diejenigen, zu deren Kenntnis die Ursache des Auflaufs noch nicht gelangt war, und wer noch lärmte, wurde mit stren-

gem Geflüster, ja mit Stöhnen zur Ruhe verwiesen. Denn inzwischen hatten die dem Kirchenportal Nächsten erkannt, daß sie einen Leichnam vor sich hatten, der mit Schnüren an dem Schemel und an der Säule befestigt war, dergestalt, daß er als ein Sitzender hatte erscheinen können. Einige bekreuzten sich hastig, einige Köpfe entblößten und senkten sich, einige halb unterdrückte Ausrufe wurden laut. Doch wollte die Bewandtnis noch nicht deutlich werden, denn die Aufschrift, der sich bald viele Blicke zukehrten, Blicke freilich großenteils von solchen, die des Lesens nicht kundig waren, die Aufschrift gab sich nur zögernd der vorrückenden Helligkeit preis.

Ein handwerklich gekleideter, dickköpfiger, noch junger Mensch von gedunsenem, weißlichfettem Gesicht, der scharfe Augen hatte, wenn er auch im Lesen nicht sehr geübt war, hatte sich vorgeschoben und starrte nun, mit seinen schwammigen Lippen halblaut buchstabierend, angestrengt an der Säule in die Höhe. Endlich war er zurecht gekommen, und jetzt las er laut mit seiner plärrenden, greisinnenhaften Stimme: «Eine Gabe der Mildtätigkeit! Gebt, gute Christen, gebt! Eine Gabe der Mildtätigkeit für einen armen Mann, einen gänzlich besitzlosen, namens Gianandrea Raspanti, damit sein Leib zur Erde bestattet werden kann! Gebt, gebt, denn er muß hier ausharren, bis die Summe erreicht ist, und sollte es bis über den Aschermittwoch dauern. Gebt, gebt, aus christlicher Liebe und euren Nasen zugute.»

Er wiederholte die Lesung, ja er konnte sich nicht genugtun, den Wortlaut der Aufschrift immer von neuem vorzutragen. Offenbar hatte die Schrift für ihn gänzlich die Beziehung auf den Toten verloren. Durchaus im Vordergrunde aber stand ihm nunmehr etwas anderes, nämlich der Umstand, daß es ihm gelungen war, das Geschriebene zu entziffern, und daß er vor allem Volk diesen Triumph seiner Lesekunst genießen durfte.

Die Leute sahen einander an, wie das wohl immer geschieht, wenn einer größeren Menschenansammlung etwas

Ungewöhnliches aufstößt, entweder, um von den Mienen der anderen eine Bestätigung der eigenen Empfindungen abzulesen oder um die anderen zur Teilhaberschaft an den eigenen Empfindungen aufzufordern oder endlich, um von den anderen einen Maßstab dafür zu erhalten, wie weit den eigenen Empfindungen der Lauf zu lassen oder eine Grenze zu setzen sei. Denn in solchen Fällen verlangt es ja die Menschen nach einer Gemeinsamkeit des Gefühls und des Urteils.

Doch war die Wirkung des Lautgewordenen auf die Anwesenden nicht einheitlich. Zunächst herrschte für einige Augenblicke ein Schweigen, und es ließ sich nur die selbstzufriedene Stimme des Vorlesers hören. Dann wurde geflüstert, und nun erhoben sich auch einige Ausrufe der Entrüstung. Allein die Furcht vor dem Herzog war groß. Auch wessen Empfindung sich verletzt fühlte, der wagte doch nicht, seinem Zorn einen allzu wahrnehmlichen Ausdruck zu geben; allenfalls hatten einige Masken diesen Mut. Wohl jeder aber empfand eine Erschütterung vor diesem Absturz in eine schauerliche, eine unausmeßbare Tiefe, und wer, noch den Weingeschmack im Munde, geradenwegs von einer Lustbarkeit kam, wer soeben noch eine Melodie oder ein Witzwort auf den Lippen, Tanzmusik oder geflüsterte Zärtlichkeiten im Ohr gehabt hatte, der fühlte jählings die enge Nachbarschaft, in welcher das Leben mit dem Nichts, die Lust mit dem Abgrund sich befindet; hier schien der Sinn des Aschermittwochs vorweggenommen. Ja, Empfindungen dieser Art waren selbst jene zugänglich, die an solcher letzten Demütigung eines großen Herrn ihre Freude hatten.

Eine Frau ärmlichen Aussehens, die auf dem Wege zur Frühmesse gewesen war, warf als erste ein Geldstück in die Schüssel; es war eine Kupfermünze von der niedrigsten im Umlauf befindlichen Gattung. Zögernd taten es nun einige andere ihr nach; doch waren es nicht sehr viele. Ein paar alte Weiber aus dem Volk begannen, eintönig murmelnd den Rosenkranz zu beten.

Einer beugte sich über den Toten, und es konnte den Anschein haben, als wolle er sich in einer besonderen Weise mit ihm zu schaffen machen; vielleicht hatte er nur den neugierigen Wunsch, zu erkunden, auf welche Art denn der Leichnam am Schemel und an der Säule befestigt worden war. Allein da trat ein Soldat hervor, der bisher hinter den Säulen des Portals nicht hatte gesehen werden können, und ein jeder verstand, daß er als Posten aufgestellt war, wohl nicht so sehr, um das anfließende Geld zu hüten, als vielmehr, um einzugreifen, falls etwa Freunde des Getöteten einen Versuch machen sollten, die Leiche fortzuschaffen und dem Schimpf ein Ende zu bereiten. Doch hätte es dieser Vorkehrung wohl kaum bedurft, denn wer in Trequerce sollte sich trauen, in so offenkundiger Weise dem Herzog entgegenzuhandeln?

Von nun an wagten es fast nur noch Maskierte, Geld in die Schüssel zu werfen. Die übrigen aber hatten Scheu, sich einer Zuneigung für den Getöteten verdächtig zu machen, denn es kam die Vorstellung auf, der Soldat könne sich die Spender merken und ihre Namen weitermelden – Trequerce war nicht sehr volkreich, und man kannte einander –, sei es nun, daß ihm dies aufgetragen war, sei es, daß er es aus freien Stücken tun würde, um sich dem Herzog oder seinen unmittelbaren Vorgesetzten zu empfehlen. Auch ließ sich annehmen, daß sich unter der Menge maskierte Vertrauensleute des Hofes befanden.

Allmählich traten die Menschen zurück und verließen die Örtlichkeit, wobei manche miteinander raunten und schließlich vom Raunen zu lebhafteren, zu eindeutigeren Äußerungen übergingen, je weiter sie sich von dem Platz vor der Kirche entfernten. Die Stelle der Fortgegangenen wurde von anderen eingenommen; ja, es strömten nun immer Neue heran. Denn mittlerweile hatte das Gerücht sich ausgebreitet, und unter den Zahllosen, die sich von jetzt ab hinzudrängten, machten die zufällig des Weges Kommenden nur noch eine geringe Minderzahl aus; die meisten fanden sich ein, um des außerordentlichen Anblicks teilhaftig zu werden und um sich zu überzeugen, daß die Ungeheuerlichkeit, von der ihnen berichtet worden war, in der Tat statthatte. Die Bedeutung der Schrift auf der Tafel hatte sich allen mitgeteilt, und der Vorleser, der nun weder Bewunderung noch irgend Beachtung zu gewärtigen hatte, war in seinem Treiben ermüdet und hatte seinen Weg fortgesetzt.

Inzwischen war es Tag geworden, doch hingen die Wolken tief hinab, und die Düsterkeit der Morgendämmerung schien nur um ein weniges gemildert. In solchen Verhältnissen des Lichts gewahrten die Leute eine schlanke, schwarzverschleierte Frauengestalt, die langsam und ohne den Kopf nach rechts oder links zu wenden, aus der Richtung des Stadtteiles San Marcello kam. Die Beschaffenheit ihrer schwarzen Kleidung, noch mehr aber ihr Gang und ihre Haltung, ließ erkennen, daß sie nicht dem einfachen Stadtvolk angehörte; daher erregte sie Aufsehen, denn man war es nicht gewohnt, eine Frau aus den ansehnlichen Geschlechtern unbegleitet auf der Straße zu erblicken. Sie schien so in sich gewandt, daß man meinen mußte, sie habe keine Kenntnis von dem, das sich vor der Kirche der Unschuldigen Kinder vollzog, oder fühle sich doch von ihm nicht angerührt. Offenbar hatte sie auch nicht aufgenommen, was unterwegs in ihrer Nähe über das Vorgefallene geredet worden war, und hatte, da sie nun den Platz zu überqueren sich anschickte, nicht die Absicht, bei der Kirche und bei dem Menschenauflauf anzukehren. Dann aber blieb sie für einen Augenblick stehen, und es war, als sei nun doch der Name des Toten, der ja immer häufiger genannt wurde, je näher man dem Orte der Schaustellung kam, an ihr Gehör gelangt und durch dieses auch bis in ihr Bewußtsein gedrungen. Denn sie änderte ein wenig die Richtung ihres Fortschreitens und ging, ohne daß ihr Schritt sich beschleunigt hätte, in ihrer aufrechten Haltung auf das Gedränge zu. Die Leute sahen sie an und gewährten ihr den Durchlaß.

Sie stand jetzt vor dem Leichnam inmitten einer großen Aufmerksamkeit des Volkes, und es schien den Anwesenden eine längere Zeit hinzugehen, was freilich eine Täuschung sein mochte. Dann hob sie ein wenig den Kopf und gewahrte wohl jetzt erst die Tafel mit der Aufschrift und las die Worte durch den Schleier hindurch, der ihr Gesicht und ihre Augen bedeckte. Nach einer Weile kniete sie vor dem Toten nieder, bekreuzte ihn und sich selber und küßte ihm dann, auf den Knien sich vorbeugend, behutsam die Hände.

Jetzt trat, offenbar beunruhigt, der wachestehende Soldat vor, doch schien er nicht recht zu wissen, wie er sich verhalten sollte, und daher wartete er ab und räusperte sich in einiger Verlegenheit. Aber inzwischen hatte die Frau sich wieder aufgerichtet, und so murmelte er irgend etwas Unschlüssiges und zog sich dann wieder auf seinen Platz im Dunkel der Säulen zurück.

Die Frau machte nun eine Bewegung, als wolle sie nach ihrem Gürteltäschchen greifen, eine Bewegung, die ihren Händen gewohnt schien. Dann aber erinnerte sie sich offensichtlich, daß da irgendein Hemmnis war, welches sich dieser Bewegung entgegenstellte oder sie zwecklos machte, und so zog sie die Hände wieder zurück. Diese Hände waren, der Sitte zuwider, ohne jeden Schmuck, bis auf einen schmalen, steinlosen Goldreif am Ringfinger der Rechten; doch meinte ein neben ihr stehendes, junges Mädchen deutlich zu sehen, daß einige der anderen Finger jene Spuren zeigten, welche durch ein langjähriges Tragen von Ringen zu entstehen pflegen.

Eine Weile noch verharrten die Hände unsicher in der Gegend des Gürtels. Darauf aber hob die Frau sie bis etwa zur Höhe der Brust und streifte dann mit einiger Mühe jenen goldenen Ring vom Finger. Sie betrachtete ihn und wandte ihn so, als läse sie eine auf seine Innenseite gegrabene Inschrift, hiernach führte sie ihn an die Lippen und warf ihn zu den armseligen Kupfermünzen in die Schüssel. Und in diesem Augenblick wurde es allen Umstehenden zur Gewißheit, daß sie Monna Onesta vor sich hatten, die Witwe des Gianandrea Raspanti.

Durch die Stille wurden jetzt die Hufschläge einiger Pferde gehört, welche plötzlich verstummten. Gleich darauf drängte sich ein Mann herzu, in welchem die Leute einen der Reitknechte des Alardo Volognana erkannten. Er sah sich um und fragte, was es gebe, und als er unter den Leuten den Hufschmied erblickte, der Volognanas Pferde zu beschlagen pflegte, sagte er zu ihm, er sei mit seinem Herrn des Weges gekommen und da dieser den Volksauflauf wahrgenommen habe, so sei er auf der anderen Seite des Platzes halten geblieben und habe ihn absitzen lassen und ihn hergeschickt, um die Ursache zu erkunden.

Er erfuhr und gewahrte das Nötige und schickte sich an, zu seinem Herrn zurückzukehren. Aber inzwischen mochte dieser aus Äußerungen der Straßengänger bereits alle Kenntnis gewonnen haben, denn mit sehr ungestümen Schritten, über denen seine langen silbernen Sporen klirrten, kam er durch die raumgebende Menge geradeswegs auf den Leichnam zu. Sein flammender Blick fuhr suchend umher und blieb dann an der beschriebenen Tafel haften.

«Gott in der Höhe!» sagte er fast keuchend, und es schienen an diesem Keuchen seiner Stimme Bewegung und Empörung einen größeren Anteil zu haben als die Hast, in welcher er den weiträumigen Platz überquert hatte. Er atmete heftig, sein schönes Gesicht, das den allmählichen Übergang von der Jugendlichkeit zum gedankenreicheren Vollalter männlicher Reife anzeigte und das den Leuten ja bekannt war, erschien ihnen von der Leidenschaftlichkeit dieser Augenblicke wie umgebildet, als er nun den Hut abnahm; und er tat dieses mit einer so stürmischen Bewegung, daß die langen weißen Federn einem danebenstehenden Bäckerburschen über Nase und Mund fuhren und ihn fast erschrocken zurücktaumeln machten.

Volognana bekreuzte sich und stand dann regungslos und mit gesenktem Kopfe. Alle sahen auf ihn und fühlten sich berührt von dem Anblick des Mannes mit dem schwarzen, ein wenig sträubigen Haar, den langen, schmalen Händen und dem weißen, mit silbergrauem Pelz verbrämten und mit roter und goldener Stickerei durchzogenen Rock, über welchem auf der Brust eine schwere goldene Kette hing. Man wußte, daß sein Großvater vom Vorvorgänger des jetzigen Herzogs diese Kette als ein Gunstgeschenk erhalten hatte und daß die Schaumünzen, die an ihr befestigt waren, die Porträts einiger Glieder des herzoglichen Hauses trugen.

Es waren nur wenige Augenblicke, daß Alardo Volognana derart regungslos den Leuten zur Schau stand; zur Schau stand, ohne es zu wissen, denn er selber war so erfaßt von dem Geschehenen und von den Antworten, die sich in seinem Inneren auf dieses Geschehene bildeten, daß er keine Aufmerksamkeit für seine Umgebung haben konnte. Dann aber warf er den Kopf in die Höhe, zog sehr rasch und so, als sei keine Sekunde zu verlieren, um die vielleicht die Fortdauer der Schimpflichkeit abgekürzt werden könne, seine Geldbörse hervor, einen Beutel von grünem, goldgesticktem Leder, und stülpte sie über der Schüssel um. Hieran wurde sämtlichen Zuschauern merklich, daß er alles spendete, was er an Gelde bei sich trug.

Die Leute starrten atemlos auf die Schüssel, einige suchten sich vorzudrängen, und viele Hälse reckten sich. In der Schüssel, die zuvor außer dem Ringe der Monna Onesta nur spärliches Kupfer enthalten hatte, so daß kaum der Boden bedeckt gewesen war, lag nun Silber und eine ziemliche Anzahl von Goldstücken, und es mochte weit mehr sein, als zu einer angemessenen Beisetzung erforderlich war. Aber als genüge dem Geber das noch nicht und wünsche er die Schüssel so weit gefüllt zu sehen, daß nicht nur kein Grund mehr gelassen war, dies ganze Wesen hier fortzusetzen, sondern daß auch die Bestattung mehr als bloß anständig, nämlich mit allen herkömmlichen Ehren, ja mit Prunk ausgeführt werden konnte, so nahm er nun, fast reißend, die goldene Kette von seinem Halse, löste, wobei er einige Gewaltsamkeit aufzuwenden hatte, die Schaumünzen mit den Herzogsköpfen ab und warf die Kette dem Gelde nach in die Schüssel. Es gab einen scharfen, klirrenden Laut. Volognana verwahrte die Münzen in seiner Börse.

In der Menge erhob sich ein beifälliges Gemurmel, und ein paar Leute klatschten sogar unter lauten Ausrufen in die Hände. Die meisten aber wagten ihren Empfindungen einen solchen Ausdruck nicht zu gestatten, denn die Bänglichkeit, die schon zu Anfang über der Volksmenge gelegen war, hatte sich letzthin gesteigert, und zwar bestand die Ursache hierfür in der Anwesenheit und im Verhalten zweier Masken, die sich hinzu gefunden hatten und nun schon eine ganze Zeitspanne hindurch zuschauend an den Vorgängen teilnahmen. Es waren ein langer, hagerer Mann und ein kleiner, dicklicher und untersetzter, und sie waren beide in Dominos von gelber Farbe gekleidet, wie sie in Trequerce gern getragen wurden; vor den Gesichtern hatten sie schwarzseidene Larven. Diese beiden Männer, die bald zusammen standen, bald sich ein wenig voneinander entfernten, schienen sich des öfteren durch Blicke und Gebärden zu verständigen, ja es war beobachtet worden, daß der Kleinere unterweilen eine Schreibtafel hervorzog und etwas verzeichnete, und so kam die Meinung auf, es würden hier vielleicht die Namen derjenigen festgehalten, die allzu reichliche Almosen gegeben oder allzu unumwundene Äußerungen getan hatten; und doch wagte es niemand, sich gegen sie zu wenden, denn es lag ja die Vermutung nahe, sie möchten dem herzoglichen Hofstaat angehören oder mit ihm in Verbindung sein; dieser und jener suchte unaufsehentlich von ihnen abzurücken.

Einige unter der Menge bekundeten übrigens auch ihre Verwunderung über Volognanas Handlungsweise, denn da ja seinen Bemühungen der Sturz des Gianandrea Raspanti zugeschrieben wurde und viele sich nicht vorzustellen vermögen, daß auch der Feindschaft ein Maß gesetzt ist, so hatten sie wohl gemeint, die Herabwürdigung des Toten auf sein Betreiben zurückführen zu sollen. Und manche von diesen wollten jetzt in Volognanas Verhalten die Wirkung eines übeln Gewissens erkennen und erklärten sich die Spende aus seinem Wunsche, nachträglich das eigene Verschulden geringer zu machen. Doch waren die so Denkenden wohl in der Minderzahl, und die meisten fühlten sich ohne Umwege des Gedankens von dem Vorfall ergriffen, dessen Zeugen sie hatten sein dürfen.

Als hätte mit Volognanas Handlung die aufwärts getriebene Leidenschaftlichkeit seines Inneren sich gesättigt, so zeigte er sich nun gesammelt und gefaßt. Er wandte sich ab und wollte gehen, und erst jetzt wurde er der verschleierten Frau ansichtig. Er erkannte sie augenblicks, sei es nun, weil ja der Kreis der Menschen, innerhalb dessen sie beide lebten, nur von beschränktem Umfange war, sei es weil die erfahrene Erschütterung ihm eine Hellsichtigkeit mitgeteilt hatte, die über das gewöhnliche Erkennungsvermögen hinausging. Er trat auf sie zu, den Hut noch in der Hand, verneigte sich und sagte: «Monna Onesta?» Und da die Frau zur Antwort fast unmerklich den Kopf senkte, fuhr er fort, dringlich und doch mit so gedämpfter Stimme, daß seine Worte ihr allein vernehmbar wurden: «Ich bitte Euch, erlaubt mir, daß ich Euch wegführe.»

Hierauf erwiderte Monna Onesta nichts, aber nach einem kurzen Schweigen sagte sie: «Ich habe Euch zu danken, Herr Volognana, daß Ihr dieser Schamlosigkeit ein Ende gemacht habt, und ich habe Euch um Vergebung zu bitten. Denn wie ich in Euch den Urheber alles dessen erblickte, was meinem Manne in seinen letzten Tagen und Stunden zugestoßen ist, und den Urheber seines Endes, so habe ich Euch, seit ich dies hier habe wahrnehmen müssen, auch für denjenigen gehalten, auf dessen Veranlassung er in solcher Weise und zu einem solchen Zwecke vor die Kirche der Unschuldigen Kinder gebracht worden ist. Aber nun sehe ich wohl, daß dies eine unrechte Meinung von mir gewesen ist, zum wenigsten, was den Schimpf hier vor der Kirche angeht.»

«Eure Meinung, Monna Onesta, ist auch in anderem Betracht unrichtig gewesen», erwiderte Volognana. «Denn ich habe an dem Tode des Herrn Raspanti keinen Anteil. – Außer vielleicht», so setzte er hinzu, «jenem mittelbaren, daß ich gestrebt habe, ihn von seinen Ämtern beim Herzog zu entfernen.»

«Nicht?» sagte sie. «Ich hatte das angenommen, doch setze ich keinen Zweifel in Eure Worte.»

Es war die Besonderheit des Auftrittes, daß ja niemand, und auch Volognana nicht, Monna Onestas Gesicht sehen konnte, so daß ihre Bewegungen und ihre Stimme allein den Zustand ihres Inneren hätten verraten können. Nun aber verhielt sie sich vollkommen bewegungslos, und ihre Stimme war wie die einer Versteinerten: ja sie befand sich auf einer solchen Stufe der Versteinerung, daß sie nicht mehr im Stande schien, eine Anklage oder einen Vorwurf auszudrükken. Und ein mit den Bewandtnissen nicht Vertrauter hätte wohl meinen können, Monna Onesta spräche von etwas Gleichgültigem oder doch sehr weit Zurückliegendem.

Volognana wiederholte seine Bitte, sie fortführen und zu ihrem Hause geleiten zu dürfen.

«Wohin?» fragte sie ohne Ausdruck. «Ich habe kein Haus mehr in Trequerce. Bekümmert Euch nicht um mich.»

Volognana aber nahm diese Zurückweisung nicht hin, sondern fuhr fort, in sie zu dringen. Das Gespräch zwischen den beiden war nun einmal zustande gekommen, und da Monna Onesta nicht wünschen konnte, daß sein Inhalt zu den Ohren der Umstehenden gelangte, so war sie unwillkürlich ein wenig auf die Seite gewichen, und er war ihr gefolgt, und so war denn zu einem gemeinsamen Aufbruch bereits ein Anfang gemacht, und zuletzt ließ Monna Onesta sich bereit finden, Volognanas Arm zu nehmen.

Da er sich anschickte, sie fortzuführen, fiel sein Blick, eine Gasse durch die Volksmenge suchend, auf die beiden Männer in den gelben Dominos, deren verhüllte Gesichter ihm und Monna Onesta zugekehrt waren, und für eine winzige Spanne Zeit stutzte er. Aber so hingenommen war er von seinen Empfindungen und so angeeifert, mit Monna Onesta in der möglichen Geschwindigkeit aus dem Gewühl zu kommen, daß er gleich danach die nur halb gemachte Wahrnehmung wieder vergessen hatte.

Sie gingen davon, die schwarze und die weiße Gestalt, und das Volk machte ihnen Platz. Viele sahen ihnen nach, bis sie verschwunden waren.

Eine Weile schritten sie stumm nebeneinander her. Dann sagte Monna Onesta: «Das weiß in dieser Stadt ein jeder, und Ihr wißt es auch, daß mein Mann und ich nicht sehr innig miteinander gelebt haben. Aber nun habe ich doch in ihm meinen Gatten erblickt und denjenigen, dessen Ehre und Unehre auch meine Ehre und Unehre waren. Verzeiht mir, Herr Volognana, aber wie hart hat Gott mich geschlagen, daß jetzt kein anderer da ist, der sich meiner annimmt als derjenige, der meinen Mann zu Fall gebracht hat!»

«Ich bin nicht sein Feind gewesen», antwortete Volognana. «Allein ich habe über die öffentlichen Angelegenheiten andere Gedanken gehabt als er, und ich habe nach der Verwirklichung dieser Gedanken getrachtet, so wie Euer Mann nach der Verwirklichung seiner Gedanken getrachtet hat.»

«Ich mache Euch hieraus keinen Vorwurf», sagte Monna Onesta. «Ich weiß wohl, daß dergleichen im Streit der Männer und der Parteien, welcher ja um die Macht geführt wird, geschehen muß, und es hat auch mein Mann, ehe er an die Macht gelangte, erst die Macht der ihm entgegenstehenden Männer und ihrer Partei zu Fall bringen müssen.»

Sie sprach immer noch mit sehr eintöniger Stimme, so als sei ihr die Fähigkeit, sie zu heben und zu senken, genommen worden. Und ihre Stimme belebte sich auch nicht, als sie ihm jetzt berichtete, sie sei auf dem Wege nach Cimanera gewesen und habe von der Schimpflichkeit vor der Kirche der Unschuldigen Kinder nicht gewußt, bis sie plötzlich vor ihr gestanden sei.

«Nach Cimanera?» fragte Volognana. «Zu Fuß? Und ohne Begleitung?»

«Vielleicht findet sich unterwegs ein Bauernkarren, und ich darf um einen Gotteslohn für ein Stück Weges aufsitzen», antwortete sie. «Unseren Dienstboten aber ist untersagt worden, mich zu begleiten. Ich rühme die Vorsehung, die uns Kinder verweigert hat.»

Der Herzog hatte angeordnet, daß die Beschlagnahme des Vermögens mit äußerster Schärfe durchgeführt würde, und so hatte Monna Onesta auch von ihrer eigenen Habe nichts mitnehmen dürfen. Ja, von all ihrem Schmuck war ihr nichts belassen worden als jener Ehering, den sie in die Schüssel geworfen hatte. Der Herzog hatte, vielleicht guten Glaubens, in jedem Fall irrigerweise, vorausgesetzt, Giananandrea Raspanti werde es verstanden haben, von dem gewaltigen Vermögen, das er sich während seiner Amtszeit erworben hatte, Beträchtliches so auf die Seite zu bringen, daß es jedem Zugriff entzogen war; mochte nun die Witwe sich an dieses halten! In Cimanera dachte sie bei Verwandten oder Bekannten um Aufnahme zu bitten, denn aus Furcht vor dem Mißfallen des Herzogs wagte es in Trequerce niemand, sich ihrer anzunehmen.

Dies alles erzählte sie jetzt, und Volognana hörte es an, ohne viel zu sagen. Denn wie sehr auch sein Gefühl sich beleidigt fand, so hätte er es doch für unziemlich gehalten, vor Monna Onestas Ohren die Handlungen des Herzogs zu beurteilen, in dessen Dienste er getreten war. Er schwieg auch und hielt den Blick vor sich auf den Boden gerichtet, als Monna Onesta mit einem ersten Anheben der Stimme sagte, sie habe ihm nicht nur für die Befreiung des Toten aus seiner schmählichen Schuldknechtschaft zu danken, sondern noch für etwas anderes: denn er habe ihr den Beweis gegeben, daß die Art, in der die Stadt regiert werde, nicht vermögend gewesen sei, Großmut und Stolz aus den Seelen fortzulöschen. Und erst als Monna Onesta von ihm Abschied zu nehmen verlangte, um die Richtung zum Hohen Tor einzuschlagen, jenseits dessen die Landstraße nach Cimanera führte, da begann er wieder zu sprechen, indem er mit Lebhaftigkeit sagte, er werde es nicht dulden, daß sie in dieser Weise die Stadt verlasse und ins Ungewisse gehe wie eine Bettlerin. Vielmehr werde er sie zu seiner Mutter begleiten, und diese werde sie in ihrem Hause aufnehmen, und sie werde dort jeglichen Schutz finden.

Monna Onesta widerstrebte, aber Volognana ließ nicht ab, und da das Erlebte die Kraft ihres Willens beeinträchtigt, die des seinen indessen verstärkt hatte, so gab sie zuletzt nach, und von jetzt an gingen sie schweigend nebeneinander her. Sie hatten das Menschengedränge schon lange hinter sich und waren in Straßen gelangt, die das gewöhnliche Aussehen jedes Tages hatten, und dann auch in solche, die ungepflastert und wenig belebt waren. Alles Geräusch hatte sich verloren, und so ließen sich nun die Stimmen der Vögel hören, die den kommenden Frühling verkündeten. Das Grau war geneigt, sich zu lichten, der Himmel begann eine zarte bläuliche Färbung anzunehmen, aller Schmutz und alle die verstreut liegenden übernächtigen Reste erfuhren eine blinkende Verklärung, und die Natur schien eine Versöhnung anzeigen zu wollen.

Monna Onesta und Alardo Volognana hörten eilige, fast hüpfende Schritte hinter sich und fühlten, daß diese eine Beziehung zu ihnen haben mußten; doch schien es keinen von beiden angemessen, sich nach ihnen umzusehen. Gleich danach stand, ein wenig schnaufend, einer der zwei Männer in den gelben Dominos bei ihnen, und zwar war es der kleinere, der zum Fett neigende. Er verbeugte sich und nahm die Maske vom Gesicht, und es war Ranuccio, ein niedriger Mensch, des Herzogs Leibdiener und Vertrauter, dem dieser mehr Freundschaft und Offenheit zubrachte als den vornehmen Männern seiner Umgebung. Und in diesem Augenblick verstand Volognana, daß er ja beide bereits erkannt hatte, als er im Begriffe gewesen war, mit Monna Onesta den Platz vor der Kirche der Unschuldigen Kinder zu verlassen, daß er aber dieses Erkennen nicht recht in sein Bewußtsein hatte aufnehmen können. Ja, er hatte den Herzog, mit dessen Erscheinung und Gehaben er auf das genaueste vertraut war, an seiner Haltung und an einigen seiner Bewegungen erkannt, und es wollte ihm jetzt sogar scheinen, als müsse er jenseits der schwarzen Seidenlarve das kränkliche, blasse Gesicht mit den kleinen, kalten und mißtrauischen Augen wahrgenommen haben. Und zugleich fragte er sich, ob die Menge ihn wohl ebenfalls erkannt haben mochte, diese Menge, welcher der Anblick des Herzogs nicht so geläufig war wie den Menschen seines Umganges, da der Herzog nur selten in der Öffentlichkeit seiner Stadt sich zeigte. Täuschte ihn seine Erinnerung oder hatte ein plötzliches Zurückweichen der Leute, das er erst für ein achtungsvolles Platzmachen gehalten hatte, einen leeren Raum um Monna Onesta und ihn entstehen lassen, ein Zurückweichen, wie es wohl vor einem Manne geschieht, dessen Stellung aus einer bewunderten und beneideten jählings zu einer gefährdeten geworden ist? Für einen Augenblick überlief ihn ein Schauer.

Das alles war Volognana in großer Geschwindigkeit durch den Kopf gegangen, da er den Ranuccio die Maske abnehmen und sich verbeugen sah und seine Anrede hörte, aber weiter konnte er jetzt seinen Gedanken nicht nachhängen, denn er mußte ja seine Aufmerksamkeit auf das richten, was Ranuccio ihm mitzuteilen hatte.

Dieser reckte seine Brust vor, und obwohl seine Blicke immer wieder voll Neugier von Volognana zu Monna Onesta hinüberhuschten, tat er doch, als sei diese nicht vorhanden, sondern wandte sich lediglich an Volognana. Er sagte: «Die Hoheit erwartet Euch, Herr Volognana, kurz nach dem Mittagsläuten in der Roten Galerie.»

«Es ist gut», antwortete Volognana. «Ich werde zur Stelle sein.»

Hiernach hätte Ranuccio sich entfernen können. Aber ob nun seine Eitelkeit den Gedanken nicht ertrug, er sei nichts als der Überbringer einer Botschaft, oder ob der Herzog ihm, vielleicht andeutungsweise, noch weitergehende Aufträge gegeben hatte – in jedem Falle, er machte einen Versuch, zu einer Erörterung des Vorgefallenen zu gelangen, indem er die Bemerkung lautwerden ließ: «Die Hoheit scheint der Meinung zu sein, Herr Volognana, Ihr hättet Eure Amtszeit mit einer Handlung sonderbarer Großmut begonnen.» Und hierbei zwinkerte er mit der dreisten Vertraulichkeit, an die seine Stellung ihn gewöhnt hatte.

Indem er sich bemühte, zwischen der Geringschätzung, die er für Ranuccios Person empfand, und der Achtung, die er ihm als einem Abgesandten des Herzogs zu bezeigen hatte, den Ausgleich zu finden, antwortete Volognana ihm, er sei gelehrt worden, das Begraben der Toten wohl als das letztstellig genannte unter den sieben leiblichen Werken der Barmherzigkeit, die zu verrichten allen Christen aufgegeben sei, anzusehen, doch sei nirgends gesagt, daß die Erfüllung dieses Gebotes an Unerläßlichkeit hinter den sechs übrigen Pflichten zurückstehe.

«Diese Gesinnung macht Euch Ehre», erwiderte Ranuccio, «doch bliebe wohl zu fragen, ob Ihr mit Eurem Verhalten vor der Kirche der Unschuldigen Kinder habt eine Lehre geben oder eine Beurteilung üben wollen, so als sei etwa von anderer Seite ein christliches Gebot verabsäumt oder ihm geradenwegs zuwider gehandelt worden.»

«Darüber werde ich der Hoheit, wenn sie es wünscht, Rechenschaft geben», antwortete Volognana und ließ damit erkennen, daß er sich zu einer Rechenschaftslegung vor Ranuccio nicht verpflichtet fühlte.

«Haltet das, wie Ihr wollt», erwiderte Ranuccio. «Es wird hierüber in der Roten Galerie und vielleicht auch weiterhin wohl noch manches zu reden sein.» Und mit einem kleinen Gelächter band er sich die Larve wieder vor das Gesicht, verbeugte sich und ging.

Volognana aber und Monna Onesta setzten ihren Weg fort. Und sie sprachen miteinander nicht über Ranuccio und über seine Botschaft.

Unter den Leuten, die jenem Auftritt vor der Kirche der Unschuldigen Kinder beigewohnt hatten, befand sich auch

der Maler Francesco Scartezzi, der auf dem Heimwege von einem Gastmahl begriffen war. In jener zugleich weichen und leidenschaftlichen, allen Gemütswallungen geöffnet sich darbietenden Verfassung, die sich am Ende einer gesellig durchtrunkenen Nacht einzustellen pflegt, war er, ein ohnehin über das Maß hinaus empfänglicher Mensch, vielleicht stärker als alle anderen Zuschauer von einer Erschütterung angefaßt worden; einer Erschütterung, nicht einer Entrüstung, denn was auf ihn wirkte, war nicht, was vorausgegangen war und vom Gedanken erschlossen werden mußte, sondern was sich seinem Auge als ein Gegenwärtiges darbot. Heimgekehrt, hielt er sogleich, und noch ehe er sich niederlegte, das Erblickte und durch den Blick in die Seele Gedrungene umrißweise mit dem Bleistift fest, hier und da zur Hilfe für sein Erinnerungsvermögen auch schon mit dem Pinsel einige Farben von ungefähr andeutend, und hieraus entstand später ein in Öl ausgeführtes Bild.

Es ergriff und befestigte den Augenblick, da Alardo Volognana die Gnadenkette abnahm, und doch war auf diesen Augenblick kein ungebührliches Gewicht gelegt; vielmehr erschien er nur als der Ausdruck eines verborgenen und nun vom eigentümlichen Licht dieser Stunde bedeutungsvoll zur Erscheinung gehobenen Vollzuges, an dem alle die dargestellten Menschen, aber auch die nicht darstellbaren voraufgegangenen Entwicklungen, ja die Gemeinsamkeit aller dieser Menschen in ihren Strebungen, Verfehlungen und Verhängnissen, ihren Freiheiten und Abhängigkeiten den von der Gottheit gemessenen Anteil hatten.

Alle an den Hergängen Beteiligten hatten auf dem Bilde ihre Stätte gefunden. Und es war auch etwas angedeutet von der heimlichen Entferntheit, die zwischen der Menge und den beiden Männern in den gelben Dominos obzuschweben begonnen hatte. Nicht einmal der Reitknecht fehlte oder der an seinem Schurzfell kenntliche Hufschmied oder der vorlesende Bursche, der in Wirklichkeit sich schon vor Volognanas, ja schon vor Monna Onestas Dazukunft entfernt hatte. Er glotzte weitäugig auf den Herrn im weißen Rock, während sein abgespreizter, roh deutender Daumen noch auf die Tafelinschrift gerichtet war, doch schien er dies fast schon vergessen zu haben über dem ihn unerhört dünkenden Geschehnis, daß jemand freiwillig sich seiner Kostbarkeiten entäußerte. Von all den Dargestellten aber beherrschte keiner das Bild, auch nicht Volognana oder Monna Onesta. Sondern was den Maler vorzugsweise gefesselt hatte, das war die ahnungsvolle Stunde, die sich alle diese Menschen untertan gemacht hatte und ihn selber mit. Bewegung und Ruhe waren miteinander verflochten, die Neuhinzutretenden und die sich Entfernenden, die Wirkenden und die Geschehenlassenden, die Erlebenden und die Betrachtenden, die stumpfe Rötlichkeit der Kirchenmauer, die dunklen Arbeitskleidungen und die grellfarbigen Maskengewänder, die gelben Dominos und das strenge Schwarz der verschleierten Frau und das Weiße und Gold des Mannes, dies alles war von der Gemeinsamkeit des irdischen Lichtes umfaßt wie von der Gemeinsamkeit des irdischen Schicksals. Die Schärfe der unvermittelt nebeneinander gestellten Farben war durch die Verhangenheit des Himmels gemildert, und doch wuchsen sie aus der trüben Düsterkeit des langsamen Morgens zu ihrer Wirkung hinaus. Das Grau der zwielichtigen Beleuchtung ging zaghaft in einen perlmutternen oder fast schon silbrigen Ton über, und dieser Übergang schien zugleich jenen anderen Übergang zu meinen, da die tolle, bereits ermüdete und fratzenhaft werdende Lust sich in eine tödliche Erstarrung neigte und aus dieser wiederum eine neue Erweichung der Herzen sich gestaltete, eine Empfänglichkeit nicht nur für die Geschehnisse, sondern auch für deren Bedeutung. So war es dem Maler gelungen, in seinem Bilde das Geheimnisvolle, ja das in einem eigentlichen und vielleicht großartigen Sinne Unvernünftige des Vorganges auszudrükken, und wohl mochte man hier etwas erkennen von dem Zwielicht, in welchem alle Handlungen und Schicksale auf dieser Erde sich bewegen als in einem Vorraume, dem die volle Tageshelle verweigert bleibt.

Dieses Gemälde hielt Scartezzi sehr lange verborgen, und erst zwei Jahrzehnte später, nämlich nach dem Ableben des Herzogs, wagte er es dem Piero Volognana zum Kaufe anzubieten, dem einzigen Sohne des Alardo Volognana und der Monna Onesta, der seinen Vater nicht gekannt hatte, da er erst nach dessen Sturz und nach dessen Hinrichtung, welche seiner anderthalbjährigen Amtszeit und seiner halbjährigen Ehezeit ein Ende machte, geboren war. Dieser Sohn erwarb das Bild und brachte es seiner Mutter, der zwiefachen Witwe.

Monna Onesta schrie auf, als sie es erblickte. Dann aber ließ sie es nie mehr von sich, und in ihrer letzten Krankheit mußte es umgehängt werden, so daß sie es von ihrem Sterbebett aus immerfort vor Augen hatte, wie es sonst wohl mit einem besonders geliebten und für gnadenreich gehaltenen geistlichen Bilde vorgenommen wird. Später aber ist es verbrannt, als das Volk von Trequerce den Enkel des Herzogs verjagte und hierbei auch die Häuser einiger Edelleute zerstört wurden, ohne Rücksicht darauf, ob die Eigentümer zum Anhang oder zur Gegnerschaft der herzoglichen Familie gehört hatten. Und so hat sich von jenem Bilde und von den Schicksalen, die es festhalten wollte, keine andere Erinnerung bewahrt als die, welche etwa in den Blättern dieser Erzählung eine kurze Weile fortdauern mag.

Der Abenteurer

Ein junger Mann, möge er in Gottes Namen Polidoro heißen, nahm von seinen in Palermo lebenden Eltern Abschied, weil er zum Studium nach Padua reisen sollte. Der Vater schenkte ihm eine prächtig gebundene Ausgabe des Ulpianus, grünes Leder, mit Gold bedruckt, die Mutter packte ihm neue, schöngesäumte Hemden ein, und er fragte, ob sie auch Faden und Nadel nicht vergessen habe, damit er nicht mit jedem kleinen Schaden auf Wirtinnen und Mägde angewiesen sei. Die Eltern umarmten und küßten ihn viele Male und wünschten ihm alles Wünschbare; die guten Lehren und Ermahnungen, die jeder von uns empfangen und ohne Zweifel vortrefflich befolgt hat, unterließen sie ihm mitzugeben, da ihnen seine zuverlässige Gemütsart bekannt war; höchstens, daß die Mutter ihm noch aus dem Fenster nachrief, er möge sich vor unreifen Feigen hüten und nicht bei unzureichender Beleuchtung studieren.

Der junge Mann gelangte ohne Unfall nach Padua, mietete sich ein Zimmer in einer stillen Seitengasse und machte sich an sein Studium.

In Padua kannte er niemanden, und es war auch nicht seine Art, auf der Straße oder in Wirtshäusern Bekanntschaften zu machen. Dazwischen sprach er ein paar Worte mit andern Studenten, mit denen er in Vorlesungen zusammentraf; aber da jeder von diesen seine eigenen Angelegenheiten, seine Freundschaften, Liebschaften, Abneigungen und Vergnügungen im Gehirn hatte, so führten ihn solche Begegnungen nicht aus seiner Abgeschlossenheit hinaus.

Daher hielt er sich viel zu Hause bei seinen Büchern auf und setzte sich nur dazwischen auf die Fensterbank und malte sich im Hinausschauen allerlei abenteuerliche Erlebnisse aus, wie man sich abenteuerliche Erlebnisse ausmalt, wenn man in Hausschuhen am Fenster sitzt und über Gärten und Straßen sieht. Denn in diesem Jugendalter träumen von abenteuerlichen Erlebnissen ja auch die Naturen, welche gewohnt sind, sich nach Faden und Nadel zu erkundigen.

Waren es warme Sommernächte, sternklare oder mondhelle, so liebte er es, mit seiner Gitarre durch die Straßen zu gehen – ein Gebrauch, der in Padua wohl nicht ganz unbekannt war, aber nicht so allgemein geübt wurde wie in seiner Heimat –, hier und da ein paar Töne zu greifen und ein paar Takte eines Liedes zu summen, in welchem etwa von einer Schäferin oder vom Abschied aus dem Elternhause oder von einem unglücklich Liebenden die Rede war. Und dabei dachte er oft daran, wie er freilich von seinem Elternhause Abschied genommen hatte – übrigens schickte sein Vater ihm pünktlich das Geld, dessen er bedurfte –, aber weder eine Schäferin kannte noch ein unglücklich Liebender war noch überhaupt etwas erlebte wie die jungen Leute, von denen er wohl gelesen oder erzählen gehört hatte. Auf den Straßen sah er Menschen, die zu Paaren gingen. Einmal wurde er Zeuge einer studentischen Rauferei, welche von Stadtsoldaten unterbrochen wurde. In großen, vornehmen Häusern sah er erleuchtete, aber durch Vorhänge gedeckte Fenster. Hier mochten vergnügte Gesellschaften beisammen sein oder aber eine schöne Frau saß einsam vor ihrem Stickrahmen und dachte daran, ob nicht einmal ein junger Mensch käme, der bereit sein könne, um ihretwillen ein Abenteuer zu bestehen und sie mit diesem zu beglänzen.

In solchen Gedanken griff er ein paar Akkorde, als eine Frauenstimme ihn aus einer Haustür anrief, mit jenem Zischlaut, der gleichzeitig zu Aufmerksamkeit, Vorsicht und Verschwiegenheit auffordert. Der Student hob den Kopf und gewahrte eine ältliche Frauensperson, die zur Dienerschaft dieses reichen Hauses gehören mochte. Er trat betroffen auf sie zu, sie ergriff seine Hand und sagte: «Leise, leise», und führte ihn eine schwach beleuchtete Treppe hinauf. Sie kamen durch einen Gang und verschiedene Räume in einen großen Saal mit Bildern und schöner, mattrosa Wandbespannung. Es ließ sich aber nicht viel unterscheiden, denn es brannte nur eine Doppelkerze auf einem der Seitentische. «Einen Augenblick Geduld», flüsterte die Magd und eilte hinaus.

Der Student lehnte seine Gitarre in einen rosabezogenen Sessel mit vergoldetem Holzwerk. Das Herz klopfte ihm. «Dies ist das Abenteuer», fühlte er.

Nach kurzem Warten hörte er Schritte. Drei junge Männer, von denen einer eher ein Knabe schien, stürzten mit bloßen Degen, einander drängend und überholend, durch die Tür am andern Ende des Saales und kamen durch die ganze Länge des Raumes auf den Studenten zugelaufen.

Der Jüngste, welcher hübsch und wild aussah, war als erster vor ihm und schrie: «Bist du der Halunke, der meine Schwester ins Gerede bringen will?» Und damit machte er einen Ausfall.

«Bei allen Heiligen, ich kenne sie ja gar nicht», rief der Student.

«Feigling!» antwortete der andere und stieß zu.

Der Student hatte natürlich auch seinen Degen gezogen und wehrte den Ausfall des hitzigen und ungeübten Jungen ab.

Inzwischen waren die beiden andern nachgekommen, einer nahm den Doppelleuchter, ließ das Licht auf des Studenten Gesicht fallen und rief: «Ja ... nein ... doch! Ich weiß nicht recht!»

Und ebensolche Ausrufe der Überraschung und des Zweifels tat auch der andere, während der Jüngste immer noch mit seinem Degen fuchtelte und dazu rief: «Er muß sterben, er hat Olimpia in Unehre gebracht!»

Jetzt kam sehr rasch ein älterer Herr in den Saal, hager und verdrießlich, in einem pelzbesetzten Damastschlafrock und sagte: «Was macht ihr denn? Hier ist doch kein Fechtboden, und die Wandbespannung ist erst vorige Woche erneuert worden!»

Der Junge ließ von Polidoro ab, rannte dem Alten entgegen und krähte: «Er hat Olimpia in Unehre gebracht!»

«Unehre! Unehre! Das sind so geräuschvolle Vokabeln», sagte der Alte streng. «Stecke zuerst dein Mordgewehr ein, man sollte euch jungen Leuten hübsch bemalte Besenstiele in die Scheiden klemmen, das wäre gescheiter.»

«Ich verstehe nichts», sagte Polidoro. «Man bittet mich in dies Haus —»

«Ist er es nun oder nicht?» rief der Mittlere, und alle fünf bildeten eine verquere Gruppe.

«Ich hole Olimpia», erklärte der älteste der drei Brüder und lief davon.

«Sie kennen meine Tochter nicht?» fragte der Hausherr.

Polidoro verneinte.

«Und das alles bei Nacht!» meinte der Hausherr mit einem Seufzer.

«Ich habe gesagt, er soll nicht gleich so hitzig werden», warf der Mittlere ein. «Aber du weißt ja, wie er ist.»

Er wollte erzählen, aber der Jüngste nahm ihm das Wort weg.

«Ich höre, Olimpia trifft sich mit einem Studenten. Ich passe auf, es kommt ein Brief ins Haus, er will mit der Gitarre ein Zeichen geben, die Zofe soll ihn in den Garten führen. Ich behalte den Brief, ich stelle die Köchin an die Tür, hier steht er! Ich wache über die Ehre meiner Schwester!»

«Ehre! Ehre!» sagte der Vater. «Wenn ihr älter werdet und mit Geschäften zu tun habt, werdet ihr merken, daß die Nachtruhe auch ein gutes Ding ist.»

Der älteste Bruder kam zurück und hielt am Handgelenk ein schönes, schwarzhaariges Mädchen, das einen Ausdruck von Zorn, Angst und Verachtung hatte.

«Kennst du den?» schrie der Jüngste sie an.

«Laßt mich zufrieden, ich habe ihn nie gesehen», antwortete sie. «Ihr seid wahnsinnig, alle miteinander.»

«Es ist meine Pflicht, die Ehre meiner Schwester zu bewachen», sagte der Jüngste wieder.

«Ach du! Man sollte dir den Hintern verhauen und dich in die Schule schicken», rief sie zurück.

Dann schluchzte sie auf und lief aus dem Zimmer.

«Gut. Es ist ein Irrtum», erklärte der Jüngste. «Jetzt werden wir der Reihe nach mit ihm fechten, ich zuerst. Denn er darf nicht lebend aus dem Hause, sonst plaudert er unsere Schande aus.»

«Schande! Schande!» sagte der Vater. «Was ist das schon für eine Schande? Wir wissen ja noch gar nicht, wie sich die Sache verhält. Es ist möglich, daß sie nur zu zweit in den Mond gestarrt haben, dergleichen kommt vor. Ich werde nachher mit Olimpia sprechen, vielleicht schicke ich sie für ein paar Wochen zu ihrer Patin. Wir werden den Herrn nicht nur um Entschuldigung, sondern auch um Verschwiegenheit bitten, und er wird uns beides gewähren, da er ja ohne Zweifel ein Mann von Herkommen und Erziehung ist.»

Damit war dem Polidoro wieder das Wort erteilt, denn während dieser letzten Gespräche hatte man sich um ihn am allerwenigsten gekümmert, und er hatte mit großen Augen dem Mädchen nachgestarrt.

Jetzt sagte er, er verstehe alles und er werde natürlich keinen Gebrauch von einem Geheimnis machen, in das er aus Zufall hineingesehen habe, und so etwas könne ja vorkommen, bitte sehr, und er habe auch für die Hitzblütigkeit des jungen Herrn alles Verständnis. Dazu machte er eine höfliche Verbeugung.

Der alte Herr dankte ihm und gab ihm die Hand, und dasselbe taten unter Entschuldigungen die beiden älteren Söhne, und zuletzt wurde auch der widerstrebende jüngste dazu genötigt.

Polidoro atmete auf dem Heimwege die milde nächtliche Luft tiefer als sonst. Dann sang er leise vor sich hin und dachte darüber nach, wie er jetzt doch ein Abenteuer erlebt hatte gleich einem bunten und ritterlichen Traum, und wie er aus ihm hervorgegangen war, ohne an seiner Gesundheit oder an seinem Beutel einen Schaden zu nehmen. Und dann träumte er wieder von dem großen Saal mit der rosa Wandbespannung, von den entblößten Degen und dem schönen Mädchen, und er war stolz darauf, ein so wichtiges Geheimnis zu verwahren, und er dachte sich, wie er später einmal, als Notar in Palermo, seinen Kindern und Enkeln von dieser Begebenheit erzählen würde, denn dann würde es wohl nicht mehr gegen sein Schweigegelöbnis verstoßen, auch brauchte er ja keine Namen zu nennen.

Er überlegte, ob er noch einkehren und ein Glas Wein trinken sollte; aber dann meinte er, es habe genug Abenteuer gegeben in dieser Nacht.

So ging er durch die Straßen, in denen immer noch Menschen umherflanierten, und kam in die unbelebte Seitengasse, in welcher er seine Wohnung hatte.

Er war von dem Hause nur noch wenige Ellen entfernt, da hörte er Sprungschritte hinter sich, und jemand schrie ihm wütend zu, er solle seinen Degen ziehen. Polidoro wollte fragen, aber er sah sich angegriffen und mußte gehorchen.

Es war viel zu dunkel, als daß an ein kunstmäßiges Fechten zu denken gewesen wäre. Plötzlich klirrte der Degen des anderen zu Boden. Polidoro setzte rasch den Fuß darauf. Sein Gegner mußte wohl einen Versuch gemacht haben, die Waffe aufzuheben, und dabei über Polidoros vorgeschobenen Fuß gestolpert sein. Kurz, er stürzte zu Boden und sagte: «Mein Herr, ich bin in Ihrer Hand.»

«Ich bitte Sie, aufzustehen», erwiderte Polidoro höflich. «Aber warum haben Sie mich angegriffen?»

«Sie fragen? Haben Sie mich denn nicht erkannt? Ich bin Fulvio!»

Polidoro merkte an der Mundart, daß er einen Sizilianer vor sich hatte.

«Wir sind Landsleute», sagte er. «Fulvio? Ich kenne Ihren Namen nicht. Ich heiße Polidoro.»

Fulvio, der sich erhoben hatte, und mit der Linken den Staub von seinem Anzug klopfte, sprach feurig und schönrednerisch zugleich, wie einer, der die Eloquenz nicht nur studiert, sondern mit der Ammenmilch eingeschluckt hat.

«Götter! Sie kennen meinen Namen nicht? Sollte Olimpia ihn nicht genannt haben, als Sie sich miteinander über mich lustig machten?»

«Olimpia?» rief Polidoro. «Sie täuschen sich. Ich werde Ihnen alles erzählen. Sind Sie verwundet?»

«Die Frage verrät Ihre Großmut. Ihre Finte und Ihr Handstoß waren meisterhaft.»

«Kommen Sie herein, es muß für Ihre Wunde gesorgt werden.»

Fulvio sträubte sich unter vielen Komplimenten, dann stiegen sie hinauf, Polidoro machte Licht und verband Fulvios rechte Hand, die eine unbedeutende Verletzung erhalten hatte.

Fulvio erzählte, lebhaft und mit vielen Bewegungen; weil er zu diesen auch der Rechten bedurfte, riß er sie dem Polidoro dreimal aus den Händen.

Er habe mit Olimpia ein Stündchen in deren väterlichem Garten beisammen sein wollen und deshalb einen Brief geschrieben. Am Nachmittag kam die Zofe: sein Brief sei den

Brüdern in die Hände geraten, er möge lieber nicht kommen. Nun habe er es aber nicht lassen können, wenigstens vor dem Hause auf und ab zu gehen – «die Leidenschaft, verstehen Sie, die Leidenschaft!» –, da sah er den Polidoro eintreten und glaubte sich zugunsten eines Nebenbuhlers betrogen.

Auch Polidoro erzählte; dann ging er in die Küche seiner Wirtin und fand einen Krug Wein.

Fulvio pries Olimpia und rezitierte Verse. Polidoro klimperte wehmütig auf der Gitarre, bis von unten mit einem Besenstiel gegen die Zimmerdecke geklopft wurde. Sie tranken. Polidoro erklärte, er sei so einsam gewesen. Sie umarmten einander und nannten sich Freunde.

Fulvios Studien waren dem Abschluß nahe, und er hatte die Anwartschaft auf ein einträgliches Amt. Aber eben weil es zur Zeit noch eine Anwartschaft und kein Amt war, darum hatte er Olimpias Vater seine Werbung noch nicht vortragen mögen, und Olimpia, die ihren Vater kannte, hatte das gutgeheißen.

Polidoro hatte sich stolz und stark getrunken. Er war gerührt über die eigene Großmut und hatte das Bestreben, Großmut und Rührung zu steigern. Er sagte: «Lasse mich machen. Morgen gehe ich hin und bringe alles für dich in Ordnung.»

Darauf umarmten sie sich wieder, und Polidoro ging um einen neuen Krug in die Küche.

Weil Polidoro in der Nacht so aufregende Dinge erlebt und wenig geschlafen und auch mehr Wein getrunken hatte, als er gewohnt war, so befand er sich am nächsten Morgen in einer eigentümlichen Gemütsverfassung, die sich aus Übermut, Unbehagen, vordringlichem Stolz und heimlichen Befürchtungen zusammensetzte. Er bürstete sehr ordentlich seinen Sonntagsrock und seine Schuhe, und dann begab er sich zu einem vornehmen Barbier, während er sich sonst selber rasierte.

Hier mußte er eine Zeitlang warten, und weil er ein Verlangen nach frischer Luft hatte, so stellte er sich in die offene Tür und schaute auf die Straße hinaus. Es kamen viele Leute vorbei, Studenten, Händler, Frauen, Handwerker und Amtspersonen, und Polidoro dachte, ob jemand unter ihnen wohl Dinge erlebt habe wie er.

Plötzlich sah er Olimpia auf der andern Straßenseite. Sie hatte eine schöne Haltung und einen kräftigen Gang und kam aus der Kirche, denn die Zofe trug ihr ein Gebetbuch nach. Ihr Anblick ergriff Polidoro jetzt noch stärker als in der Nacht, denn inzwischen hatte er ja erfahren, daß im Leben eines mutigen Mannes für jedes Abenteuer Raum ist.

Er erinnerte sich plötzlich an allerlei vernommene Geschichten und gelesene Bücher, wo ein Freund für den andern eine Braut hatte hüten oder eine Werbung hatte vornehmen müssen und dann selbst von der Leidenschaft überwältigt worden war. Dies war dann vielleicht verrucht gewesen, allein es war eine Verruchtheit, mit welcher in den Geschichten sehr erhabene Gefühle und sehr rührende Reden verbunden gewesen waren; ja, solche Seelenkämpfe hatten einem Manne dann wohl für sein ganzes Leben ein Gepräge von düsterer Größe gegeben. Auch in den Schauspielen hatte er ähnliches gesehen, und alle Zuschauer waren ergriffen gewesen; eine vornehme alte Dame hatte mit dem frisierten Kopf genickt und sich die Tränen aus den Augen gewischt.

Über diesen Gedanken merkte er kaum, wie er gebeten wurde, auf dem Rasiersessel Platz zu nehmen, wie er sich hinsetzte und der Barbier ihn einzuseifen begann. Ja, er wurde nicht einmal gewahr, wie dieser mit dem Rasieren fertig wurde und nun allerlei andere Verrichtungen mit ihm vornahm, ohne ihn erst um seine Genehmigung zu befragen, wie er ihn salbte und besprengte und einrieb, ihm die Haare kräuselte, vorstehende Härchen von Augenbrauen, Ohren und Nasenlöchern entfernte, ihm heiße Tücher auf der Nase ausdrückte. Erst als der Barbier mit einem verehrungsvollen Gemurmel nach seinen Händen griff, um ihm die Nägel herzurichten, da fuhr er zusammen und verwehrte ihm unwillig weitere Leistungen.

Den ganzen Umfang des Geschehenen nahm Polidoro indessen erst beim Zahlen wahr, mit etwas Erschrecken und Mißbehagen; aber dann betrachtete er sich noch einmal im Spiegel, und nun hatte er das Gefühl, es müsse sich etwas Wichtiges mit ihm ereignen, etwas, das all dieses Barbiersgewese rechtfertige und aufwiege, etwas viel Gewaltigeres und Abenteuerlicheres als das bloße Zustandebringen einer Versöhnung zwischen einem Landsmann und einer paduanischen Familie. Und warum, so kam es ihm auf der Straße in den Sinn, sollte es denn nicht gehen? Er dachte daran, daß seine Eltern ja angesehene und nicht unvermögende Leute waren, und daß doch Olimpias Vater eine Pflicht des Entgegenkommens vor ihm hatte. Und das Mädchen selbst? Nun, er hatte sich bravourös geschlagen und der Barbier ihn wundervoll zurechtgemacht, wenn es auch ein wenig teuer gewesen war. Und dann würde er jeden Tag sein Essen haben, wie es ihm behagte, und nicht nach dem Allerweltsgeschmack der Gasthäuser und Kostfrauen.

Unter solchen Gedanken kam er an. Die Zofe öffnete ihm, er verlangte den Hausherrn zu sprechen und wurde in ein reich ausgestattetes Kabinett geführt. Hier möge er warten, der Herr werde kommen. Polidoro saß in einem Sessel und fand die grüne Bespannung nicht schlechter als die mattrosa.

Die Tür flog zurück, Olimpia sprang ins Zimmer, drückte Polidoros Hand und sagte: «Fulvio hat mir alles erzählt, ich habe ihn in der Kirche gesehen, er steht im Hausflur jenseits der Straße und wartet. Machen Sie Ihre Sache gut, mein Vater ist Ihnen gewogen, er sagt, Sie hätten etwas so Gesetztes.»

Sie lief davon, und gleich darauf kam ihr Vater durch die andere Tür.

Er begrüßte Polidoro sehr höflich und sagte, er bedauere den gestrigen Vorfall ungemein, und es sei ihm die größte Genugtuung, daß Polidoro mit dem bloßen Schrecken davongekommen sei. So etwas hatte er schon in der Nacht gesagt, da war es kein Wunder, daß Polidoro mit Stolz etwas

Neues erzählte, nämlich, daß es mit dem Erlebnis hier im Hause nicht sein Bewenden gehabt habe.

Der alte Herr hörte zu und rief: «Mein Gott! Und das alles durch die Schuld meiner Kinder! Wie läßt sich das nur gutmachen?»

Polidoro erzählte weiter und sprach von Fulvio und fühlte sich wieder großmütig und gerührt und mit einem kleinen warnenden Unbehagen dachte er auch daran, daß der eifersüchtige Hitzkopf gegenüber der Haustür stand und mit großer Ungeduld auf ihn wartete. Da trug er nun alles sehr ordentlich vor, daß ja doch nichts Schlimmes geschehen sei, und daß die jungen Leute einander liebten, man wisse ja, wie das bei jungen Leuten sei, und Fulvio habe ein einträgliches Amt zu erwarten und sein Mutterbruder sei Domkapitular und von seiner Geschäftskunde habe Fulvio ihm in den Gesprächen der Nacht manche Probe gegeben, und seine Familie sei auf der ganzen Insel bekannt.

Das alles war wie eine richtige Rechtsgelehrtenrede, und der alte Herr nickte ein paarmal ganz gerührt, und als Polidoro fertig war, da stand er auf und sagte:

«Sie sind ein ausgezeichneter Sachwalter! Warten Sie hier. Ich will überlegen, was geschehen soll.»

Er ging hinaus, und als er mit dem Überlegen fertig war, da kehrte er mit Olimpia und seinen drei Söhnen zurück. Olimpia sprang ans Fenster und winkte mit ihrem Taschentuch hinaus. Dann ging sie auf Polidoro zu, nahm seinen gesalbten Kopf in beide Hände und küßte ihn rasch auf den Mund, wie man ein hübsches Kind küßt.

«Es ist alles in Ordnung», sagte der alte Herr, und die Söhne gaben Polidoro die Hände und meinten lachend: «Wir kennen uns ja schon.»

Während Fulvios Schritte die Treppe hinaufsprangen, sagte Olimpia zu Polidoro: «Ich weiß alles von Ihnen. Wir werden dafür sorgen, daß es Ihnen in Padua gefällt, und beim Hochzeitsessen setzen wir Sie neben die hübsche Ricchetta, da werden Sie nicht lange einsam bleiben.»

Jahrzehnte später, wenn Polidoro abends in seinem Garten in Palermo saß, neben sich die Kinder, die seine selige Frau Ricchetta ihm geboren hatte, dann sagte er gedankenvoll: «Ja, als ich in Padua studierte – tolle Köpfe sind wir gewesen! In einer Nacht mit vieren die Klinge gekreuzt, das war gar nichts. Und wir hielten zu unsern Freunden, selbst wo das eigene Herz auf dem Spiele stand. Heutzutage ist die Welt zahm geworden. Es gibt keine großen Leidenschaften mehr.»

Trivulzio und der König

Der berühmte Mailänder Gian Giacomo Trivulzio, von manchen «der Große» genannt, hatte lange Jahre hindurch der französischen Krone als Feldherr gedient und von König Karl dem Achten und König Ludwig dem Zwölften viel Gunst und Auszeichnung empfangen. Nach ihnen aber kam an die Regierung König Franz, der eine heftige Abneigung gegen die Vertrauten seiner Vorgänger empfand und der Meinung war, der ungestüme Glanz seiner königlichen Jugend dürfe nicht von alten Männern beschattet werden, deren Erfahrung ihn selbst zu bevormunden, ja zu lähmen drohe.

Diesen verschloß er nicht nur sein Ohr, sondern auch seine Hand, und der alte Trivulzio, der bisher am Hofe sein reichliches Auskommen gehabt und sich daher kaum um Erwerb und Bewahrung von Liegenschaften bekümmert hatte, sah sich plötzlich in Not, zumal sich nach dem Vorgange des Königs auch seine bisherigen Freunde von ihm abwandten.

Endlich entschloß er sich zu einem letzten Versuch und ließ den König um eine Audienz bitten. Er beabsichtigte, ihm sein hohes Alter, seine Leibesschwäche und seine Verdienste ins Gedächtnis zu rufen und ihn um eine ehrenvolle Entlassung samt einem anständigen, aber nicht unbescheidenen Ruhegeld anzugehen.

Der König weigerte sich, ihn zu empfangen.

Dies nahm Trivulzio sich so zu Herzen, daß seine schleichende Schwäche in eine hitzige Krankheit überging, während der er sich mit geringen Ärzten begnügen mußte. Denn er war zu arm, als daß er nach einem der berühmten Heilkünstler von der Pariser Hochschule hätte schicken können, und der Leibarzt des Königs wagte ihn um seines Herrn willen nicht aufzusuchen. Von nun an begann Trivulzio durch seinen Kammerdiener Matteo, einem einfältigen und anhänglichen Alten, allerlei Kostbarkeiten verkaufen zu lassen, teils aus Not, teils aus Ingrimm, und vornehmlich solche, die er von den früheren Königen als Ehrengeschenke erhalten hatte. So sah man denn König Ludwigs silberne Lieblingssteigbügel oder goldene Schaumünzen mit dem Bildnis König Karls oder Becher oder Gnadenketten mit den königlichen Lilien in den Auslagen jüdischer Trödler. Hierin mußte jeder eine Beschimpfung des Königshauses erblicken, denn Trivulzio besaß ja auch noch andere Dinge von Wert, die er hätte zu Geld machen können.

Franz erfuhr von diesen Verkäufen durch einige Hofleute, junge Männer, die ihm gern zu Gefallen redeten und ihn in seiner Abneigung gegen das ältere Geschlecht zu bestärken suchten. Allein, wie sich niemals die Wirkung einer Nachricht auf des Königs bewegliches Gemüt zum voraus berechnen ließ, so erwies es sich jetzt, daß er sich nicht die Beschimpfung des königlichen Hauses zu Herzen nahm, sondern die Not und Erbitterung, die Trivulzio zu dieser Beschimpfung getrieben hatten. Er gab Befehl, alle veräußerten Gegenstände unter der Hand aufzukaufen, und beschloß im stillen, sich kommenden Sonntags nach der Messe zu Trivulzio zu begeben, ihn aufs neue mit seinem ehemaligen Eigentum zu beschenken und auf eine leidliche Art seinen Frieden mit ihm zu machen.

Trivulzio hatte niemals daran gedacht, sich vom König etwas zu erbitten. Nein, was er begehrte, in diesem sah er sein Recht. Und der Gedanke, daß ihm sein Recht verweigert wurde, verließ ihn nicht einmal während jener Stunden, in denen das Fieber ihm jede Kenntnis von Anlaß und Art dieser Rechtsverweigerung raubte. Dann jedoch gab es Zwischenzeiten, in denen das Fieber nachließ, und in einer dieser Zwischenzeiten erdachte er eine Maßnahme, mit deren Hilfe er zu seinem Recht gelangen oder doch den König vor seinem ganzen Hofe in der empfindlichsten Weise bloßstellen wollte. Um das Recht ging es ihm, nicht mehr um die Mittel, sein Leben auf geziemende Weise fortführen zu können, denn angesichts seiner Krankheit war er mit Ingrimm davon überzeugt, daß er es überhaupt nicht mehr lange werde fortführen können.

König Franz pflegte des Sonntags in der Frühe mit seinem ganzen Hofstaat die Messe zu hören und sich darauf, immer noch von allen Höflingen gefolgt, durch eine lange Galerie in seine Wohngemächer zu begeben. Als er an diesem Sonntage nach der Messe die Galerie betrat, erblickte er an ihrem anderen Ende, unweit des Ausganges, einen Gegenstand oder eine Anordnung von Gegenständen, die er noch nicht zu erkennen vermochte.

Er beschleunigte seinen Gang, er hörte eine scharfe, dünne Greisenstimme, die ihm eintönig und eindringlich ihr: «Sire! Sire! Sire!» entgegenrief.

Die Hofleute stießen sich an, flüsterten, warfen sich erschrockene oder empörte Blicke zu.

Am Ende der Galerie stand eine Bahre aus rohem Fichtenholz, mit einem zerrissenen Reitmantel bedeckt, und darauf lag Trivulzio. Seine ausgestreckte Gestalt schien noch länger, als sie in Wirklichkeit war, und die Abgezehrtheit seiner Gliedmaßen war verhüllt durch die Kampfrüstung aus bläulichem, goldverziertem Stahl, die seinen Leib von Kopf bis zu den Sohlen einsargte. Nur das magere, spitzknochige Greisengesicht mit der schnabelartigen Nase und dem langen weißen Bart lag frei, und es war so klein geworden, daß zwischen Haut und Helmrand ein dunkler Hohlraum klaffte. An den Füßen trug er die langen goldenen Sporen, an der Seite das Schwert mit dem goldenen Griff, das König Karl ihm geschenkt hatte. Um den Hals lief ihm eine Ehrenkette und über die Brust eine breite gestickte Feldschärpe mit den königlichen Lilien von Frankreich. In der Rechten hielt er den Marschallstab und in der Linken den von Fetzen umgebenen Schaft des herzoglichen Prunkbanners, das er im Dienst der französischen Krone dem Lodovico Moro entrissen hatte.

Des Königs Lippen krampften sich ineinander, sein Gesicht war ganz weiß geworden vor Zorn.

«Sire! Sire! Sire!» rief Trivulzio streng, fast befehlend, während Franz an ihm vorüberging, den Kopf zurückgeworfen, die Augen starr auf die Tür gerichtet.

«Sire! Sire! Sire!» klang es hinter ihm her, als er die Galerie verlassen hatte.

Daheim wurde Trivulzio von dem alten Kammerdiener behutsam aus dem stählernen Gehäuse geschält. Stück für Stück verließ ihn die blanke Herrlichkeit. Endlich lag ein abgezehrter Greisenleib totenfarben auf dem Bett. Jede Bewegung hatte Trivulzio leise aufstöhnen lassen. Ohne den Kopf zu wenden, ließ er jetzt die Augen auf die leergewordene Hülse gleiten, die vor seinem Bett lag und im nächsten Augenblick von Matteo in die Waffenkammer geschafft und verschlossen werden sollte. Trivulzio begriff, daß er sie zum letzten Male getragen hatte. War der Auster die Schale genommen, ohne die sie sterben muß? Hatte der Schmetterling sein Gefängnis verlassen?

Trivulzio schloß die Augen. Er begriff, daß ihm, der nichts gewollt hatte als sein Recht, dieses sein Recht geworden war. Denn als sein Recht hatte er ja nicht mehr ein Jahrgeld begehrt, sondern diese Schaustellung in der Galerie, mit der er den König unerbittlich dem Urteil der Menschen als einen Überführten preisgegeben hatte.

Vergebens trachtete er sein Herz zu einem Gefühl der Sättigung, ja des Triumphes zu bewegen, während es ihm ahnte, er habe mit seinem Recht zugleich sein Urteil erlangt, denn von nun an lag ja nichts mehr vor ihm, außer diesem einen: zu sterben. Darum begann er laut nach seinem Diener zu rufen, der fortgegangen war, um die Waffenstücke seines Herrn wegzuräumen.

«Matteo! Matteo! Ich habe ja nun mein Recht!» schrie er. «Ich habe mein Recht!»

Einen Menschen brauchte er, einen Menschen, der ihm bestätigte, daß er, Gian Giacomo Trivulzio, einen Triumph davongetragen hatte über Franz von Frankreich, einen Triumph, wie er nicht einmal dem römischen Kaiser als des Königs mächtigstem Feinde zuteil geworden war.

Matteo kam auf Trivulzios Rufen erschrocken angelaufen, den kostbaren Helm mit dem Federbusch in den Händen.

«Was ist, Herr? Was gibt es?» fragte er ängstlich, in der Meinung, Trivulzio habe um Hilfe gerufen.

Trivulzio starrte ihn lange an und konnte sich nicht mehr darauf besinnen, in welcher Absicht er ihn zu sich gerufen hatte. Er sah nur den gebeugten, grauhaarigen und verbrauchten Menschen mit dem kostbaren Feldherrnhelm in den Händen, diesem Helm, der für Trivulzio keine andere Bedeutung mehr hatte als ein zerbeultes Kochgefäß. Der Triumph in der Galerie war vergessen, und der alte Gram über den erlittenen Undank zuckte, vom Herzen ausgehend, wie ein Kugelblitz durch seinen Körper.

«Das ist des Teufels!» schrie er. «Durch Jahrzehnte habe ich der Krone Frankreich gedient und nichts gewonnen! Aber es geschieht mir schon recht. Wer hat es mich geheißen? Hätte ich nur ein einziges Jahr Gott gedient, ich würde mehr erlangt haben!»

Der Alte hatte seinen Herrn scheu angesehen und nicht gewußt, was er sagen sollte. Denn obwohl er mit Trivulzios Geschick auf das genaueste vertraut war, hatte dieser doch niemals ein Wort darüber zu ihm gesprochen. Nun aber spürte er die Notwendigkeit, auf Trivulzios hastig hervorgestoßene Rede etwas zu erwidern, wenn möglich etwas Tröstendes, und indem er in seiner Verlegenheit, ohne sich dessen recht bewußt zu sein, an einige Worte des letzten Satzes anknüpfte, sagte er, fast aufs Geratewohl: «Ich habe reden hören, vor Gott seien tausend Jahre wie ein Tag und ein Tag wie tausend Jahre.»

Diese Worte riefen plötzlich auf Trivulzios Gesicht den Ausdruck einer Erschütterung hervor, die Matteo bestürzte.

«Was macht er denn für eine Miene?» dachte der Alte erschrocken. «Was habe ich nur geredet? Ich habe ihm doch etwas Tröstliches sagen wollen.»

«Gehe hinaus», befahl Trivulzio. «Beschäftige dich, wie du magst, ich will weder dich noch einen anderen Menschen sehen bis morgen um diese Stunde.»

Matteo gehorchte. Als er folgenden Tages an Trivulzios Lager trat, erschien ihm sein Herr auf eine unerklärliche Weise verändert.

«Matteo», sagte er geheimnisvoll, «das ist mein Glück gewesen, daß ich der Krone Frankreichs nur ein paar Stunden gedient habe, Gott dem Herrn aber tausend Jahre lang.»

Er verschied gegen Abend. Am nächsten Morgen, ehe noch Matteo Gelegenheit gehabt hatte, irgend jemanden vom Tode seines Herrn zu benachrichtigen, erschien Franz mit einigen Hofleuten und zwei Dienern, welche in einem Korbe die von Trivulzio verkauften Gegenstände trugen.

Im Laufe zweier Tage hatte er seinen Zorn zu dämpfen vermocht. Er war klug genug, zu wissen, daß er aus seinem Kampfe mit Trivulzio einstweilen als Unterlegener hervorgegangen war und daß nur eine überraschende Handlung königlicher Großmut ihn den Menschen als Sieger bestätigen konnte. So war er denn zu seinem ursprünglichen Vorsatz zurückgekehrt.

Matteo empfing die Besucher. «Die Majestät kommt zu spät», sagte er leise. Dann jedoch, als habe er in diesen Worten nur des Königs Unglück, nicht aber sein Verschulden festgestellt, fügte er mit Härte hinzu: «Die Majestät hat sich verspätet.»

Franz betrachtete lange das Gesicht des Verstorbenen. Endlich neigte er sich vor dem Kruzifix in Trivulzios zusammengefügten Händen, bekreuzte sich und flüsterte: «Sire, Sire, Sire.»

Er sah sich um, ob jemand diese Worte vernommen hätte. Die Mienen der Hofleute versagten jede Auskunft, und Matteo mochte sie wirklich überhört haben.

Franz ging. Um das Geschlecht des Feldherrn zu ehren, unterzeichnete er noch am gleichen Tage das Dekret, welches Teodoro Trivulzio, den Vetter des Toten, zum Statthalter von Mailand bestellte.

Der Marschall und sein Sekretär

Während der Kriege des sechzehnten Jahrhunderts, in denen sich auszukennen schwierig und wohl auch unnötig ist, wurde ein Spanier mit Rücksicht auf bestimmte Familienumstände aus dem Dienst der Feldarmee entlassen. Das war damals nichts Ungewöhnliches, denn die Heere waren ja klein, auch im Verhältnis zur Männerzahl der Völker, und jeder Ausscheidende konnte leicht ersetzt werden. Es gab mehr Dienstlustige als Goldstücke, um sie zu besolden.

Der Mann trat die Heimreise durch Frankreich an, also, wie wir Heutigen sagen würden, durch Feindesland, aber damals nahm man das noch nicht so genau. Immerhin hatte er einiges auszustehen, obwohl er einen ordnungsmäßigen Abschiedsbrief vorzeigen konnte, und so dachte er sich vom Herzog von Montmorency, dem Marschall von Frankreich, gegen den er selbst mitgekämpft hatte, einen Paß zu beschaffen.

Der Herzog trat mit seiner Begleitung aus dem Portal des Rathauses, in welchem er sein Quartier hatte, und erblickte einen hochgewachsenen Mann in abgenutzter Kleidung, der ihn höflich, indessen doch mit einer Art von Herablassung grüßte. Einer von den Begleitern des Herzogs fragte ihn, was er wolle. Der Spanier antwortete, er habe eine Bitte an den Herzog und nicht an ihn.

Montmorency, dem die stolze Haltung des Mannes gefiel und zugleich auch wohl eine Belustigung verursachte, winkte ihn zu sich, hörte ihn an und befahl dann seinem jungen Sekretär, sich der Sache anzunehmen. Er nickte dem Spanier zu und setzte seinen Weg fort.

Am Nachmittag wurde ihm der Paß, schon mit seinem Siegel versehen, zur Unterzeichnung vorgelegt. «Hier», sagte er zu seinem Sekretär, «wenn der Ritter von der Landstraße kommt, um sich den Paß zu holen, dann geben Sie ihm dies Goldstück auf den Weg. Er hat noch eine lange Reise, und seine Hosen sehen nicht so aus, als stecke in ihnen viel Silber.»

Der Spanier erschien in der Kanzlei. Der Sekretär gab ihm den Paß und das Goldstück.

Der Spanier wurde rot und warf das Goldstück auf den Tisch.

«Wofür halten Sie mich?» rief er. «Ein Mann meiner Art nimmt keine Almosen.»

«In Frankreich ist es nicht Sitte, daß man ein freundlich gegebenes Geschenk unfreundlich zurückweist», sagte der Sekretär. «Soll ich dem Herzog sagen müssen, Sie hätten seine Gabe verschmäht?»

«Sagen Sie ihm, was Sie wollen. Die Sitten Frankreichs kümmern mich nicht. Ich halte mich an die meines Vaterlandes.»

«In der Tat, die scheinen anders zu sein als die unseren.»

«Unsereiner nimmt ein Geschenk kaum von seinem eigenen König an.»

«Um so besser für Ihren König. Hat er noch mehr solche Leute wie Sie?»

«Wie viele meinesgleichen er hat, daß weiß ich nicht, aber Ihresgleichen hat er so viel wie Flöhe.»

Der Sekretär wußte nicht oder wollte es in jenem Augenblick nicht wissen, daß dieser Vergleich bei den Spaniern keine andere Bedeutung hatte als die einer Redensart, mit der eine große Menge bezeichnet werden soll. Er antwortete:

«Da sind unsere Souveräne in verschiedenen Lagen. Ihresgleichen hat mein König so wenig wie Flöhe. Ich schmeichle mir aber, er werde meinesgleichen mehr haben, und ich hoffe, er ist auf diese Weise nicht schlecht bedient.»

«Sie langweilen mich», erwiderte der Spanier.

«So werde ich Sie morgen früh unterhalten.»

«Und wo, wenn es beliebt?»

«Im Boskett an der Stadtmauer, gegenüber von Sainte Madeleine. Ich werde gleich nach dem Gebetsläuten zur Stelle sein.»

Der Spanier erwartete ihn bereits. Er war stark, der Franzose war wendig. Zunächst suchte ein jeder die Fechtweise des anderen kennenzulernen, um danach den eigenen Angriff einzurichten. Das ging eine ganze Weile so fort, ohne daß Blut geflossen wäre. Immerhin hatten beide einige Schlitze und Löcher in ihren weitbauschigen Ärmeln.

Endlich wurden sie hitziger, aber da hörten sie Laufschritte, und gleich darauf näherte sich der Kammerdiener des Herzogs.

Als fühlte er, daß die eiligen Schritte ihm galten, ließ der Sekretär in seiner Aufmerksamkeit nach und beging einige Fehler. Sofort paßte der Spanier sich dieser Veränderung an und gab sich ebenfalls nachlässig, indem er es verschmähte, von der Unachtsamkeit seines Gegners Vorteil zu ziehen.

«Halten Sie ein, meine Herren!» rief der Kammerdiener, ergriff einen am Boden liegenden Ast mit welken Laubblättern und hielt ihn zwischen die Fechter. «Der Herzog verlangt nach Ihnen», sagte er zu dem Sekretär. «Er wird sehr ungehalten sein, wenn Sie ihn warten lassen.»

«Ich bitte Sie, mich zu entschuldigen», sagte der Sekretär und machte dem Spanier eine Verbeugung. «Ich stehe nachher wieder zu Ihrer Verfügung.»

«Ich nicht weniger zu der Ihren», antwortete der Spanier und steckte seinen Degen ein. «Es sei denn, Sie halten Ihre Ehre für wiederhergestellt und nehmen meinen Handschlag entgegen.»

Der Sekretär gab ihm rasch die Hand und eilte mit dem Kammerdiener davon. Unterwegs sagte dieser: «Ich weiß ein für allemal, wo ich zu suchen habe, wenn einer von den jungen Herren schon in der Morgenfrühe sein Quartier verlassen hat.»

«Sie haben mich warten lassen», sagte der Herzog. «Offenbar hat mein Kammerdiener Sie suchen müssen. Sie scheinen erhitzt. Woher kommen Sie?»

Der Sekretär entschuldigte sich und berichtete. Der Herzog lächelte, er hatte es nicht ungern, wenn seine Untergebenen sich schlugen, obwohl der König es verboten hatte, und insbesondere pflegte er zu sagen, es sei den Herren vom Kanzleiwesen bekömmlich, wenn sie bisweilen gelüftet würden.

«Und wie ist es abgelaufen? Sie sind unverletzt?»

«Er hat mir den Ärmel aufgeschlitzt.»

«Ich sehe es. Nun, so machen Sie mir das Vergnügen, morgen in einem neuen Rock in die Kanzlei zu kommen.» Und er griff in die Tasche.

Der Sekretär bedankte sich, und der Herzog begann zu diktieren – Briefe an den König, an einige seiner Truppenführer und an seinen Intendanten. Das ging durch mehrere Stunden.

Als die Arbeit beendet war, sagte der Herzog. «Jetzt habe ich noch einen anderen Auftrag für Sie. Gehen Sie zu unserem Spanier in seine Herberge oder, wenn er schon fort ist, reiten Sie ihm nach, er kann ja noch nicht weit sein, und bringen Sie ihn zu mir.»

Der Spanier kam. Der Herzog sagte: «Ich muß Sie um Verzeihung bitten – zunächst dafür, daß ich Ihre Auseinandersetzung mit meinem Sekretär gestört habe. Aber da waren eilige Sachen zu erledigen. Und nun habe ich Ihre Verzeihung noch in einer zweiten Angelegenheit nachzusuchen. Es ist da, und gewiß durch meine Schuld, ein Mißverständnis aufgekommen, das Sie mir nicht nachtragen wollen. Aber da Ihre Straße Sie durch Galicien führt, so habe ich gemeint, Sie werden wohl auch in Santiago de Compostela ankehren. Wollen Sie in diesem Fall die Güte haben, am Grabe des Apostels Jakob ein Gebet für mich zu sprechen und diese fünf Goldstücke in den Opferstock zu werfen?»

«Das ist etwas anderes», antwortete der Spanier. «Wenn ich Ihnen gefällig sein kann, so verringert das die Dankes-

schuld, die Sie mir mit der Gewährung des Passes auferlegt haben. Und selbst wenn meine Straße mich nicht durch Galicien führte, so würde ich den Umweg nicht für verloren halten.»

Als der Spanier draußen war, sagte der Herzog zu seinem Sekretär: «Sie machen ein verwundertes und unzufriedenes Gesicht. Hören Sie zu, mein Lieber, ich will Ihnen eine kleine Geschichte erzählen.»

Wie er das sagte, da hatte er den ganzen Stolz, ja den ganzen Hochmut, der sich selten so unverhohlen bei ihm kundtat. Er sprach zu dem Sekretär wie zu einem Bedienten, und zwar drückte sich das weniger in den Worten selbst aus als in ihrem Ton und in einer lässigen Handgebärde.

Er erzählte:

«König Mahomet liebte einen Mohren, und als sein bester Ratgeber von einem anderen Höfling gefragt wurde, warum der König unter so vielen ansehnlichen Edelknaben gerade diesen häßlichen und schwarzen begünstigte, da antwortete er: ‚Was die Könige lieben, das muß ihren Augen schön sein. Was sie hochhalten, das muß wert sein. Wenn du diesen

Mohrenknaben mit königlichen Augen anzusehen vermöchtest, so ist nicht zu zweifeln, du würdest ein gleiches Urteil über ihn haben wie der König.'»

Von seiner Begegnung mit dem Spanier erzählte der Herzog einmal bei Tisch, als das Gespräch auf die Wesensart verschiedener Völker gefallen war.

«Nun, und glauben Sie wirklich, Ihr Spanier habe die Goldstücke in den Opferstock von Santiago de Compostela geworfen?» fragte einer aus der Tafelrunde.

Der Herzog lächelte: «Wen geht das etwas an außer ihm?» fragte er zurück. «Ich hatte damals lästige Schmerzen von der Gicht auszustehen. Einige Wochen nachdem der Spanier mich verlassen hatte, verschwanden sie. Nichts hindert mich, höflicherweise anzunehmen, mein Spanier habe am Apostelgrabe für mich gebetet und die Goldstücke geopfert.»

Auch der Sekretär kam einmal auf den Vorfall zu sprechen. Es waren viele Jahre vergangen, und er saß mit seiner Freundschaft und Verwandtschaft bei Tisch. Sie waren alle stolz auf ihn, daß er, der Sohn eines unbedeutenden, ärmlichen und halb bäurischen Landedelmannes, seine Laufbahn gemacht und es mit großen Herren zu deren Zufriedenheit zu tun gehabt habe.

«Du glaubst», sagte er, «du kennst diese Leute, aber sie haben verrückte Launen. Plötzlich finden sie Gefallen an einem Strauchdieb, dann haben sie keinen Verstand mehr und werfen das Geld zum Fenster hinaus. Niemand weiß die Ursache.»

Der Ritter

Der Graf von Suffolk, des englischen Königs Feldherr in Frankreich, hatte einen Bruder, Robert de la Pole, der ihm an Rang und Alter nachstand, um seiner Kriegstüchtigkeit und ritterlichen Art willen aber dem älteren fast gleichgeachtet wurde. Robert de la Pole, der ein gehorsamer und einfältiger Mann war, hing seinem Bruder in großer Verehrung an, wie ja viele Menschen nicht zu leben vermögen ohne eine Gestalt, an der sie den eigenen Unwert in demütiger Hoffnung messen.

Robert de la Pole befehligte die Besatzung der Stadt Jargeau, die von den Franzosen unter der Führung eines kriegerischen Bauernmädchens zehn Tage lang belagert und endlich am elften erstürmt wurde. Der größte Teil der Verteidiger war getötet oder gefangengenommen. Nur in der Burg wurde noch gekämpft.

Robert de la Pole stand, verwundet, hinter einem umgestürzten Tisch in einer Zimmerecke und verteidigte sich gegen drei Franzosen. Es gelang ihm, zwei von ihnen zu töten, aber des dritten als eines bärenstarken und noch unermüdeten Mannes konnte er nicht Herr werden. Der Franzose rief ihm zu, er solle sich ergeben. Der Engländer fragte: «Wem?» Der Franzose erwiderte: «Mir, Renaud, einem Edelmanne.» Der Engländer fragte ihn, ob er ein Ritter sei. Der Franzose erwiderte: «Nein.» Da sagte der Engländer: «Ich habe gesehen, daß Ihr ein tapferer Mann seid. So will ich Euch zum Ritter schlagen, und alsdann will ich mich Euch ergeben.»

Renaud war einverstanden, denn es mußte ihm ein großer Ruhm sein, von einem solchen Manne und Bruder des Grafen von Suffolk zum Ritter geschlagen zu werden und ihn darauf zum Gefangenen zu machen. Auch dachte er an das

Lösegeld, das ihm zufallen mußte. Also kam Robert de la Pole hinter seinem Tisch hervor und hieß den Franzosen niederknien. Darauf legte er ihm seinen eigenen Schwertriemen um und sprach mit großem Ernst die Worte: «Magnanimus, ingenuus, largifluus, egregius, strenuus», welche die Eigenschaften bezeichnen, die ein Ritter haben soll und mit ihren Anfangsbuchstaben das Wort miles bilden, das ist: Ritter. Alsdann hob er sein Schwert, um ihm den Ritterschlag zu geben. Aber in diesem Augenblick gewann der Teufel Gewalt über ihn, und, statt den arglos Knienden mit dem Schwert leicht auf die Schulter zu schlagen, spaltete er ihm mit einem kräftigen Hiebe das Haupt. Darauf vertauschte er seine Rüstung mit der des Toten und entkam unangefochten im Getümmel.

An einem Waldbach wusch und verband er seine Wunden und ruhte sich aus. Dann machte er sich wieder auf den Weg, in der Richtung, in welcher er das englische Hauptheer und seinen Bruder wußte.

Allein je mehr er sich dem englischen Lager und dem Grafen von Suffolk näherte, um so zögernder wurde sein Schritt, und endlich blieb er im Walde stehen, setzte sich auf einen Stein, bedachte sich in der Einsamkeit mehrere Stunden lang, stand dann wieder auf und schlug eine andere Richtung ein.

Von nun an hielt er sich bei Tage verborgen und wanderte bei Nacht, so schnell oder langsam Wunden und Rüstung es zuließen. Dabei nährte er sich von dem, was er unterwegs fand, auf Äckern oder im Walde. Als er endlich in Gegenden kam, in welchen die Bauern wenig von den Engländern wußten und nicht einen jeden kurzerhand totschlugen, da begann er, dieses oder jenes Stück der Rüstung zu verkaufen, um sich Brot zu schaffen.

Nachdem er alles von sich getan hatte, was seinen ritterlichen Stand hätte anzeigen können, nahm er unter einem falschen Namen Kriegsdienste in einem fremden Lande. Er striegelte seinem Herrn das Pferd, putzte ihm Schwert und Sporen und hielt sich in allem, wie es andere Knechte taten. Wenn er von seinem bescheidenen Solde etwas erspart hatte, so gab er es den Geistlichen und sagte ihnen, sie sollten darum Messen lesen für die Seele eines französischen Ritters namens Renaud. Einmal hörte er in einer Schenke ein verworrenes Gerücht, der Graf von Suffolk sei der Günstling der Margarete von Anjou geworden und der erste Mann in England. Er habe den Regenten Gloucester gestürzt und sei von der Königin zum Marquis und endlich zum Herzog erhoben worden. Da stand Robert de la Pole still auf und ging hinaus wie ein Beschämter.

Derart lebte er sieben Jahre. Dann aber meinte er, es sei nun genug der Buße für das, was er vor aller Ritterschaft, vor seinem Bruder und Hause gefehlt hatte. Er nahm seinen Abschied und machte sich auf den weiten Weg zur Heimat.

Als er nach Paris kam, hörte er erzählen, der Herzog von Suffolk sei zu Fall gekommen und aufs Festland verbannt, während der Überfahrt jedoch auf Gloucesters Betreiben vom Schiffsvolke erschlagen worden. Da betrauerte Robert de la Pole seinen Bruder unter vielen Tränen und beschloß dann, sich zum ältesten Sohne des Ermordeten, als dem Haupte des Hauses, zu begeben, ihm seine Geschichte zu erzählen und ihm dienstbar zu sein.

In einem Hafen des Ärmelmeeres traf er ein Schiff, das tags darauf nach England segeln sollte. Nachdem er mit dem Schiffer über das Fahrgeld einig geworden war, begann dieser vom Herzog von Suffolk zu reden, dessen Ende noch alle Gespräche beherrschte und erregte.

Der Schiffer, der den Herzog wohl einmal in seiner goldenen Rüstung durch die Straßen von London hatte reiten sehen und nichts anderes im Sinne haben mochte als eben dieses Bild, sagte ehrfürchtig: «Ja, das war ein Ritter!»

Dieses Wort traf Robert de la Pole so hart ins Herz, daß er die Hände vor das schamrot gewordene Gesicht schlug und kein Wort mehr sprach.

«So soll ich denn auf morgen einen Platz im Vorderkastell herrichten lassen?» fragte schließlich der Schiffer.

«Es ist nicht nötig», erwiderte de la Pole und ging davon.

Er kehrte um, nahm abermals Kriegsdienste und ist endlich als ein unbekannter und namenloser Knecht gefallen, und es ist wunderlich und nur mit seiner Einfalt und Geradherzigkeit zu erklären, daß er nie innegeworden ist, was doch jedes Kind wußte: daß nämlich sein Bruder, in welchem er den strengsten und leuchtendsten Spiegel aller Rittertugend ehrte, in Wahrheit ein schlauer und ränkesüchtiger Mann gewesen ist, der unbedenklich Ritterwort und Eid brach, wenn das seinem Vorteil und Aufstiege dienen konnte.

Dawson und Mary

An dem letzten Versuch, das Haus Stuart auf den britischen, zum mindesten aber auf den schottischen Thron zurückzuführen, beteiligte sich ein um das Jahr 1720 geborener junger Mann namens Jack Dawson, der Sohn eines kleinen Gutsbesitzers. Er maß fünf Fuß, sechs Zoll und war es gewohnt, daß die Leute auf der Straße, die Frauen an den Fenstern ihm nachsahen.

Dawson war von ähnlicher Beschaffenheit wie der Herr, den er sich erwählt hatte, der schöne, ritterliche, von den Frauen angebetete Karl Eduard Stuart, der mit sieben Mann landete, um seinen Vater, den als Flüchtling in Rom lebenden Jakob den Dritten zum König auszurufen. Dem Prinzen schlossen sich viele Männer an. Mit ihnen schlug er die regulären Truppen, und diese Siege brachten ihn in den Besitz von Schußwaffen, Munition und militärischen Ausrüstungsstücken. Bis dahin nämlich hatten seine Leute, wie vor Jahrhunderten ihre Vorfahren, mit den altertümlichen schottischen Langschwertern gefochten, und das im Zeitalter Montesquieus, Voltaires, Friedrichs von Preußen. Der Prinz bedrohte London.

Der Geist des Jahrhunderts litt es nicht, daß auf die Länge ein Unternehmen solcher Art bei Erfolg blieb. Die jakobitische Streitmacht wurde besiegt, auf den Kopf des Prinzen ein Preis gesetzt; vergebens, denn nicht der ärmste Fischer oder Schafhirte hat ihn verraten.

Die Anhänglichkeit an die Stuarts im Schrecken zu erstikken, setzte die königliche Regierung Sondergerichtshöfe ein. Den Richtern wurde die äußerste Strenge, ja, weit mehr als diese, zur Pflicht gemacht. Ein Abschein des Schreckens flog, die Zeitgenossen erregend, wie ein ferner Blitz durch die unbeteiligten Länder. Die Todesurteile waren von furchtbarer Grausamkeit und von furchtbarer Schimpflichkeit, zugleich altertümlich befremdend, wie es die schottischen Langschwerter gewesen waren.

Dawsons Braut war eine Waise und lebte im Hause ihres Großvaters, eines verdienten Generals, der sich seit langem im Ruhestande befand und sich um die Welt außerhalb seines Hauses nicht mehr kümmerte. Als das Verfahren gegen Dawson eröffnet werden sollte, legte der General Paradeuniform und alle seine Orden an, jagte nach London und warf sich dem König zu Füßen. Sein Schwiegerenkel möge mißleitet gewesen sein, die Majestät wolle ihn in die Kolonien schicken, in das mörderlichste Klima und in die furchtbarsten Kämpfe mit den Eingeborenen, aber sie wolle nicht zulassen, daß mit des jungen Mannes Ehre zugleich seine, des Generals, vernichtet werde; vom Jammer seiner Enkelin wage er nicht zu sprechen.

«Stehen Sie auf», sagte Georg, «ich kenne Ihre Verdienste um die Krone. Ich verspreche Ihnen, daß Ihre Ehre und die Ihrer Familie keine Minderung erleiden, sondern, wo sie angegriffen sein sollte, eine vollständige Wiederherstellung erfahren wird.»

Der König nickte dem General zu und ging rasch hinaus. Erst auf der Rückreise kam es dem alten Mann ins Bewußtsein, daß des Königs Worte von Zweideutigkeit nicht frei gewesen waren. Als er in London in den Wagen stieg, hatte er geglaubt, aufatmen zu dürfen, denn Dawson schien ihm gerettet. Von Meile zu Meile wurde es weniger, was er in der Hand hielt. Als er daheim anlangte, dünkte die Hand ihn fast leer.

Dawson war stolz, vielleicht hochmütig, und wußte das. Zugleich aber war er gläubig. Eins seiner häufigsten Gebete lautete: «Gott, schenke mir die Gnade, daß ich, ein Mensch voll jenes Hochmuts, den Du kennst und dessen ich nicht Herr zu werden vermag, vor meinem Tode noch einmal die Gelegenheit finde, mich so zu demütigen, daß ich damit

Deinem Sohne ähnlicher werde. Lasse mich nicht unversehens sterben und nicht ungedemütigt abfahren.»

Über der Gewöhnung an dieses Gebet befestigte sich in ihm der Glaube, Gott werde ihn erhören. Also dachte Dawson, er werde nicht im Gefecht sterben, sondern an einer Krankheit, vielleicht in hohen Jahren, in jedem Falle so, daß er seinen Tod herannahen sähe und jenen Akt der Selbstverdemütigung vornehmen könnte; worin dieser bestehen sollte, das, so vertraute er, werde ihm gezeigt werden. Sein Glaube schien recht zu behalten. Dawson ging aus allen Kämpfen unverletzt hervor. Jetzt aber lag er gefangen und konnte mit nichts anderem rechnen als mit einem schmachvollen und grausamen Todesurteil.

Das Urteil wurde gesprochen. Es griff auf Rechtssitten vergangener und uralter Zeiten zurück und besagte, der Angeklagte, überführt und geständig, habe als Hochverräter und Empörer sein Vermögen und sein Leben verwirkt. Er sei an den Galgen zu hängen, jedoch so, daß er hierbei sein Leben einstweilen noch behalte. Danach solle er abgeschnitten und gevierteilt werden, das treulose Herz sei ihm aus der Brust zu holen, zu drei Malen ins Gesicht zu schlagen und darauf ins Feuer zu werfen. Vor all diesem aber habe er noch eine andere Form der Genugtuung zu bieten.

Nämlich es sei bekannt geworden, daß er, boshaft sich verstellend und ehrenhafte Gesinnungen heuchelnd, sich Eingang in das Haus des Generals verschafft und zu dieser achtbaren und königstreuen Familie in Beziehung getreten sei, ihr damit einen Schimpf zufügend, welcher der Sühne bedürfe. Aus diesem Grunde werde das Folgende bestimmt:

Im Hemde, mit unbedecktem Haupt und bloßen Füßen, einen Strick um den Hals und eine brennende Kerze in der Hand, solle Jack Dawson vor das Haus des Generals geführt werden. Hier habe er auf den Knien Gott, den König und die Gerechtigkeit der Nation um Verzeihung zu bitten. Darauf solle er vor dem General und vor dessen Enkelin Abbitte dafür leisten, daß er, ein ehrloser Aufrührer, sich in dieses Haus gedrängt und Schande und Leid über dessen Bewohner gebracht habe. Erst danach sei er im Armsünderkarren zur Richtstätte zu fahren.

Das Urteil, gegen welches kein Rechtsmittel zulässig war, sollte am Tag nach seiner Verkündigung vollstreckt werden. Gleichzeitig mit seiner Bekanntgabe wurde Dawson mitgeteilt, die Gnade des Königs gestatte ihm, den Besuch eines Geistlichen seiner Konfession zu empfangen; diese Gnade habe er um so dankbarer hinzunehmen, als ja jedermann wisse, bis zu welchem Grade die papistischen Priester an den Umtrieben der Jakobiten teilgenommen hätten. Anderen Besuch zu sehen, sei ihm verwehrt.

Dawson hatte sofort ein klares Bewußtsein seiner Lage. Er konnte von Mary nicht Abschied nehmen. Auch ihren Großvater durfte er nicht mehr sprechen. Er wußte, daß dieser einen Fußfall vor dem König getan und irgendwelche nicht vollkommen deutliche Zusicherungen erhalten hatte. Auf diese Zusicherungen baute Dawson nicht. Der einzige Mensch, mit dem er noch würde sprechen können, mußte der Priester sein. Von diesem hing alles ab. Freilich wußte er nicht, ob er ihm auch in weltlichen Angelegenheiten ein vollkommenes Vertrauen schenken durfte. Vielleicht war ein Geistlicher gewählt worden, der den Behörden als in ihrem Sinne zuverlässig galt.

Der Geistliche betrat den elenden Kerker. Er war ein bejahrter Mann. Hinter ihm wurde die Tür verschlossen. Dawson kannte ihn und wußte, daß er ihm vertrauen konnte.

«Ich weiß nicht, hochwürdiger Vater», sagte er, «wie lange man Ihnen gestatten wird, sich bei mir aufzuhalten. Vielleicht werden wir uns eilen müssen. Ich bitte Sie, zuerst meine Beichte entgegenzunehmen und mir die Sakramente zu spenden. Danach möchte ich noch über etwas Wichtiges mit Ihnen sprechen, vielleicht Ihnen eine Bitte vortragen. Und erst, wenn dies alles abgetan ist, erbitte ich den Trost und Zuspruch, der Männern in meiner Lage zugewandt zu werden pflegt.»

Der Geistliche sah aufmerksam in Dawsons offenes und, wenn man es so nennen will, einfaches Gesicht. Es war das Gesicht eines jungen und ritterlichen, das heißt also auf eine nicht unedle Weise nach außen lebenden Menschen. Jetzt aber schien hinter diesen Zügen eine gesammelte Reife zum Vorschein gekommen, die der Priester hier zu finden nicht erwartet hatte.

Die geistlichen Funktionen waren vollzogen. Dawson erzählte dem Priester ohne jegliche Scheu oder Befangenheit von seinem alten Wunsche, sich vor seinem Tode zu demütigen. «Es scheint, als solle mir hierzu Gelegenheit geboten werden», sagte er. «Kennen Sie, hochwürdiger Vater, die Einzelheiten des Urteils?»

Der Priester nickte. «Gestatten Sie mir, Sie zu unterbrechen», sagte er. «Ich habe Ihnen die Grüße Ihrer Braut zu überbringen. Mary hält an der Zuversicht fest, es sei noch eine Rettung möglich. Sie fleht Sie an, Sie möchten sich in alles schicken. Vielleicht habe der König einen Gnadenerweis im Sinn – nämlich für den Fall, daß Sie sich freien Willens den über sie verhängten Demütigungen unterwerfen und die geforderten Abbitten leisten, nicht wie ein Gezwungener, sondern wie einer, der ein Unrecht sühnen möchte. Es versteht sich, daß Mary nicht der Meinung ist, es liege ein Unrecht auf Ihnen», setzte er hinzu. «Sie bittet Sie nur, sich so zu verhalten, daß es dem König leicht gemacht wird, Sie zu begnadigen und in die Kolonien zu schicken, in die sie Ihnen folgen will.»

«Mary täuscht sich», antwortete Dawson fest. «Ich habe keine Gnade zu erwarten.»

Der Priester wagte nicht zu widersprechen.

«Es geht mir nicht um den König und um den Eindruck, den er oder einer seiner Gerichtsbeamten von meinem Verhalten empfängt», fuhr Dawson fort, «und nicht um Ergebnisse, zu denen dieses Verhalten und dieser Eindruck führen könnten. Sondern es geht mir darum, daß mein alter Wunsch nach jener Demütigung, deren mein Stolz bedarf, seine Erfüllung finde. Und damit komme ich auf das Anliegen, das ich Ihnen, hochwürdiger Vater, unterbreiten möchte. Ich weiß, daß ich keine andere Gelegenheit zur Demütigung mehr haben kann als die mir von diesem schmählichen Urteil gebotene, und so werde ich sie ehrlich ergreifen. Aber *mich* will ich demütigen, nicht König Jakob. Ich werde es nicht zulassen, daß aus meiner Demütigung ein Triumph für die Dynastie Hannover wird und daß es heißt, König Jakob sei von einem seiner Anhänger verleugnet worden, und vielleicht gar in der Absicht, das Herz König Georgs, also ein tückisches und niedriges Herz, zur Gnade zu rühren.»

Er schwieg eine Weile. Dann sagte er mit gesenkter Stimme: «Es mag sein, hochwürdiger Vater, daß mein Hochmut sich hier eine letzte Zuflucht gesucht hat. Nämlich, daß mein Stolz den Gedanken nicht ertragen will, ich könnte für einen Verräter gehalten werden. In diesem Falle wolle Gott mir meinen Hochmut vergeben. Aber nun kann ich es nicht über mich gewinnen, in etwas dem Namen Stuart Abträgliches zu willigen, und sei es auch nur an dem geringen Teil, der bei mir steht. Daher bitte ich, hochwürdiger Vater, Sie möchten auf irgendeine Weise, die aufzufinden ich Ihnen überlassen muß, dafür sorgen, daß zu König Georgs und zur öffentlichen Kenntnis gelange, aus welchen Beweggründen ich mich entschieden habe, das mir Vorgeschriebene pünktlich zu vollziehen. Dieser Entscheid ist ein freiwilliger. Denn wer nichts mehr vor sich sieht als ein solches Ende seines Lebens, mit welchem Gewaltmittel könnte der noch gezwungen werden?

Man verweigert mir Papier und Schreibzeug. So lassen Sie Mary wissen, daß ich in ihrer Liebe lebe und sterbe. Dies sind meine beiden letzten und meine beiden einzigen weltlichen Wünsche auf der Erde.»

In diesem Augenblick wurde draußen der Riegel zurückgestoßen. Es klirrte metallen. Der Schließer trat ein und bedeutete den Geistlichen, die Zeit sei abgelaufen.

Der Priester drückte Dawson die Hand.

«Ich werde Ihre Wünsche zu erfüllen trachten», sagte er. «Empfangen Sie jetzt den Segen, da es mir verwehrt ist, morgen an Ihrer Seite zu sein.»

Von einer ungeheuren Menschenmenge geleitet, langte anderen Tages der traurige Zug vor dem Hause des Generals an. Hier waren alle Fensterläden geschlossen.

Als Dawson vor dem Hause stand, wurden die Läden eines Fensters im Erdgeschoß aufgestoßen. Es war voller Blumen. Zwischen zwei brennenden Kerzen in silbernen Leuchtern stand Mary, die großen, hellen Augen auf Dawson gerichtet.

Die Leute starrten zu ihr hinan. Aber gleich danach wurde ihre Aufmerksamkeit auf etwas anderes gezogen.

In der Mitte des Hauses befand sich im ersten Stock ein Balkon. Auch die auf ihn hinausführende Flügeltür hatte geschlossene Läden. Jetzt sprang diese Tür auf, und auf den Balkon trat in Paradeuniform und Orden der alte General. Er war nicht allein. Rechts und links hatte er zwei Tambours in verblichenen roten Uniformröcken und mit umgehängten Trommeln, weißhaarige Invaliden, die einstmals unter ihm gedient hatten. Der Mann zur Linken war einäugig und trug ein großes schwarzes Pflaster im Gesicht, der andere war als ein Stelzfuß bekannt.

Der General nahm seinen Federhut ab und salutierte mit dem seitwärts ausgestreckten rechten Arm vor dem barhäuptigen, bloßfüßigen Manne im Armsünderhemd, der einen Strick um den Hals trug.

Der Henkersknecht gab Dawson einen Stoß. Dawson kniete nieder, das Gesicht Mary zugewandt. Seine Augen strahlten. Er hob die brennende Kerze zu ihr empor, fast war es wie die Gebärde, mit der man grüßend ein Weinglas erhebt. Sie ergriff die beiden Silberleuchter und streckte sie erwidernd ihm entgegen.

Der Henkersknecht versetzte ihm abermals einen Stoß. «Tu's Maul auf», sagte er.

Dawson öffnete den Mund, um die ihm vorgeschriebenen

Worte zu sprechen. In diesem Augenblick gab der General den beiden Invaliden ein Zeichen. Die Trommeln rasselten. Man sah, wie Dawsons Lippen sich bewegten. Kein Laut wurde vernehmlich. Dicht wie Regentropfen fielen die Schläge auf die erdröhnenden Felle. Ohne Pause, in unablässiger Wiederholung schlugen die beiden Greise das Sturmsignal der englischen Infanterie – jenes Angriffssignal, das sie vor Jahrzehnten auf Befehl des gleichen Mannes vor dem Feinde geschlagen hatten.

Längst bewegte Dawson nicht mehr die Lippen. Der Henkersknecht schrie ihm etwas ins Ohr, und er erhob sich von den Knien. Die Invaliden aber fuhren fort zu trommeln, und der Schweiß lief ihnen über die spitzen Gesichtsknochen.

Die Justizpersonen, die den Aufzug zu leiten und zu überwachen hatten, steckten die Köpfe zusammen, verdrießlich und in Verlegenheit. Endlich einigten sie sich dahin, daß sie den erhaltenen Befehlen Genüge getan hätten und daß es ratsam sein möge, das Verhalten des Generals als das eines kindisch gewordenen Greises zu übersehen; auch untersage ja kein Gesetz pensionierten Generälen die Veranstaltung von Trommelkonzerten auf ihren Balkons.

Sie gaben ein Zeichen, daß der Zug sich wieder in Bewegung setzen sollte.

Die Trommeln verstummten. Einige aus der mitmarschierenden Volksmenge schauten zurück und sahen Mary die Fensterläden schließen. Sie blickten zum Balkon hinauf. Der General hatte seinen Kopf wieder bedeckt und schickte sich an, den Balkon zu verlassen. Er schien völlig erschöpft. Er schwankte, die Invaliden griffen zu und führten ihn stützend ins Innere des Hauses.

Mary ließ den Großvater zu Bett bringen und empfahl ihn der Fürsorge seines Dieners. Sie küßte ihm die Hand und ging. Dann gab sie dem Kutscher Befehl, anzuspannen.

In der kleinen Stadt kannte jeder den alten Kutscher, jeder die beiden schwerfälligen, bejahrten Füchse des Generals. Alle Blicke kehrten sich Mary zu. Es war ein offener Wagen. Man machte ihm Platz, und so hatte er den Zug bald eingeholt.

Neben dem steinernen Galgen, der seit Jahrhunderten im Gebrauch stand, war eine hölzerne Bühne aufgeschlagen worden. Auf ihrem Boden waren vier Eisenringe befestigt. An diese sollte Dawson mit ausgespannten Armen und Beinen gefesselt werden, um die Vierteilung zu erleiden. Nicht weit davon stand ein eisernes Becken mit glühenden Holzkohlen.

Das Gedränge war sehr groß. Aber Schritt für Schritt wichen die Leute zurück, um den Wagen durchzulassen. Viele Männer nahmen ihre Kopfbedeckung ab.

Die Hände auf den Rücken gebunden, stieg Dawson die Leiter hinan. Bereits auf den oberen Sprossen, hielt er für ein paar Augenblicke inne und wandte den Kopf. In der Nähe des Galgenfußes sah er den Geistlichen stehen, dem es nicht erlaubt war, priesterliche Handlungen anderswo als in geschlossenen Räumen zu vollziehen. Er nickte Dawson zu und winkte mit der Hand. Dies mußte an Stelle des letzten Segens gelten und Dawson zugleich versichern, daß sein letzter Wille vollzogen werden sollte. Gleich danach fiel Dawsons Blick auf Mary. Sie stand aufrecht im Wagen, ohne sich zu stützen. Ihr totenblasses Gesicht mit den hellen, jetzt unnatürlich geweiteten Augen lächelte ihm zu. Er nickte.

Dies Gesicht blieb während der ganzen Vollstreckung tränenlos. Ja, es schien ruhig. Bis zuletzt war es dem Verurteilten zugekehrt und allen Zuschauern sichtbar.

Als der Henker das rauchende Herz in die Höhe hob und danach ins Feuer warf, knickte Mary in den Knien ein. Sie sank auf den Sitz und lehnte sich zurück. Jetzt hatte sie keine Ursache mehr, sich länger am Leben zu erhalten. Zweimal nannte sie, fast nur hauchend, den Namen des Geliebten, dann verschied sie.

Der General, seit langem verwitwet, hatte niemanden mehr. Er verließ England, begab sich nach Rom und stellte sich dem Prätendenten zur Verfügung. Aus dem Palais Stuart am Apostelplatz richtete er an König Georg ein Schreiben, in welchem Dawsons Beweggründe dargestellt wurden. Er ließ den Brief drucken, und es wurde dafür gesorgt, daß die Blätter eines Morgens in englischen Städten an Kirchenpforten, Rathaustüren und Straßenecken klebten. Eins haftete am Portal des Hauses, in welchem der General mit Mary gewohnt, eins an dem Galgen, an welchem Dawson gehangen hatte. Übrigens enthielt der Brief nicht ein einziges unehrerbietiges Wort gegen den König.

Die Schildwache

Als Graf Emich von Leiningen mit seinem Heer durch Ungarn zog, um ins Heilige Land zu gelangen, da entfernte er sich eines Tages vom Lagerplatz und ritt in den Wald, weil die Gesichter seiner Hauptleute ihm zum Überdruß geworden waren.

Er war eine Weile geritten, da hörte er einen Menschen aus größter Not um Hilfe rufen. Nun jagte er auf das Schreien zu und gewahrte einen Soldaten von den böhmischen Schützen. Diesen Mann verfolgte ein gewaltiger Bär, den er versehentlich in seiner Ruhe aufgestört haben mochte. Der Soldat wußte sich nicht anders zu helfen, als daß er sich immer wieder rund um eine mächtige Hecke herumwandte, allein seine Kräfte ließen bereits nach.

Der Graf zog sein Schwert und griff, ohne sich zu bedenken, das Tier an, welches, als es den Reiter auf sich zukommen sah, von dem anderen abließ. Dieser andere verschwand zwischen den Stämmen. Der Bär hatte sich aufgerichtet und die Vorderpranken erhoben. Des Grafen erster Hieb traf ihn über das Maul. Er fauchte und trachtete, an des Pferdes linke Seite zu gelangen, wodurch der Reiter in Nachteil geriet. Das zitternde Pferd wollte stehenbleiben und sich zu keiner Wendung mehr bringen lassen. Der Graf riß es mit äußerster Gewalt herum und schrie dabei nach dem Schützen, so laut er konnte.

Der Bär brüllte vor Schmerz und Wut und warf sich mit dem ganzen Gewicht seines aufgerichteten Leibes gegen das Pferd und den Mann. Beide stürzten und zogen den Bären mit sich. Der Graf kam mit dem rechten Bein unter das Pferd zu liegen, der Bär schlug die Pranken in das Fleisch des Tieres. Der Graf suchte mit der gepanzerten Linken des Bären rechte Tatze zu ergreifen, indes er mit dem Schwert

in der Rechten nach des Tieres linker Pranke hieb. Nun ließ der Bär das Pferd, wollte sich über den liegenden Mann machen und schlug ihm die Tatze in die Schulter. Da schnurrte eine Armbrustsehne, ein Bolzen fuhr dem Tier in den Schädel, es richtete sich brüllend steil auf, der Graf stieß ihm das Schwert von unten her in den Bauch, und gleichzeitig traf es ein Schwerthieb von hinten über den Schädel. Nun brach es zusammen und verreckte.

Der Graf hatte noch nicht recht zu seinen Sinnen zurückgefunden. Allein so viel begriff er doch, daß nun alle Gefahr vorüber, daß aber der Mann, der ihm zu Hilfe gekommen, nicht der böhmische Schütze war, sondern der Vicomte de Cieutat, der ihm jetzt auch unter dem verendenden Pferde hervorhalf. Der Vicomte hatte ein wenig jagen wollen, hatte den Grafen rufen und den Bären brüllen gehört und war dazugeeilt.

Des Grafen Beine waren gequetscht, seine Schulterwunde hatte ihn viel Blut gekostet. So begab sich der Vicomte nach den ersten Hilfeleistungen ins Lager und holte Leute, die den Verwundeten auf einer Bahre in sein Zelt schafften.

Am folgenden Tage gab der Graf von Leiningen Befehl,

die böhmischen Schützen sollten in zwei Reihen aufgestellt werden, es sollte aber nicht ein einziger Mann fehlen. Von zwei Dienern ließ er sich in einem Sessel die Glieder entlangtragen. Endlich gebot er den Trägern Halt, blickte einem Schützen scharf ins Gesicht und sagte:

«Ich habe es nie anders gewußt, als daß der Feldherr ein Genosse ist auch seinem geringsten Mann. Darum habe ich nicht gezögert, um deinetwillen dem Bären zu Leibe zu gehen. Du aber bist von solcher Meinung entfernt gewesen. Sonst hättest du mich nicht verlassen, wiewohl du ein Schwert hattest.»

Der Soldat verzog keine Miene und erwiderte:

«Und ich habe es nie anders gewußt, als daß ein Mann, der zur Schildwache bestimmt ist, sich durch nichts, es sei, was es will, darf hindern lassen, zur bestimmten Stunde auf seinem Posten zu sein. Ich war in den Wald gegangen, um Pilze zu suchen. Ich war auf dem Rückwege und mußte mich eilen, um zurecht zu kommen, als der Bär mich anfiel. Es wäre mir bitter leid gewesen, wenn Eure Gnaden, denen ich mein Leben danke, um meinetwillen das ihrige verloren hätten. Aber ein Soldat soll nach nichts fragen als nach seinem Befehl.»

Der Graf sah ungewiß den Hauptmann der böhmischen Schützen an. Dieser bestätigte, der Mann sei zur Schildwache bestimmt gewesen und habe sich im letzten Augenblick mit großer Eile auf seinem Posten eingefunden.

Der Graf bedachte sich, ließ sich dann ein wenig auf die Seite tragen und bat den Hauptmann durch einen Wink zu sich. Dann fragte er ihn nach des Schützen Führung und sonstigem Wesen. Der Hauptmann erwiderte, er sei ein Mann wie andere auch, nicht besser und nicht schlechter.

Einige Tage darauf gab der Graf Befehl, beim nächsten Morgengrauen das Lager abzubrechen und sich zum Weitermarsch bereit zu machen.

Als das Heer marschfertig war, ließ er sich wieder zu den böhmischen Schützen tragen — denn gehen oder reiten konnte er noch nicht –, faßte den Mann ins Auge und sagte: «Ich weiß, daß keine verläßlichere Schildwache ist als du. Wir brechen jetzt auf. Dir aber werde ich eine Stelle anweisen, an der wirst du Schildwache stehen, bis du abgelöst wirst.»

Das Heer hatte ein Lager gehabt, geschützt durch Erdwall, Dornenhecken und Gräben, denn König Colman von Ungarn war ihm feindlich.

Die Stelle, an welche der Graf von Leiningen den Schützen führen ließ, lag fünfzig Schritte vor dem Lager am Waldrande. Er hieß ihm für einen Tag Wasser und Lebensmittel geben. Als das Heer abzog, rief er ihm noch einmal zu: «Du mußt besser wissen als jeder andere, daß eine Schildwache sich von ihrer Stelle nicht rühren darf, es geschehe, was da will.»

Als das Heer am Abend rastete, beschied der Graf den Hauptmann zu sich und sagte: «Er mag mich nun dem Bären überlassen haben aus Pflichttreue oder aus Feigheit, das bringe ich nicht heraus. Schicke drei Leute zurück, die sollen ihn holen. Ich kann keinen Mann missen. Und ich will keinen Bericht darüber, wo sie ihn angetroffen haben, ob auf seinem Posten oder innerhalb des Lagers. Auch soll er nicht bestraft werden, wenn er sich hinter Wall und Hekken in Sicherheit gebracht hat.»

Am folgenden Tage kehrten die drei Leute zurück und meldeten, sie hätten den Mann von Wölfen oder Bären zerrissen auf seinem Posten gefunden.

Der Graf und der Hauptmann haben in der Folge noch viel von dem Schützen gesprochen, bis sie seiner über anderen Dingen endlich vergaßen. Es ist nie an den Tag gekommen, was für ein Mann er gewesen ist: einer der von nichts Höherem wußte als von seiner einfachen Soldatenehre und Pflicht, wie er sie verstand, oder einer, der seinen Retter schimpflich im Stiche ließ, sich durch eine Lüge herauswand und dann in plötzlich erwachter Scham für diese Lüge mit seinem Leben einstand.

Die Brüder Orban

Johann Hunyadi, Statthalter von Ungarn, hatte in seinen Diensten zwei Zwillingsbrüder mit Namen Orban, heißblütige Männer beweglichen Geistes, die einander sehr zugetan waren, bis ein Mädchen Unfrieden unter sie brachte. Das Mädchen wird in den Vorkommnissen, die wir erzählen wollen, keine Stelle einnehmen oder aber die allerbedeutendste, je nachdem man es ansieht, und mag ungenannt bleiben.

Obwohl zwischen den Brüdern der Unterschied des Alters nur eine Viertelstunde betrug, werden sie in dieser Geschichte als der Ältere und der Jüngere bezeichnet, weil ihre Taufnamen nicht aufbewahrt und auch gleichgültig sind. Denn des Menschen Taufname ist oft genug eine Zufälligkeit und ein Äußeres, mit seinem Geschlechtsnamen aber ist ein Mann dergestalt verbunden, daß nicht der Name als ein Teil seines Wesens, sondern eher der Mensch selber als ein Stück oder Zubehör seines Geschlechtsnamens erscheinen kann.

Der ältere der Brüder war ein rechtskundiger Schreiber und Unterhändler, der jüngere ein Geschützmeister. Die Kunst des Geschützegießens und Geschützerichtens stand sehr hoch in der Schätzung; wer sie beherrschte, galt mehr als fünf Edelleute, deren jeder König ja mit einem Wort und Brief hunderte erschaffen konnte.

Damals erschienen in allen christlichen Ländern Abgesandte des griechischen Kaisers, um die Fürsten zur Hilfeleistung für die bedrohte Stadt Konstantinopel zu bewegen. Wo ihnen dieses nicht gelang, da trachteten sie wenigstens, erprobte Kenner des Verteidigungs- und Geschützwesens zu gewinnen; solchen machten sie große Versprechungen.

Eine Anerbietung dieser Art wurde auch zu dem jüngeren Orban getragen, während er in zweifelhaften und unguten Gedanken mit seinem Schicksal, dem seines Bruders und des

Mädchens beschäftigt war. Er hörte den Unterhändler an und versprach ihm Nachricht für den folgenden Tag. Der Unterhändler ging, und eine Stunde darauf war ein Türke zur Stelle. Denn zwischen Hunyadi und dem Sultan bestand damals ein für mehrere Jahre geschlossener Friede, und an Hunyadis Hof bewegten sich manchmal türkische Abgeordnete. Auch diesem Türken gab der jüngere Orban noch keine entschiedene Antwort.

Nun begab sich der Jüngere zum Älteren und erzählte ihm von den beiden Angeboten. Diese Unterredung fand im Schreibzimmer des Älteren statt, und vor dessen Tür hatte der Jüngere den kleinen Seidenhund gesehen, welchen der Ältere dem Mädchen geschenkt hatte. Daher sagte der Jüngere, als er mit seinem Bericht fertig war:

«Ich möchte hier nicht bleiben, das siehst du wohl ein. Vielleicht, daß wir in späteren Jahren wieder freundschaftlich zusammen leben können. Jetzt sollst du mir nur raten, welches Angebot ich zu wählen habe, denn in diesen Dingen bist du bewanderter als ich. Und dann sollst du es mir auch beim Statthalter einrichten, daß er mich aus seinem Dienst entläßt.»

Der Ältere sorgte dafür, daß beide Brüder am nächsten Tage vom Statthalter empfangen wurden.

Johann Hunyadi sagte: «Ich habe nichts dagegen, wenn du dein Glück anderswo auf die Probe stellen willst. Bei mir ist Friede, und ich erspare gern eine Besoldung. Willst du später zurückkehren, so nehme ich dich auf.»

Hiernach baten die Brüder, der Statthalter möge bestimmen, welchen Dienst der Jüngere annehmen solle.

Der Statthalter sagte: «Jeder weiß, daß ich mit den Türken Krieg gehabt habe, seit ich ein Heer führen kann, und daß ich mit ihnen auch in Zukunft Krieg haben werde, bis ich keines mehr führen kann. Darum sollte ich nichts anderes wünschen, als daß deine Kunst an der Verteidigung der christlichen Stadt Konstantinopel teilnähme. Aber ich bin auch alt genug, um zu wissen, daß in allen Verwicklungen der Menschen und der Staaten niemals Schwarz und Weiß sich so reinlich gegeneinander abzeichnen wie auf den Feldern des Schachbretts. Du hast wohl die sonderbare Prophezeiung gehört, die mir ein byzantinischer Pilger tat, als ich nach der Schlacht von Kossowa unerkannt durch feindliches Land flüchten mußte und in meinem größten Unglück war, nämlich: die Christen würden nicht eher glücklich leben können, als bis die Griechen ganz vertilgt seien, und damit die Unfälle der Christenheit endeten, sei es notwendig, daß Konstantinopel von den Türken zerstört werde, also entscheide dich nach deinem Belieben.»

Hierauf nahm der Jüngere den griechischen Vorschlag an, obwohl mit dem türkischen größere Vorteile verbunden waren. Bei den Türken, so meinte er, begäbe er sich als Christ in zu ungewisse Verhältnisse, und es sei wohl auch geziemender, unter Getauften zu leben und ihnen hilfreich zu sein.

Die Brüder umarmten einander beim Abschied, und der Ältere sagte: «Ich wünsche sehr, daß Gott dich beschützt. Stieße dir etwas zu, so wäre es auf meine Seele gelegt. Aber das Mädchen ist stärker als ich, und ich kann es noch nicht lassen.»

Der Jüngere gelangte nach Konstantinopel und erstaunte dort sehr über alle Feierlichkeit und Pracht. Man gab ihm eine prunkhafte Wohnung, die Wände waren von prokonnesichem Marmor, allein es mangelte die Bedienung. Man wies ihm eine geräumige Gießerei zu, aber die Gerätschaften waren im Verfall. Er drängte auf Anschaffungen, da lächelten die Griechen über seinen Eifer, und allerlei Hochgestellte ließen ihn merken, daß er lästig sei. Zugleich aber wehklagten sie über das gewaltige Belagerungsschloß, welches der Sultan am Bosporus bauen ließ, und sagten:

«Es kann nicht mehr lange währen, da wird die Umschließung der Stadt vollendet sein und die Belagerung anheben.»

Der Kaiser hatte noch seine Verbindung mit den abendländischen Gegenden, so kamen allerlei Zuzügler zu seinem Heer, auch Angeworbene aus Ungarn, und unter diesen

Leute vom statthalterischen Hof, die mit den Brüdern Orban bekannt waren. Obwohl der Jüngere ihnen aus dem Wege zu gehen trachtete, konnte er es doch nicht hindern, daß ihm von seinem Bruder erzählt wurde und von dessen immer noch dauernder Liebschaft. So durfte er sein Unglück nicht vergessen.

Jenseits des Goldenen Horns, gegenüber von Konstantinopel, liegt Galata, welches ein Handelsort der Genuesen war. Dabei befanden sich Äcker und Weidegründe, die Bürgern von Konstantinopel gehörten. Orban bedurfte häufig zu seiner Arbeit mancher Dinge, die er in der Kaiserstadt nicht bekommen konnte, er mochte drängen, soviel er wollte; da fehlte es an der Unterschrift eines Würdenträgers, oder es sollte erst eine Behörde ihr Gutachten geben. So gewöhnte er sich, Ankäufe bei den Genuesen von Galata vorzunehmen, obwohl es ihm zweifelhaft war, ob er zu seinem Gelde würde wiedergelangen können.

Männer aus Konstantinopel waren gekommen, um nach ihren Äckern bei Galata zu sehen. Sie trafen türkische Reiter, die ihre Pferde im Weizen grasen ließen; augenblicks war der Streit angeflammt, es floß Blut, und dies war der erste Zusammenstoß in dem langen Kampfe um die kaiserliche Stadt.

Orban befand sich unterwegs zu einem seiner genuesischen Handelsfreunde. Er gewahrte den Auflauf, hörte das Geschrei und eilte dazu. Beiden Teilen kam Hilfe. Endlich trieben die Türken viele von den Griechen als Gefangene mit sich fort. Unter diesen war Orban.

Der Zug begegnete Mohammed, dem Sultan der Sultane, sein Gesicht wurde dunkel vor Zorn. Er war noch zu jung, um schonen zu können, darum befahl er, die Gefangenen zu töten. Im Weiterreiten wandte er sich zurück, sein Blick fiel auf Orban, der nicht nach griechischer Weise gekleidet war. Er winkte ihn zu sich und fragte: «Wer bist du? Wie kommst du unter dieses Pack? Weißt du nicht, daß du dich nicht mit ihm gemein machen solltest?»

Nun ließ er Orban ein Pferd geben, und er mußte neben dem Sultan reiten, damit dieser keine Zeit verlöre.

Der Sultan fragte: «Wieviel gibt dir der Kaiser?»

Orban nannte die Summe. Der Sultan sagte mit einem zornigen Lachen: «Ich würde dir das Fünffache geben. Du mußt auch nicht glauben, du wärest der einzige Christ in meinem Lager. Es sind ihrer Tausende, die es für ein Glück halten, mir zu dienen. Aber ich stelle es dir frei, ob du bei mir bleiben oder zu jenem Kaiser zurückkehren willst.»

Orban gab hierauf keine Antwort. Doch gedachte er der Worte, die der Statthalter ihm gesagt hatte. Er gedachte der Prophezeiung und aller Hemmnisse, die er in der kaiserlichen Stadt zu erleiden hatte. Auch an die Reden der aus seiner Heimat Anlangenden dachte er.

Der Sultan begann wieder: «Alles Geschütz, das ich bis heute gebraucht oder gesehen habe, das hat mir kein Genügen getan, und ich habe seine Gießer verachtet. Warum ist es nicht möglich, Kanonen zu gießen von einer solchen Größe und einer solchen Gewalt der Wirkung, daß kein Mauerwerk auf der Welt vor ihnen bestehen kann? Ist das deshalb, weil die Menschen eine Scheu vor kühnen Gedanken haben?»

Orban antwortete: «Deshalb, und weil die meisten Kriegsherren es nicht in ihrer Macht haben, solche Aufwendungen zu machen. Denn Kosten und Schwierigkeiten des Gusses, der Fortbewegung und der Bedienung wären so gewaltig, daß mancher Fürst wohl um dieser einen Kanone willen auf alles andere Geschütz Verzicht tun müßte.»

«Danach frage ich nichts», sagte der Sultan. «Wer mir solches Geschütz gösse, dem würde alles zur Hand sein, dessen er bedürfte, ja, noch mehr. Du bist der erste, der so redet. Ich habe viele Kenner des Geschützwesens befragt, und sie alle haben mir mit eifrigen Berechnungen dargetan, daß eine solche Kanone herzustellen oder doch gefahrlos abzufeuern unmöglich sei.»

«Es ist möglich», sagte Orban.

Der Sultan prüfte sein Gesicht, wie er zuvor seine Kenntnisse und Erfahrungen geprüft hatte. Dann fragte er: «Traust du es dir zu?»

Orban erzitterte vor der Größe, welche sich ihm auftat. Er schwieg eine Weile. Danach sagte er heiser: «Ich will die Kanone gießen.»

In Adrianopel hatte Mohammed sein Gießhaus. Als Orban anlangte, mit einer uneingeschränkten Handvollmacht des Sultans, da war es Nacht. Er ließ Fackeln entzünden, musterte die Gießerei und gab seine Anweisungen. Noch vor Tagesanbruch arbeiteten achtzig Männer, die Mauern einzureißen, denn für einen Guß solchen Umfanges bot das Gießhaus keinen Raum. Da erst ging Orban zur Ruhe. Und von nun an hatte er keine Gedanken mehr für das Mädchen und für seinen Bruder.

Das neue Gebäude stand, der riesige Schmelzofen war gebaut und ausgeprobt, die Gußform lag im Boden, das trokkene Holz war geschichtet. Dies war zwei Monate nach Orbans Ankunft in Adrianopel. Er sandte dem Sultan einen Boten: der Guß könne geschehen.

Mohammed ritt vierzehn Stunden auf untergelegten Pferden, danach trat er in das finstere Gießhaus, das sein Licht aus den roten Feuerlöchern des Ofens empfing. Er wußte, daß viele Kundige abgeraten hatten: es sei unmöglich, ein solches Riesenstück in einem Gusse zu gießen. Es genüge ein einziger Fehlgriff, eine geringe Verstopfung in einer der Windpfeifen, und das Gießhaus werde mit der ganzen Stadt Adrianopel gegen den Himmel gerissen werden.

Orban wies ihm alle Anstalten des Gusses, indes er, rötlich besprüht, samt Gehilfen und Knechten in der brodelnden Erzmasse rührte. Mohammed ergriff einen langen Rührbaum und arbeitete mit. Auch verschmähte er es nicht, den mannshohen Blasebalg zu ziehen.

Das schmelzende Metall raunte, sang, brauste. Boden und Mauern begannen leise zu schwingen. Endlich sagte Orban halblaut: «Es ist Zeit.»

Der Sultan rief: «Es ist kein Gott außer Gott, niemand ist ihm gleich!»

Damit packte er zwiehändig die schwere, in Ketten hängende Rammstange von Eisen und jagte den Zapfen der Ausflußöffnung in den Ofen.

Die Blendung schloß alle Augen. Brüllend schoß der weiße und schaumige Glutstrom in den steinernen Behälter über der Form, zischend rann er durch die Gußlöcher hinab. Die ungeheure Waffe, angemessen dem ungeheuren Gemüt des Eroberers, war gegossen.

Der Sultan gab einem seiner Begleiter ein Zeichen, und der breitete einen Gebetsteppich auf den Boden. Mohammed warf sich nieder und verharrte eine Weile in dieser Haltung. Dann stand er auf und ging rasch hinaus, ohne ein Wort gesprochen zu haben. Am folgenden Tage sandte er Belohnungen und Geschenke.

Inmitten der Besucher und Bewunderer hielt Orban sich schweigsam und finster. Er hatte diese Monate hingelebt in einer Besessenheit. Nun, da der Guß vollendet war, um den er gearbeitet, gerechnet, gefiebert hatte, tat sich öde und traurig eine Leere des Herzens vor ihm auf. Und wie das weißlich glühende Metall im Einschießen von der leeren Form Besitz genommen hatte, so strömten jählings in sein leer gewordenes Herz alle Leidenschaften zurück, aller Zorn und Schmerz um das Mädchen, den Bruder und sein eigenes zerrüttetes Leben.

Die Kanone war ohne Schmuck und düster wie ein Fels. Kein Zeichen, kein Zierat kündete, wie es doch bräuchlich war, ihren Schöpfer an, denn in Orbans Gedanken war für kein Beiwerk Raum gewesen. Nun aber, in seiner grüblerischen Schwermut, kam ihm der Einfall, wenigstens ein Denkmal seines Unglücks zu hinterlassen. Vielleicht, daß er auf diese Weise es von seiner Seele auf das Metall ablüde. Wie nämlich in jener Zeit, da noch jedes Geschütz ein schön gearbeitetes Einzelstück war, Kanonen- und Bildwerkgießen miteinander ihren Zusammenhang hatten, so beherrschte

Orban auch ein wenig die Kunstfertigkeiten eines bildnerisch schmückenden Erzgusses. Also schuf er einen mehrere Fuß breiten Reifen und schweißte ihn um die Mündung der Kanone. Da war zweimal das Wappen seines Geschlechtes zu sehen, dies sollte die Brüder bedeuten; zwischen den beiden Schildern aber stand, sie voneinander scheidend, eine weibliche Gestalt. Helmzier des Wappens war ein hauender Schwertarm, diesen wendete Orban über dem einen Schilde um, so daß beide gegeneinander gekehrt waren. Ähnlicher Sinnbilder in erhabener Arbeit brachte er noch mehrere an. Und hierbei kam eine bildnerische Leidenschaft über ihn, die ihm nicht mehr erlaubte, an Schuß- und Pulverwirkung zu denken.

Dies trieb Orban in jener ungefüllten Spanne, da die Vorbereitungen zum Fortschaffen der Kanone noch nicht beendet waren und wohl seiner Mitarbeit, nicht aber seines ganzen Gemüts bedurften. Sie währten ihre Zeit, sosehr auch Mohammed zur Eile trieb, denn er hatte den Glauben, schon der bloße Anblick der Kanone müsse im Heer und in seinen Führern ein äußerstes Siegesvertrauen bewirken. Deren Zuversicht nämlich war gering geworden, da bisher mit Beschießen und Bestürmen nichts hatte gewonnen werden können als einige unbedeutende Außenwerke. Die Leute redeten oft davon, wie diese Stadt in achthundert Jahren von den Bekennern des Propheten zwölfmal belagert und keinmal bezwungen worden sei. Ja, bei der dritten dieser Belagerungen, welche sieben Jahre gewährt hatte, war Ejub selbst, der Fahnenträger des Propheten, sieglos vor den Mauern der Kaiser gefallen. Andere wiederum, vornehmlich die Derwische, sprachen beredt von jener uralten Prophezeiung: «Ejub wird wiederkehren vom Untergang der Sonne, das Feurige wird ihn zerreißen, aber nicht behalten. Er wird abermals sich erheben, und die Stadt wird unser sein.» Auf diese Weise also war, gleichwie unter den Christen, so auch unter den Türken, eine Vorhersage über das Schicksal der Stadt im Umgang.

Endlich gelangte der Zug in Bewegung. Von Adrianopel bis Konstantinopel sind es zwei Tagesmärsche. Die Kanone diesen Weg zu führen, dazu bedurfte es zweier Monate. Siebzig Paar Ochsen zogen sie, zweihundert Mann gingen zu jeder Seite, um sie an straffen Tauen im Gleichgewicht zu erhalten. Fünfhundert aber hatten gearbeitet, um Wege und Brücken instand zu setzen. Der Durchmesser des Rohres betrug zwölf Spannen, und jede der Kugeln, die aus dem schwarzen Gestein der Küstenberge gebrochen wurden, hatte ein Gewicht von zwölf Zentnern.

Dieses Geschütz fand seinen Platz vor der Stadt Konstantinopel, gegenüber dem Tor des heiligen Romanos, das davon «Tor der Kanone» heißt bis auf den heutigen Tag. Am Vorabend des ersten Schusses fand man im Rohr einen venezianischen Spion versteckt. Der Sultan befahl, ihn in der Morgenfrühe vor die Mündung zu binden.

Zum Laden des Geschützes bedurfte es zweier Stunden. Daher war noch in der Dunkelheit begonnen worden. Die Zeit des Abschusses war dem ganzen Heer bekanntgegeben, damit nicht des Donners halber Männer um Sprache oder Gehör, schwangere Troßweiber um ihre Kinder kämen. Mohammed war mit seinen vornehmsten Würdenträgern zur Stelle. Über der Stadt ging die rote Sonne auf. Sie verrichteten die Gebete, Orban bekreuzte sich und neigte den Kopf.

Der Sultan rief sehr laut: «Es ist kein Gott außer Gott, niemand ist ihm gleich!» Orban löste den Schuß. Die Erde bebte.

Die Männer alle meinten noch taub zu sein. Das erste, was sie vernahmen, war der bestürzte Ruf eines Feuerwerkers: «Die Kanone ist gesprungen!» Dann hörten sie das Stöhnen und Wimmern Verletzter.

«Orban ist zerrissen!» wurde gerufen. «Nein, es ist der Venezianer!» riefen andere. «Nein, Orban, Orban, er ist ja noch kenntlich!»

Solche Stimmen fuhren in Schrecken durcheinander, und niemand wußte, woher sie kamen. Denn kein Blick vermochte die ungeheure Rauchwolke zu durchdringen, und es war allen, als taumelten sie durch eine Nacht.

Mohammed tastete sich stumm durch Finsternis und Gewirr. Sein Gemüt war so zerrissen, daß er in dieser Stunde kein menschliches Gesicht ertragen zu können meinte. Er scheuchte alle Begleitung von sich, gelangte an sein Pferd und ritt langsam in die öde Ebene, unvermögend, den Blick zu der schimmernden Stadt mit den unerschütterten Mauern zu heben.

Es begegnete ihm auf dem offenen Felde ein Zug Reiter. Mohammed wollte zornig abwinken, allein der Anblick des einen machte ihn so betroffen, daß er mit einer hastig zurückprallenden Bewegung sein Pferd anhielt. Einer seiner Unterführer, der die Fremden von den Vorposten hergeleitet hatte, machte dem Sultan Meldung: es sei eine Gesandtschaft des Statthalters von Ungarn gekommen, den Frieden aufzukündigen. Jener, auf dem immer noch verstört Mohammeds Augen hafteten, war vom Pferde gestiegen und überreichte ein Schreiben, in welchem der Statthalter seine Sendung beglaubigte.

«Du heißt Orban?» fragte Mohammed, nachdem er gelesen hatte. «Hast du einen Bruder?» Dann berichtete er ihm, hart und ohne Schonung, was geschehen war. «Komm mit, ich werde dich hinführen.»

Sie ritten. Orban hatte sein Gesicht verhüllt, denn er hatte keine Herrschaft mehr über seine Mienen und über seine Tränen.

Einer der Heerführer Mohammeds jagte ihnen entgegen. «Herr! Herr!» schrie er schon von weitem. «Herr! Die Kanone ist heil!»

Nur ein angeschweißter Zierreifen war gesprungen. Die Stücke hatten einige Männer verwundet, den Gießer getötet. Das Geschütz aber war unbeschädigt, die Kugel hatte ein Mauerstück des Tores eingerissen. Dennoch hatte das Geschehene als ein arges Vorzeichen seinen Einfluß geübt; Schrecken und Niedergeschlagenheit konnten nicht verkannt werden.

Was von Orban geblieben war, lag zusammengetragen und von einer Pferdedecke verhüllt. Der ältere Bruder stand lange davor. Man brachte ihm auch Sprengstücke des Reifens, er suchte sie aneinanderzufügen und betrachtete die Bildnerei. Da war ein lateinisches Kreuz, ein griechisches Kreuz, ein Halbmond. Da war das Tierkreiszeichen der Zwillinge, geborsten und von der Venus bedroht. Da waren die feindlichen Schilde und die trennende Gestalt. Vieles blieb zerstört, anderes war unbeholfen gearbeitet, doch selbst ein Fremder hätte davon auf eine sonderbare Art gerührt werden können, denn es hatte sich ja hier eines Menschen ganzes Schicksal ausdrücken wollen.

Der ältere Orban aber, in der Hellsichtigkeit seines selbstgehässigen Schmerzes, sah im Bilde dieser Trümmer die Abfolge der Begebnisse von der ersten brüderlichen Verstimmung an und in allem einzig sein eigenes Verschulden. Auch erinnerte er sich plötzlich gewisser Worte des Mädchens, welche ihm damals nicht verständlich gewesen waren, nun aber im Licht vor ihm standen: so nämlich, als habe es nur der Fortreise des Jüngeren bedurft, damit dem Mädchen mit der eingetretenen Unwiderruflichkeit die von ihr selber getroffene Entscheidung jählings in ein schmerzliches Zwielicht rückte. Kleine Andeutungen fielen ihm ein, Mienenspiele, ein Abwenden des Blicks, ein Krümmen der Lippenwinkel, ein Senken des Kopfes, ein geängstigtes Pressen seiner Hand. Ja, es war ihm Gewißheit, daß sie den Bruder geliebt habe und es heimlich beklage, ihr Schicksal zu spät verstanden zu haben.

Der Sultan hatte indessen seine Geschützkundigen zusammenbefohlen. Sie redeten umwunden und vermieden es, sich auf ihre Voraussagen zu berufen. Dennoch gab sich ihre alte Meinung zu erkennen: ein solches Geschütz sei eine Unmöglichkeit; beim ersten Schuß habe sich der Reifen gelöst, beim zweiten müsse das ganze Rohr springen und Hunderte von Männern erschlagen.

Orban trat heran und bat den Sultan um Gehör.

«Mein Bruder und ich haben sehr mitteilsam miteinander gelebt, so bin ich bewandert in seinen Berufsgeschäften, wie er es in den meinen war. Was beim ersten Schuß geschah, das ist ein zufälliges Unglück gewesen. Ich bitte, mir den nächsten Schuß zu überlassen. Ich werde zum Erweise bringen, daß mein Bruder etwas Unanfechtbares geschaffen hat.»

«Dein Herr hat dich geschickt, mir den Frieden aufzukündigen», sagte der Sultan zweiflerisch. «Du willst das Geschütz gegen die Stadt deiner Glaubensgenossen abfeuern?»

«Ja», antwortete Orban und sah kalt über all diese Männer hin, die er, gleich wie sich selber, seinem zerrissenen Bruder zum Totengefolge bestimmt hatte.

Orban befahl und überwachte das Laden, und es war die zweieinhalbfache Ladung Pulvers, mit welcher er all dies Stück Welt in Fetzen zu sprengen dachte, und sich mit ihm.

Die Vorbereitungen waren beendigt, der Sultan trat hart neben die Kanone und zwang mit einem Wink Höflinge und Geschützkenner an seine Seite. «Fange an!» rief er ungeduldig.

Orban warf Hut und Mantel von sich. Die ihm zunächst Stehenden fuhren zusammen, da sie sein Gesicht erblickten.

Der Donner des Schusses ließ auch die Vorbereiteten erzittern. Nach Augenblicken erst verstanden sie, daß sie lebten.

Die rauchige Finsternis zerrann. Ein öder Mauerstumpf zeigte die Stelle, da das Tor des heiligen Romanos seinen Ort hatte. Aus dem Raunen wurde Geschrei, Leute liefen zusammen, es brauste tausendstimmig über das Feld: «Ejub lebt! Ejub ist wiedergekehrt, das Feurige hat ihn zerrissen, aber nicht behalten! So ist es vorausgesagt! Wir werden die Stadt nehmen!»

Orban starrte wüst um sich. Rufende Männer drängten auf ihn zu, manche warfen sich vor ihm zu Boden, jemand rührte scheu seine Füße an. Plötzlich schrie auch er, voller Wildheit: «Wir werden die Stadt nehmen!»

«Wir werden die Stadt nehmen», sagte langsam und mit halber Stimme der Sultan.

Das königliche Spiel

Eines Nachts saß Abdallah el Zagal beim Schachspiel in jenem entlegenen Felsenkastell oberhalb von Malaga, in welchem sein Bruder, der König, ihn seit sieben Monaten gefangenhielt. Sein Gegner war ein christlicher Sklave, den als einen Meisterspieler man ihm zur Gesellschaft überwiesen hatte. Außer diesem bestand seine Umgebung aus Männern des königlichen Vertrauens, die Abdallah ehrerbietig behandelten, aber für keinen Augenblick allein ließen. Auch jetzt hielten sich mehrere von ihnen in dem Raume auf, einige indem sie dem Spiel mit kennerischer Aufmerksamkeit folgten, einige indem sie das Ende des Spieles und den Beginn ihrer Nachtruhe herbeiwünschten.

Abdallah hatte seinen Zug getan und die bewegte Figur augenblicks losgelassen, da er sich der Möglichkeit berauben wollte, den langbedachten Entschluß zurückzunehmen. Nun stand er auf, wie er es nach jedem Zug zu tun pflegte, und ging langsam in dem geräumigen Zimmer hin und wider, den Blick auf die schwarzweiß geschachten Marmorfliesen des Estrichs gerichtet.

Viermal bereits hatte ihn sein kurzer Weg an Husam vorbeigeführt, der auf der Polsterbank in der Nähe des bogigen Fensters saß, kaum noch erreicht von der Helligkeit der Ampel, welche über dem niedrigen Spieltische in der Zimmermitte hing. Husam war ein weißbärtiger Höfling, und König Muley hatte ihm den Befehl des Kastells und die Bewahrung Abdallahs anvertraut.

Beim fünften Male schien es, als wollte Abdallah stehenbleiben, allein erst beim sechsten Male blieb er stehen.

«Schicke zu meinem Bruder und unterbreite ihm meine Bitte», sagte er. «Mein Bruder wolle es mir freistellen, daß ich mir diesen oder jenen anderen Schachmeister kommen lassen darf, wie er es mir früher gewährt hat. Man hat meinem Leben eine solche Engigkeit zugemessen, daß dieses Spiel ausreicht, es zu füllen. Darum zeige er sich großherzig wenigstens in den Dingen dieses Spieles. Ich habe jetzt häufig mit dem Christen gespielt; könnte ich gewisse Angriffsarten und Gepflogenheiten anderer Spieler mit den seinen vergleichen, so hätte das einen großen Wert für mich. Du weißt, daß ich allerhand Gedanken über das Schach habe.»

Husam antwortete: «Der König, dein Bruder, hat dir wohl früher gestattet, auch andere Schachmeister zu empfangen. Nun aber hat er angeordnet, es solle mit diesem Sklaven sein Bewenden haben.»

Abdallah nahm seinen Gang wieder auf. Husam konnte sein Gesicht nicht sehen.

«Ich habe gezogen», sagte der Sklave.

Abdallah setzte sich an das Brett und prüfte die Lage.

Husams Antwort hatte – wir sprechen nicht vom Schach – Abdallahs Lage ins Ärgere gewandelt.

Es war des Königs Wunsch, daß sein Bruder ohne Kenntnis der Weltbegebenheiten bliebe und ohne Verbindung mit jenen Vornehmen und Kriegern, die dem König einer Hinneigung zu Abdallah verdächtig schienen. Immerhin hatte er ihm den Besuch ausgezeichneter Schachspieler zugestanden, mit der Einschränkung jedoch, daß nichts gesprochen werden durfte, was nicht zum Spiel seine Beziehung hatte. Hierauf zu achten, waren die Wächter angewiesen.

Unter den Spielern, die mit königlicher Gutheißung zu Abdallah kamen, war ein Mann, den Abdallahs Anhänger für ihre Sache gewonnen hatten. Es gibt wenige Vorgänge im Leben der Herrscher wie der Völker, die sich nicht auf dem Umwege über das Schachspiel darstellen lassen. Die Schachspiele der Morgenländer sind von denen der christlichen Völker in manchem verschieden, so auch in den Bezeichnungen der Figuren, deren wertvollste nicht Königin, sondern Wesir genannt wird. Der Spieler machte während des Spieles einige Bemerkungen, Abdallah begegnete seinem Blick und verstand, daß er Nachrichten erhalten sollte. Er erfuhr, daß der König krank war und die Entscheidung der staatlichen Dinge mehr als zuvor in den Händen seines Wesirs lag.

Der Spieler rühmte einen Schachmeister seiner Bekanntschaft, der sich auch auf das Schach der Christen verstehe, welche nicht mit hundertundachtundzwanzig, sondern nur mit vierundsechzig Feldern spielen und andere Regeln und Figuren haben; es müsse Abdallah gewiß daran gelegen sein, auch mit dieser Art des Spieles bekannt zu werden. Abdallah begriff die Absicht und erreichte es von seinem Bruder, daß sein bisheriger Spielgegner durch diesen Schachmeister ersetzt wurde. Er kam und brachte sein eigenes Spiel mit.

Er hatte eine gewandte Art, immer wieder ähnliche Lagen herzustellen und auf die Bedeutsamkeit dieser Lagen hinzuweisen. Abdallah erfuhr binnen kurzem, daß König Ferdinand von Aragon und seine Frau, Königin Isabella von Kastilien, die unterbrochenen Feindseligkeiten erneuert hatten. Vieler Listigkeiten bedurfte es, um vor den Augen der Wächter, unter denen ja auch Spielkundige waren, alle diese Vorgänge so sich darstellen zu lassen, als erwüchsen sie aus dem natürlichen Widerstreit zweier Schachgegner. Angriffe, die der Schachmeister seine Königin immer wieder gegen einen Turm führen ließ, ohne daß dieses im Zusammenhang des Spieles seine Rechtfertigung gefunden hätte, wiesen Abdallah auf ein Kriegsereignis ähnlicher Art hin. Abdallah unterließ es, den Turm zu sichern, weil er sehen wollte, ob der andere ihn nehmen würde. Der andere nahm ihn und bezeichnete ihn dabei, aller Schachsitte zuwider, mit der Himmelsrichtung, indem er vom östlichen Turme sprach. Abdallah erkannte, daß die Festung Alhama an die Christen verloren worden war. Er selbst hatte sie gegen mehrere Belagerungen gehalten, bevor sein Bruder ihm die Freiheit nahm, um sich des Thrones sicherer fühlen zu können.

Dies war die letzte Botschaft gewesen, die den Gefangenen erreicht hatte. Der Christensklave war ihm vom König Muley selbst zur Gesellschaft bestimmt worden, kein Mensch, sondern nur Träger einer schachspielerischen Kunstfertigkeit; sein Erscheinen hatte Abdallahs Einmauerung vollendet.

Eine Hoffnung, deren Widersinn ihm unverhohlen war, trieb Abdallah zu Äußerungen, wie sie seine hintergründigen Gespräche mit den Schachboten eingeleitet hatten.

«Schach dem Wesir!» sagte er jetzt. «Oder bist du gewohnt, von der Königin zu sprechen?»

«Mir sind eure Bezeichnungen geläufig wie die christlichen», antwortete der Sklave ruhig, ohne seine kalten Grübleraugen vom Brett zu entfernen. «Auch sagen wir wohl Jungfrau nach der Mutter Gottes.»

«Schach der Jungfrau!» rief Abdallah wie unter der Berührung einer plötzlichen Leidenschaft. Gleich darauf lächelte er bitter darüber, daß ein bloßes Wort hatte hinreichen können, ihn die Kastellmauern vergessen zu machen.

Er war eingeschlossen in das Spiel eines Brettes, ausgeschlossen vom Kampf seines Stammes und Glaubens gegen Jungfrau, Jungfrauensohn und Jungfrauenanbeter.

Er stand auf und ging wieder durch den Raum, vorbei an den Wächtern, vorbei an den Wächtern, über die Fliesen, über die Fliesen. Schloß er die Augen, so sah er diese Schachfliesen, Weiß von Schwarz geschieden, erbarmungslos, wie Freiheit und Gefangenschaft voneinander geschieden sind.

Die Tür sprang auf, im Luftzug stand einer der Leibtrabanten des Königs. Abdallah tat drei hastige Schritte, dem Eintretenden entgegen, dann blieb er stehen und nahm mit einem langsamen Schleifen des linken Fußes den letzten Schritt zur Hälfte zurück. Die sitzenden Wächter sprangen mit Ehrfurcht auf. Husam erwachte und enthob sich mühsam seiner Schläfrigkeit. Nur der Christ beharrte über dem Brett.

Der Trabant verneigte sich kurz, kaum daß er sich die Mühe nahm, die Arme zu kreuzen.

«Ich habe eine Botschaft für dich, Abdallah» sagte er. «Willst du sie allein hören oder in Gegenwart dieser Männer?»

«Wird sie, wenn ich sie allein höre, diesen Männern verborgen bleiben?» fragte Abdallah.

«Nein», antwortete der Trabant.

«Dann richte aus, was dir aufgetragen ist.»

Der Trabant schwieg eine Weile, dann löste er etwas Weißes aus seinem Gürtel.

«Abdallah», sagte er, «du wirst nicht erschrecken, denn auch der Prophet hat sterben müssen. Der König, dein Bruder, hat mir diese Schnur für dich mitgegeben.»

In den nächsten Augenblicken rührte sich niemand. Nur der Christ hob sein Gesicht vom Schachbrett mit langsamem Erstaunen zu dem Trabanten, als begriffe er erst allmählich, daß in den Ablauf des Spieles eine Störung getragen werde.

Abdallah kehrte sich ab. Niemand sah sein Gesicht. Der Blick des Christensklaven wandte sich zurück zum Spiel.

Einige Male streckte der Christ seine runzelige, schwarzblau geäderte Hand aus, als wolle er seinen Zug tun. Allein er ließ sie wieder sinken: es blieb ungewiß, ob er sich des vorzunehmenden Zuges noch nicht gänzlich sicher geworden war oder ob er erkannte, daß sein Zug, welcher Art er auch sei, eine Unziemlichkeit, ja, eine Schändlichkeit sein müsse, und mühsam mit der Versuchung kämpfte, ihn dennoch zu tun.

Dies dauerte eine Weile. Abdallah stand immer noch abgewandt. Um die Ampel kreisten summende Nachtgeschöpfe von verschiedener Größe; manchmal stieß eins mit dumpfem Anprall gegen die Ampelschale.

Abdallah wandte sich wieder um und streckte den rechten Arm mit der geöffneten Hand aus, hochmütig, als lasse er sich von seinem Kammerdiener den Handschuh reichen. Der Trabant kam auf ihn zu und legte ihm mit einer Verneigung die zusammengerollte Schnur in die Hand.

Man hörte das harte Aufsetzen eines Brettsteines.

«Ich habe gezogen», sagte der Sklave.

Husam sah ihn zornig an. Abdallah lächelte voll spöttischer Nachsicht.

«Ich weiß nicht, was für Befehle du empfangen hast», sagte er zu dem Trabanten. «Ist es dir erlaubt, mir einen Aufschub zu geben? Ich möchte das Spiel endigen.» Er deutete, immer noch lächelnd, mit dem Kopf auf den Sklaven und setzte hinzu: «Du siehst es selbst, wir können es ihm nicht antun.»

«Ich glaube, das verantworten zu können», erwiderte der Trabant. «Spiele in Bequemlichkeit, ich werde nicht drängen. Ich weiß ja, daß du das Spiel nicht unnütz in die Länge ziehen wirst; damit gewännest du eine Stunde oder zwei, und was könnten dir diese nützen? Auch würde es deinem Schachspielerruhme nachteilig sein.»

Abdallah setzte sich an das Brett. Figuren und Felder, Weiß und Schwarz, verloren die begrenzenden Umrisse. Abdallah starrte auf das trübe Gewoge einer grauen Verworrenheit.

Plötzlich wichen die Nebel, das Schlachtfeld überließ sich erbötig seinem Blick.

Die Heere standen sich gegenüber, das Heer des Abdallah befand sich im Angriff. Er erkannte die Möglichkeit des Sieges. Zugleich aber erkannte er, was ihn zu seiner Bitte vermocht hatte: es war nicht die Rücksicht auf einen Besessenen, die ja in dieser Stunde lächerlich gewesen wäre, und es war auch nicht der Wunsch, einen kargen Lebensrest krämerhaft zu verlängern.

Abdallah sollte sein Leben als ein unbeendetes verlassen; in dieser Nacht noch sollte er entnommen werden dem großen Spiel um die Herrschaft und den Sieg, als dessen vom Zufälligen gereinigtes Abbild den Menschen ja dieses Spiel am Brette gegeben ist. Nun aber waren Wesen und Abbild eins geworden, dies Spiel war sein Leben von jetzt an, nicht mehr kaltes Sinnbild oder armer Ersatz. Hier war der Kampf zu leisten, der Sieg zu erwerben, hier durfte nicht abgebrochen, hier mußte geendigt werden.

Abdallah lebte das Leben einer jeden Figur. Er thronte als König, fern hinter der Schlachtreihe, eingeschlossen in die Strenge seines Prunkes, kaum beweglich in starrenden Goldstoffen, zu nichts anderem erwählt als Verehrungen zu genießen und an seinem Sturze die Niederlage eines Volkes zu bekunden, indessen der Sieg der Anteil seines Wesires bleibt, welcher geschaffen wurde, zu entwerfen und zu handeln, Feinde anzugreifen und bedrohten Heereskörpern zu Hilfe zu eilen und dennoch der Zweite zu bleiben hinter dem schlachtenfernen Götzenbilde des Königs. Abdallah war der Unterführer, der schrägen Laufes das Feld durchmißt, den gefährdeten Punkt zu sichern, war der Kriegselefant, der als Festung den König schützt, als lebendes Bollwerk gesenkten Kopfes mit Schnauben vorstürmt, unfähig zu jeder anderen Bewegung als der in der Geraden; Abdallah war der Reiter, dessen Galoppsprünge in Zahl und Wegerichtung gebunden sind, weil er seine Geschwindigkeit mit der Koppelung an die Bedingnisse der tierischen Natur bezahlen muß; Abdallah war jeder einzelne der schwerfällig vorgehenden Fußgänger, der zum Acker Geborenen, die nichts erkennen als das kleine Stück Feld vor ihren Füßen und deren Bestimmung es ist, getötet zu werden, namenlos und unbeklagt: einer unter ihnen aber, dem ein anderes Herz gegeben wurde, dringt vor bis in die letzte der feindlichen Schlachtreihen, enthebt sich dem gemeinen Stande und gewinnt wesirische Würde.

Die funkelnde Welt des Kampfes steht in Bewegung, die Spieler aber sitzen sich gegenüber, zwei himmlische Lenker; sie bestimmen die Entschlüsse der Wesire, die Triumphe und Beschämungen der Könige, jeden einzelnen Schritt der Kriegsleute.

Der Christ erwog seinen Zug. Abdallah ging über die Fliesen, auf denen Weiß und Schwarz geschieden waren, unerbittlich, wie Leben und Tod voneinander geschieden sind.

Abdallah blieb vor dem Trabanten stehen, der mit Husam im Flüstertone ein pausenreiches Gespräch führte.

«Du wirst nicht vergessen haben», sagte Abdallah, «daß ich an vielen Weltgeschehnissen meinen Anteil genommen und ihnen meinen Anteil gegeben habe. Mein Bruder hat es so geordnet, daß ich in Unkenntnis aller Begebenheiten gehalten wurde. Aber nun hat er ja nicht mehr zu befürchten, daß ich von ihrer Kenntnis einen Gebrauch zu seinem Nachteil machen könnte. Darum bitte ich dich, mir in Kürze mitzuteilen, welches die Umstände des Königs, des Königreiches und der Feinde sind. Mein Bruder wird das billigen, und du brauchst mir ja nichts zu sagen, was diese anderen Männer hier nicht ohnehin wissen oder was nicht schon morgen auch ohne dich zu ihrem Gehör kommen wird. Zu dem meinen wird ja hiernach nichts mehr kommen.»

Der Trabant beriet sich durch Blicke mit Husam. Dann berichtete er vom Falle der Festung Alhama, der freilich einige Monate zurücklag und Abdallah bekanntgeworden war. Der Trabant hatte die Höflichkeit, hierbei Abdallahs

Verdienste um die Verteidigung Alhamas zu erwähnen. Er fuhr fort und gab das Bild eines verworrenen und widersprüchlichen Zustandes, wie eingetretene Kampfpausen ihn ja häufig ausdrücken. Der Trabant gewährte sich selbst kein Urteil; König Ferdinand und Königin Isabella hätten eine Bereitschaft zu Unterhandlungen erkennen lassen.

«Was werden sie verlangen?» fragte Abdallah.

«Man sagt, einen Jahrestribut, Gebietsabtretungen, Stellung von Geiseln, dazu unbeschränkte Duldung christlichen Gottesdienstes und christlicher Bekehrungsversuche im Gebiet deines Bruders.»

«Und mein Bruder?» fragte Abdallah.

«Dein Bruder ist vor zehn Tagen von einem Schlage getroffen worden.»

Der Trabant hatte einen Augenblick gezögert. Dennoch scheute er sich nicht, etwas auszusprechen, das ja in Malaga jedermann wußte. Denn König Muley hatte den Schlag in der Moschee erlitten, und es waren viele Gläubige zur Stelle gewesen.

Abdallah schlang sich die weiße Schnur um Finger und Gelenke. Er ließ sie heftig durch seine Hände gleiten, deren sich plötzlich ein Zittern bemächtigt hatte.

Der Trabant fuhr hastig fort: König Muley habe zwar bald das Bewußtsein wiedererlangt, gleichwie auch den Gehorsam seiner Gliedmaßen und die Bewegbarkeit der Zunge. Dennoch seien die Leibärzte nicht ohne Sorge. Und in Sorge sei auch der König, vornehmlich um die Erbfolge seines kleinen Sohnes.

«Diese Sorge ist die Ursache deines Auftrages?» fragte Abdallah.

Der Trabant nickte.

«Ich habe gezogen», sagte der Sklave.

Abdallahs Gedanken wandten sich von diesem fremden Spiel ab und kehrten auf das schwarzweiße Feld seiner Wirklichkeit zurück, auf welchem er einen Angriff des feindlichen Wesirs erwartete.

«Ich danke dir», sagte er zu dem Trabanten. Dann ging er zum Spieltisch.

Er tat den Gegenzug im Stehen und begab sich ans Fenster.

Das Fenster, das durch Gitterstäbe gesichert war, ging nach Norden. Es war eine wolkige Neumondnacht. Die Bergmassen ließen ihre Umrisse ahnen. Abdallah hatte sie so oft betrachtet, daß er jeden Gipfel zu erkennen meinte.

Vom Weiher quakten die Frösche. Gegen Abdallahs Gesicht stießen die einfallenden geflügelten Schwärme, welche die Ampel zu sich befahl. Ein Hahn krähte. Beim zweiten Krähen brach er beschämt in der Mitte ab, es blieben noch drei Stunden bis zum Sonnenaufgang.

Abdallah mühte sich, vertraute Sterne aufzufinden, Sterne, an denen kein Wandel geschehen konnte. Endlich wußte er nicht mehr, ob er sie mit Augen sah oder sich von der Kenntnis ihrer Orte täuschen ließ.

Abdallah hörte, daß die Tür geöffnet wurde und daß jemand eintrat. Allein da ihm die Orte der Sterne wichtiger erschienen als die Bewegungen seiner Wächter, so wandte er sich nicht um.

Es wurde leise gesprochen, dann verließ eine Folge von Schritten das Zimmer.

Abdallah hörte den Christen einen Stein rücken und einen anderen in den Kasten werfen. Ein Fußgänger war gefallen, es geschah keine große Einbuße an ihm. Soldat oder Anführer, der Getötete wird in den Kasten geworfen, das Spiel nimmt den Fortgang, das Ende ist verborgen, zuletzt ist mit dem Spiele der Getötete vergessen, neue Spiele heben an, neue Völker werden auf den Plan gestellt. Und dennoch hat jeder, der zu vergänglicher Opferung oder zu vergänglichem Triumph vorbestimmt war, dennoch haben König, Wesir, Unterführer, dennoch hat jeder der gemeinen Leute sein Leben gehabt, seinen Platz, seine Unersetzlichkeit, seine winzige Unersetzlichkeit gleich diesen unsichtbaren Gestirnen.

«Ich habe gezogen», sagte der Christ.

Abdallah kehrte sich mit Härte vom Fenster.

Husam und der Leibtrabant waren nicht mehr im Raume.

Abdallah setzte sich. Das Schachbrett erschien ihm wie der nächtliche Himmel hinter den Vierecken der Gitterstäbe. Er dachte noch an die Sterne, deren Zweck ihm unbekannt war wie der Zweck des irdischen Spieles. Dann schüttelte er solche Gedanken von sich, denn er hatte ja die Bewegungen von Anführern und Heereskörpern zu lenken. Er fühlte, daß die Handlungen der Menschen und der Völker geleitet werden zu Zwecken, die der Leitende nicht kennt und denen er nicht nachfragen muß; und es wird ja auch niemals um ein Ziel gekämpft, sondern immer um einen Sieg.

Abdallah streckte die Hand aus, um zu rochieren. Es entstand Geräusch, er wandte den Kopf zur Tür, seine Hand blieb ausgestreckt. Daumen und Zeigefinger, welche den Turm hatten greifen wollen, vollendeten ohne sein Wissen die Bewegung in der Leere der Luft.

Husam und der Trabant kehrten wieder. Hinter ihnen traten drei Männer ein, bloße Säbel in den Händen, Schweißtropfen auf den geröteten Gesichtern.

Die Tür blieb offen, auf dem Gange wurde geklirrt und gesprochen.

Abdallah hatte die Männer noch nicht erkannt, da begannen sie schon zu rufen, rauh durcheinander: «Der König ist gestorben!» – «Der Wesir ist verhaftet!» – «Abdallah el Zagal!» – «Nach Malaga!» – «Du mußt König sein!»

Abdallah stand langsam auf, die umgebogenen äußeren Fingerglieder stemmten sich gegen den Tisch und trugen die Last des wachsenden Körpers.

Abdallah griff mit der linken Hand gegen sein Herz, dessen Schlag sich in hastigen Atemstößen verkündigte. Die Rechte machte eine Bewegung, als gälte es, jemanden zu beschwichtigen.

Alle waren niedergefallen. Nur der Christensklave blieb am Tisch sitzen, sah von einem zum anderen und schüttelte verstimmt den Kopf.

Abdallah ging ans Fenster und atmete, er sah weder Berg noch Sterne, deren jeder doch seinen Ort hatte. Er kehrte zurück in die Mitte des Raumes und merkte, daß er die Schnur aus dem Fenster geworfen hatte.

«Abdallah el Zagal!» wurde auf dem Gange gerufen.

Abdallah lächelte ein wenig und sagte: «Laßt mich mein Spiel zu Ende bringen. Darauf werde ich mit euch nach Malaga reiten.»

Er setzte sich dem Christen gegenüber. Alle schwiegen in Ehrerbietung. Abdallah zog.

Während des Spiels winkte er plötzlich den Trabanten neben seinen Polstersitz. Er streifte sich alle Ringe von den Fingern, ergriff beide Hände des Trabanten und bekleidete sie mit den Schmuckstücken, ohne daß er etwas gesprochen, ohne daß er ihn angesehen, ja, ohne daß er die Augen vom Schachbrett gelöst hätte.

Fünf Züge geschahen noch. Der Christ war matt.

Abdallah erhob sich und sagte:

«Du bist frei. Kehre zu deinen Leuten zurück und richte ihnen meine Botschaft aus: Schach dem Könige! Schach der Königin! Schach der Jungfrau!»

Musketengeschichte

Im Infanterieregiment des Grafen von Tiefenbach dienten zwei degradierte Offiziere als gemeine Soldaten, Coloni in der ersten, Jastrzembowicz in der dritten Kompanie. Zwischen den beiden war eine Feindschaft, deren Ursprung sich in einem Nebel von brüchigen Erinnerungen und unsicheren Gerüchten verlor, die aber seit Jahren zu den Tatbeständen der Truppe gehörte. Der letzte Zweikampf hatte beiden die Charge gekostet, und Tiefenbach hatte ihnen erklärt, beim nächsten Male lasse er sie hängen. Streifflingen, sein Adjutant, hatte geraten, sie durch Versetzung zu trennen, allein Tiefenbach wünschte den Gehorsam seiner Untergebenen nicht durch bequeme Hilfen entwertet zu sehen.

Das Regiment lag in der Gemarkung eines wüst gewordenen Dorfes. Einige Reihen Weidenbüsche liefen, ausgetrocknete Gräben begleitend, quer über die Gemeindewiesen auf einen Teich zu, der von den Soldaten zum Wasserholen benutzt wurde. Denn die Brunnen des Dorfes waren zerstört oder erschöpft.

Eines Morgens früh ging Jastrzembowicz zum Teich, um sich zu waschen. Die Zelte und Erdhütten der ersten Kompanie waren so gelegen, daß ihren Bewohnern der Blick über das Wiesengelände freistand. Coloni lugte aus seiner Zeltöffnung, um das Wetter zu prüfen, und gewahrte seinen Gegner. Plötzlich ergriff er seine Muskete und ging.

«Wohin gehst du?» rief ihm sein Zeltgenosse verwundert nach.

Coloni wandte sich lachend um und erwiderte: «Einen Habicht schießen.»

Jastrzembowicz wurde von vielen Leuten im Regiment «der Habicht» genannt, weil dieser Geschlechtsname schwer

zu behalten ist und auf ein slawisches Wort zurückgeht, das Habicht bedeutet.

Coloni verschwand im Gebüsch. Durch die Weidenreihe dem Blick des näher kommenden Jastrzembowicz entzogen, lief er, in den Graben geduckt, auf das Wasser zu. Er hatte das Ufer erreicht, als seinem Feinde noch etwa achtzig Schritte zurückzulegen blieben. Coloni kauerte sich hin, machte sich schußbereit und wartete.

Jastrzembowicz pfiff im Gehen. Als er sich dem Gebüsch bis auf zehn Schritte genähert hatte, schrie Coloni: «Habicht, du bist hin!» und schoß. Jastrzembowicz stürzte, Coloni aber lachte und rannte, wie er gekommen war, in seine Behausung zurück.

«Na, hast du den Vogel gekriegt?» fragte sein Zeltgenosse, der in der Ecke hockte und seine Hose ausbesserte.

«Dummes Zeug», antwortete Coloni, setzte sich hin und begann seine Muskete zu reinigen, wie es die Vorschrift verlangte. Hierin war er sehr sorgfältig.

«Du weißt wohl nicht, daß der Alte das eigenmächtige Schießen verboten hat?»

«Mir kommt es auf eine Strafwache nicht an», sagte Coloni.

Sie hatten ihre Morgensuppe gegessen und schickten sich an, zum gewöhnlichen Frühappell zu gehen, zu welchem soeben getrommelt wurde. Als sie aus dem Zelt traten, sahen sie den Profoß mit seinen zwei Knechten kommen. Coloni fragte ihn, wohin er wolle.

«Zu dir», antwortete der Profoß, der ein alter und schweigsamer Mann war, legte ihm die Hand auf die Schulter und erklärte ihm die Arretur. Coloni zuckte spöttisch die Achseln und fügte sich. Ohne ein Wort mit ihm zu sprechen, führten sie ihn in einen Ziegenstall und schlossen ihn ein.

Zwei Stunden darauf erschien bei dem Gefangenen einer seiner Kompanieoffiziere, ein junger Mensch, der früher Colonis Untergebener gewesen war.

«Zum Schinder, Coloni!» rief er. «Wie hast du das tun können? Das kostet dir den Hals.»

Coloni riß die Augen auf. «Ich verstehe dich nicht, Larisch», antwortete er erstaunt. Denn wenn keine Mannschaften dabei waren, duzte er immer noch die Kameraden von früher.

«Coloni», sagte der andere eindringlich. «Du willst leugnen? Coloni, du warst es nicht? Erzähle jetzt, ich weiß nichts von den Umständen. Ich bin diesen Augenblick von Feldwache gekommen und höre, der Alte hat für den Nachmittag Kriegsgericht angesetzt. Du hast Jastrzembowicz nicht erschossen?»

«Ja, zum Satan, ist er denn tot?» schrie Coloni und wurde bleich. «Larisch, ist er tot?»

Larisch nickte.

Coloni starrte eine Weile auf seine Stiefelspitzen. Seine Schläfenadern schwollen, und sein Atem ging sehr laut. Plötzlich begann er zu toben: «Das ist Hexenwerk, das ist Zauber! Ich klage auf Hexerei! Der Habicht soll tot sein? Und die Wunde? Die Wunde? Larisch, ich schwöre dir, ich hatte blind geladen!»

Das Kriegsgericht trat in einer Scheune zusammen. Tiefenbach präsidierte. Sein Adjutant Streifflingen verlas Protokoll, Anklage und Gutachten des Regimentsmedikus. Dieses enthielt allerhand lateinische Worte, die auszusprechen dem Adjutanten Mühe machten und die von den meisten der Herren gar nicht oder unvollkommen verstanden wurden. Immerhin begriff jeder den Tatbestand.

Coloni, der in vorschriftsmäßiger Haltung sechs Schritte vor dem Richtertisch zwischen zwei Posten stand, wurde aufgefordert, sich zu äußern. Sein bärtiges, von geringer Denkgewöhnung zeugendes Gesicht sah verstört aus wie das eines Menschen, der sich einem Unbegreiflichen und darum Schreckenerregenden gegenübergestellt findet, neben dem ihm alles andere gleichgültig erscheint. Diesen Ausdruck hatte es auch vorhin gehabt, als er durch das Dorf zur Scheune geführt wurde und die Leute der dritten Kompanie, die Jastrzembowicz sehr zugetan gewesen waren, sich mit Schimpfworten und erhobenen Fäusten an ihn drängten.

«Ich habe ihm nur einen Possen tun wollen. Die Muskete war blind geladen», sagte er halblaut und ohne die Sicherheit, mit der er sonst vor jedem Vorgesetzten stand.

Tiefenbach gab ein Zeichen, und Coloni wurde wieder abgeführt. Tiefenbach bat um Meinungsäußerungen.

Larisch hatte es erreicht, daß ihm die Verteidigung übertragen worden war. Er sprach aufgeregt und machte ungeduldig.

«Die Herren wollen bedenken, daß es ein Zufall war, ein verfluchtes Zusammentreffen. Der Leichnam weist keine Spur von Kugel und Wunde auf. Es war ein Schießen, kein Erschießen. Merkmal des Schießens ist der Schuß, Merkmal des Erschießens ist der Einschuß.»

«Merkmal des Erschießens ist der Tod», warf ein anderer ein.

«Ach was», sagte Kapitän Stürli grob. «Kerl Eins schießt, Kerl Zwei fällt tot um, Kerl Eins wird gehängt. Fertig.»

«Nicht am Schusse ist Jastrzembowicz gestorben, sondern an seiner Angst. Ein feiger Soldat aber verdient —»

Major von Radeleben, der des Erschossenen unmittelbarer

Vorgesetzter gewesen war und damals auch seiner Degradierung mit Heftigkeit widerstrebt hatte, wurde rot und schrie: «Ich muß es mir verbitten, daß der junge Herr da von einem meiner Leute –»

Tiefenbach, der bisher mit seiner verschlossenen und schwer enträtselbaren Miene dagesessen und sich jeder Ansichtsäußerung enthalten hatte, hob die Hand. «Ich habe die Meinung der Herren kennengelernt. Ich danke den Herren. Ich werde das Regiment meine Entscheidung wissen lassen.»

Das Regiment war in Form eines Vierecks aufgestellt, dessen eine Seite geöffnet blieb. An dieser offenen Seite stand Coloni mit dem Rücken gegen einen Plankenzaun, ihm gegenüber das Exekutionskommando. Tiefenbach hatte es von der dritten Kompanie stellen lassen, um den Kameraden des Toten eine Genugtuung zu geben.

Das Urteil wurde verlesen. Dann ritt Tiefenbach, der Coloni seit seiner Degradierung nie anders behandelt hatte denn als einen gemeinen Soldaten, auf ihn zu und stieg vom Pferde. Er nahm seinen Federhut ab und reichte ihm die Hand. «Leben Sie wohl, Herr Kamerad», sagte er. Darauf kehrte er an seinen Platz zurück.

Colonis Gesicht trug noch immer jene Miene des Nichtbegreifenkönnens, das dem Menschen härter zusetzen kann als die Furcht.

Tiefenbach winkte. Die Trommeln rasselten. Ein Offizier gab ein Kommando, und die Salve krachte. Hinter der Dampfwolke glaubte man Coloni stürzen zu sehen. Auf Tiefenbachs Geheiß eilte der Medikus zu ihm.

«Nun?» rief Tiefenbach dem Rückkehrenden entgegen.

«Der Exzellenz zu dienen», meldete der Medikus gleichgültig, «der Delinquent ist tot. Eine Kugel hat die Brust durchschlagen und ist –»

«Eine Kugel?» schrie Tiefenbach. «Alle Teufel, ich hatte blind laden lassen!»

Tiefenbach ließ das Regiment einrücken bis auf das Exekutionskommando. Er hatte den Plankenzaun besichtigt und nur eine einzige Kugelspur gefunden. Dreiundzwanzig Mann hatten blind geladen, wie es befohlen war, einer scharf.

Tiefenbach schritt die Front ab und sah jedem einzelnen ins Gesicht. «Wer ist es gewesen?» fragte er.

Niemand meldete sich. Sie standen da wie eine Mauer, leblos, drohend und feindselig. Tiefenbach war es, als sähe er vierundzwanzigmal das Gesicht des gleichen Mannes.

«Einrücken», sagte er zu Radeleben und ritt in sein Quartier.

Spät in der Nacht schickte er nach seinem Adjutanten.

«Streifflingen», sagte er finster, «was fange ich mit den Schützen an? Sollen sie losen? Soll ich alle vierundzwanzig füsilieren lassen? Oder jeden dritten?»

«Die Exzellenz beliebe nach ihrer Weisheit zu entscheiden», antwortete Streifflingen kalt.

Tiefenbach stützte den Kopf in die rechte Hand. Beide schwiegen. «Streifflingen», begann Tiefenbach nach einer Weile, «das mit der Kugel ist gegen meinen Willen und Befehl geschehen. Allein, wenn dieser Ausgang außer Betracht bleibt, habe ich recht gerichtet?»

«Nein», erwiderte Streifflingen böse und ohne Schonung, «dieses Spiel hätte nicht gespielt werden sollen. Coloni wußte nicht, was aus seinem Schuß entstehen konnte, die Exzellenz aber ist durch ein Beispiel unterrichtet gewesen.»

Der Wind blies durch die Wandritzen. Das Licht der Kerze im Flaschenhalse begann zu flackern. Draußen hörte man die Schritte des Postens.

«Diese Nacht nimmt kein Ende», sagte Tiefenbach. «Streifflingen, was richtet man? Den Willen, welcher des Menschen ist, oder die Tat, welche des Schicksals ist?»

Streifflingen gab keine Antwort.

«So rede doch!» schrie Tiefenbach. «Bis auf diesen Tag habe ich geglaubt, es müsse dem Menschen möglich sein, rechtes Recht zu sprechen.»

Streifflingen zuckte die Achseln.

In diesem Augenblick wurde eilfertig die Tür aufgerissen. Ein Kornett von Pappenheimkürassieren trat ein, salutierte und überreichte dem Grafen eine versiegelte Ordre. Tiefenbach öffnete und las. Dann sagte er zu seinem Adjutanten:

«So oder so, die Rechnungen sind gelöscht. Lassen Sie Generalmarsch blasen. Der Angriff ist befohlen.»

Der Sohn und die Mutter

Im Juni 1815 biwakierte eine preußische Schwadron, der für den kommenden Morgen ein schwieriger und gefahrvoller Auftrag zugedacht war, im Waldgelände am Mittellauf der Maas. Die wenigen Nachtstunden wurden von den meisten zur Ruhe benutzt; in einem Zelte aber lagen noch zwei Leutnants wach, einer von neunzehn und einer von dreiundzwanzig Jahren. Der Ältere war willens, seine Pfeife zu Ende zu rauchen und sich dann dem Schlafen zu überlassen, um am Morgen einen frischen Kopf und ausgeruhte Gliedmaßen zu haben. Da fragte ihn der Jüngere, ob er ihm die Liebe erweisen wolle, ihn eine Zeitlang anzuhören, und die Frage schien ihn einige Selbstüberwindung gekostet zu haben. Dem Älteren kam diese Bitte nicht gelegen, doch mochte er sie nicht abschlagen; zugleich empfand er ihre Ungewöhnlichkeit, denn der Jüngere war ein verschlossener und schweigsamer Mensch, der insbesondere nie von sich selber redete. Von seinen Lebensumständen wußte man wenig. Er stammte aus Ostpreußen, das Regiment aber war im Westen der Monarchie aufgestellt worden, und so gab es hier niemanden, der ihn und seine Familie etwa von früher her gekannt hätte. Daher gesellte sich zu der Betroffenheit des Älteren auch einige Neugier, und so bat er den Jüngeren, zu sprechen.

Dieser sagte: «Es steckt wohl in jedem Menschen ein Drang, nicht ungerecht beurteilt zu werden. Ich weiß, daß ich im Regiment nicht beliebt bin, aber vielleicht würde man mir manche Sonderbarkeit zugute halten, wenn man mein Erlebnis kennte. Darum möchte ich es Ihnen erzählen, aber auch nur Ihnen. Bisher hat die Ehrfurcht vor dem Namen meines Geschlechts und die Ehrfurcht vor dem Gedanken der Vaterschaft, wenn auch nicht vor dem Manne, der mein Vater gewesen ist, mir den Mund geschlossen. Nun aber fühle ich die Notwendigkeit, daß die Bewandtnisse meines Schicksals außer vor den Augen Gottes auch vor denen eines Menschen offen daliegen. Sollte ich morgen fallen – tant mieux. Wenn nicht, so werde ich gewiß nicht die Kraft haben, meine Geschichte ein zweites Mal zu erzählen. Fallen Sie, so wird sie mit Ihnen begraben sein. Kommen wir beide davon, so bitte ich Sie, das, was Sie jetzt hören werden, wieder zu vergessen.»

Der Ältere fand in dieser Einleitung einige Widersprüche und Verworrenheiten und nahm sie als Zeichen dafür, wie schwer der Entschluß, sich zu eröffnen, dem Jüngeren gefallen sein mußte. Zugleich freute es ihn, daß der Jüngere gerade ihn in sein Vertrauen ziehen wollte, wiewohl er sich sagte, daß die zufällige Tatsache der Zeltkameradschaft daran beteiligt sein mochte und daß er für den Jüngeren in diesem Augenblick nicht eigentlich er selber war, sondern stellvertretend die übrige Menschheit zu bedeuten hatte. Er versprach das Gewünschte.

Der Jüngere begann: Wir lebten auf unserem masurischen Gut, aber meine Mutter stammte aus Schlesien. In ihrer Familie waren herrnhutische Neigungen zu Hause, und sie paßten zu der Innigkeit und Sanftmut ihrer Natur. Ich empfing von ihr den ersten Unterricht; später lernte ich Latein beim Dorfpfarrer.

Mein Vater kümmerte sich wenig um mich. Ich hatte keine Furcht vor ihm, wohl aber Scheu, und ähnlich mag es auch dem Gesinde, den Dienstboten und Scharwerkern ergangen sein. Seine Herrschaft über sie wie auch die Patrimonialgerichtsbarkeit hat er, wie mir scheint, mit einiger Härte ausgeübt, und doch wäre sein Wesen mit dem Worte «hart» sehr ungenau bezeichnet. Vielleicht treffe ich das, was ich ausdrücken möchte, noch am besten, wenn ich sage, daß sein Blick etwas Feuchtes und etwas Starres zugleich hatte. Sein Amtmann, ein willensstarker und bestimmter

Mensch, konnte alles bei ihm durchsetzen. Ja, es kommt mir fast vor, als habe es meinem Vater eine Genugtuung bereitet, sich ihm unterzuordnen; ich erinnere mich hier einiger sehr kennzeichnender Fälle.

Mein Vater hatte eine Zeitlang gedient, aber offenbar in der Armee nicht zu reüssieren gewußt. Er selber sprach nie von diesen Jahren und ließ sich ungern an sie erinnern. Es dauerte lange, bis er Offizier wurde, und er ist auch über den Sekondeleutnant nicht hinausgekommen. So schied er zuletzt aus dem Dienst und übernahm das Gut, das schon seit einigen Menschenaltern in der Familie war. Es liegt abseits, hinter Gewässern und Wäldern, und bis zur Kreisstadt sind es fünfeinhalb Meilen.

Mein Vater war nicht mehr jung, als er heiratete. Ich habe keine Geschwister, so wuchs ich sehr einsam heran; gerade das aber beförderte die Vertraulichkeit, in der ich mit meiner Mutter lebte.

In meinem elften Jahre wurde ich nach Schlesien in eine herrnhutische Erziehungsanstalt gegeben. Meine Mutter brachte mich hin, und der Abschied von ihr fiel mir schwer. Doch habe ich mich mit der Zeit eingewöhnt. Die Regelmäßigkeit, die hier herrschte, war mir wohltuend, und die Andachtsformen, die Lieder und Gebete waren ja die nämlichen, die meine Mutter mich schon in der frühesten Kindheit gelehrt hatte, und so hatte ich das Gefühl, mit ihr auch im gewöhnlichen Tagesablauf verbunden zu sein.

Mit Rücksicht auf die weite Entfernung durfte ich nur zu den Sommerferien nach Hause reisen. Die übrigen schulfreien Zeiten verbrachte ich meist bei Verwandten meiner Mutter, und besonders häufig im Hause eines alten Onkels, der als General im Ruhestande in Breslau lebte. Hier kam des öfteren allerlei Verwandtschaft zusammen, und es geschah auch, daß ich manchmal etwas hörte, das nicht eigentlich an meine Ohren hätte gelangen sollen. So merkte ich, daß man meinem Vater nicht wohlgesinnt war und meine Mutter bedauerte. Auch was ich vorhin über seine militärische Laufbahn sagte, das habe ich mir aus solchen Äußerungen zusammengesetzt.

Ich mag Ihnen nicht schildern, mit welcher Ungeduld ich die Heraufkunft des Sommers erwartete und in welcher Beglückung ich die heimische Freiheit und den Umgang mit meiner Mutter auskostete. Das letzte Mal, daß ich während meiner Schulzeit nach Hause kam, war in meinem vierzehnten Jahre. Damals, so entsinne ich mich, hörte ich zuerst den Namen einer französischen Dame nennen, die seit zwei oder drei Jahren als Sprach- und Musiklehrerin auf dem Gut des Nachbarkreises lebte. Ihr Vater hatte eine Stellung am französischen Hof bekleidet und mit seiner Familie noch rechtzeitig flüchten können. Die Tochter war in der Emigration herangewachsen und hatte später einen ebenfalls geflüchteten Landsmann geheiratet. Dieser starb und ließ sie mit einem kleinen Sohn in sehr dürftigen Umständen zurück; es mußte als ein Glück gelten, daß sie mit ihrem Kinde in jenem Gutshause Aufnahme gefunden hatte. Dies Schicksal beschäftigte gelegentlich meine Einbildungskraft, ja ich meinte hier irgendeine Verwandtschaft mit meinem eigenen zu erblicken und gefiel mir darin, diesen Gedanken träumerisch auszuspinnen, als ich wieder in der Schule war, unter Fremden und aus meiner Heimat verbannt.

Dann erfuhr ich aus einem Brief meiner Mutter, daß die Französin mit ihrem Kinde zu uns übergesiedelt war; meine Eltern hätten beide den Wunsch gehabt, sich im Französischen zu vervollkommnen und in ihrer Einsamkeit Gesellschaft zu haben; auch denke meine Mutter jetzt ihre halbvergessene Musikliebhaberei wieder hervorzuholen.

Ich begann mir auszumalen, wie verändert das Leben in meinem Elternhause jetzt wohl sein möge, und der Gedanke, daß ich ja im künftigen Sommer die Französin kennenlernen würde, hatte einen geheimnisvollen Reiz für mich.

In die Briefe meiner Mutter kam mit der Zeit ein schwermütiger Ton. Einmal schrieb sie, ich möge für sie beten, daß noch alles gut werde. Ich verstand das nicht und habe es später einige Zeit hindurch auf ihre Kränklichkeit bezogen. Damals fragte ich meine Mutter erschrocken im nächsten Brief, was sie mit dieser Äußerung gemeint habe, doch erhielt ich hierüber keine Auskunft; es war, als habe sie sich etwas entschlüpfen lassen und wünsche nun nicht, daran erinnert zu werden.

Meine Mutter schrieb mir häufig, mein Vater nie. Der erste Brief, den ich von ihm erhielt, war jener, mit dem er mich vom Tode meiner Mutter in Kenntnis setzte. Es waren wenige Zeilen.

Später wurde mir durch den Anstaltsvorsteher eröffnet, mein Vater wünsche für diesen Sommer meine Heimkehr nicht, und ich würde zu den Ferien in Breslau erwartet. Im Herbst erhielt ich wieder ein paar frostige Zeilen von zu Hause. Mein Vater teilte mir seine soeben vollzogene Eheschließung mit; ich würde von nun an in der Französin meine Mutter zu erblicken haben.

Ich mag von meinen Empfindungen nicht sprechen. Ich will nur sagen, daß sich das Bild, das ich von der Französin in mir hatte, mit einem Schlage veränderte und daß ich in ihr nur noch die Eindringlingin, nur noch die Feindin zu sehen vermochte.

Sie hat mir kein Mal geschrieben; auch von meinem Vater hörte ich selten. Meine Anwesenheit zu Hause schien auch in den nächsten Sommern unerwünscht. War ich nicht bei den Verwandten, so wurde ich von Schulkameraden für die Ferien mitgenommen. Trotz aller Freundlichkeit, die ich bei solchen Anlässen erfuhr, liebte ich diese Einladungen nicht. Allzu deutlich stellten sie mir vor Augen, daß ich nicht ein Elternhaus hatte wie die anderen. Dies gab mir ein Gefühl der Absonderung und machte mich scheu. Und doch wäre es mein größter Wunsch gewesen, so zu sein wie die anderen und an ihrem Leben, das hier stellvertretend für das Leben überhaupt stand, unbefangen teilzuhaben.

Meine Schulzeit ging zu Ende. Noch nicht siebzehnjährig verließ ich im Herbst 1812 die Anstalt, brachte ein paar Ferienwochen in Breslau zu und reiste dann nach Leipzig, um dort die Rechts- und Kameralwissenschaften zu studieren.

Bisher, in der Anstalt, waren wir, den Bestimmungen gemäß, alle auf gleichem Fuß gehalten worden. Jetzt aber hatte ich zu empfinden, wie sehr ich dank der geringen Freigebigkeit meines doch mehr als wohlhabenden Vaters den anderen gegenüber im Nachteil war. Meine Scheu und Gedrücktheit waren so groß, daß ich es nicht über mich brachte, mich an meine schlesischen Verwandten um Hilfe zu wenden, die sie mir doch ohne Zweifel gewährt haben würden. So fühlte ich mich ausgeschlossen und blieb einsamer, als ich es in der Schule gewesen war; denn zu jenen, die durchgescheuerte Rockärmel hatten und sich mit Stundengeben und Freitischen durchbrachten, mochte ich mich auch nicht halten. So ging mein erstes Studiensemester herum.

Am siebzehnten März erließ der König von Breslau aus seinen Aufruf; wenige Tage nachher wurde er in Leipzig bekannt.

Ich hatte keinen Haß gegen Napoleon, der ja ein anderes Frankreich verkörperte als das meiner Stiefmutter. Die öffentlichen Meinungen hatten mich wenig gekümmert, denn mein Platz war ja nicht innerhalb der Gemeinschaftlichkeit der anderen Menschen. Dennoch traf mich der Aufruf des Königs wie ein befreiender Sturmwind. Hier endlich sah ich die Möglichkeit vor mir, aus meiner freudlosen Absonderung hinauszufinden und dem großen, dem gemeinsamen Aufschwung, der sich jetzt ankündigte, auch mein eigenes Schicksal anzuvertrauen. Ich schrieb sofort an meinen Vater. Ich bat ihn um seine Zustimmung zum freiwilligen Eintritt in die Armee, deren ich als ein Minderjähriger ja bedurfte, und ich bat ihn um die zu meiner Equipierung erforderlichen Geldmittel. Keinen Augenblick zweifelte ich daran, daß er meinen Wunsch, der ja ein selbstverständlicher war, erfüllen werde. Ich rechnete mir aus, wann er im Besitz meines Briefes und wann ich im Besitz seiner Antwort sein konnte, und die Tage gingen mir in einer freudigen Ungeduld hin, ja in einer Erhobenheit des Gemüts, in welcher ich meine erst noch zu leistende Eingliederung in die Selbstverständlichkeit des allgemeinen Daseins als bereits vollzogen vorwegfühlte. Ich näherte mich anderen preußischen Studenten, meine Fremdheit war weggeblasen, wir gingen einmütig miteinander um und besprachen unsere Pläne. Wir alle hatten es damals eilig, es wird Ihnen nicht anders ergangen sein, und in unserer Unerfahrenheit meinten wir, wer sich Zeit lasse, der laufe Gefahr, sich zum Kampfe und zur Teilhaberschaft am Siege zu verspäten.

Indessen verging ein Posttag um den andern, ohne daß mir eine Antwort zugekommen wäre. Endlich wiederholte ich meinen Brief. Ich schrieb ohne die geringste Andeutung eines Vorwurfs, vielleicht nicht sehr gefühlvoll, immerhin in den Formen kindlicher Ehrerbietung. Ich erinnerte an die Überlieferungen unserer Familie und bat eindringlich, zuletzt fast flehentlich um Antwort und um Gewährung meines Wunsches.

Inzwischen hatten die meisten Preußen, aber auch manche andere, die es mit der preußischen Sache zu halten dachten, die Universität verlassen. Ja, sogar von den sächsischen Studenten ging mancher heimlich über die preußische Grenze. Und nur ich, der ich einen alten preußischen Soldatennamen trug, ich saß untätig wartend in Leipzig. Schon begann ich mich zu schämen, schon meinte ich von meinen Bekannten und selbst von den Professoren verwundert oder gar spöttisch angesehen zu werden und fühlte, wie der neue Lebensaufschwung mir zu erlahmen oder zu entgleiten drohte.

Endlich wurde es mir gewiß, daß ich keine schriftliche Antwort zu erwarten hatte. Ich entschloß mich, heimzureisen und die Angelegenheit mündlich bei meinem Vater ins klare zu bringen. Ich nahm Geld auf und fuhr mit Schnellpost Tage und Nächte, ohne einmal aus den Kleidern zu kommen.

In unserer Kreisstadt angelangt, ließ ich mein Gepäck auf

der Poststation und nahm nur den Mantelsack zu mir. Ich mietete mir ein Reitpferd und brach sofort auf. Es war Mitte April, düsteres, halbwinterliches Wetter, man hätte sich im November glauben können.

Es war mir sonderbar zumut in meinem übermüdeten und zugleich überreizten Zustande, während ich durch die vertraute Landschaft ritt, dem Stück Erdboden zu, auf dem ich geboren war und das mir einmal hätte zustehen müssen. Und doch war mir, als hätte ich dort nichts mehr zu suchen. Es bestürmten mich viele Gedanken; Gedanken, hinter denen der unmittelbare Anlaß meiner Reise mir manchmal entschwand, Gedanken an meine Mutter, deren Grab ich kommenden Morgens aufzusuchen dachte, Gedanken an meinen Vater und an meine Stiefmutter, der ich noch heute begegnen würde, und Gedanken an alle Eigentümlichkeit meines Schicksals. Wie schmerzlich hatte es mich früher nach dieser Heimkehr verlangt, die mir so lange vorenthalten blieb! Und daß sie nun doch zustande gekommen war, freilich in so gänzlich anderer Art, als ich gedacht hatte, dazu hatte es erst dieses Kriegsausbruchs bedurft, und so war mein eigenes kleines Dasein denn mit allen Weltbegebenheiten verflochten. Ja, aus Eigenem, so fühlte ich, hätte ich nie die Entschlußkraft gefunden, meinem Vater als ein Fordernder entgegenzutreten, und hier mochte wohl etwas von seiner Art des undurchsichtig geleisteten Gehorsams gegenüber den stärkeren Einwirkungen sich auf mich vererbt haben. Jetzt aber, mitgetragen von weitgreifenden öffentlichen Geschehnissen, glaubte ich meines Sieges gewiß zu sein, denn wie konnte mein Vater mir meinen Wunsch abschlagen, ohne sich der Verachtung seiner Umwelt auszusetzen? Dann kam es mir auch in den Sinn, ob am Ende zu Hause etwas geschehen, vielleicht mein Vater erkrankt sei.

Einige Male überwältigte mich die Müdigkeit, ich schlief im Sattel ein, aber nach kurzem klatschte mir eine Schütte schneeartigen Regens ins Gesicht und machte mich wieder munter.

Es ging auf die Abenddämmerung, als ich um die letzte Waldecke bog. Da waren die zur Hälfte noch mit dünnem, schmutzigem Schnee bedeckten Felder, da war die Bachbrücke, da war der Hügel mit der Pappelgruppe, unter der meine Mutter sich eine Bank hatte aufstellen lassen, da war der Park mit den tiefdunklen Nadelbäumen und den noch kahlen Linden, und zwischen den Ästen sah das geschweifte Dach unseres Hauses hervor.

Ich legte die letzte Strecke im Galopp zurück. Als ich um das Rasenrondell ritt, lief mein Blick die Fenster ab, und es war mir, als schaute ich in jeden einzelnen der hinter den Scheiben liegenden Räume hinein. An einem der Fenster des ersten Stockes, dort wo meine Mutter ihr Boudoir gehabt hatte, stand mein Vater in seinem roten türkischen Schlafrock. Hinter ihm meinte ich eine Frauengestalt wahrzunehmen. Plötzlich wandte er sich mit einer ruckartigen Bewegung ihr zu, und gleich darauf waren beide verschwunden.

Vor der Tür stieg ich nicht ab, denn es war niemand da, dem ich mein Pferd hätte übergeben können, und eine plötzliche Beklommenheit verwehrte es mir, zu rufen. Ich ritt um die Hausecke in den Hof, der mir riesig, verlassen und düster vorkam. Vor der Wagenremise lungerte ein Stalljunge herum, ich winkte ihn zu mir, sprang aus dem Sattel und überließ ihm stillschweigend das Pferd. Ich kannte ihn nicht und hätte ihn fragen mögen, wessen Sohn er sei, denn es war mir ja noch jeder einzelne unserer Leute im Gedächtnis, aber es war mir unmöglich, ein Wort herauszubringen. Langsam kehrte ich wieder zur Frontseite des Hauses zurück und trat ein.

Im Vorraum empfing mich ein Diener, der mir fremd war. Er nannte mich «junger Herr», und es war offenbar, daß mein Vater mich vom Fenster aus erkannt und ihm Anweisungen gegeben hatte. Einen Augenblick zog es mich, schnurstracks in mein altes Zimmer zu laufen, aber dann besann ich mich, daß ich ja hier als Gast in ein fremdes Haus getreten war, und so ließ ich mich von dem Diener führen. Er brachte mich in eins der Fremdenzimmer im

Oberstock, am Ende des Korridors. Die eiskalte, dumpfe Luft eines durch lange Winterzeiten unbewohnt gebliebenen Raumes hauchte mir schauerlich entgegen.

Ich riß eins der Fenster auf, stieß die Läden zurück und starrte in den Park hinaus, in welchem sich ein schwermütiges Abenddunkel nun rasch auszubreiten begann. In den kahlen Bäumen schrien die Krähen. Der Diener machte Licht und sagte: «Der gnädige Herr erwartet den jungen Herrn nachher zu Tisch.» Dann entfernte er sich. Es fiel mir auf, daß er nicht «die gnädigen Herrschaften» gesagt hatte.

Eine Magd kam und begann den Ofen zu heizen. Auch sie war mir fremd.

Solange sie im Zimmer war, blieb ich am offenen Fenster stehen und dachte daran, wie anders die Schulkameraden, die ich zu den Ferien hatte begleiten dürfen, von ihren Eltern empfangen worden waren. Auf einem lausitzischen Gut hatte man einen Piqueur auf einer Anhöhe postiert, und er hatte beim Sichtbarwerden des Wagens ein freudiges Signal auf dem Jagdhorn blasen müssen. Dann waren die Eltern aus dem Hause gestürzt, um den Sohn, der doch nur drei Monate fortgewesen war, in die Arme zu schließen, und der Vater lief in seiner Ungeduld quer durch das Rosenbeet, und über dem Portal hing, von einer Girlande aus Tannengrün, Weidenkätzchen und Leberblümchen eingerahmt, eine Papptafel, darauf stand in schwarzer und roter Tinte: «Vivat der Heimgekehrte».

Inzwischen war mein Mantelsack gebracht worden, ich schloß das Fenster und begann mich herzurichten. Als ich fertig war, ging ich hinunter in den schon erleuchteten Salon. Hier fand ich manche Veränderungen. Einige Bilder waren durch andere ersetzt, einige Möbel umgestellt, manches Stück war mir fremd, und ein neuer Kamin drückte am deutlichsten den Übergang vom Altväterischen ins Modische aus.

Ich hörte Schritte, mein Vater trat ein. Er hatte jetzt einen blauen Frack an und war überhaupt, im Gegensatz zu seinen früheren Neigungen, fast stutzerhaft gekleidet. Er schien nur wenig gealtert, doch trug er den Kopf gesenkter, als ich es in der Erinnerung hatte, und in seinem ganzen Gehaben drückte sich etwas Geducktes aus.

Er streckte mir langsam und mit einem schräge fallenden Blick die Hand entgegen. Ich erkannte den schlaffen Händedruck von einst, und doch war es die selbe Hand, die, zur Faust geballt, in unerwartetem Zorn auf die Tischplatte donnern konnte und die ich einmal in das Gesicht eines alten Mannes schlagen sah, über den der Amtmann, ob nun zu Recht oder zu Unrecht, Beschwerde geführt hatte.

«Guten Tag, Papa», sagte ich.

«Guten Abend», antwortete er und forderte mich auf, wieder Platz zu nehmen.

Mir blieben die Worte in der Kehle stecken. Er fragte mich, wie ich gereist sei. Ich gab mühsam Auskunft. Darüber wandten sich meine Gedanken dem Zweck meiner Reise zu, denn unterwegs, im Postwagen und auf den Stationen, überall hatte eine drängende Bewegung geherrscht, und es war von nichts anderem die Rede gewesen als vom endlich ausbrechenden Kriege. Ich sprach hiervon und dachte auf mein Anliegen zu kommen, aber mein Vater beschränkte sich auf die Bemerkung, vermutlich sei der König recht beraten gewesen, daß er den Augenblick wahrgenommen habe.

Dann sagte er: «Du mußt dich heute Abend mit mir begnügen. Deine Mutter wirst du erst morgen begrüßen. Sie fühlt sich nicht wohl; sie ist in der Hoffnung.»

Ich verbeugte mich schweigend.

«Meinen Stiefsohn findest du nicht hier», fuhr er fort. «Wir haben ihn nach Königsberg aufs Gymnasium gegeben.» Er ließ eine kleine Pause eintreten und setzte dann mit Betonung hinzu: «Er macht uns viel Freude.»

Der Diener erschien mit der Meldung, es sei angerichtet.

Während wir hinübergingen, faßte ich mir ein Herz und fragte, ob er meine Briefe nicht bekommen habe.

«Ich habe nie viel von der Schreiberei gehalten», antwortete mein Vater.

«Das weiß ich», sagte ich, «das habe ich zu erfahren gehabt.»

Er zuckte die Achseln.

Wir setzten uns. Während der Suppe, kaum daß der Diener draußen war, sagte ich, er werde sich über den Grund meines Kommens wohl im klaren sein.

«Darüber wollen wir morgen reden. Man muß das beschlafen und überlegen», erwiderte er, und ich wunderte mich über die plötzliche Bestimmtheit seines Tones, der doch zu dem hinhaltenden und ausweichenden Sinn seiner Worte in einem Widerspruch stand. Wie eilig ich es nun auch hatte, jetzt kam dieser kleine Aufschub mir nicht unlieb; ich fühlte, wie die gespenstische Öde der Stunde sich mit der Erschöpfung der Reise zu einer tödlichen Lähmung meiner Kräfte vereinigte.

Ich fragte nach der Krankheit und nach dem Tode meiner Mutter.

Mein Vater sprach von einem Blutsturz und Nervenschlag. Es sei alles sehr plötzlich gekommen, sie sei ja immer von zarter Beschaffenheit gewesen.

Das Gespräch schleppte sich hin. Mein Vater stellte nicht eine einzige Frage, die mir gegolten hätte. Das Grauen wollte mir das Herz abdrücken. Ich sprach halblaut, und auch mein Vater paßte sich dem mit einer merkwürdigen Gefügigkeit an. Manchmal hob er den Kopf wie ein Horchender zur Decke, als lauere er auf jedes vom Oberstock kommende Geräusch.

Nach dem Essen setzten wir uns wieder in den Salon. Der Diener brachte Pfeifen und Punsch.

Ich fragte meinen Vater nach meiner alten Kinderfrau, nach dem Kutscher, der immer mein Freund gewesen war, nach diesem und jenem, in der Hoffnung, doch noch irgend jemanden zu finden, der in meine Kinderzeit zurückreichte. Aber offenbar hatten alle Dienstboten gewechselt. Es schien keiner mehr im Hause zu sein, der meine Mutter noch gekannt hatte.

Ich fragte, wie das gekommen sei. Mein Vater erwiderte: «Nach den neuen Gesetzen haben die Leute ihre Freizügigkeit. Ich halte niemanden, der gehen will.»

Ich wunderte mich, denn es waren sehr bejahrte Menschen darunter gewesen, von denen nicht anzunehmen war, daß sie noch einen neuen Dienst hätten finden können. So schien es mir glaublich, daß er sie entlassen haben mochte.

Dazwischen entstanden Pausen eines düsteren Schweigens. Endlich schlug eine Uhr; auch sie war nicht mehr die alte Standuhr meiner Kindheit, in deren Gehäuse ich mich manchmal versteckt und von meiner Mutter hatte suchen lassen.

Mein Vater erhob sich und sagte: «Du entschuldigst mich wohl. Ich habe mich gewöhnt, früh schlafen zu gehen. Man wird nicht jünger.»

Die Reisemüdigkeit hatte so sehr Gewalt über mich, daß ich fast schwankte, als ich mein Zimmer aufsuchte. Kaum daß ich im Bett lag und das Licht gelöscht hatte, da war ich auch schon eingeschlafen.

Ich erwachte in der Empfindung, jemand habe mich bei meinem Namen gerufen. Ich horchte. Alles war still.

Ich wollte die Augen wieder schließen, aber da gewahrte ich, daß die Dunkelheit des Raumes von einem bleichen, ungewissen Schimmer durchbrochen wurde. Er kam nicht von außen, denn die hölzernen Fensterläden waren geschlossen. Nein, es war in der den Fenstern abgekehrten Zimmerhälfte, in der Ecke meinem Bette gegenüber.

Meine Schläfrigkeit war verschwunden; mein Herz klopfte. Ich kann nicht angeben, woher die Gewißheit mir kam, doch ich hatte die Gewißheit plötzlich in mir: die Gewißheit, daß dieses schwache, nun aber rasch wachsende Licht in der innigsten Beziehung zu mir und zu meinem ganzen Leben und Schicksal stand.

Das Zunehmen der Helligkeit war örtlich beschränkt; es

geschah mehr in der lotrechten als in der waagerechten Erstreckung, und sehr bald war es unverkennbar, daß eine menschliche Gestalt die Trägerin des Lichtschimmers war.

Ich sehe diesen Vorgang der Helligkeitszunahme noch heute sehr deutlich vor mir, wie überhaupt alle meine Wahrnehmungen in diesen Augenblicken nichts von der Ungewißheit, nichts von der Uneigentlichkeit hatten, die in Traumzuständen zu herrschen pflegt. Ich war wach, wacher als je in meinem Leben; mein ganzes Wesen war bis in seine Tiefe angerufen und aufgerufen.

Auf die Frage, woher die Gestalt ihr Licht hatte, kann ich nur antworten: es kam aus ihr selbst wie aus einer Laterne. Der Lichtschimmer ging von ihrem Herzen aus und erleuchtete, nein, erschuf von da aus allmählich die ganze Erscheinung. Und vor ihrer Brust schien das Licht gleichsam einen Ruhepunkt, einen Sammelpunkt und einen Punkt des weiteren Fortstrahlens gefunden zu haben. An dieser Stelle aber hatte es ein buntes, unruhiges Funkeln und Glitzern, während es sonst eher ein milder, gleichmäßiger Schimmer war.

Plötzlich erkannte ich meine Mutter. Sie trug eine spitzenbesetzte Nachthaube und ein teerosafarbenes Peignoir.

«Mama!» flüsterte ich zaghaft. Sie schien es nicht zu hören. «Mama! Mama!» rief ich lauter und mit der heftigsten Eindringlichkeit. Aber es war, als vermöchte meine Stimme nicht bis zu ihr zu gelangen.

Wie sehr hatte ich mich durch Jahre gesehnt, die Züge meiner Mutter erblicken zu dürfen! Nun aber, da ich sie vor mir hatte, da ich ihrem allmählichen Auftauchen aus der Gestaltlosigkeit, gleichsam ihrer Neubildung beiwohnen durfte, nun fühlte ich mich gedrängt, mit meinem Blick nicht so sehr ihr Gesicht zu suchen, als vielmehr ihn auf jenen Lichtpunkt vor ihrer Brust und außerhalb ihres Leibes zu richten. Dies Farbige, Glitzernde schien mir bekannt, und doch vermochte ich nicht darauf zu kommen, was es denn sein könnte. Das setzte mich in einen Zustand angstvoller Gequältheit, wie man ihn wohl aus Träumen kennt. Indessen wurde das Farbige deutlicher; es kam ein Augenblick, da ich es erkannte und zugleich fühlte, daß ich es schon längst erkannt, aber mich geweigert hatte, diese Erkenntnis meines Auges durch meinen Geist bestätigen zu lassen.

Es war der Griff eines dreikantig geschliffenen Stiletts, das, solange ich denken konnte, in einer Scheide von schwarzem Lackleder auf meines Vaters Schreibtisch zu liegen pflegte. Gott weiß, wo und wie er diese Waffe erworben hatte; es war ein venezianisches Stück, und der Griff war in musivischer Arbeit grellfarbig mit kleinen bunten Stein- oder Glasstiftchen besetzt. Dieses Stilett stak in der Brust meiner Mutter.

Ich wollte aufschreien, aber da ich meine Augen von dem Stilett entsetzt zu ihrem Gesicht erhob und nun auch wieder ihre ganze Gestalt mit den Blicken umfaßte, da fühlte ich mich von einer neuen Wahrnehmung ergriffen. Nämlich das Gesicht und die Gestalt meiner Mutter zeigten sich von einer treibenden, drängenden Unruhe erfaßt, die sich vornehmlich im Ausdruck ihrer Augen, aber auch in den Bewegungen ihrer Gliedmaßen kundtat. Sie drückte sonst nichts aus, keine Zärtlichkeit, keine Zuneigung, die sie doch in so überströmendem Reichtum für mich gehabt hatte; sie war nur erfüllt von dem einen Bestreben, mir etwas deutlich zu machen, das von der allerhöchsten Wichtigkeit sein mußte. Und in dieses Bestreben, das ja in ihrer Zärtlichkeit und Zuneigung seinen Boden hatte, war alles andere eingegangen und war von ihm verschlungen worden. Ich denke jetzt, das strenge Gesetz, unter dem sie stehen mochte, machte es ihr zu einer furchtbar schweren Mühe, sich mir zu nähern und sich mir mitzuteilen.

Ihre Blicke, die leidenschaftlichen, die flehenden Bewegungen ihrer erhobenen Hände müssen eine große Eindringlichkeit gehabt haben, ja eine ganz andere Mitteilungskraft, als sie unter gewöhnlichen Umständen den menschlichen Gebärden eigen ist. Und vielleicht waren auch diese Gebärden nur äußere, nur begleitende Zeichen, nicht aber das eigentliche Bewirkende, nicht das eigentliche Mittel der Mitteilung. Dies Eigentliche aber ging hinter den Gebärden und in Unmittelbarkeit vor sich, in einer Zone des gegenseitigen Verständnisses, deren Zugänglichkeit durch diese Gebärden wohl erleichtert, nicht aber erst durch sie hervorgerufen worden war.

Und so verstand ich, was sie mir sagen wollte: ich sollte fort, nichts als fort, fort so schnell es mir möglich war. Ich verstand den Grund nicht, ich verstand nur, daß meine Mutter es wollte und daß sie, um mir ihren Wunsch deutlich zu machen, das Äußerste an Mühsal und Anstrengung auf sich genommen hatte, und daß es für mich nichts anderes geben durfte als dies: ihrem Willen gehorsam zu sein. Es waren für mich, so scheint es mir jetzt – denn damals war ich nicht imstande, mir solche Rechenschaften zu geben –, es waren für mich Augenblicke eines Zurücksinkens in die erste Kindheit, in der man ja auch nicht nach den Gründen eines Gebotes zu forschen vermag, und zugleich fühlte ich, daß sich in diesem Gebot und in seiner Befolgung unsere unerloschen fortdauernde Gemeinschaft offenbar machte.

Kaum hatte ich ihren Willen begriffen, kaum hatte ich den Entschluß gefaßt, einen unverzüglichen Gehorsam zu leisten, da schien mit meiner Mutter eine Veränderung vor sich zu gehen. Als sei sie mit einer beschwerlichen, alle Kräfte ihres Wesens erfordernden Arbeit endlich zum Ziele gekommen, so ließ sie die Arme sinken. Ihre Brust schien sich unter einem langen Seufzer zu heben, und um ihren Mund ein müdes, aber befreites Lächeln zu spielen. Gleich darauf aber verschwand es in jene Undeutlichkeit hinein, die nun sehr schnell ihre ganze Gestalt zu erfassen begann. Das Licht kehrte wieder in den bleichen Schimmer des Anfangs zurück. Der Schimmer wurde schwächer, endlich erlosch er ganz.

Als es dunkel geworden war, sprang ich aus dem Bette, machte Licht und begann mich hastig anzukleiden. Die Finger zitterten mir dergestalt, daß ich große Mühe hatte, die

Knöpfe zu schließen. Ich stopfte meine Sachen, wie sie mir eben unter die Hände gerieten, in den Mantelsack, gehetzt von dem einen Gedanken, so geschwind wie möglich in den Stall zu gelangen, mein Pferd zu satteln und davonzujagen.

Die Zimmertür öffnend, wurde ich vom Licht einer Blendlaterne getroffen. Sie gehörte zu einer Gestalt, die auf dem Korridor geräuschlos näher kam. Doch währte dieser Anblick nicht länger als zwei oder drei Sekunden. Denn kaum hatte der Ankömmling mich wahrgenommen, als er mit einem sonderbaren Laut zu Boden stürzte. Halb war es ein Ächzen, halb ein gleich wieder abbrechender Aufschrei, aber dieser Laut hatte mir verraten, daß ich meinen Vater vor mir hatte.

Ich eilte auf den am Boden Liegenden zu und hob die Blendlaterne auf. Er lag da in seinem roten Schlafrock, und neben ihm lag, aus seiner rechten Hand gefallen, das entblößte Stilett mit dem mosaikverzierten Griff. Ich kniete bei ihm nieder, ich mag irgend etwas gestammelt haben, ich faßte nach seiner Hand, ich faßte nach seinem Herzen. Der Puls stockte, das Herz schlug nicht mehr. Der Schrecken, den mein plötzliches Erscheinen bewirkt hatte, mußte ihn getötet haben.

Ich sprang auf und stürzte die Treppe hinunter.

Es ist merkwürdig, daß ich in diesem Zustande der Auflösung, ich will nicht sagen: so viel Besinnung hatte – denn Besinnung hatte ich durchaus nicht –, aber doch irgendeinem aus den Bezirken der Besinnung stammenden Antriebe zu gehorchen vermochte. Nämlich ich kehrte, unten angekommen, wieder um, sprang abermals die Treppe hinauf und nahm das Stilett an mich.

Hier verläßt mich meine Erinnerung. Ich finde mich zu Pferde auf der Landstraße wieder. Der Himmel begann sich zu erhellen. Ich hielt das Stilett immer noch in der Hand. Heute wundere ich mich, daß ich nicht mich oder das Pferd mit ihm verletzt habe. Unweit der Landstraße zog sich ein kleiner See hin; in den habe ich das Stilett geworfen. Erst danach fiel mir ein, daß ich ja das Grab meiner Mutter nicht aufgesucht hatte; aber ich fühlte mich zu einer Umkehr nicht imstande.

Kann man nach solchen Geschehnissen sagen, man habe sich gefaßt? Nun, irgend etwas dieser Art muß unterwegs mit mir vorgegangen sein.

In der Kreisstadt wohnte der Justitiar unserer Familie, ein alter Herr, der mein Großvater hätte sein können und der meiner Mutter immer eine große Anhänglichkeit bewiesen hatte. Er war mit allen unseren Angelegenheiten vertraut. Ich ging, nachdem ich das Pferd abgeliefert hatte, zu ihm und sagte ihm, mein Vater sei in der Nacht an einem Schlaganfall verschieden.

Er sprach mir sein Beileid aus und setzte dann hinzu: «Gehen Sie nachher zu unserem Doktor und bitten Sie ihn, hinauszufahren, den Tod festzustellen und den Totenschein auszuschreiben. Damals bei Ihrer Frau Mutter ist das versäumt worden, freilich war es in der ärgsten Schneeschmelze, und die Wege waren nicht praktikabel. Zudem stellte Ihr Vater ja die Ortsobrigkeit dar, und so genügte sein Zeugnis.»

Ich stimmte dem Vorschlag des alten Herren zu und erzählte ihm dann, ich sei erst tags zuvor angelangt, um mit meinem Vater meinen freiwilligen Eintritt in die Armee zu besprechen und die nötigen Mittel von ihm zu erbitten, sei aber nicht mehr dazu gekommen, diese Fragen mit ihm zu regeln. Mit meiner Stiefmutter wünsche ich nicht zu verhandeln.

«Es ist Krieg», meinte der Alte, «und da lassen sich manche Förmlichkeiten abkürzen. Seien Sie überzeugt, daß ich in allen Stücken im Sinne Ihrer seligen Frau Mutter verfahren werde.»

Weiter sagte er, daß ein Vormund für mich bestellt werden müsse, und schlug den General in Breslau vor. Dann billigte er meinen Entschluß, zur Armee zu gehen, und erklärte sich unaufgefordert bereit, mir aus Eigenem die erforderlichen Geldmittel vorzustrecken; später werde er das alles mit dem Vormund schon ordnen. Den größten Teil des Tages über behielt er mich bei sich, erzeigte mir manches Freundliche und Fürsorgliche und sprach viel von meiner Mutter. Er ließ mich merken, daß er seit der zweiten Heirat meines Vaters nur noch zu uns hinausgefahren war, wenn dringende Rechtsgeschäfte es erforderten.

Am Abend reiste ich mit der Post ab. Ich kehrte nicht nach Leipzig zurück, sondern fuhr gleich in die Garnison.

Nach Hause bin ich nicht mehr gekommen, und der Frau, die meinen Familiennamen trägt, bin ich also nie begegnet. Wie ich später einmal hörte, soll sie verbreitet haben, der Schlaganfall meines Vaters gehe auf mein Verschulden zurück: ich hätte mich unehrerbietig gegen ihn betragen, als er sich angesichts meiner übertriebenen Geldforderungen ablehnend verhalten habe. Mir ist das gleichgültig.

Das ist meine Geschichte. Ich habe Ihnen nichts als die Vorgänge erzählt. Sie werden die Erklärungen selber finden, so wie ich sie habe finden müssen. Ich denke, daß ich fallen werde, wenn nicht morgen, dann an einem anderen Tage, denn wie kann ein Mensch, dem so etwas widerfahren ist, es wagen wollen, sein Leben unter den anderen Menschen weiterzuführen? Und vielleicht werde ich dann auch mit meiner Mutter in einer neuen Form vereinigt sein.

Männer und Frauen

Annas Verlobter, Jan Piorun, diente im dritten Jahre beim Dragonerregiment von Arnim in Gnesen. Anna war es nicht recht gewesen, daß er zur Kavallerie ging, denn da mußte er drei Jahre dienen, sonst aber wäre es mit zweien abgegangen, und sie hätten ein Jahr früher heiraten können. Allein er hätte es für eine Schande gehalten, Uniformen ohne Sporen zu tragen, und so trat er freiwillig bei den zwölften Dragonern ein. Anna war oft in Traurigkeit. Er kam selten auf Urlaub, von Gnesen war es weit: man mußte in Posen umsteigen, dann brauchte der Personenzug noch sechs Stunden bis zur Kreisstadt, und von der waren siebzehn Kilometer bis ins Dorf.

Sie schrieben sich nicht häufig, sie waren beide nicht gewandt mit der Feder. Aber da hatte nun zu Wintersanfang ihr Vetter Antek, den Anna nicht mochte, einmal Gelegenheit zu einem Besuch in Gnesen gehabt, und bei seiner Rückkehr hatte er viel zu erzählen gewußt mit seiner Redseligkeit und seinem albernen Lächeln, als er sich an Allerheiligen auf dem Heimweg von der Kirche zu Anna gesellte. Einen Weihnachtsurlaub werde Jan dieses Jahr nicht bekommen können, da seien, hole sie der Teufel, irgendwelche dienstliche Behinderungen; aber dafür habe er Aussicht, auf Kaisers Geburtstag zum Gefreiten ernannt zu werden. Ja, er trage sich mit dem Gedanken, zu kapitulieren, sein Schwadronchef habe es gut mit ihm im Sinne und rede ihm zu, und es werde nichts ausmachen, daß der Wachtmeister ein Brandenburger sei und die Katholischen nicht liebe. Auch sonst habe Jan Anlaß zu jeder Zufriedenheit; er sei Putzer bei einem Einjährigen geworden, das werfe ein gutes Stück

Geld ab. Gnesen sei eine vergnügte Stadt, da sei ihm am Dorf und am Weihnachtsurlaub vielleicht auch nicht viel gelegen.

Anna erschrak, und ihre hübschen, vollen Lippen begannen zu zittern. Es kam ihr in den Sinn, daß Jan schon manchmal mit einem noch gleichsam widerwilligen Neide von den Lebensumständen der Unteroffiziere und Wachtmeister gesprochen hatte. Damals hatte sie das hingenommen, wie man etwas hinnimmt, das keinen Bezug auf einen selber hat. Jetzt ließ sie Antek stehen und ging rasch davon, um ihn ihre Bestürzung nicht merken zu lassen.

Die Pioruns waren nicht wohlhabend, es lockte Jan nicht, nach Hause zu kommen, aber lockte denn auch sie ihn nicht mehr? Ach, das weiß man ja, ein Unteroffizier, der seine Sache versteht, hat sicherlich ein leichteres, froheres und ehrenvolleres Leben als ein Kleinbauer, der daheim in Mühsal hinter dem Pfluge gehen muß; und später bekommt er seinen Zivilversorgungsschein, da kann er Landgendarm werden oder Eisenbahner oder Gerichtsvollzieher, was ihn freut, und der Staat muß auf Lebenszeit für ihn einstehen. Aber mit dem Heiraten darf er es nicht eilig haben, und es ist ja auch nicht jedes Mädchen geschickt, eine Beamtenfrau in der Stadt zu sein.

In der Nacht lag Anna wach und weinte. Am nächsten Tage schrieb sie einen Brief nach Gnesen, aber als Antwort kam, eine ziemliche Weile später, nur eine buntgedruckte Karte, auf der einem Dragoner in Paradeuniform von einem städtisch gekleideten Mädchen ein Glas Bier aufs Pferd gereicht wurde, und dazu hatte Jan geschrieben: «Gruß und Kuß», und so war dieser Karte keine rechte Tröstung zu entnehmen.

In ihrem Kummer entsann sich Anna der Erzählungen einiger anderer Mädchen, und als sie ihre Großmutter fragte, da erhielt sie von der eine Bestätigung und noch mancherlei eifrig hingebreitete Lehren, wie sie zu Werke gehen mußte, auch wurden ihr Beispiele vorgerückt, aus denen zu ersehen war, zu welch glücklichen Ergebnissen ein solches Verfahren geführt hatte.

Es war nun Weihnachten vorbei, und Anna hatte sich alles Notwendige beschafft. Das war nicht ganz leicht gewesen, denn jetzt im Winter ließen sich keine Kräuter pflükken, da mußte sie sehen, wo sie die Pflanzen in getrocknetem Zustande bekam, und einmal war sie deshalb beim Apotheker in der Kreisstadt gewesen. Aber all diese Mühsal füllte ihr Herz aus, und ihre Gedanken waren auf nichts anderes mehr gerichtet als auf ihr Anliegen, bald in Hoffnung und Zuversicht, bald in Zweifel und Bängnis, und manchmal meinte sie auch, sie versündige sich an Jan, und es werde alles ein ungutes Ende haben. Aber nun schien es ihr, als sei die Verrichtung schon begonnen und sie könne nicht mehr zurück.

Am Abend des Dreikönigstages waren die Eltern schon schlafen gegangen, und auch Anna hatte sich zeitig ins Bett gelegt, damit kein Argwohn aufkäme. Aber sie schlief nicht, und um halb zwölf stand sie leise auf, nahm das schirmlose Petroleumlämpchen und schlich sich in die Wohnstube.

Sie hatte alles vorbereitet. Zwölf ihrer langen, dunkelbraunen Haare hatte sie zu einer Schnur zusammengedreht, in Weihwasser getaucht und mit einem Tröpfchen Blut aus dem kleinen Finger der linken Hand benetzt. Vor sich auf den Tisch legte sie Jans Photographie; er hatte sie ihr mitgebracht, als er zum ersten Male auf Urlaub gekommen war. Er stand in Helm und Handschuhen vor einem Geländer von ungeschälten, dünnen Birkenästen, darauf hatte er die rechte Hand gelegt; die linke stützte sich auf den Degen. Hinter Jan war eine Landschaft mit Tannen und hohen Bergen, zwischen denen ein Wasserfall, vielleicht von allzu hellem Weiß, niederstürzte. Sicher kamen in der Gnesener Gegend Felsengipfel von solcher Höhe und Schroffheit nicht vor, und auch Jans Augen waren etwas glitzernder herausgekommen als in der Wirklichkeit; dafür hatten die Lippen und das kleine schwarze Schnurrbärtchen eine solche Echtheit, daß Anna sie augenblicks hätte küssen wollen.

In der Mitte, nahe dem oberen Bildrande, durchstach sie die steife Pappe mit einer Nadel, erweiterte das Loch und zog die Haarschnur hindurch; mit dieser wurde nun das Bild am Pendel der Wanduhr aufgehängt. Es war eine Kuckucksuhr, der Vater hatte sie einmal in der Kreisstadt auf dem Jahrmarkt gekauft. Auch das Pendel war mit Weihwasser angefeuchtet. Die Photographie hatte wenig Gewicht; es war nicht zu merken, daß sie den Gang des Pendels behindert oder verlangsamt hätte.

Unter die Uhr rückte Anna den Tisch, und auf den Tisch stellte sie die Pfanne mit den Kräutern. Sie hatte die große Pfanne genommen und viele Kräuter daraufgetan, mehrere Hände voll, damit der Zauber recht lange wirkte; denn er wirkt so lange, wie der aufsteigende Dampf das hängende Bild und das Pendel erreicht, und vorgeschrieben ist nicht die Menge der Kräuter, sondern nur ihr Mischungsverhältnis.

Während all dieser Hantierungen trat sie dazwischen ans Fenster und horchte. Draußen hatte sich ein Wind erhoben, der rasch an Stärke zunahm. In einer freudigen Erregung lief Anna durch den Flur und öffnete die Haustür. Das Wetter war plötzlich umgeschlagen, von Stephani an hatte es getaut, nun aber fuhr ihr der Ostwind mit zorniger Liebkosung ins erhitzte Gesicht. Über den weißen, hier und da mit schwarzen Flecken durchsetzten Wiesen stand bleich der Mond, schon zum Untergange sich anschickend, hastige Wolken trieben zerfetzt an ihm vorbei. Das hatten die Mädchen ihr gesagt, das hatte die Großmutter bestätigt: es könne kein glücklicheres Zeichen geben, als wenn der Wind aus der Richtung des Geliebten kam, und je kräftiger er wehte, um so zuversichtlicher durfte sie auf ein Gelingen hoffen. Denn der Wind hatte ja mehr zu sein als ein bloßes Zeichen.

Anna kehrte zurück. Die Uhr zeigte eine Viertelstunde vor Mitternacht. Anna setzte sich vor den Tisch und schloß die

Augen. Es war ihr geboten, die Gedanken fest auf den Liebhaber zu richten. Das war nicht schwer – Maria und Josef, was tat sie denn anders seit Wochen und Aberwochen, Stunde aus, Stunde ein, bei der Nacht und am Tage!

Nach zehn Minuten stand sie auf und bekreuzte sich. Sie goß ein wenig Spiritus auf die Kräuter, guten Spiritus, nicht den billigen, schlecht riechenden Brennspiritus, sondern den weißen, der eigentlich zum Trinken war und viel zu schade zum Brennen, und zündete an. Die Kräuter knisterten, dann erhob sich der Rauch, schlich sich nach rechts, schlich sich nach links, und stieg endlich kerzengerade in die Höhe, immer dichter strömend, scharf und gewürzhaft riechend, und mit jedem Pendelschlag vom hängenden Bilde geteilt.

Die Uhr holte schnarrend aus und begann zu schlagen, wie der Kuckuck, der im Frühjahr glückliche Tage verheißt. Anna zählte und dachte, obwohl ihr das selber töricht erschien: «Für jeden Schlag ein Dragonerregiment!» Durch die Uhrenschläge hindurch glaubte sie ihr Herz schlagen zu hören. In ihrem Rücken, von der Tür her, meinte sie etwas zu spüren wie einen hurtigen Windstoß. Es riß sie in den Halsmuskeln, den Kopf nach der Tür zu wenden, aber sie wußte, daß das nicht sein durfte vor dem letzten Mitternachtsschlage.

Endlich schwieg die Uhr, Anna wandte sich um. Jan stand vor ihr.

Sie schrie auf und warf sich an seinen Hals.

Er ließ sich ihre Umarmung geschehen, ohne sie zu erwidern. Er stand steif und fremdartig da, in seinem schwarzen Mantel, den Degen an der Seite und die schirmlose Mütze auf dem Kopf. Es war eine Extramütze, tellerförmig und zu beiden Seiten des Kopfes etwas geschweift, und auf der Mütze wie auf dem Mantel schimmerte es überall von winzigen Eiskristallen. Sein Gesicht schien undeutlich, gleichsam durch den Rauch verhängt, obwohl doch der Rauch senkrecht zur Uhr und zu seinem Bilde aufstieg; aber nun war es trotzdem so, als habe er sich auch außerhalb der Richtung seines Aufstieges im Zimmer ausgebreitet. Jans ganze Gestalt erschien verschwommen wie die Gestalten in den abgespielten Filmen im Viktoriapalast, dem billigen Lichtspieltheater der Kreisstadt.

Anna nahm ihm die Mütze vom Kopf, schnallte das Koppel ab und stellte den Degen in die Ecke. Sie zog ihm den Mantel aus und hängte ihn vor den Ofen. Er ließ das alles mit sich geschehen. Hierbei suchte sie immer wieder seinen Blick, aber obwohl er die Augen geöffnet hielt, fühlte Anna sich auf eine ihr selber unerklärliche Art an geschlossene Augen erinnert.

Sie führte ihn zum Sofa, setzte sich neben ihn und umfing ihn. Seine Bewegungen waren schwach und willenlos wie die einer Puppe mit bewegbaren Gelenken. Aber gerade hieran hatte Anna ihre Freude, daß er ihr so ganz überlassen war. Sie streichelte ihn, sie drückte ihn an sich, sie flüsterte: «Jetzt bist du bei mir wie ein Kindchen bei seiner Mutter.»

Allmählich fing er an, sich zu beleben, gleichsam aufgetaut von der Wärme ihrer Arme. Er hob die Hand zu ihrem Gesicht und streichelte sie, doch war es, als habe er dabei eine schwere Mühsal zu leisten. Sein Mund, gegen den sie ihre Wangen, ihre Augen, ihre Lippen gepreßt hatte, machte kußartige Bewegungen.

Sie fragte ihn, ob er etwas essen wolle oder eine Flasche Bier, einen Schnaps. Er schüttelte langsam den Kopf. Dann begann er zu sprechen. Seine Stimme war eintönig und so, als käme sie nicht aus seinem Munde und als begleite dieser Mund sie nur gewohnheitsmäßig mit lautbildenden Bewegungen. Die Worte waren leise und schwer zu verstehen, aber von zärtlichem Klang. Sie erinnerten an Worte, die aus dem Schlafe gesprochen werden, und mochten sich nicht recht zu Sätzen zusammenfügen.

Anna hatte sich einige Male gefürchtet. Nun aber fühlte sie nichts als eine warme, glückselige Geborgenheit.

«Ich muß jetzt fort», sagte er mit seiner undeutlichen Stimme.

Anna sah erschrocken auf die Uhr. Sie zeigte vierzehn Minuten nach zwölf. Der Rauch wölkte sich mächtiger, auf der Pfanne lag ein wirrer Aschenhaufen, und nur von einer einzigen Stelle stieg noch ein dünner Dampf in die Höhe. Anna gewahrte, daß auch Jan jetzt wieder lebloser erschien und schwerer zu erkennen.

Er stand auf, ging steif und unsicher zugleich an den Ofen und streckte die Hände nach seinem Mantel aus. Anna setzte ihm die Mütze auf und zog ihm den Mantel an. «Wie einem Kindchen», dachte sie. «Kindchen, Kindchen, du mein liebes!»

Plötzlich erschrak sie. «Mutter Gottes, jetzt hätte ich doch fast das Wichtigste vergessen!» Sie mußte ja, damit der Zauber fortwirkte, dem Geliebten etwas nehmen, irgendeinen Gegenstand, als ein Unterpfand der Zukunft und als ein Unterpfand seiner neu erweckten, gestärkten und nun allezeit fortdauernden Zuneigung.

Was sollte es sein? Irgend etwas aus seinen Taschen? Die Streichholzbüchse, das bunte Sacktuch, das Messer, die Zigaretten, Marke Doktorski, mit dem langen Pappmundstück? Nein, nichts, was er entbehren würde. Die Mütze, den Mantel? Aber nein, jetzt hatte sie ihr Kindchen so schön angezogen, alle Falten des Mantels saßen glatt, sie konnte es doch nicht ohne Schutz in die Kälte hinauslassen, da würde es ja auch von den anderen Kindern ausgelacht. Geschwind, geschwind, der Rauch war fast schon zerflossen, kaum erreichte das winzige Dampfsäulchen noch das Bild. Sie faßte hurtig zu, hakte den Degen vom Koppel ab, Degen gab es sicherlich genug in der Kaserne, das konnte nichts ausmachen.

Jan schien es nicht zu merken. Er sagte nichts mehr. Er kam ihr jetzt vor wie ein immer mehr hinschwindender Schwaden, sie umfaßte ihn, sie wollte ihn ein letztes Mal küssen, aber da hielt sie nichts mehr in ihren Armen und spürte nur noch einen brandigen Rauchgeschmack auf den Lippen.

Am Morgen nach Dreikönige erwachte Jan Piorun matt und zerschlagen. Es fröstelte ihn, als habe er Fieber. Er meinte von Anna geträumt zu haben, aber er konnte sich auf den Traum nicht besinnen. Er hatte eine große Begierde nach ihr, aber nun hing es ihm im Gehirn wie wolkige Schwaden, so als hätte er die ganze Nacht durchgebummelt, und er taumelte fast, als er zum Stalldienst ging.

Nach dem Stalldienst war Remontenreiten, und Piorun hatte die Tête. Aber alles ging verquer, das war, als hätte der Teufel seinen Schwanz draufgelegt. Der Sergeant Pietzke mit seinem breiten roten Gesicht und seinem strohfarbenen Schnurrbart stand mißlaunig in der Reitbahn und schrie: «O jekosch! Kinders, seht euch das an! Piorun, Mensch, wärst du doch besser nach Posen zum Train gegangen! Ist das Arbeitstempo? Du hast wohl noch nie etwas von Eckenausreiten gehört? Runter von die Tête!»

Piorun wurde blutrot, denn das ging ihm gegen seine Ehre. Aber es kam noch ärger, plötzlich war der Wachtmeister da, der ja ein Brandenburger war und die Katholischen nicht mochte.

«Piorun!» rief er. «Herr Piorun!», und es waren nicht seine Lieblinge, zu denen er «Herr» sagte. «Was haben Sie denn für einen Sitz? Sie hocken ja im Sattel wie der Affe auf dem Schleifstein, Herr Schnapser!»

Er lachte höhnisch; Schnapser hießen die Gefreiten, weil ihre Tageslöhnung um fünf Pfennige höher war als die der Gemeinen, davon konnten sie gerade einen Schnaps in der Kantine trinken.

«Träumt wohl schon von den Tressen», fuhr der Wachtmeister fort, «und nicht einmal mit der alten Kuh da kann er fertig werden!»

Piorun starrte mit verkniffenem Munde auf den Pferdehals. Er hatte sich gerühmt, er werde den «Biberpelz» noch so weit bringen, daß er auf dem Teller gehen sollte, und der «Biberpelz» war gewiß keine alte Kuh, sondern recht das, was man einen Verbrecher nennt, und der Rittmeister pflegte von ihm zu sagen, dies Aas gehöre in eine Janitscharenhorde, aber nicht in eine anständige Schwadron; wenn einer etwas aus ihm machen könne, dann sei es Piorun.

Endlich war der Vormittag vorbei. Piorun wurde es frischer und klarer im Kopf, was machte er sich schon aus dem Wachtmeister und aus dem Sergeanten Pietzke, er diente im dritten Jahr, da ist das Fell dick geworden, und ein Anpfiff geht zum einen Ohr herein, zum andern hinaus, wozu hat der Soldat zwei Ohren?

Für den Nachmittag war Waffenappell angesetzt, da konnte ihm nichts geschehen, Piorun hatte sein Gelumpe im Schuß. Er richtete Lanze und Karabiner her, aber ein langes Fummeln und Wienern brauchte es nicht, alles war blank wie der Teufel, da hatte ihm noch niemand an den

Wagen fahren können. Nach dem Degen schaute er gar nicht erst, er hatte gestern Nachmittag Stadturlaub gehabt, dazu hatte er ihn geputzt, psia krew, ganz Gnesen hätte sich spiegeln können! Jetzt würde es genügen, wenn er auf dem Wege zum Appell nur ein einziges Mal mit dem Taschentuch drüber hin wischte.

Als es Zeit zum Appell war, nahm Piorun Lanze und Karabiner. Er wollte den Degen nehmen, der Degen war fort. Piorun dachte, irgendeiner von den Kameraden hätte sich einen dummen Spaß machen wollen. Er fragte, er rief, er fluchte, niemand wußte etwas, aber nun war es zu spät, er konnte nur mehr auf einen Zufall hoffen oder auf ein Glück, vielleicht konnte er sich noch während des Appells heimlich einen Degen borgen, von einem, an dem der Wachtmeister schon vorbei war.

Allein Piorun hatte kein Glück. Er, ein alter Knochen, der im dritten Jahr diente und an Gefreitenknöpfe und Kapitulieren dachte, er stand da, bloßgestellt wie ein Rekrut.

«Also das will ein alter Mann sein», sagte der Wachtmeister. «Herr Schnapser! Herr Piorun! Soll *ich* vielleicht Ihre Sachen hüten? Das mit den Gefreitenknöpfen, das lassen Sie sich nur vergehen. An die Latrinenwand können Sie sich die Knöpfe malen. Ich werde Sie melden.»

Der Wachtmeister meldete ihn. Auch jetzt hätte Piorun noch Glück haben können, und der Rittmeister hätte es vielleicht mit einer Strafwache abgehen lassen. Aber der Rittmeister hatte einen Todesfall und war für eine Woche beurlaubt; solange führte der Oberleutnant die Schwadron, der kannte sich mit nichts aus, und der Wachtmeister konnte mit ihm machen, was er wollte.

Der Oberleutnant gab drei Tage Mittelarrest. Als Piorun zum Arrestlokal geführt wurde, war er von einer dumpfen und kalten Wut erfüllt. Er hätte den Wachtmeister totschlagen mögen, und er hätte den Oberleutnant totschlagen mögen und noch dazu jenen Toten, um dessen willen der Rittmeister auf Urlaub gefahren war. Aber den heftigsten Zorn hatte er doch auf den Schuft, der ihm den Degen aus dem Gestell genommen hatte. Brächte er den heraus, alle Knochen wollte er ihm einzeln entzwei machen! Denn der hatte nun sein Leben verdorben, und da nützte alles Wohlwollen des Rittmeisters nichts: Piorun war bestraft, die Strafe kam in die Papiere, und ein Bestrafter konnte nicht befördert werden.

Bis gegen Abend des ersten Arresttages wurde Piorun von diesen Empfindungen des Ingrimms und des Hasses beherrscht. Ja, er hatte eine Wut auf dies ganze Kommißleben bei den Preußen und mußte sich doch sagen, daß er diesem Leben keinen rechten Vorwurf zu machen hatte. Aber gerade davon wurde die Sache noch ärger. Nein, der Teufel sollte die Preußen holen! Und diesem Leben hatte er sich freiwillig verschreiben wollen, verschreiben für Jahre? War es nicht besser, ein freier Mann auf dem eigenen Hof zu sein, wenn im Stall auch nur ein einziges mageres Pferdchen stand und das Dach mit Stroh gedeckt war?

Als es finster geworden war – viel Licht kam auch bei Tage nicht in die Arrestzelle –, da begann sein Zorn ihn zu verlassen. Anna fiel ihm ein, und nun überwältigte ihn ein großes Verlangen nach ihrer Gegenwart. Er hockte in der Einsamkeit und im Dunkeln, und da erschien sie ihm als seine einzige Hoffnung, seine einzige Zuflucht. Es war, als erinnere er sich an ein Beisammensein mit ihr, als stiegen bestimmte Zärtlichkeitsbilder aus seinem Gedächtnis auf, und er konnte doch nicht verstehen, an was diese Bilder anknüpften und worauf sie sich stützten. Aber sie erfüllten sein Herz immer stärker mit ihrer sanften Gewalt, sie drängten allen Zorn und allen Ärger hinaus; bald war er völlig getröstet, und die Zeit der Unfreiheit lief ihm in lauter glücklichen und innigen Gedanken hin. Fast war er verwundert, als er wieder abgeholt wurde.

Die Dienstzeit ging herum, Piorun wurde entlassen, er kam heim, und sie heirateten. Doch hinderte ihn sein Stolz daran, ihr zu erzählen, daß er in Strafe gefallen war und nicht freien Willens seinen Kapitulantengedanken entsagt hatte. Da lebte er nun als ein Bauer, hatte seine Mühe und seine Zufriedenheit, seine Frau und seine Kinder, und es war alles in der rechten Ordnung. Und nur wenn er im Kriegerverein mit alten Kameraden zusammensaß und sich stolz getrunken hatte, dann redete er viel von Gnesen und vom Dienst bei der ersten Eskadron und vom Biberpelz, und daß der Sergeant Pietzke der dümmste Hund im Regiment gewesen sei, und dann brannte es ihm ein wenig im Herzen, daß er nicht hatte kapitulieren und sich die silbernen Tressen oder gar das silberne Portepee und die silberne Kokarde erwerben können. Aber am nächsten Morgen war das vergessen, er küßte seine Frau, ließ die Kinder auf seinen Knien reiten und ging seiner Arbeit nach; und wenn er an den Vorabend dachte, dann schüttelte er den Kopf über die armen und abhängigen Hungerleider bei den Preußen.

Es ging ihm recht gut in seiner Wirtschaft, Anna war arbeitsam und geschickt, und auch die älteren Kinder kamen schon in die Jahre, wo sie zugreifen konnten. Aber der rechte Aufschwung stellte sich doch erst ein, als nach Annas Eltern auch ihr Bruder gestorben war und der väterliche Hof ihr zufiel. Da verkaufte Jan sein eigenes Anwesen, sie siedelten über, und es schien nun alles in größere Verhältnisse kommen zu wollen.

Einmal machte das jüngste Kind, das demnächst zur Schule gebracht werden sollte, sich mit Annas Gebetbuch zu schaffen, da fiel etwas heraus und Jan, der gerade in der Nähe war, erkannte die Photographie aus seiner Dienstzeit, hob sie auf und betrachtete sie, sehr verwundert darüber, daß er einmal so ausgesehen haben und so jung gewesen sein sollte. Sie hatte oben ein kleines Loch, und da dachte Jan, Anna habe sie wohl in ihrer Mädchenzeit über dem Bette an der Wand gehabt, und das sei die Spur des Reißnagels oder der Stecknadel, aber wovon war sie denn an den Rändern geschwärzt?

Anna kam dazu, und nun gaben ihr Erröten und ihre Verwirrung ihr etwas von der Anmut der Mädchenjahre zurück. Jan fragte, und er erfuhr, sie habe das Bild vor langer Zeit einmal beim Kochen des Schweinefutters vor sich auf die Herdplatte gelegt und so sei es ein wenig angesengt worden. Es rührte ihn, daß sie selbst bei der Arbeit in der Küche sein Bild hatte vor Augen haben wollen, er zog sie an sich und küßte sie und empfand nun plötzlich stärker als sonst, was das für ein Schatz an Zuneigung und Beständigkeit war, den er sich mit ihr erworben hatte. Zugleich aber gerieten ihm wieder viele Einzelheiten seiner Dienstzeit in den Sinn, und darunter auch die ärgerliche und unerklärt gebliebene Geschichte mit dem abhanden gekommenen Degen, und das alles wurde ihm so lebendig, wie es selbst auf den Kriegervereinsabenden zu Kaisers Geburtstag und bei der Sedanfeier nicht gewesen war. Und so empfand er zuletzt eine wunderliche Zwiespältigkeit, aus der er sich selber nicht recht zu vernehmen wußte.

Später erinnerte er sich betroffen dieser Stunde und war geneigt, das alles für eine Art Vorahnung zu halten; denn dies war ja in der Osterzeit des Jahres 1914 gewesen, und im August mußte er in Posen bei den Königsjägern einrükken. Hier hatte er Pferde zuzureiten und Rekruten auszubilden, und im Oktober wurde er Gefreiter, denn es war ja nun Krieg, und da hatten die alten Meinungen über Strafen und Beförderungen keine Wirkung mehr.

Währenddessen tat Anna alle Arbeit, und es ging oft über ihre Kräfte, und dabei lebte sie in der nie aufhörenwollenden Sorge, Jan könne plötzlich ins Feld geschickt werden, von einem Tage zum andern, und vielleicht werde sie ihn niemals wiedersehen.

Die Ersatzeskadron der Königsjäger hatte Mannschaftsersatz für verschiedene im Felde stehende Truppenteile zu stellen und darunter auch für ein aus Ulanen, Dragonern und Königsjägern zusammengesetztes Landwehrkavallerieregiment, das den großen Vormarsch und den großen Rückzug mitgemacht hatte und sich jetzt irgendwo hinter Czenstochau befand. Zu diesem Regiment sollte gegen Ende des Jahres ein Ersatztransport hinausgehen, und auch Piorun wurde dazu eingeteilt. Vorher aber erhielt er noch drei Tage Urlaub, um seine Angelegenheiten zu ordnen und Abschied zu nehmen.

In diesen Tagen, von denen ein gutes Stück auf die Hin- und Herfahrt ging, kümmerte Jan Piorun sich um alles, das einem Besitzer und einem Familienhaupt rechtmäßig am Herzen liegt. Er sah nach dem Vieh, nach den Vorräten, dem Holz und dem Arbeitszeug und gewahrte immer wieder mit Befriedigung und mit Bewunderung, wie gut Anna alles im Stande zu halten gewußt hatte. Obwohl es mitten in der Woche war, ging er mit ihr und den Kindern zur Kirche, und weil es ein milder Tag war, fast wie im Vorfrühling, so trug er keinen Mantel; stattlich sah er aus im feldgrünen Koller und mit den nach Kürassierart geschnittenen Stiefeln. Später besuchte er einige Nachbarn und saß auch eine Weile mit Bekannten im «Schwarzen Adler» bei Bier und Kornus, spielte ein paar Runden Skat um ein Zehntel und ließ sich erzählen, was die anderen für Meinungen vom Krieg hatten. Daheim schmierte er den Wagen, brachte die Siedelade in Ordnung, an der ein Stück herausgebrochen war, schnitzte einen neuen Stiel für das Handbeil und ging aufmerksam durch alle Räumlichkeiten, ob sich noch irgendwo etwas fände, was der Herrichtung bedurfte.

Es gab im Hause eine Kammer mit allerhand Gerümpel, noch von Annas Eltern her, denn sie waren haushälterische Leute gewesen, die sich von nichts trennen mochten und immer meinten, man werde dieses und jenes noch einmal brauchen können; doch hatte ihre Kraft nicht gereicht, all dies Angehäufte in Ordnung zu halten. So lag da mancherlei Abgenutztes, Restliches und Abfälliges, wie es sich im Laufe der Jahre und Jahrzehnte in einer Haushaltung ergibt, verworren durcheinander, ein zerbrochener Handkarren, Möbelteile, löcheriges Blechgeschirr, zerrissenes Lederzeug, Pappkartons und mottige Kleidungsstücke. Jan hatte sich noch nie die Zeit genommen, hier Ordnung zu schaffen, jetzt beherrschte ihn ein Verlangen, nichts ungeräumt hinter sich zu lassen. Er griff hier und da ein Stück an, er arbeitete sich durch den Wust, plötzlich stieß er einen Schrei aus.

Zwischen einem abgebrochenen Harkenstiel und einem rostigen, seiner Räder beraubten Fahrradgestell, zwischen Holzwolle und Lumpen ragte ein Degengefäß hervor. Piorun griff zu, da hatte er die Waffe in der Hand. Es war ein richtiger Kavalleriedegen, und die rote Troddel des Faustriemens zeigte die Zugehörigkeit zur ersten Schwadron an.

Piorun zog den Degen halb aus der Scheide, er drehte und wendete ihn. Wahrhaftig, er trug den Stempel «D 12», und da stand auch die Stücknummer «2173», und diese Nummer sprang jählings aus seinem Gedächtnis empor.

Dies geschah am letzten Vormittag, die Kinder waren allesamt noch in der Schule; am Nachmittag sollte der Wagen angespannt werden, und Anna sollte Jan in die Kreisstadt zur Eisenbahn bringen.

Sie saß jetzt in der Küche auf dem Schemel und schälte Kartoffeln. Die Tür wurde aufgerissen, Jan stürzte herein, mit flammenden Augen, den Degen in der Hand.

Anna sah auf und ließ das Schälmesser sinken. Wie von einer eisigen Welle fühlte sie ihr Herz von der Erkenntnis überflutet, daß dieser Augenblick einmal hatte kommen müssen. Ja, ohne es zu wissen, hatte sie, das wurde ihr jetzt deutlich, Jahr um Jahr auf ihn gewartet. Im Anfang hatte sie gedacht, sie werde einmal eine gute Gelegenheit abpassen und ihrem Manne den Vorgang erzählen. Aber dann schob sie es hinaus, immer weiter lag jener Dreikönigsabend zurück, immer unwirklicher, immer unglaubwürdiger geworden, und sollte es für sie denn in der Tat eine Verpflichtung geben, diese alte Geschichte wieder aufzurühren? Schließlich hatte Anna sie aus ihren Gedanken verwiesen, und weil sie das Geschehene hatte vergessen wollen, darum hatte sie auch den Degen in der Rumpelkammer vergessen müssen; und das, obwohl sie jenes Bild in ihrem Gebetbuch hatte und es häufig ansah. Aber ihre Gedanken hatten sich bereits so sehr von dem Dreikönigsabend gelöst, daß ihr das Ganze manchmal wie ein Spaß aus ihrer Mädchenzeit erscheinen wollte und manchmal auch wie ein Irrtum ihres Gedächtnisses. Dann war das Bild aus dem Buche gefallen, und Jan hatte sie gefragt, aber die unwahre Erklärung war ihr so geschwind aus dem Munde gefahren, daß ihr Herz und ihr Gewissen keine Zeit zum Einwilligen oder Verwerfen gehabt hatten. Als der Krieg ausbrach und Jan wieder Soldat werden mußte, da wurden freilich ihre Gedanken unausweichlich auf den Dreikönigsabend zurückgeführt. Aber nun meinte sie, Gott selbst oder seine Mutter müßte ihr wohl jenen Anschlag ins Herz gegeben haben; denn wenn Jan beim Militär geblieben wäre, dann hätte er wohl am ersten Tage ins Feld gemußt und läge vielleicht schon in der feuchten Erde verscharrt. So aber hatte sie die Hoffnung gehabt, der Krieg könne ein Ende nehmen, ehe er noch von Posen fortgekommen sei. Den Degen in der Vergessenheit zu erhalten, das ging jetzt freilich nicht mehr an, und so hatte sie beschlossen, die Kammer aufzuräumen und den Degen hinter dem Hause zu vergraben. Aber mit Jans Fortgang war so viel Arbeit auf ihr Teil gefallen, daß sie dies Geschäft immer wieder hinausschieben mußte. Und nun war der Degen zu Tage gekommen und stand gegen sie auf.

In dem furchtbaren Erschrecken, das über sie kam, konnte sie nichts festhalten von den beschwichtigenden und rechtfertigenden Gedanken, mit denen sie ihr Herz in den Tagen der Mobilmachung getröstet hatte. Sie fühlte nichts als das Eine, daß die überjährige Versündigung ins Licht gerissen worden war, ins unbarmherzige Licht des Gerichtes.

«Wo kommt der Degen her?» schrie Jan. «Das ist mein Degen von den Dragonern! Wie kommt der zu deinen Eltern in die Kammer?»

«Jan, du mein Lieber», sagte sie halblaut und mit der Stimme einer Schuldbewußten, «ich will dir alles erklären. Ja, ich weiß, wie er dahin gekommen ist. Ich habe es dir schon immer sagen und habe dich um Verzeihung bitten wollen. Aber dann ist die Zeit vergangen, und ich habe gemeint, es brauche das nicht mehr.»

Er stand da mit großen, glitzernden Augen, mit der linken Hand stützte er sich auf den in der Scheide steckenden Degen, und die Rechte hatte er vor sich auf die Lehne des Küchenstuhls gelegt, das war fast wie auf jener Photographie.

Anna begann zu erzählen, die Augen vor sich auf den Kartoffelnapf gerichtet und mit leiser Stimme, fast als knie sie im Beichtstuhl.

«Psia krew!» schrie er. «Du Satanshexe! Also so ist das zugegangen! Eingefangen hast du mich mit deinen verfluchten Geschichten, an den Altar hast du mich geschleppt, in dein Bett, in diese dreckige Bauernwirtschaft! Feldwebelleutnant könnte ich sein wie Kuhley, der in meinem Beritt Rekrut gewesen ist! Silberne Achselstücke und Offiziersgebührnisse und zweiter Klasse fahren! Hereingelegt hast du mich, daß ich dagestanden bin ohne Degen wie ein dummer Rekrut, der sich von den alten Leuten und Blausäcken sein Gelumpe klauen läßt! In Arrest hast du mich gebracht. Jawohl, eingesperrt haben sie mich, deinetwegen eingesperrt! Deinetwegen bin ich nichts geworden, deinetwegen kann ich noch heute vor jedem Dummkopf von Unteroffizier die Knochen zusammenreißen!»

Anna zuckte, sie hob den Kopf und sah ihn erschrocken an. Es war jetzt nicht Jans Zorn, was sie am meisten erschreckte, sondern der Gedanke an das Ungemach, das sie ihm verursacht hatte. Davon hatte sie nichts gewußt; aber freilich, auch das war ihr unbekannt geblieben, daß sie ihn gerade hierdurch für sich gewonnen hatte.

Sie bat ihn demütig, ihr zu verzeihen. Ein dummes Mädchen sei sie gewesen. Sie habe doch keine Ahnung davon gehabt, daß sie ihn in Ungelegenheiten brachte. Aber daß er vor so viel Jahren in Arrest habe gehen müssen, könne denn das heute noch so arg sein?

Er schrie weiter, alles Blut war ihm in den Kopf geschossen.

«Jan, lieber Jan», rief sie. «Kannst du mir denn nicht vergeben? Ich weiß jetzt, ich hätte das nicht tun dürfen. Aber ich habe mir doch nicht anders zu helfen gewußt in meinem Kummer.»

«Soll ich etwa schuld sein?» fragte er drohend.

«Es ist ja alle Schuld bei mir», antwortete sie. «Aber kannst du mir denn nicht verzeihen? Habe ich mich versündigt, dann habe ich es doch aus Liebe getan. Aus Liebe zu dir.»

«Ach was, Liebe!» rief er. «Der Teufel soll deine Liebe holen, du Aas! Aus Liebe! Nichts hast du mir gegönnt. Haben hast du mich wollen! Mich und mein ganzes Leben! Wie ein Stück, das dir allein gehört. Haben, wie man einen Hund hat, eine Kuh, einen Schlitten. Da tut man auch allerhand, wenn man zu einem Schlitten kommen will, der einem ins Auge gestochen hat, und man sich nicht anders zu helfen weiß in seinem Kummer.»

Sie hatte sich bis jetzt beherrscht, weil sie wußte, daß Tränen ihn reizen, ja, erbittern konnten. Jetzt aber wußte sie ihrem Schluchzen nicht mehr zu wehren. Sie weinte mit zuckenden Nasenflügeln, zuckenden Lippen und zuckenden Schultern.

Ob er denn meine, fragte sie mühsam, daß das alles nur zum Unglück gewesen sei? Ob ihm alles leid sei? Alles, die Kinder, die Wirtschaft, das miteinander verbrachte Leben? Er möge doch an die Kinder denken!

«Ach, zum Teufel!» erwiderte er. «Kinder hättest du dir auch von jemand anderem machen lassen können!»

Längst stand er nicht mehr da wie auf dem Bilde. Er konnte sich nicht mehr erinnern, daß er jemals glücklich gewesen war. Sein ganzes Leben war verpfuscht und zerstört. Die Kuh, die ihm vor drei Jahren krepiert war, der Streit, den er mit dem Ortsvorsteher gehabt hatte, der Scharlach der Kinder, die verfaulten Kartoffeln, der ausgewinterte Roggen, der niedrige Rübenpreis, das gestohlene und nicht wiedererlangte Schwein, alles schien ihm auf den einen Punkt zurückzugehen.

«Totschlagen müßte ich dich, totschlagen und den Kindern die Hälse abschneiden! Feuer in die Dreckbude schmeißen und mir einen Strick um den Hals! Ja, einen Strick!» brüllte er. «Gib mir einen Strick, ich will sehen, wieviel Teufel es in der Hölle gibt!»

Er blieb stehen, er erschrak vor sich selber. Er fühlte, daß er alle diese Worte nicht aus seinem Herzen sagte, sondern aus einer Einsprechung des Teufels. Er fühlte aber auch, daß er diesem Teufel würde zu Willen sein müssen, wenn er sich auch noch sträubte, und er fühlte, daß er den Degen nicht umsonst in der Hand haben durfte.

Plötzlich kehrte er sich ab und rannte in die Wohnstube. Da hing die Kuckucksuhr noch immer an der Wand, und gerade holte sie schnarrend aus, um die elfte Stunde anzusagen.

«Verdammter Satan!» schrie Piorun keuchend und schlug zu, mitten in den ausschwingenden Schnarrlaut und den anhebenden ersten Kuckucksruf hinein. Die Uhr fiel, in Stücke geborsten, auf den Tisch, Piorun fegte die Trümmer zu Bo-

den. Die Holzteile stampfte er zu Splittern, das Pendel verbog und vertrat er, daß es keine Form mehr erkennen ließ. Und daß er die Uhr zerschlagen mußte, das war nicht nur, weil er den Degen in der Hand hatte und es den Degen nach einem Schlage verlangte, und nicht nur, weil ja die Uhr das Werkzeug jener Beschwörung und das Werkzeug seiner Vergewaltigung gewesen war; sondern indem er die Kuckucksuhr vernichtete, meinte er auch alle Zeit zu zerstören, die hinter ihm lag und von dieser Uhr gemessen und angekündigt worden war; das in dieser Zeit Geschehene meinte er ungültig zu machen, so daß er wieder jung war und den blauen Waffenrock der zwölften Dragoner trug und alles Leben noch vor sich hatte und in der Freiheit seiner Entschließungen stand, wie er in ihr gestanden hatte, bis an den Dreikönigsabend jenes weit hinter ihm liegenden Jahres. Und er vermochte nicht zu erkennen, daß er sich hiermit, wiewohl fruchtlos, um einen ärgeren und sündhafteren Zauber mühte, als es der gewesen war, den er seiner Frau nicht vergeben zu können meinte. Denn nun wollte er ja nicht wahrhaben, daß es in jedem Leben einen Punkt gibt, an welchem Gott aus der Freiheit die Notwendigkeit macht.

Die Zertrümmerung der Uhr erlöste ihn nicht, ihn nicht und den Degen nicht. «Unglück, Unglück!» ächzte er. «Unglück, Unglück!» Und der Degen fuhr fort, in seiner Hand zu zucken.

Die Tür ging auf, Jan sah sich um, Anna war eingetreten.

Sie ließ sich auf die Knie nieder und sagte: «Was soll mir noch das Leben? Gott hat mich verworfen. Daß du den Degen hast finden müssen, das kann nicht ohne Zweck sein. Schlage mich schon tot! Was soll mir noch das Leben?»

Sie senkte willfährig den Nacken. Er war immer noch schmal und schlank, und der bräunliche Ansatz des Haares stand auf ihm wie ein zarter Flaum.

Jan sah das nicht. Er konnte nichts sehen als einen flakkernden roten Vorhang vor seinen Augen. Der Teufel hatte Gewalt über ihn. Er hob die Waffe, die stumpf und gewichtig war wie eine Wagenrunge, weil sie immer noch in der schweren stählernen Scheide stak. Ausholend sprang er vor und schlug zu.

Anna rührte sich nicht. Sie hielt still wie auf dem Bilde über dem Seitenaltar der Dorfkirche die kniende heilige Martyrin, gegen deren weißen Hals der rotbärtige Henker die Axt erhob.

Allein in dem Augenblick, da der erhobene Degen niederfallen sollte, da hat sanft und fast unmerkbar ein Engel an Jans rechtem Arm gerührt, und so ist der Schlag fehlgegangen und hat eine tiefe Furche in den gestampften Lehm des Fußbodens gegraben, hart neben dem Leibe der Knienden.

Jan warf den Degen fort. Und in einer einzigen Sekunde erkannte sein Herz in einem Bilde, viel geschwinder und viel klarer als je seine Gedanken zu erkennen vermocht hätten, daß Anna aus Liebe gehandelt hatte und daß nicht er noch irgendein Mensch berufen war, zu sondern, was in der Liebe sich selber meint und was den Geliebten, sondern daß dies nach Gottes Willen ewig ein Geheimnis bleiben soll; daß die Frauen geschaffen sind, aus Liebe zu handeln und nicht um anderer Beweggründe und Überlegungen willen, und daß sie nicht nach Knöpfen und Tressen und Portepees zu fragen haben, sondern allein nach dem Leben, das zu hüten und weiterzugeben ihnen aufgetragen ist.

Er hob Anna auf und führte sie zum Sofa, er fiel vor ihr nieder, er küßte ihre Füße und ihre Knie, er sagte: «Auf meinem Rücken will ich dich in die Stadt tragen, bis zur Polizei, und will selber bezeugen, daß ich dir nach dem Leben getrachtet habe.»

Anna zog ihn zu sich empor auf das Sofa, zu dem sie ihn am Dreikönigsabend geführt hatte. Sie schlang die Arme um ihn wie damals und sagte: «Du hast die Uhr zerschlagen, Jan. Die böse Stunde soll vorüber sein, und die alte Zeit vergangen. Wenn du wiederkommst, soll hier eine neue Uhr hängen und eine neue Zeit anzeigen.»

Sie küßte ihn und stand auf, um das Mittagessen zu kochen und um all das herzurichten, was sie ihm nach Posen mitzugeben dachte, nach Posen und in das Feld.

Zorn, Zeit und Ewigkeit

Nach meinem furchtbaren Schrecken habe ich mich gleichsam hierher geflüchtet, ohne recht zu überlegen. Denn in meiner Ratlosigkeit erschien mir dieser Ort, in dem ich als dreijähriger Junge mit meiner Mutter und meiner um ein Jahr älteren Schwester einige Sommerwochen verbracht habe und der zugleich meine ersten Kindheitserinnerungen umschließt, als eine Art Zuflucht. Meine Mutter lebt schon lange nicht mehr, und meine Schwester starb vor einem Jahr, sehr plötzlich, ohne daß wir voneinander hätten Abschied nehmen können; wie denn überhaupt, das habe ich mit der Zeit erkannt, alle folgenschweren Ereignisse in meinem Leben sich sehr plötzlich entladen. Vielleicht habe ich aber einfach nicht gelernt, auf die Anzeichen zu achten. Seit ich angefangen habe nachzudenken, meine ich zu erkennen, daß es an solchen Anzeichen nie gefehlt hat. Auch hat mein Bursche, von dem ich noch viel werde erzählen müssen, nach dem letzten Besuch meiner Schwester geäußert: «Herr Hauptmann müßten auf das gnädige Fräulein mehr aufpassen. Heute nacht ist sie ganz still gestanden und hat schräg nach unten gesehen. Gesprochen hat sie auch nicht. Hätte sie mich angesehen, wärs weniger schlimm gewesen. Das sind schlechte Zeichen. Die Menschen müssen sich bewegen. Sprechen ist nicht so wichtig, aber bewegen müssen sie sich.»

Ich habe diese Ausdrucksweise schon im Kriege an ihm wahrgenommen, wo ja so viele von uns plötzlich nicht mehr da waren, und habe erkennen müssen, daß er jene sonderbare Fähigkeit hat, die man zweites Gesicht nennt, als sei nun mit einer solchen Bezeichnung alles erklärt. Nein, erklärt ist nichts, aber vielleicht wäre mit Erklärungen, deren einem ja viele angeboten werden, wenig gewonnen, und am Ende tue ich besser, mich vorsichtiger auszudrücken und von meinem Burschen ganz einfach zu sagen, er habe im Gegensatz zu mir gelernt, auf die Anzeichen zu achten; wahrscheinlich aber hat er das gar nicht erst zu lernen brauchen.

Meine Schwester starb kurze Zeit darauf an einer heftigen Krankheit, und es kommt mir nun selbst so vor, als sei sie gegen ihr Lebensende hin merklich stiller geworden. Aber ich bin nicht hellsichtig, und so kann ich mir die Dinge erst deuten, wenn es zu spät ist.

Ich kam erst nach Dunkelwerden hier an und sah gleich von dem hochgelegenen Bahnhof aus im Mond- und Sternenschein die großen Umrisse des Gebirges. Sie gaben mir ein wenig Ruhe, sie waren mir wunderbar vertraut, obgleich ich doch seit damals nicht wieder hier gewesen bin, und ich beschloß, nur die erste Nacht im Hotel zu verbringen und mir dann ein Zimmer im höhergelegenen Teil des Ortes zu suchen, um diese Bergkette in möglichster Weite immer vor Augen zu haben. Ich machte mich am nächsten Morgen auf den Weg, versehen mit der guten Spannkraft, die eine leidlich durchschlafene Nacht, sorgfältige Morgentoilette und kräftiger Kaffee zu ungewohntem Backwerk verleihen können. Ich umging den weitläufigen Ort in einem großen Bogen, hier und da in ein Haus eintretend, aber immer wieder enttäuscht weitergehend. Niemals war der Ausblick so groß, wie ich ihn erhoffte. Schließlich kam ich unversehens zu meinem Ausgangspunkt zurück, unschlüssig, was nun zu tun wäre, als mein Blick auf eine Reihe von Häusern fiel, hoch oben am Berge, auf die ich bisher noch nicht geachtet hatte. Ohne mich zu besinnen, stieg ich auf einem anderen Wege wieder den Berg hinauf, von der wunderlichen Empfindung gepeinigt, all dies schon einmal durchlebt zu haben. Da machten Gäßchen Windungen, deren Rhythmus noch in mir war, da drängte sich die uralte Tanne in den Weg hinein neben dem hohen abblätternden Eisengitter, dessen Ornamentik mir vertrauter war als das Gartentor daheim auf meinem Gut. Es schloß sich hinter mir mit einem kreischenden Klagelaut, der mein Herz aufriß, und da stand ich schon in der offenen Haustür auf den schwarzen und weißen Fliesen, die ein plastisches Muster vortäuschen – in dieser Tür, hinter der mein Leben begonnen hat.

Ich mußte erst eine kurze Weile warten und mich fassen, ehe ich klingelte. Aber alles ging nun von selber: oben zeigte man mir das Zimmer mit jenem unvergleichlichen, vollen Blick auf die Bergkette. Jetzt, nachdem ich schon einige Tage hier bin, will es mir allerdings scheinen, als habe ich damals mit meiner Schwester nicht dieses, sondern das entsprechende Zimmer im unteren Stockwerk geteilt. Aber ich bin ja nun auch in das Mannesalter getreten, und da mag es in der Ordnung sein, daß man mich ein Stockwerk höher hinauf versetzt hat. Manchmal dringen Kinderstimmen von unten zu mir herauf. Ich habe niemals Kinder gehabt.

Wie konnte ich doch das alles vergessen in vierzig Jahren? Und auch jetzt will sich kein wirklicher Vorgang in meinem Gedächtnis einstellen, außer diesem einen, an den heranzugehen ich mich noch sträube; und doch weiß ich, daß ich ihn aufschreiben muß, ohne mich zu schonen. Es scheint mir merkwürdig, daß ich ihm jetzt eine so große Bedeutung zubillige, da ich nicht einmal sehr oft an jenen alten Herrn gedacht habe. Aber ich erinnere mich, daß er mir einfiel, als ich meine Schwester begraben hatte und mich zum Fortgehen anschickte: da wußte ich, daß in diesem Augenblick unsere Kindheit wirklich ganz zu Ende war, jedenfalls so, wie wir sie erlebt hatten, gleichsam in der ersten Fassung. Sie hatte sie mit sich fortgenommen. Nun muß ich doch darangehen, denn ich sehe es ein: das sind keine zufälligen kleinen Erlebnisse, von denen die einen haften bleiben und die anderen verloren gehen, sondern es sind Bausteine, ohne die unser Haus nicht stehen würde. Ein Stein stützt den andern, und besonders ohne die erstgelegten Grundsteine wäre das Dach nicht zu denken, über dem sich der Himmel ausbreitet.

Niemals habe ich mit meiner Schwester von diesem Erlebnis gesprochen, das für mich so folgenschwer war; trotzdem glaube ich, daß sie sich ebenso genau daran erinnert hätte wie ich. Vielleicht ahnte sie aber nicht, welche Bedeutung es für mich hatte, obgleich sie der einzige Mensch gewesen ist, der mir nahegestanden hat und dem ich mich hätte eröffnen können, und ebenso mag sie mich als den vertrautesten Menschen betrachtet haben. Aber wir ließen uns daran genügen, dies voneinander zu wissen, und ich schob es hinaus, mit ihr darüber zu sprechen, wie wir alle schweren und notwendigen Dinge vor uns herschieben. Da überrascht uns dann der Tod.

Nun muß ich also von diesem alten Herrn erzählen, geliebte Schwester, von dieser so furchtbaren und nie erwähnten Geschichte. Ich rede dich an, über Erde und Himmel hinweg, die uns voneinander trennen. Ich beschwöre diese Dinge in deinem Namen, im Namen unserer Kindheit, die du mit dir nahmst. Ich weiß, du wirst mich anhören in dieser Landschaft, die so viel Ewigkeit enthält, daß auch du in ihr enthalten sein mußt – in den rosig angeglühten Abendwölkchen vor meinem Fenster, die so erschreckend schnell schwarz werden, ebenso furchtbar schnell wie du mich verließest. Damals beherrschte mich nur das eine Gefühl, daß alles, was jetzt noch geschehen würde, zum Tode hinlockte. Höre mich an, du Kind hinter der rosigen Abendwolke, ehe sie schwarz geworden ist, ehe es noch einmal zu spät ist. Lasse alles so sein wie damals.

Wir laufen miteinander über die schwarzweißen Fliesen ins Freie, biegen rechts in den Weg ein, der auf den Wiesenabhang führt – ach, wie ist er so kurz geworden in all den Jahren, seit wir nicht hier gewesen sind! –, und es kommt der alte Herr aus dem Nachbarhaus auf uns zu, der zur Kur hier ist und uns täglich begrüßt, um mit uns zu plaudern. Ehe ich ihm die Hand gegeben habe, laufe ich zurück, um meine neue Harke zu holen, polierter Holzgriff, grüne Zinken, schön lackiert. Die Zinken sind ja Finger, die Harke ist also eine richtige Hand, und es ist eine schöne Hand, die ich

ihm da hinstrecke, damit er sie ergreifen und schütteln soll. Ich meine gewiß nichts Böses. Aber da verändert sich sein Gesicht auf eine wahrhaft schauerliche Art, ein Zusammenkneifen der Augen, ein Fletschen der Zähne! Er gurgelt unverständliche Worte heraus, er zerrt am langen weißen, bewunderten Bart. Dann reißt er mir die Harke aus der Hand, und hättest du mich nicht beiseite gezogen, so wären die Zinken auf meinen Kopf niedergegangen. Der Schlag ging auf die Erde. Er zerbrach die Harke, warf die Stücke ins Gebüsch, er verbot dir mit lallenden Worten, noch weiterhin mit einem so verworfenen Kinde zu sprechen, und entfernte sich mit torkelnden Schritten – er, dessen feste Haltung wir vordem so sehr bewundert hatten. Du sprangst davon über die Wiese, und ich schlich mich, kaum daß ich den alten Herrn nicht mehr sah, zur Haustür. Sie stand tagsüber offen, die Flügel waren mit einem langen Haken an der Wand befestigt, so daß sich dahinter ein kleines dreieckiges Verlies bildete. Hier hinein flüchtete ich mich, und ich weiß, daß ich mich lange Zeit in meiner hockenden Stellung nicht zu bewegen wagte. Menschen gingen durch die Tür, und du kamst mit unserer Mutter so nah an mir vorbei, aber wie furchtbar fühlte ich mich von euch getrennt!

Das ist alles, was ich weiß. Nur noch an meine Angst erinnere ich mich, dem alten Herrn noch einmal zu begegnen. Doch sahen wir ihn wohl nicht wieder, es hätte sich sonst meinem Gedächtnis eingeprägt.

Ist es möglich, daß solche Vorgänge in uns ruhen, um aufzubrechen wie eitrige Wunden? Ist damals nicht der erste Funke in ein zundertrockenes Gewebe gefallen, bereit loszubrennen, wieder und wieder, lebenvernichtend, mich selbst versengend?

Verstehst du mich? Kanntest du mich gut genug? Wußtest du, daß auch ich diesen Anfällen sinnloser Wut hörig bin, da das Rote nach oben schießt und die Welt verdeckt?

Still, laß mich meine Gedanken ordnen. Ihr habt es gewiß nicht schwer genommen, wenn ich nach solchen Anfällen schreiend ins Bett gebracht wurde und endlich in einen tiefen Schlaf fiel. Du warest hinterher freundlich und geduldig mit mir, gingst mit mir um, wenn die andern meinten, mir noch zürnen zu müssen. Du erinnertest mich nicht daran, wie die Großen es taten, wenn alles vorbei war. Ich wurde älter und lernte mich vorsehen, und es ist möglich, daß der Zorn mich seltener überfiel. Aber um so furchtbarer suchte er mich dann heim.

Kanntest du das auch? Ja, du mußt mich verstehen können, denn auch von dir, die du sehr sanft warst, erinnere ich mich eines solchen Ausbruchs. Sein Anlaß stand, wie das wohl immer ist, in keinem Verhältnis zu ihm. Du beharrtest darauf, daß wir ein zweistimmiges Duett immer in Es-Dur miteinander gesungen hätten, während ich widersprach. Du stürztest dich auf mich, der ich ja damals schon viel stärker war als du, und ich erinnere mich, daß du mich im Nu zu Boden geworfen hattest und auf mich einschlugst.

Kennen es nicht alle Menschen? Tut man recht daran, die einen für jähzornig zu halten und die andern nicht? Ist es nicht vielmehr so, daß die einen es besser verbergen können als die andern? Ja, haben wir nicht alle teil an den großen Sünden? Wer kann von sich sagen, er sei kein Lügner, kein Dieb, kein Feigling, kein Totschläger? Etwas von allem ist in uns, gerade genug, scheint mir, um einen anderen zu verstehen, den eine solche Leidenschaft zugrunde richtet.

Ich bin von Natur kein mutiger Mensch, laß mich das aussprechen, obgleich ich weiß, daß ich dafür gelte, denn man hat mich im Kriege mit Orden und Auszeichnungen überhäuft. Ich habe mich immer darüber gewundert, daß wir einen Menschen etwa deswegen mutig nennen, weil er eine gefahrvolle Leistung auf sich nahm, während er ein Feigling genannt worden wäre, wenn er sie unterlassen hätte, und doch mag sein Entschluß auf des Messers Schneide gestanden haben. Soll ich? Soll ich nicht? Beides scheint ihm möglich. Oft gibt noch die Eitelkeit den Ausschlag. Ist er deswegen mutig?

So hat man mich im Kriege ausgezeichnet, obwohl ich, ich gestehe es dir heute, von Natur ebensowohl feige wie mutig bin. Aber ich habe mich dennoch mehr als andere in Gefahr begeben und alle jene Husarenstückchen ausgeführt, von denen man dir erzählt hat – ganz einfach, weil ich sterben wollte. Bin ich deswegen mutig? Du magst dich nach allen kindischen Furchtsamkeiten, die wir zusammen durchlebt haben, über meine Kriegstaten gewundert haben. Ich war bloß zu feige, um noch weiter zu leben, und habe es dennoch tun müssen. Also Mut aus Feigheit. Ein schöner Mut!

Ja, auch das wird man von mir gesagt haben: «Ihm liegt nichts mehr am Leben nach dem schrecklichen Ende seiner schönen jungen Frau.» Damit sollte dann wohl alles erklärt sein. Ach, es hängt ganz anders zusammen, und es packt mich ein Grauen, wenn ich denke, mein verworrenes Leben könnte vielleicht nur ein Beispiel dafür sein, daß es in jedem Menschen solche Abgründe gibt und daß das, was wir zu sehen bekommen, ja nur ein künstlich bestickter Ofenschirm ist, hinter dem die Flamme lodert.

Aber glaube nicht, daß ich mich mit den letzten Worten rechtfertigen wollte. Ich sehe alles so an, als sei es einmalig, und es ist mir niemals der Gedanke gekommen, daß das, was geschehen ist, gesühnt werden könnte. Ich habe es in einem verschlossenen Kasten mit mir herumgeschleppt, ich habe bis zum heutigen Tage nichts herausgenommen und nichts hinzugefügt, aber nun ist er mir zu schwer geworden. Irgendetwas muß ich mit ihm tun. Ich öffne ihn.

Hast du nie darüber nachgedacht, daß in unserem wohlbehüteten Kinderdasein vielleicht alles zu glatt lief? Unser Leben war so selbstverständlich, morgens lag das Frühstücksbrot für die Schule neben unserem Platz, und abends standen unsere Kinderpantoffeln vor dem aufgedeckten Bett, in der aufnahmebereiten Stellung, wie sie unsere Kinderfüße erwarteten. Es kam die Zeit, da ich das Gut übernahm, und es war mir selbstverständlich, daß ich mich nach einer Frau umsah.

Ich habe immer mit einer gewissen Verwunderung wahrgenommen, daß ich auf Frauen eine Anziehung ausübe, obwohl ich ihnen gegenüber zurückhaltend bin; aber vielleicht ist gerade das der Grund. Ich wählte, wie ich glaubte, nach reiflicher Prüfung, die schönste und reichste, und alles schien auch hier bereit zu sein und darauf zu warten, daß ich Besitz ergriffe.

Ich erinnere mich jetzt daran, daß du dich damals von mir zurückzogst, aber ich war zu beschäftigt, um darauf zu achten. Ich erklärte es mir mit dem banalen Wort: «Eifersucht» und hätte doch besser getan, darin eine Warnung zu sehen, eines jener Anzeichen, auf die zu achten mich niemand gelehrt hat.

Fast schäme ich mich, zu gestehen, daß der Tag nach unserer Hochzeit einer der unglücklichsten und ödesten war, deren ich mich aus meinem ganzen Leben erinnere. Bis dahin hatten die Tage der Vorbereitung, der Erwartung, der vorgeschriebenen Geschehnisse von selber getragen – nun aber waren wir miteinander in eine grenzenlose Einöde entrückt, und nichts schien mehr selbstverständlich. Wäre ich allein gewesen, ich wäre auf die Jagd gegangen, und alles hätte seine Ordnung gehabt – nun aber war plötzlich ein Wesen neben mir, mich anschauend, beobachtend, mich aufsaugend. Nein, nichts war mehr selbstverständlich. Hatte ich keine Lust zu essen, so wurde ich nach Gründen gefragt, wollte ich fortgehen, so mußte ich erst um Erlaubnis bitten. Ja, das Komischste schien mir, daß ich nun auch nicht mehr die Anzüge tragen durfte, die mir angemessen schienen. Verzweifelt suchte ich nach harmlosen Worten, die meine Enttäuschung verdecken sollten. Es ist nicht übertrieben, wenn ich sage, daß ich es in den ärgsten Kriegszeiten nicht so schwer gehabt habe wie in meinen Flitterwochen. Und das Schlimmste war noch das Schuldgefühl, das ich aus meinem leeren Herzen gegen diese Frau herleitete. Aber es war nicht das leere Herz allein, das mich schuldig nannte, denn es stieg allmählich diese Wut in mir hoch, dieser rasende Zorn, von dem sie nichts ahnte. Ich wußte, daß ich ihn zu bezwingen hatte, und ich ließ ihn nie ganz heraus. Wir fingen an zu streiten, beinah vom ersten Tage an. Merkwürdig, wie diese Zwiste immer wieder den gleichen Ablauf zeigten: irgendeine Forderung wurde an mich gestellt, ich antwortete mit stummem Widerstand – böse Worte, Tränen, Meiden und schließlich eine Versöhnung, die keine war. Mir kam es oft komisch vor, wie sich alles Punkt für Punkt wiederholte, ja, selbst die Beleidigungen, die wir einander zuriefen, und vor allem das Einsetzen der Tränenfluten. Nie hatte ich geahnt, wieviel Frauen zu weinen vermögen. Oft lag ich nachts nach solchen Kämpfen stundenlang neben ihr wach, jeden Muskel gespannt vor rasender Wut und mit dem Entschluß kämpfend, sie zu wecken und ihr mein ganzes Elend in die Ohren zu schreien. Aber ich war zu feige dazu.

Die Wirrnis unserer Beziehungen wurde um so beängstigender, je mehr wir uns in einer schweigenden Übereinkunft bemühten, nichts davon nach außen dringen zu lassen. Ja, auch dich mied ich in jener unglücklichen Zeit, und dein kurzer Besuch bei uns verlief leblos und traurig. Ich wagte die alte Vertrautheit mit dir nicht mehr. Wie hätte ich sie auch wiederherstellen können, ohne dir alles zu sagen? Und wiederum schien es mir unritterlich, mein Elend preiszugeben und meine Frau bloßzustellen, denn ich fühlte mich schuldig, schuldig, obgleich sie mich quälte auf jene geniale und erfinderische Art, wie ich sie später oft an schönen und von ihrer Schönheit wohl irregeleiteten Frauen beobachtet habe. Vielleicht treibt ihre Schönheit sie dazu, in ihr den einzigen Maßstab dieser Welt zu sehen. Aus ihr leiten sie einen Machtanspruch her, der sich auf keine Weise befriedigen läßt. Und so greifen sie zu jenen kleinen Listen, um dennoch da zu herrschen, wo sie ihre Sache schon im Großen verloren sehen. Niemals verstehen sie, schön zu altern. Wenn ihr Kampf verloren ist, so verändern sie sich wie eine reife Frucht, die heute noch frisch erscheint und morgen schon ungenießbar ist. Als das Auffallendste erschien es mir aber immer an solchen Frauen, daß es in ihrem Leben keinen Augenblick der Ruhe gibt: als hätten sie Furcht, es könne eine Leere entstehen, greifen sie nach dem Nächsten, spannen sie sich aufs Neue, suchen sie etwas zu erjagen, das ihnen dennoch niemals zuteil werden kann. Ja, selbst den Augenblick der Liebe begreifen sie nicht in seinem Rhythmus. In ihm, dünkt mich, ist es uns geschenkt, die Zeit stille stehen zu sehen und ein wenig Ewigkeit zu kosten. Langsam gleiten wir wieder zurück, über eine selige kleine Ruhe hinweg, und die Sekunden strömen von neuem in den sanft ermatteten Körper. Aber auch hier erkennen sie nur das Nahen des Rausches, und da sie ihn niemals erjagen, strecken sie sich schon zum nächsten Anlauf, nicht wissend, daß sie ihr Ziel nie erreichen können. Und so werden sie wohl von einem Abenteuer zum andern getrieben.

Wie verschieden waren wir in unseren Lebensgewohnheiten! Ich liebe einen starken Wechsel von Bewegung und Ruhe, und ich sah mich dazu verurteilt, meine Ruhe aufzugeben. Wenn ich müde nach Hause kam, fand ich das Haus voller Gäste, und die einsame Landschaft meines Gutes wurde mir verleidet durch ihre laute Besitznahme.

Ich nahe mich jenen heißen, unheimlichen letzten Julitagen des Kriegsjahres. Es beherrschte mich nicht nur der jedes Jahr wiederkehrende, oft beseligend empfundene Drang, daß der Ablauf der Ernte, dem Wetter zum Trotz, in seine feste und natürliche Ordnung gebracht werde, sondern darüber stand ein zweites, unheimliches Geschehen, deutlich genug schien mir, um von allen wahrgenommen zu werden. Ich kam gegen Abend nach Hause, müde, erschöpft, um mich umzuziehen, noch einmal hinauszugehen und die andrängende Erntearbeit vor einem nahenden Gewitter zu fördern. Aber da stellt sich mir die Frau in den Weg: sie wartet schon den ganzen Tag auf mich, sie fühlt sich verlassen, vernachlässigt. Es sei kein Gewitter im Anzuge, die Arbeit sei also nicht dringend und ich müsse ihr diesen Abend schenken. Sie sehnt sich nach Bewegung, sie hat es sich in den Kopf gesetzt, daß wir zum See gehen und rudern werden. Vergebens mache ich Einwände, sie läßt mich nicht frei, und ich spüre wieder diese kalte Wut hochsteigen, unheimlich eingebettet in die Schwüle des nahenden Gewitters. Ich gebe nach, um sie nicht hinauszulassen, ich gehe neben der Frau her und fühle, daß ich imstande wäre, sie zu schlagen. Wir sitzen im Boot, und es kommt zu einem sinnlosen, haßerfüllten Wortwechsel. Ich suche mich durch gewaltsames Rudern zu beruhigen, es hilft nichts mehr. Das Gewitter zieht herauf, sie bittet mich, umzukehren. Nein, ich kehre nicht um. Ich rudere mit aller Kraft weiter hinaus in den See. Sie weint, sie hat Angst. Ich lache nur darüber. Ich erinnere sie daran, daß sie das Gewitter bestritt. Es heult und tobt um uns, ich jauchze in meiner Wut. So ist es recht! So ist mir zumute! Laß doch alles zum Teufel gehen! Du hast es ja nicht anders gewollt! Eine Weile sitzt sie ganz still, das Wasser wird unruhiger, es ist nachtschwarz um uns geworden. Ich sehe sie noch einmal in einem roten Blitz, ich sehe ihren schlanken Hals mit der schweren goldenen Kette – da springt sie auf, taumelt auf mich zu in einem wahnsinnigen Donnergetöse, will mir die Ruder entreißen, der Regen klatscht plötzlich nieder, und es entspinnt sich ein rasender Kampf.

Ich weiß nichts mehr. Über alles andere ist ein Schleier gebreitet. Ich finde mich wieder am Ufer. Die zerrissene Kette halte ich noch in der Hand, und ich stecke sie gedankenlos in die Tasche. Leute kommen gelaufen. Die ganze Nacht wird der See abgesucht. Beim Hellerwerden wird die Leiche gefunden. Ich sehe sie erst, als sie umgekleidet auf ihrem Bett liegt. Rund um den Hals hat die Kette sich mit bläulichen Stellen eingedrückt.

Man hat den Vorgang ohne mein Zutun so gedeutet, als habe ich sie beim Kentern des Bootes an der Kette zu halten versucht und die Kette sei dabei gerissen und liege nun auf dem Boden des Sees. Ich glaube besser zu wissen, was geschehen ist, aber niemand hat mich danach gefragt.

Es ist ein Nebel über diese Tage gebreitet. Ich ging und verbarg die Kette fürs erste in unserm gemeinsamen Kinderversteck, in der merkwürdig geformten Wurzelhöhle der großen Kiefer oben auf dem Hügel, die wir einmal zufällig entdeckten. Ich dachte sie später wieder herauszunehmen.

Wenige Tage danach brach der Krieg aus. Ich fand das in der Ordnung. Ich betrachtete die Vorgänge mit einer gewissen Genugtuung und doch mit einem Schuldgefühl, als brächte ich meinem persönlichen Schicksal ein ganzes Volk zum Opfer.

Ich rechnete nicht mit meiner Rückkehr und traf alle notwendigen Verfügungen. Aber das eine, was unbedingt zu geschehen hatte, nämlich die Kette aus ihrem Versteck zu holen und im See zu versenken, schob ich bis zum letzten Augenblick hinaus, um schließlich mit Entsetzen wahrzu-

nehmen, daß mir die Kraft fehlte, sie noch einmal zu berühren. Ich redete mir zuletzt ein, daß es ja auch belanglos sei, daß sie vielleicht einmal nach Jahrzehnten gefunden werden würde, wenn niemand mehr etwas von mir wüßte, oder gar überhaupt nie. Und ähnlich beruhigte ich mich bei den wenigen kurzen Urlauben, die ich zu Hause verbrachte.

Ich durchlebte die erste Kriegszeit sehr hingegeben an das starke Geschehen und in einer steten und feierlichen Erwartung des Todes. Ich hatte vom ersten Tage an einen Burschen, der mir sehr zusagte, und es stellte sich schnell zwischen uns eine natürliche Verbundenheit her, die keiner Worte zu ihrer Bestätigung bedurfte. Ich wußte so wenig von seinem Vorleben wie er von dem meinigen, alles war gegenwärtig, weder Vergangenheit noch Zukunft beschwerte uns. Erst allmählich, da die Länge der Zeit schon eine gemeinsame Vergangenheit geschaffen hatte, gewahrte ich, daß er mich vor Gefahren zu schützen suchte, kraft jener Einsicht, von der ich schon gesprochen habe. Da war er mir denn manchmal lästig. Denn er konnte ja nicht wissen, daß ich gar nicht «zurückkommen» wollte, und ebensowenig konnte er ahnen, daß ich in dem immer wiederkehrenden Rausch der Gefahr den notwendigen Ausgleich zu allem Geschehenen fand. Ja, es ist nicht zu viel gesagt, wenn ich von einem Rausch spreche, und ich weiß, daß ich schon damals angefangen habe, ihn zu vergleichen mit dem Rausch des Zornes und dem Rausch der Liebe, dem Rausch des Jagens und dem Rausch der starken Bewegungen. Denn alle diese kannte ich, und ich empfand als das ihnen Gemeinsame, daß in solchen gehobenen Augenblicken die Gesetze nicht mehr gelten, denen wir für gewöhnlich verschrieben sind. Wir leben gleichsam in einer enthafteten und schuldlosen Welt, ohne Vergangenheit und Zukunft: in der höchsten Gefahr empfinden wir am allerwenigsten das bedrohende Gesetz des Todes, und im Rausch des Zornes verdeckt der Vernichtungswille jegliches Gefühl für die Selbstvernichtung, der wir niemals höriger sind als in solchen Zuständen. Aber auch das ist all diesen Arten des Rausches gemein: daß die Zeit aufgehoben scheint. Sie sind von der kurzen Helligkeit eines Blitzes und scheinen doch ebensowohl ewig zu währen. Ja, in unserer Erinnerung stehen sie wie feuerspeiende Berge, unter denen graue Landschaften verblassen. Sie unterliegen nicht dem Gesetz der Vergänglichkeit, denn sie sind gegenwärtig in unserer Erinnerung und können wohl verdeckt, aber nicht vergessen werden. Und so wird jener entscheidendste Augenblick, da wir uns im Tode lösen, vielleicht die Ewigkeit bedeuten. Ich, der ich alles Wichtige in meinem Leben hinausschob, habe mir auch niemals Gedanken gemacht über das, was nach meinem Tode mit mir geschehen wird, und erst in der letzten Zeit fange ich an, daran zu denken. Ich meine zu erkennen, daß wir unter Ewigkeit das Widerspiel zur Zeit begreifen, jedenfalls muß ihr das eigen sein, daß keine Zeit in ihr geschieht. Wollte man aber trotzdem das Gesetz der Zeit auf sie anwenden, so möchte die Ewigkeit ebensowohl in einer Sekunde als in unendlich vielen untergebracht werden können, und es könnte sein, daß unsere Ewigkeit, das heißt unser ewiges Leben, aus unserm letzten Atemzug strömte, von dem ich mir denken kann, daß er in seinem ungeheuren Ausgleich eben ewig in einem solchen Sinne wäre. Verhielte es sich so, so wäre ich der Notwendigkeit überhoben, ein Leben nach dem Tode in meinen Gedanken zuzulassen, aber ich sehe wohl ein, daß ich mit diesen Vorstellungen noch sehr irdisch verstrickt bin, denn gleichzeitig damit, daß ich das Ewige in einen völligen Gegensatz zur Zeit setze, räume ich ja ein, daß wir nun einmal dem Gesetz der Zeit unterworfen sind, wir die Ewigkeit nicht begreifen können, und es mögen ihr wohl außer dieser einen Eigenschaft noch unendlich viele andere innewohnen. Da ist es denn wohl so, daß jene erhöhten Augenblicke, von denen ich sprach, uns nur ein Ahnen vermitteln können von dem, was eigentlich *nicht* ist, aber vielleicht wahrhaftiger vorhanden als die zeitlichen Räume, die wir gewöhnlich durchmessen. Es sind Fenster in einem dunklen Hause, und wir Geblendete sehen einen Augenblick hindurch und schließen erschreckt die Augen. Aber sollten wir uns nicht gewöhnen können, die schmerzende Helligkeit zu ertragen? Es müßte ein Wille in uns sein, hinauszusehen und zu erkennen; ich aber habe mich immer nur von der Helle blenden lassen.

Die Jahre des Krieges vergingen, und ich blieb am Leben. Manchmal meinte ich, daß von meinem Burschen eine Art Schutz und Lenkung ausging, und er konnte mir unheimlich werden. Niemals fiel einer von meinen Leuten, ohne daß er mir vorher auf irgendeine Weise eine Warnung hätte zukommen lassen. Ich versuchte, unbeeinflußt davon zu bleiben, und gewahrte meine eigene Machtlosigkeit. Eines Tages sagte er zu mir: «Ich sehe Herrn Hauptmann mit einer schwarzen Augenbrille» (— als ob es auch Brillen für andere Körperteile gäbe! —) «am Stock gehen. Der Stock hat oben eine silberne Kugel, und unten ist auch noch Silbernes.» Ich erkannte in der unbeholfenen Beschreibung dieses Stockes ein altes Familienstück wieder, das noch unberührt von mir zu Hause verwahrt lag. Ich pflegte auf solche Äußerungen, die er übrigens stets sehr nebenbei in seine Rede einzuflechten wußte, niemals zu antworten, aber ich verstand doch, daß er mir damit sagen wollte, ich würde weiterleben. Damals ging der Krieg schon seinem Ende entgegen. Ich war bereits an die schwere Last meiner Erinnerung so gewöhnt, daß mir der Gedanke an das «Zurückkommen» nicht mehr so unmöglich erschien. Auch waren wir ja alle sehr erschöpft und wehrten uns nicht mehr gegen das Schicksal.

In den allerletzten Wochen erlitt ich dann meine Verletzung, die mich mein eines Auge kostete und die nie ganz behobene Lähmung im Bein verursachte, und ich wählte mir, als ich wieder zu Hause war, mit einer Art ironischen Lächelns als Stütze jenen alten Stock, dessen Kugel mir angenehm in der Hand liegt. Auch die Brille mit dem einen schwarzen Glas trage ich ja seitdem.

In den Tagen meiner Genesung erschien er nun wieder bei mir, unangekündigt, du weißt es, du warntest mich damals vor ihm, und bat mich, ihn aufzunehmen. Zuerst behielt ich ihn zu meiner persönlichen Pflege, wobei er sehr erstaunliche heilmagnetische Kräfte bewies, so daß ich eigentlich schneller als ich erwartet hatte, meinem Gut wieder vorstehen konnte. Mit der Zeit aber, seit ich mehr und mehr ein normales Leben führte, wurde es mir lästig, einen Menschen ganz allein zu meiner persönlichen Bedienung zu haben. Auch fühlte ich mich beobachtet und bevormundet und wäre ihn gern losgewesen. Aber das erwies sich nun nicht mehr als möglich, und so schaltete ich ihn in die Gutswirtschaft ein, zu der er als ein geborenes Landkind, er ist der Sohn eines Dorfschusters, manche Eignung mitbrachte. Später erst gewahrte ich, daß ihn neben seiner Bindung an mich eine Liebschaft hielt: er hatte sich mit einer unserer Hausmägde eingelassen, die während meines Ehejahres meiner Frau persönliche Dienste geleistet hatte.

Es ist wohl natürlich, daß er auf diese Weise Kenntnis von meinen früheren Lebensumständen erhielt, doch verriet er nie mit einem Wort oder einer Miene, ob er sich darüber Gedanken machte, und wenn er mir auch oft unheimlich war, so konnte ich doch nicht umhin, ihn für seine Zuverlässigkeit und Umsicht dadurch zu belohnen, daß ich ihn schnell aufsteigen ließ. Auch hatte ja der Krieg unter meinen Angestellten manche Lücke gerissen, die geschlossen werden mußte. So heiratete er bald dieses Mädchen und wurde eine Art persönlicher Adjutant von mir, der ich ja seit dem Kriege in meiner Bewegungsfreiheit etwas gehemmt bin. Es fiel mir auf, daß die Leute ihn mieden, wie er auch im Kriege stets etwas gesondert gestanden hatte, aber möglicherweise trug hier wie dort seine Hellsichtigkeit zu dieser Sonderstellung bei, denn solche Menschen sind uns allezeit ein schlechtes Gewissen, und auch mich streifte mehr als einmal das unbehagliche Gefühl, er könne mehr von mir wissen als mir lieb sei.

Übrigens darf man aus diesem Worte «Hellsichtigkeit» nicht schließen, er habe ein besonders tiefsinniges und vielleicht gar durchgeistigtes Wesen gehabt. Eher konnte es den Anschein haben, als befinde diese Gabe sich bei ihm in einer merkwürdigen Vereinzelung, unverschmolzen mit allen seinen sonstigen Eigenschaften; so wie etwa in manchen bedeutungslosen Menschen eine starke musikalische Begabung vorhanden ist, ohne daß sie nun den ganzen übrigen Menschen zu durchdringen und zu sich heraufzuziehen vermöchte. Ja, er hatte sogar, das war mir schon im Felde aufgefallen, eine Neigung zu platten und törichten Späßen, gleich als wolle er mit ihrer Hilfe jene Vertraulichkeit herstellen, die seine Kameraden ihm versagten, obwohl er ihnen in manchen Dingen von Nutzen und hilfreich war. Ich denke hier an seine Fähigkeit, durch eine besondere Art von Massage, oder sagen wir ruhig: durch Bestreichen, gewisse Schmerzen zu lindern und fortzuschaffen. Unter den Mannschaften waren einige ältere Leute, die an Rheumatismus litten und seine Heilkräfte sehr zu rühmen wußten. Sogar der Bataillonsarzt, der doch verpflichtet war, dergleichen für Humbug und Kurpfuscherei zu halten, hat sich ganz im stillen von ihm massieren lassen. Ich selber kümmerte mich hierum nie und habe auf diesem Gebiet meine Erfahrungen mit ihm erst später gemacht. Aber davon sprach ich ja schon.

Die Jahre vergingen und befestigten ein Verhältnis, das mir trotz mancher Annehmlichkeit allmählich zur Last wurde und das ich zuweilen lieber gelöst gesehen hätte. Denn es ist ja bei solchen Beziehungen unvermeidlich, daß diese Menschen mit der Zeit immer mehr an Einfluß gewinnen und sich unvermerkt gewisse Eigenmächtigkeiten erlauben. So ist es vor einigen Monaten dahin gekommen, daß er in der Wirtschaft eine Anordnung traf, die meinen Absichten entgegenlief, und mein seit langem verdeckter Jähzorn brach auf mit einer mir selber jetzt ganz unverständlichen Heftigkeit. Doch waren diesem Vorgang natürlich andere vorangegangen, die ihn erklärlich machen, wie ja meist unsere Vergeltung eine lange Reihe von Verstößen rächt, während sie ungerechterweise nur auf den letzten, oft geringfügigen, bezogen wird. Er ertrug meinen Ausbruch in fester Haltung ohne ein Wort der Widerrede, sozusagen den militärischen Gebrauch zugrunde legend, aber mich riß es so hin, daß ich sogar den Stock gegen ihn erhob. Da sah ich seine Augen und kam zur Besinnung. Ich wandte mich ab, wissend, daß ich ihm jetzt ganz anheimgegeben war.

Da ist er nun wieder, der alte Herr, und es ist mir merkwürdig zu denken, daß er damals, nach seinem Ausbruch, auch in meine Macht gegeben war, ohne daß ich es ahnte. Wie sehr fürchtete er wohl, ich möchte mit dir zu unserer Mutter laufen und ihr den Hergang erzählen! Doch haben ja Kinder ein stetes Schuldgefühl und verschweigen oft gerade das, was zu wissen notwendig wäre. Und sein plötzliches Verschwinden, das mir damals als ein unverhofftes Glück erschien, wie sehr mag es sich in Wirklichkeit auf mich bezogen haben! Welch ein verzweifeltes Herz schlägt hinter dieser kleinen Geschichte, welch ein Mensch über dem Abgrund! Wieder und wieder suche ich mir den Reiz zu vergegenwärtigen, den er auf uns übte. Es ist der Reiz der Verhaltenheit, der Reiz, der von einem in irgendeiner Hinsicht besessenen Menschen ausgeht. Stärker als andere müssen wir Zucht üben an uns selber, wissend, wie nahe wir daran sind, unsere Freiheit einzubüßen, sobald wir einmal die Zügel lockern.

Seit jenem Ausbruch ist nun wieder die alte Unruhe und Angst über mich gekommen. Ich glaube, es war bald darauf, daß wir zusammen über den Hügel gingen und er mich in seiner wohlgesetzten und undurchschaubaren Redeweise gleichsam nebenbei darauf aufmerksam machte, daß es hier oben nicht geheuer sei. Er brauchte dabei einen merkwürdigen und albernen Ausdruck, den er irgendwo aufgelesen haben mochte; nämlich er schloß seine Bemerkungen mit den Worten: «Also wenn Herr Hauptmann gestatten, hier bewegt sich eine Potenz.» Ich erwiderte scharf, daß ich nichts von dergleichen halte, und er schwieg höflich und ergeben. Aber während er früher nach einer solchen Ableh-

nung wohl nicht gewagt hätte, darauf zurückzukommen, fing er nun beharrlich von der «Potenz» an, sooft wir diesen Weg einschlugen, was häufig genug der Fall war, denn über diesen Hügel führt die Chaussee, die meinen Besitz mit der entfernten Bahnstation verbindet. Hier oben übersieht man ja mit einem Blick alles, was mir gehört: da liegt zur Rechten das Gutshaus in einer Anhäufung alter Bäume, und links gegen Westen, ebenfalls von einem dichten Kranz von Bäumen umgeben, der See. In meinem Gefühl ist dieser Hügel mit der Kiefer eine ebenso bedeutsame Stelle wie der See und das Gutshaus. Wenn ich zur Bahn fahre, drehe ich den Kopf nach der anderen Seite.

Ich suchte nun zu vermeiden, mit ihm über den Hügel zu gehen, aber mit erfinderischer List wußte er es doch oft genug einzurichten, daß wir diesen Weg nahmen. Er quälte mich unmenschlich, und ich konnte nicht ergründen, ob es unwissentlich geschah. Schließlich faßte ich den verzweifelten Entschluß, das zu tun, was ich gleich damals hatte tun wollen, nämlich die Kette im See zu versenken. Ich schweige davon, welche Kraft und Anstrengung mich dieser Entschluß kostete. Aber bei dem Versuch, ihn auszuführen, mußte ich gewahr werden, daß im Laufe der Jahre die Wurzelbucht zugewachsen war. Da nahm ich beinahe erleichtert davon Abstand.

Ich komme nun zu jenem letzten Ereignis, kurz vor meiner Abreise, welches mich so geschüttelt hat, daß ich die Flucht ergriff und hierher fuhr, um zu irgendeinem Entschluß zu gelangen.

Ich hatte meinen Mann mit allerhand Aufträgen und Besorgungen zur Stadt geschickt, und es war vereinbart worden, daß ihn das Auto, das ohnehin zur Station mußte, zu einem bestimmten Zuge erwarten sollte, abends, kurz vor Mitternacht. Ich saß zu später Stunde im Saal und musizierte und muß sein Eintreten überhört haben, denn plötzlich stand er vor mir, bleich und völlig verwirrt. Ganz gegen seine Gewohnheit sprudelte er seine Erzählung in Bruchstücken hervor, so daß ich mir die ohnehin ungereimte Geschichte nur mühsam zusammensetzen konnte. Aus irgendeinem gleichgültigen Grunde war er schon einen Zug früher aus der Stadt zurückgekommen. Statt nun auf der Station das Auto zu erwarten, verspürte er plötzlich die Lust, den Weg zu Fuß zu machen.

Als er sich dem Hügel näherte, überkam ihn das Verlangen, einen jener läppischen Späße zu unternehmen, auf die ich schon hingedeutet habe. Er erkletterte also die Kiefer und gedachte, hier oben das Auto, das nun bald kommen mußte, zu erwarten und den Chauffeur mit irgendeinem unheimlichen Geschrei aus der Finsternis zu erschrecken und zum Halten zu bringen. Vielleicht hatte er den Leuten auch von der Besonderheit jenes Ortes erzählt, ohne mit einem solchen Bericht viel Glauben zu finden, und wollte jetzt auf diese nicht ganz redliche Art seine Behauptungen erhärten.

Während er nun wartend im Geäst der Kiefer hockt, bemerkt er ein einzelnes Licht, das von der Seite des Sees her über die Felder kommt. Er denkt an einen Radfahrer, an ein Motorrad, aber für den einen bewegt es sich zu rasch, für das andere zu lautlos; auch führt an dieser Stelle kein Weg. Er wundert sich, aber viel überlegen kann er nicht, dazu geht alles zu geschwind, ja, er kommt nicht einmal dazu, genau zu beobachten, und so kann er auch nachher über dieses Licht, etwa seine Farbe, Stärke und Strahlungsart sehr wenig aussagen. Denn dies Licht bewegt sich mit sehr großer Schnelligkeit den Hügel hinan, und jetzt erst gewahrt der Mann, daß es keinerlei Verbindung zum Erdboden hat. Es fährt über ihm mit einem plötzlichen Prasseln in den Wipfel der Kiefer, und dann ist wieder alles dunkel und still. Bald danach kommt dann auch das Auto den Berg hinauf, aber nun ist er zu keinem Scherz mehr aufgelegt.

Zuletzt sagte er wieder: «Nämlich, wenn Herr Hauptmann gestatten, da hat sich eine Potenz bewegt.»

Ich habe mühsam zugehört. Zu erklären ist auch hier nichts, es sei denn, daß man sich wieder auf die Kategorie der Anzeichen beruft und ihr den Vorgang einordnet.

Es ist also nichts zu seinem Ende gekommen. Nicht nur ich habe die Last geschleppt, auch der Frau ist die Ruhe versagt worden. Ich schickte den aufgeregten Mann nach Hause und ging die halbe Nacht über in meinem Arbeitszimmer auf und ab.

Am nächsten Tage bestürmte er mich mit unaufhörlichen Bitten, der Sache auf den Grund zu gehen. Es müsse an jener Stelle einmal etwas Außergewöhnliches geschehen, vielleicht gar ein Verbrechen begangen worden sein, darum habe sich die Potenz bewegt, und man müsse nachforschen. Er schlug vor, die Kiefer zu fällen und unter dem Wurzelwerk zu graben. Ich lehnte das mit kurzen, ja groben Worten ab und erklärte das Ganze für eine Kinderei. Am übernächsten Tage fuhr ich hierher. Die Ernte ist eingebracht, und die Arbeit nimmt nun auch ohne mein Zutun ihren Verlauf.

Es sind viele Herbsttage vergangen, seit ich an diesen Aufzeichnungen geschrieben habe, und beim Überlesen kommen sie mir fremd und veraltet vor, wie ja auch ein jeder Brief, den wir nur eine Nacht liegen ließen, ohne ihn abzuschicken, am nächsten Tage in irgendeinem Sinne nicht mehr zutrifft. Wir sind am Morgen nicht mehr dieselben wie am Abend zuvor.

Ich bin viel spazierengegangen, auf die langsame Art, die mir mein körperliches Leiden vorschreibt, und ich kam dabei oft in die Nähe jener Glasfabrik, deren abscheuliche Erzeugnisse hier zum Mittelpunkt der Andenkenindustrie geworden sind. Meine Frau hatte eine besondere Vorliebe für diese buntgeschliffenen Kelchgläser, die damals Mode waren, und ich erinnere mich noch des nachsichtigen Lächelns, liebste Schwester, mit dem du diese farbigen Regimenter in unserem schönen Gartensaal bei deinem ersten Besuch nach unserer Heirat streiftest. Ich bin mehr als einmal in Versuchung gewesen, sie alle zu zertrümmern.

Ich bog eines Tages, um mich auszuruhen, in das weitläufige Hofgelände hinter der langgestreckten Fabrik ein und saß einige Zeit auf einem dicken Baumstamm. Ich machte die gleichgültige Wahrnehmung, daß dies Gebäude aus einem älteren Mittelstück und zwei angefügten neueren Teilen besteht, und plötzlich waren diese neueren Teile verschwunden und ich erinnerte mich nun des alten Teils, so wie er damals allein in der Landschaft gestanden hat. Und da tauchte auch schon eine undeutliche Erinnerung auf an einen Besuch, den wir dieser Fabrik als Kinder abgestattet haben müssen. Zugleich fragte ich mich verwundert, wie es denn hat zugehen können, daß wir beide, du und ich, später nie mehr von diesem Erlebnis gesprochen haben, während wir doch so oft gleichgültige Kindheitserinnerungen miteinander erörterten. Dabei wäre es notwendig gewesen, hiervon zu sprechen. Aber vielleicht vermochten wir das noch nicht zu erkennen oder wir schoben es hinaus, in der Meinung, die rechte Stunde werde noch kommen. Und so hat dieser rätselhafte Zwang zum Hinausschieben es bewirkt, daß auch hiervon erst gesprochen wird zu einer Zeit, da ich dich nur auf diese Weise anreden kann, ohne mich deiner Antwort versehen zu dürfen. Aber am Ende ist gerade das die rechte Stunde, und wir Hinausschiebenden kommen nie zu spät.

Ich entschloß mich jetzt schnell, mit einigen anderen Fremden, die am Eingang warteten, an einer Besichtigung teilzunehmen, und nun war mit einem Male alles wieder so wunderbar vertraut wie am ersten Morgen meines Hierseins, als ich unser altes Haus auffand. Schon während wir durch die neueren Teile gingen, durch die Brennerei und Schleiferei, steigerte sich meine Erwartung unaufhörlich zu einem einzigen starken Brausen, und nun traten wir in den riesen Raum des alten Gebäudes, der noch heute das Kernstück der ganzen Anlage enthält: die Glasbläserei.

Fast meine ich, es kann mir nicht gelingen, das zu schildern, was mich so völlig überwältigte. Denn an den gleichgültigen Gesichtern meiner Mitbesucher sah ich ja, daß hier nichts geboten wurde, was in Erstaunen versetzen dürfte. In der Mitte der langen Halle steht ein riesiger, runder Ofen, dessen Wandung von unzähligen Schächten durchbrochen ist. Durch diese Schächte sieht man in das feurigglühende Innere. Vor jeder der roten Öffnungen hantiert ein halbnackter Mann mit einem langen Blasrohr. Er tritt an die Öffnung heran, er holt mit dem Rohr einen Klumpen glühendes Glas heraus, kehrt vorsichtig um und geht dann mit einigen feierlichen Schritten an eine Rampe, die den Ofen in einem Ring umgibt. Er hebt sein Rohr mit der Feuerkugel in einer gemessenen Geste in die Höhe und bläst nun lautlos hinein, der leuchtenden Masse mannigfache Formen gebend, in der wunderbaren Haltung eines Engels, der die Tube zum Jüngsten Gericht rufend erhebt. Dieses Schauspiel wiederholt in ruhigen Bewegungen ein jeder der vielen Männer, die dort hantieren, so daß man zwar fortwährend ein Einzelnes und Verschiedenes der vielfältigen Handlung vor sich hat, aber trotzdem in jedem Augenblick das Ganze des unvergleichlichen Vorgangs erlebt. Es ist ein fortwährendes An- und Abschwellen, ein Sichstrecken zu dem gewaltigen Augenblick, da die Tuben erhoben werden. Dieser Augenblick ist ebenso unvergänglich, wie er unvergeßlich ist: ja, ich habe ihn bewahrt durch alle Jahre hindurch, ohne es zu wissen, von meiner frühesten Kindheit an. Ich erkannte die feierliche Geste wieder, ich ergriff von ihr Besitz, die doch immer mein gewesen ist. Sie rührte mich an, daß mir ein Aufschluchzen in die Kehle drang, und ich erschrak, als ich sah, daß ich als Einziger zurückgeblieben war. Draußen blendete die Mittagshelle, denn in der Halle war es dämmerig gewesen trotz des feurigen Ofens.

Ich ging den kurzen Weg nach Hause in einer seligen Ergriffenheit. Ich fühlte, daß mir etwas Gnadenvolles zuteil geworden war, und konnte mir doch keine Rechenschaft davon geben. Ich versuchte, die beiden Erinnerungen miteinander zu vergleichen; jenes erste furchtbare Erlebnis mit dem alten Herrn, welches das Anfangsglied gewesen ist zu allen irdischen Verstrickungen, in die ich geraten bin, und dieses zweite, das eigentlich nur von einer großartigen Geste seinen Ausgang nimmt und nun so voller Verheißung von mir Besitz ergriffen hatte. Das erste vermochte ich zu deuten in seiner sichtbaren Beziehung zu mir und meinem Schicksal. Das zweite, das mir nun allein wichtig scheint, ist von einer im letzten Grunde unentzifferbaren Einsicht begleitet. Fassen kann ich sie nur in ihren Wirkungen: in der feierlichen Gelassenheit, die mich erfüllt und die alle irdische Furcht in mir vernichtet hat. Denn was habe ich noch zu fürchten, da mich ein Engel, die Tube erhebend, zum Jüngsten Gericht aufgerufen hat? Da ziemt es sich denn wohl, von Ewigkeit zu sprechen, und hinter diesem Wort verblassen alle jene erhöhten Augenblicke, denen ich vordem eine so große Bedeutung zumaß. Ich Tor, der ich die Ewigkeit aus der kurzen Zeitspanne eines trügenden irdischen Rausches begreifen wollte! Spiegelbilder und Gleichnisse waren es, und ich Geblendeter sah nicht den wirklichen Engel, der mich rief.

Was nun noch zu berichten bleibt, ist mit wenigen Worten gesagt.

Ich habe in diesen Wochen öfter Nachricht von meinem früheren Burschen bekommen, und in jeden Brief hatte er auf seine vertrackte Art die Bitte eingeflochten, die Kiefer umhauen lassen zu dürfen. Ich hatte ihm ein für allemal geantwortet, daß ich ihm hierzu nicht die Erlaubnis erteilen könne. Dann erhielt ich längere Zeit keine Nachricht, aber als ich an jenem denkwürdigen Tage von der Glasfabrik zurückkam, fand ich ein Päckchen auf meinem Schreibtisch. Die Adresse war von seiner Hand. Obenauf lag ein Brief, den ich im Wortlaut hersetzen will:

«Herr Hauptmann hatten mir untersagt, die Kiefer zu fällen. Aber es hat mir keine Ruhe gelassen. Unsereins hat ja auch seine schlechten Leidenschaften, genauso wie Herr Hauptmann selber. Ich dachte auch, Herrn Hauptmann einen guten Dienst zu leisten, aber die Sache ist anders gelaufen. Ich habe die Kiefer fällen lassen und gesagt, Herr Hauptmann hätten das so bestimmt. Den Stubben habe ich dann alleine ausgegraben, es ist niemand dabeigewesen. Die Kette erkannte meine Frau gleich wieder. Sonst hat sie niemand gesehen.

Ich denke nun, es ist am besten, ich gehe. Herr Hauptmann werden mir meinen Ungehorsam ja doch nie verzeihen können. Ich habe schon immer Lust gehabt zum Heilmagnetiseur. Herr Hauptmann wollen mir bitte mein Zeugnis schicken, damit ich am Ersten fortkann.

P. S. Herr Hauptmann können unbesorgt sein.»

Ich habe mich gewundert, wie wenig mich das alles erregt hat. Ich habe keinen Zorn gegen den Mann empfunden, und doch muß ich denken, welche Raserei der Wut mich überfallen hätte, wenn dies geschehen wäre, ehe ich dem Engel wieder begegnete, der zornlos zum Gericht ruft. Auch dieser

Engel ist ja in mir gewesen alle die Jahre hindurch, wie er, geliebte Schwester, in dir gewesen ist. Nicht nur unsere Verstrickungen, sondern auch unsere Befreiungen gründen in den ersten Zeiten der Kindheit. Wie nahe stehen sie beieinander: der alte Herr, der mit der Harke gegen mich ausholte, und der Engel, der die Tuba an den Mund hebt.

Ich ließ die Kette durch meine Hand gleiten und spürte, daß ihr keine Schrecknisse mehr innewohnten. Ich bedachte, daß ich nun in dieses unheimlichen Mannes Hand gegeben war, und auch das ließ mich kühl, wie ja oft Ereignisse, die wir sehr fürchten, viel von ihrer Schrecklichkeit einbüßen, wenn sie erst eingetreten sind. Ja, ich kann nichts anderes sagen, als daß ich mich auf eine wunderliche Weise befreit fühle.

Ich habe die Kette mit meinem silbernen Stock in den tiefen Schlamm eines Waldbaches hineingestoßen und ein Vaterunser darüber gesprochen. Dann erst habe ich meinem früheren Burschen sein Zeugnis geschickt, ohne ein Wort hinzuzufügen.

Die Flamme im Säulenholz

Diese Geschichte ist von vergangenen Zeiten her überliefert worden; es ist nicht gewiß, ob alles in ihr wörtlich verstanden werden muß.

Der Kürschnergesell Lindenschmidt aus Frauenburg im preußischen Bistum Ermland hatte es sich in den Kopf gesetzt, nach Livland auszuwandern, wo es nach den langen Kriegszeiten an Menschen fehlte und die Aussichten für einen tüchtigen Mann günstig sein sollten. Es kam nicht dazu, weil er seinen Glauben nicht aufgeben wollte; die Katholiken waren damals in Livland zu keiner bürgerlichen Nahrung zugelassen.

Dann gab es neue Kriegszeiten, das Land fiel an Polen, und nun hatte Lindenschmidt keine Behinderung zu fürchten; zugleich pries er sein Glück, daß er nicht in die elenden Kriegsläufte hineingeraten war. Er ließ sich in dem livländischen Städtchen Wenden nieder, erlangte das Meisterrecht und heiratete. Es kamen viele Polen ins Land, erwarben Ämter und Besitz, und da Lindenschmidt ein katholischer Mann war, so gaben sie ihm den Vorzug. Er brachte es zu Wohlstand, er besaß ein stattliches und, was in Wenden selten war, zweistöckiges Haus, an der großen Straße, unweit der Dörptschen Pforte gelegen. Zu ebner Erde befand sich die Werkstatt, droben waren die Wohnräume. Haus und Geschäft hinterließ er seinem Sohn Markus. Auch dieser war Meister geworden und hatte geheiratet. Schon im Lande geboren, war er gänzlich einheimisch und nur durch den Glauben von den meisten seiner Mitbürger unterschieden. Denn die Altansässigen waren Lutheraner, katholisch nur die Neuzugezogenen und diejenigen, die sich nach dem Einmarsch der Polen zur alten Kirche hatten zurückführen lassen.

Es gab gute Zeiten, aber in jenen Jahrhunderten dauerten gute Zeiten dortzulande nicht lange. Markus Lindenschmidt hatte einen der Kriege mitzuerleben, deren verworrene Einzelheiten den Nachgeborenen kaum des Gedächtnisses würdig scheinen wollen.

Während dieses Krieges war die Stadt eine Weile in schwedischen Händen. Der römische Gottesdienst wurde verboten und den Bürgern aufgegeben, keine Heiligenbilder, Weihbrunnkessel oder sonstiges Zubehör der Abgötterei in ihren Wohnungen zu haben. Patrouillen gingen durch die Häuser und überzeugten sich, daß dem Befehl nachgefolgt wurde.

Markus Lindenschmidt hatte sich zur Abnahme seines ererbten, vom Vater aus Preußen mitgebrachten Muttergottesbildes nicht entschließen mögen; es hing droben im Wohnzimmer an einer in der Mitte des Raumes stehenden und die Decke stützenden hölzernen Säule, die mit grauer Farbe gestrichen war. Er riß das Bild erst vom Holz, als er, zufällig aus dem Fenster blickend, einen Korporal und zwei Mann über die Straße kommen sah. In seiner Hast, seinem Zorn und Schrecken tat er das so heftig, daß er den Nagel, der das Bild trug, mit herausriß. Er schob es hinter den Schrank. Das kupferne Weihwasserbecken, das mit zwei Schrauben am Türrahmen befestigt war, ließ sich so geschwind nicht ablösen. Lindenschmidt zog seinen Rock aus und hängte ihn darüber. Die Soldaten kamen, alles ging glücklich ab. Hernach versteckte Lindenschmidt Bild und Weihbrunnkessel im Keller, wo bereits das Kruzifix sicher untergebracht war. Das Weihwasser aber stand nun in einem irdenen Schälchen, dem man seinen Zweck nicht ansah, auf einem kleinen Tisch neben dem Zimmereingang.

Noch während dieser schwedischen Zeit brachten durchmarschierende Truppen eine unbekannte Krankheit in die Stadt und unter ein Geschlecht, dessen Vorstellungskraft durch Kriegsdrangsal, Brand, Hunger, Kometen und schreckhafte Wunderberichte bis zur Glut erhitzt war. Sie erfaßte

Menschen ohne Unterschied des Lebensalters und der körperlichen Beschaffenheit. Der Zugriff der Krankheit aber, so ist erzählt worden, vollzog sich dergestalt, daß ein bläuliches Flämmchen von Fingernagelgröße durch die Straßen und Häuser schwebte. Einige sagten, die Flamme habe leise gesummt oder gesungen, und das habe sich feierlich und furchtbar zugleich angehört. Übrigens hieß es später auch, diese Flamme hätte ihrer geistigen Natur wegen nicht von jedermann wahrgenommen werden können. Wer nun von ihr berührt wurde, dessen Gesicht verfärbte sich. Von einem Augenblick zum andern vollzog sich die hippokratische Veränderung der Züge. Manche fielen auf der Straße tot um, andere gelangten bis in ihre Wohnungen, und vielleicht hatte dieser oder jener noch Zeit, sein Haus zu bestellen.

Es starben sehr viele. Ärzte und Bader wußten nichts auszurichten. Manche Häuser wurden leer. Es gab Leute, die sich nicht mehr auf die Straße trauten und es nicht wagten, die Fenster zu öffnen. Dienstboten weigerten sich, auf den Markt oder zum Bäcker zu gehen. Es kam vor, daß ein Trauergeleit schreiend auseinanderstob und der Sarg verlassen vor der Kirchhofsmauer stehenblieb, weil jemand das Flämmchen, das doch im Sonnenschein schwer wahrnehmbar war, erblickt haben wollte und einen Ruf des Entsetzens ausgestoßen hatte. Viele hätten fliehen mögen, aber wohin? Das Land war halb wüst geworden; auf allen Straßen lauerten marodierende Soldaten und verzweifelte, in den Busch gelaufene Bauern.

An einem wolkigen Sonntagnachmittag im Herbst befand sich das Ehepaar Lindenschmidt in der Wohnstube. Das Haus war still, die beiden kleinen Töchter waren für den Mittagsschlaf in ihrer Kammer zu Bett gebracht worden, der Lehrjunge Kortbehn war zu seinen Eltern gegangen, und sonst gehörte niemand mehr zur Haushaltung, seit der Altgesell und die Magd gestorben waren und die Polen den zweiten Gesellen unter die Soldaten gesteckt hatten.

Die Frau saß schläfrig strickend am Ofen, der Mann ging

auf und nieder und erwog, halblaut vor sich hinsprechend, wie er wohl vorzugehen habe, um von einem zur Zahlung unwilligen Offizier das Geld hereinzubekommen. Es kratzte draußen an der Tür, gleich darauf wurde die Klinke niedergedrückt, der bejahrte Wolfshund trottete wedelnd ins Zimmer und legte sich vor dem Ofen auf den Fußboden. Lindenschmidt wollte hinter ihm die Tür schließen, da schrie die Frau auf. Ein bläuliches Flämmchen war mit dem Hunde hereingeschwebt.

Die Frau bekreuzte sich wimmernd, der Mann blieb stehen wie ein plötzlich Gelähmter, der Hund fuhr fort, behaglich zu schnaufen. Die Eheleute wußten aus allen Erzählungen, daß es nichts nützte, wenn man zu fliehen versuchte; gewissen Tieren vergleichbar, konnte die Flamme den Regungslosen schonen, dem Davoneilenden schoß sie nach. Der Mann wagte es auch nicht, ihr wie einem eingeflogenen Vogel die Fenster zu öffnen.

Die Flamme gaukelte umher, nicht viel anders als ein Schmetterling. Sie glitt auf die Frau zu, bog ab, rastete auf dem Tisch und danach auf der Armlehne eines Polsterstuhles. Sie näherte sich dem Manne, wandte sich von ihm und umstrich wieder den Ofen.

Mit schreckhaft geöffneten Augen folgten die beiden jeder Bewegung. Diese Bewegungen schienen unschlüssig, und es war nicht zu erkennen, wie weit sie von einem Willen gelenkt wurden.

Die Flamme schwebte dem Fenster zu und haftete einige Augenblicke am Rahmen. Die beiden Lindenschmidts hörten jetzt ihr leises, summendes Singen.

Sie kehrte ins Innere des Zimmers zurück und kreiste langsam um die Säule. Sie gelangte an das offene Loch des Nagels, der das Muttergottesbild getragen hatte. Sie strich einige Male darüber hin, dann schien sie sich zu verschmälern wie ein die Flügel faltendes Kerbtier. Plötzlich schlüpfte sie in das Loch und war nicht mehr sichtbar.

In diesem Augenblick löste sich der Mann aus seiner Er-

starrung. Er zog hastig, mit bebenden Händen, das Messer aus der Tasche und schnitt einen Span von der Holzsäule. Er tauchte den Span in das fast schon ausgetrocknete Weihwasserschälchen, riß sich den Schuh vom rechten Fuße und trieb, ihn als Hammer benutzend, den Span wie einen Zapfen in das Nagelloch. Sein Gesicht, so erzählte ihm nachher die Frau, ist schneebleich gewesen.

Er atmete tief, schloß die Tür und setzte sich dann neben seine Frau; stumm griff er nach ihrer Hand.

Auch die Frau sagte nichts. Etwas später, als es Zeit war, die Kinder aufzunehmen, erhob sie sich und ging in die Kammer. Der Mann folgte ihr, und sie drückten die beiden Mädchen an sich und küßten sie auf die rot und heiß geschlafenen Backen.

Gegen Abend ging Lindenschmidt aus dem Hause. Er suchte Bekannte auf und hörte sich um. Überall traf er Aufatmende: kein neuer Krankheitsfall war bekanntgeworden; ja, es schien eine sonderbare Rückläufigkeit der Wirkung eingetreten, denn wer von den letzthin Erkrankten noch am Leben war, an dem ließen sich unmißverständliche Anzeichen der Besserung wahrnehmen. Alle diese genasen in der

Folge, und von jenem Sonntag an ist in Wenden niemand mehr von der Seuche ergriffen worden.

Aus einer beiden gemeinsamen Scheu mochten die Eheleute in den ersten Stunden unter sich nicht recht von dem Vorfall sprechen. Dies geschah erst in der Nacht vom Sonntag auf den Montag, als sie nebeneinander im Bett lagen, indessen keinen Schlaf hatten. Erst jetzt trat es völlig in ihr Bewußtsein, daß nicht nur sie selber vor dem Unheil behütet geblieben waren, sondern daß möglicherweise der Krankheit überhaupt ein Ende geboten war. Die Frau sagte geradezu: «Vielleicht hast du nicht nur dich und mich, sondern die ganze Stadt gerettet.»

Der Mann mochte das nicht gleich wahrhaben. «Glaubst du das wirklich?» fragte er zweifelnd, fast erschrocken. Aber schon anderen Tages, da sich die Krankheit als erloschen darstellte, begann er der Frau rechtzugeben. «Wenn du meinst, es habe sich so verhalten – nun, man könnte es so ansehen», sagte er.

Doch kamen sie überein, zu niemandem von der Sache zu reden; es schien ihnen nicht angängig, ein Begebnis, das für sie alle Schauer der Ungeheuerlichkeit hatte, zum Bürgergespräch zu machen. Mit der Zeit veränderte sich, wie es ja menschlich ist, in Lindenschmidts Erinnerung das Geschehene. Er, der doch nur, einem gesunden Tiere ähnlich, aus einem Triebe gehandelt hatte, um sich und die Seinen zu schützen, er begann nun, nicht zuletzt unter der Einwirkung der Frau, zu der Meinung zu neigen, er habe nach einem hurtig gefaßten Plane die Stadt und ihre Einwohnerschaft errettet. Es wurde ihm schwer, sich nichts anmerken zu lassen.

Lindenschmidt war ein mutiger Mann, und auch seine Frau hatte wenig Furcht. Dennoch gab sie mitunter zu bedenken, ob man nicht das Haus verkaufen und sich nach einem anderen umtun solle. Aber der Mann widersprach, und auch sie mochte nicht beharren, denn das Haus war bequem und vorteilhaft, dazu für das Handwerk günstig gelegen. Ein großer Teil der Stadt war während der Kriegshandlungen und Brände zerstört worden, so wäre es nicht leicht gewesen, den passenden Ersatz zu finden. Und wenn man das Haus aus Händen gäbe, wie leicht konnte unter einem fremden Eigentümer etwas geschehen, das die eingeschlossene Flamme befreite – welche Verantwortung hätte man alsdann auf sich geladen! Und stünde der Flamme einmal die ganze Stadt offen, so würde sie ja auch vor dem neuen Hause nicht haltmachen.

Das weiß ein jeder, der einmal in einer besonderen Gefahr gewesen ist oder irgendeine besondere Handlung verrichtet hat, daß dergleichen sich nicht erhält; vielmehr sinkt es aus der Gegenwärtigkeit ins Gedächtnis ab. In diesem ist es vorhanden, steigt aber, da ja jeder Tag Ansprüche und Verdrießlichkeiten und Befriedigungen hat, immer seltener in eine Scheingegenwärtigkeit empor. Das bewahrheitete sich auch an Lindenschmidt und an seiner Frau. Nur vollzog sich hier dieser natürliche Vorgang nicht in dem Grade wie wohl sonst; denn was im Hause verblieben war, das war nicht nur ein Erinnerungsstück, sondern es war, obzwar verwahrt und verriegelt, das Schrecknis selber. Hier lag eine Gefahr wie ein schlafendes Raubtier; ein Ungefähr konnte sie wecken.

Ja, es kam mitunter der sonderbare Gedanke über Lindenschmidt, sein eigentliches Leben bestehe nicht so sehr in seiner alltäglichen Hantierung und deren Sorgen, im Umgang mit den Seinen und in den kleinen Zerstreuungen, die er sich gönnte, als vielmehr darin, daß er von dem Flämmchen in der Säule wußte.

Gleich als strebe die gefesselte Flamme sich zu befreien, so schien das Geheimnis den Ausweg aus Lindenschmidts Brust zu begehren. Und mit der Frau stand es nicht viel anders. Es war den Eheleuten nun nicht mehr genau erinnerlich, aus welchem Grunde sie ihren Schweigeentschluß gefaßt hatten und worin sein Recht bestehen sollte. Sie schwankten noch, da fielen Gefechte vor, die Schweden waren fort, die Polen hatten wieder die Botmäßigkeit, der Bischof saß wieder im Wendener Schloß, und wie in der schwedischen Zeit nach Muttergottesbildern und Rosenkränzen gesucht worden war, so fahndete man jetzt nach lutherischen Bibeln, Katechismen und Gesangbüchern. Lindenschmidt hielt die Zeit für gekommen, und ohne Vorwissen seiner Frau eröffnete er sich einem Priester. Es schien ihm hier zugleich eine Verpflichtung vorzuliegen.

Der Geistliche redete ihm wohlwollend zu, aber, wie es den Anschein hatte, in einiger Verlegenheit. Offenbar wußte er nicht, was er von dieser Geschichte halten sollte, und nahm vielleicht an, Lindenschmidt sei damals von den letzten Ausläufern der Krankheit erfaßt und in Fieberträume gestürzt worden. So liefen denn seine Antworten in der Hauptsache darauf hinaus, man müsse Gott für das Verschwinden der Seuche dankbar sein.

Enttäuscht und verdrossen berichtete Lindenschmidt seiner Frau von dieser Aufnahme seiner Mitteilung. Sie machte ihm keine Vorwürfe, daß er die Schweigevereinbarung, deren Notwendigkeit ja auch ihr fraglich geworden war, hinter ihrem Rücken gebrochen hatte. Im stillen hatte sie es sich so gewünscht, schließlich war es ein Priester, und was lag näher, als einem solchen das wunderhafte Geschehnis zu offenbaren? Förmlich überbot sie nun aber den Mann an hitziger Empörung, so als sei ihm ein rechtmäßiger Ruhm böswillig vorenthalten worden. Und doch mochte sie nach dieser Erfahrung nicht geradenwegs anraten, sich von anderen Zuhörern zu beschaffen, was der Priester verweigert hatte.

Ein halbes Jahr später starb die Frau an einer mißglückten Geburt; vielleicht hatte sie nicht mehr Jugendlichkeit genug in sich gehabt. Plötzlich sah Lindenschmidt sich nicht nur von der Gefährtin verlassen: er sah sich auch allein mit seinem Geheimnis.

Das Geheimnis war für den Einschichtigen noch schwerer zu bewahren als vordem für das Ehepaar. Auch hatte Lindenschmidt jetzt bald die Vorstellung, es liege gewissermaßen im Vermächtnis der Frau, daß er die Wahrheit zu Ehren und Öffentlichkeit zu bringen habe.

Es wandten sich ihm in dieser Zeit manches Mitleid und manche Freundlichkeit zu. Das erleichterte es ihm, endlich hier und da den Mund aufzutun und sich zu erleichtern.

Man kannte ihn als einen ruhigen, verläßlichen, nüchtern gesonnenen Mann, dem höchstens eine gelegentliche Reizbarkeit nachzusagen war. Einige Leute glaubten ihm und lobten seine Entschlossenheit, Umsicht und Gegenwart des Geistes. Andere lächelten. Manche wollten eine Segenskraft des Muttergottesbildes in dem Vorgang erkennen, Andersgesonnene indessen, und diese waren in der Mehrheit, meinten mit einem kleinen Spott, da habe man also den Schweden als den Schützern des evangelischen, den Unterdrückern des katholischen Glaubens die Rettung aus der Krankheitsnot zu danken; denn wenn Lindenschmidt nicht gezwungenermaßen das Bild abgenommen hätte, so hätte die Flamme sich nicht in das entstandene Loch flüchten und dort unschädlich gemacht werden können. Doch gab es auch solche, die alles für Großsprecherei hielten und darüber lachten, und wiederum solche, die ihre vielleicht hämische Zweifelsucht nur um des Friedens willen im Zaum hielten, ohne sie doch ganz verhehlen zu können. Zu diesen gehörte der Stellmacher und Wagenbauer Kortbehn, dessen Sohn jetzt am Ende seiner Lehrzeit bei Lindenschmidt stand und bereits an seinem Gesellenstück arbeitete. Hinterher reute es Lindenschmidt, daß er zu dem windigen Manne gesprochen, ja es reute ihn, daß er überhaupt dessen Sohn in sein Haus genommen hatte, und er hätte dies wohl auch nicht getan, wenn nicht seine frühverstorbene Schwester in die weitläufige Kortbehnsche Verwandtschaft hineingeheiratet hätte. Kortbehn erschien in Angelegenheiten des Sohnes mitunter bei ihm in der Werkstatt, man kam ins Gespräch, und da war Lindenschmidt ins Erzählen geraten, ohne daß dies seine Absicht gewesen war. Übrigens hatte das keine Wichtigkeit und lohnte keinen Ärger, denn nachdem Lindenschmidt einmal in der Stadt den Mund geöffnet hatte, war die Geschichte ohnehin schnell von einem Haus ins andere gelaufen, und Kortbehns zweideutiger Miene wäre er doch nicht entgangen.

In einigen Fällen erbitterte der Unglaube, den Lindenschmidt fand, ihn in einem solchen Grade, daß er mit Heftigkeit ausrief: «Ich könnte euch wohl einen Beweis geben, der euch nicht lieb wäre!»

Dieser Gedanke suchte ihn nun des öfteren heim und konnte auch von seinem Anlaß, nämlich der Ungläubigkeit der Mitbürger, auf gänzlich andere Zusammenhänge überspringen. Auch früher schon war Lindenschmidt von gewissen Anfechtungen nicht frei gewesen. Vorzüglich, wenn ihn irgendein Zorn erfaßte, was dem vollblütigen Manne leicht begegnete, und sei es auch nur auf Grund einer geringfügigen Mißhelligkeit mit seiner Frau, hatte ihn ein welt- und selbstfeindliches Gelüst anrühren können. Freilich wußte er, daß er ihm nicht nachgeben würde, gleichwie der Mensch, der in einem Anfall von Zornmütigkeit sich lustvoll ausmalt, wie es sein wird, wenn er sich den Hals abgeschnitten hat, ebenfalls im Hintergrund seines Gemüts weiß, daß er das Rasiermesser nicht zu solchen Zwecken auseinanderklappen wird.

Jetzt aber, da nach dem Tode der Frau Anwandlungen der Schwermut und Menschenfeindlichkeit häufiger über ihn Macht gewannen, jetzt wandelte ihn auch häufiger, wenn auch immer noch halb im Spiel, eine höllische Lust an, mit Hammer, Nagel und Nebenkeil den Zapfen herauszujagen und so sich selber samt aller umgebenden Welt stracks zum Teufel fahren zu lassen oder doch wenigstens sich ein so krasses Geschehnis vorzustellen. Daß dergleichen jederzeit in seiner Gewalt stand, das konnte ihm zugleich ein stolzes Gefühl geben, als vermöge ihm nichts mehr zu geschehen. Da glich er dem Gefangenen, der sich vor seinen Richtern und Schließern diese letzte Freiheit bewahrt hat, daß er in seinem Bettstroh ein winziges Fläschchen mit Tropfen oder eine Kapsel mit einem Pulver verborgen hält und hieraus eine unzerstörbare, aber heimliche Überlegenheit gewinnt, wohl wissend, daß die äußerste Zuflucht ihm immer noch offensteht. So lag es in Lindenschmidts Hand, mit dem Herausreißen des Zapfens das Heil, das er gegeben hatte, wieder zurückzunehmen, Ungläubige zu strafen und damit überdies auszugleichen, was in seinem eigenen Leben höckerig sein mochte.

Wirklich in seiner Hand? Manchmal war ihm zu Mut, als werde das Eingeschlossene nicht erst seine Zustimmung abwarten, um sich freizumachen, sondern, mächtiger als er, ihn vielleicht zwingen, die hierbei notwendigen Handbietungen zu leisten. Manchmal war ihm, als sei das ganze Dasein voll geheimer Beispiele und Hindeutungen. Da ergriff ihn die seltsame Vorstellung, die platzende Samenkapsel einer Pflanze, das die Eischale zerbrechende Küken wollte ihn geheimnisvoll belehren. Er war nicht gewohnt, auf Träume zu merken oder sich zu fragen, was sie besagen wollten. Aber nun fühlte er, daß schon früher, lange vor dem Tode der Frau, seine Träume in allerlei Einkleidungen hierher gewiesen hatten. So suchte ihn bisweilen ein Traum von kochendem Wasser heim, das durch die Gewalt der Dämpfe endlich den Topfdeckel abschleudert und nun hochwallt, oder auch von einer Musketenkugel, die feurig dröhnend sich aus der dunklen Höhlung befreit. Einmal, im Spätwinter und am Flußufer, empfand er, was ihm in jüngeren Jahren nie geschehen war, eine wilde Lust am Zerren und Rucken der gefesselten Wassermächte, am krachenden, splitternden Brechen des Eises. Nicht daß er sich dergleichen in klare Begriffe umgesetzt hätte, aber es verstärkte in ihm ein neues Grundgefühl seines Daseins.

Und doch enthielt sein Dasein, sah er von dem allmählich sich sänftigenden Kummer um die Frau ab, auch wiederum manches, das ihn zu Dankbarkeit und Zufriedenheit stimmen konnte. Er war leidlich durch die Zeiten gekommen, fast als habe er einen Talisman im Hause. Einigen Plünderungen hatte er nicht entgehen können; aber inmitten von Beschießungen und Feuersbrünsten hatte er doch sein Haus heil behalten und damit einen Vorzug vor vielen anderen. Einige Räumlichkeiten konnte er vorteilhaft vermieten, und sein Gewerbe hatte keine Unterbrechung erfahren. Freilich mußte er bemerken, daß er Neider hatte.

Seine Töchter wuchsen gesund heran, es waren muntere und ansehnliche Mädchen. Als sie ein bestimmtes Alter erreicht hatten, ging er eines Sonntagnachmittags mit ihnen auf den Kirchhof, und hier, am Grabe seiner Frau, erzählte er ihnen die Geschichte der Krankheit, der Flamme und der Säule, von der sie durch ihren Umgang doch schon dies und jenes hatten reden hören. Jetzt hatten sie Ehrerbietung genug, sich des Lächelns und Kopfschüttelns zu enthalten; aber es war nicht recht zu erkennen, ob sie glaubten oder sich nur dem Vater zuliebe den Anschein der Gläubigkeit gaben. «Ach ja», sagte die Ältere, «damals war ja der alte Wolfshund noch am Leben.» Und dann kam die Jüngere wieder darauf zu sprechen, ob man nicht einen Pudel erwerben solle, Pudel seien die Mode.

Lindenschmidt mußte erkennen, daß er inmitten der Seinen nicht weniger alleinstand als unter der Mitbürgerschaft. Wo er einen Daseinsmittelpunkt von unvergleichlicher Bedeutung erblickte, da gewahrten die Töchter nichts als die gleichgültige Erinnerung an etwas Längstvergangenes, vielleicht gar Niegewesenes. Kein einziges Mal kamen sie in der Folge auf die Sache zu sprechen; sie mögen sie in der Tat bald genug vergessen haben.

Mit der Zeit fanden sich junge Leute, die den beiden Mädchen nachsahen, und sie verheirateten sich frühzeitig, die eine an einen Schuhmacher, die andere an einen Bäcker, der zugleich eine Schankwirtschaft betrieb. In ihrem Geburtshaus ließen sie sich nur noch selten sehen. Sie bekamen Kinder und hatten ihr Leben für sich, und im Lindenschmidtschen Hause nahmen Stille und Geräumigkeit zu.

Seit die Töchter fort waren, behalf der Vater sich schlecht und recht mit gleichgültigen, oftmals wechselnden Haushälterinnen, mit denen er wortkarg umging und die er zu entlassen pflegte, sobald er merkte, daß sie sich Rechnung machten, ihn zur Heirat zu gewinnen.

Eine Reihe von Jahren ging hin, dann war wieder Krieg. Gustav Adolf rückte in Livland ein und brachte es endlich mit bewaffneter Hand in seinen Besitz. Der König erklärte, er wolle lieber keine Untertanen haben als gottlose oder abgöttische; und so wurden die Kirchen den Lutheranern übergeben und Priester und Ordensleute wie auch neuzugewanderte Polen aus dem Lande getrieben. Allen übrigen Einwohnern schrieb die neue Obrigkeit das augsburgische Bekenntnis vor.

Lindenschmidt hätte auswandern können, aber wohin hätte er gehen sollen und was zurücklassen müssen? Er war im Lande geboren, aufgewachsen und grau geworden, er hatte hier sein Haus, sein Gewerbe, seine Kinder und Enkel, die Gräber seiner Eltern, seiner Geschwister und seiner Frau. Er hatte hier die Säule und in ihr die Flamme.

Er blieb, aber es war nicht mehr das alte Leben. Die Töchter und Schwiegersöhne fanden sich geschwind in die veränderte Zeit; sie gingen regelmäßig zur Predigt, und es kam auch vor, daß sie schwedische Worte in ihr Deutsch mischten. Die übrigen Stadtbewohner hatten ohnehin für die Polen und deren römischen Glauben nie eine Liebe gehabt und waren mit den Neuerungen zufrieden. Und so war Lindenschmidt fast der einzige, der im Herzen noch der alten Lehre anhing.

Dies bewirkte Veränderungen in seinem Innern, Veränderungen aber auch in seinem äußeren Betragen. Noch mehr als bisher entfremdete er sich den Leuten. Diese wiederum nahmen Anstoß an seiner düsteren Absonderung und gingen ihm aus dem Wege.

Er als einziger, so wollte es sich ihm darstellen, hütete in dieser Stadt, deren Erretter und eigentlicher Vater er doch war, die Flamme des wahren, alten und unteilbaren Glaubens. Das Flämmchen schien ihm durch das Säulenholz hindurchzuleuchten, und es kam ihm vor wie die ewige Lampe in den Kirchen, die ja nun in diesem Lande nicht mehr brennen durfte. Ja, er war Hüter eines Heiligtums, aber auch Hüter, Knecht, Verwalter einer Furchtbarkeit, welche die anderen nicht wahrhaben wollten, und damit der heimliche Herr all derer, die von seinen Gnaden ihr Leben hatten und von niemandes sonst! Und seine Macht war unvergleichlich viel größer als alle Gewalt dieser lutherischen Obrigkeit.

Die Entfernung zwischen ihm und seinen Mitbürgern, von denen doch viele seine Jugendgefährten gewesen waren, wirkte auch auf seine Arbeit zurück; und was jetzt an schwedischen Leuten zuzog, das mochte ihm als einem katholisch Geborenen keinen Verdienst zuwenden. Dazu kam, daß alles Gewerbswesen sich erst von diesem letzten Kriege erholen mußte. Lindenschmidt hielt sich nur noch einige Stunden des Tages in seiner Werkstatt auf. Sonst hatte er sich gewöhnt, in der Stadt umherzugehen, mitunter vor sich hinredend, schon ein wenig gebückten Ganges, jedoch nicht leicht ermüdend und ohne nach Jahreszeit und Witterung zu fragen. Er wanderte durch die pflasterlosen Straßen, auf den Kirchhof, zum Fluß, vorbei an dem großen, fünftürmigen Schloß, in welchem früher der Bischof residiert hatte und in den alten Zeiten die lange Reihe der Ordensgebietiger. Jetzt hatte der König es mit allen Ländereien seinem Kanzler Oxenstjerna zu Lehen gegeben, und dessen Amtmann war eifrig, es wieder herzurichten und auch in der Stadt für Ausbesserung der Kriegsschäden zu sorgen. Da wurden allenthalben Mauern gestützt, Dächer gedeckt, Holz und Steine zu Neubauten angefahren; selbst ein Hospital sollte errichtet werden. Vor solchen Arbeiten blieb Lindenschmidt lange stehen, schaute zu und ging endlich mit einem Kopfschütteln weiter.

Daß hier gebaut wird, so dachte er mit bitterem Stolz, daß

diese Häuser bewohnt sind, daß diese Kinder dort Ball spielen, dieser Straßenhändler seinen Kram ausruft, diese Mägde Wasser vom Brunnen holen, dieser Mann dort Holz spaltet, diese Frauen dort über den Gartenzaun hinweg miteinander plaudern und streiten dürfen und daß aus diesem Hause Geigenspiel zu hören ist, ja, daß hier Kirchenglocken zum Begräbnis geläutet werden können, das alles ist von mir bewirkt worden. Wäre ich nicht gewesen, vielleicht läge die Stadt wüst, und es wohnte hier niemand außer ein paar späteren Zuzüglern.

Er murmelte, er bewegte lebhaft die Hände und den schon zur Brust gesenkten Kopf. Die Leute sahen ihm nach, vielen erschien er wunderlich.

Man weiß, wie eng in kleinen Gemeinwesen die persönlichen und die öffentlichen Dinge miteinander verhäkelt sind, wie leicht aber auch ein jeder geneigt ist, im gegebenen Falle von vorneherein eine derartige Verhäkelung zu argwöhnen. Lindenschmidt hatte keinen Anlaß, den Kortbehns viele Gedanken zuzuwenden, nachdem der Junge, mit dem er leidlich zufrieden gewesen war, seine Lehrzeit ausgestanden und freigesprochen das Lindenschmidtsche Haus verlassen hatte. Jetzt war er seit langem Altgesell bei einem anderen Kürschnermeister, konnte aber das Meisterrecht nicht erlangen, weil, wie man das nannte, die Zunft geschlossen war; das heißt: man hatte, unliebsamen Wettbewerb fernzuhalten, die Zahl der Meister auf drei beschränkt, und erst ein Fall von Tod oder von Verlust des Meisterrechts infolge gerichtlicher Verurteilung hätte dem jungen Kortbehn den Weg frei machen können.

Kortbehn, der Vater, war in seinem Gewerbe nicht recht glücklich gewesen und hatte zuletzt die Zahlungen einstellen müssen. Schließlich nahm er die wenig begehrte, jämmerlich besoldete Stelle eines städtischen Polizeidieners an, die ihn nicht nur zur Not ernährte, sondern ihm auch eine kleine Wichtigkeit verlieh, wie sie seine Arbeit ihm nicht hatte erwerben können.

Es war ein milder Tag zu Ende des Oktobermonats, und in allen Häusern standen die Fenster offen, da kam dieser Kortbehn des Nachmittags zu Lindenschmidt in die Werkstatt. Er hatte den Stab mit dem runden Messingknauf in der Hand, zum Zeichen, daß er in Angelegenheiten seines Dienstes unterwegs war. Der Knauf war blankgeputzt, und Lindenschmidt fand, daß dies zu Kortbehns schlechtem Hut und Schuhwerk zu viel Gegensatz machte.

Kortbehn war grau geworden, Lindenschmidt weiß. Lindenschmidt sah ihm fragend ins Gesicht und erinnerte sich plötzlich an das nicht angenehme Lächeln, mit dem Kortbehn damals seine Erzählung aufgenommen, ein Lächeln, das er gerade noch so weit zurückgehalten hatte, als ihm unerläßlich schien, um den Lehrherrn seines Sohnes nicht zu verstimmen. Und augenblicklich überkam Lindenschmidt jetzt ein scharfes Mißtrauen.

Es ist nicht von Wichtigkeit, ob Lindenschmidt mit seinen Vermutungen, die des Vaters amtliches Kommen mit den Meisterwünschen des Sohnes in eine Verbindung setzten, das Rechte traf. Genug, daß sie ihm als erwiesen galten und ihm heiß machten.

Lindenschmidt führte Kortbehn auf die Seite, um nicht gleich Gesellen und Lehrburschen zu Ohrenzeugen zu haben. Kortbehn fragte, ob sich Verbotenes im Hause befinde.

«Überlege dir die Antwort gut», fügte er hinzu.

Weder verneinend noch zugestehend, wohl aber in einem Tone der Geringschätzung, erwiderte Lindenschmidt, Kortbehn möge doch nachsehen. Und schon während dieser ersten paar Worte schoß es ihm brodelnd auf, wie doch dieser kümmerliche Mann, der es nie zu etwas Rechtem gebracht hatte, die ganze abtrünnige und widersetzliche Stadt verkörperte, alle jene, die mitsamt den Ihrigen ihr Leben ihm schuldeten und doch, zu einem Block hämischer Feindseligkeit zusammengeschlossen, nicht nur die Dankbarkeit – an der lag ihm nichts! – sondern auch die Anerkennung der Wahrheit verleugneten. Alles schien ihm eine einzige städtische Verschwörung, alle waren sie gegen ihn im Bündnis gewesen von jeher!

In die Küche, in die Lehrlingsschlafkammer, die neben der Werkstatt gelegen war, blickte Kortbehn nur flüchtig hinein.

«In der Kammer da drüben hat dein Sohn geschlafen. Ich glaube nicht, daß er sagen kann, er habe es schlecht gehabt. An diesem Tisch hat er mit uns gegessen. Es waren oft knappe Zeiten. Aber jedesmal, wenn wir satt geworden sind, ist er es auch geworden.»

«Das leugnet niemand», antwortete Kortbehn. «Aber ich bin ja nicht aus Eigenem hergekommen, sondern auf Geheiß des Rates.»

Lindenschmidt verzog höhnisch das Gesicht. Was war dieser Rat? Eine armselige Nachbildung von Behörden, wie sie in ansehnlichen Städten am Platze waren. Hier drängte sich niemand auf solche Posten, hier waren es vier Männer, die nicht viel mehr wert waren als Kortbehn und vom Oxenstjernaschen Amtmann eine geringe Vergütung erhielten.

Kortbehn berief sich auf seine Pflichten und setzte hinzu, in Amtsgeschäfte reiche keine Freundschaft hinein.

Lindenschmidt erwiderte nichts. Sie stiegen die Treppe hinan. Droben suchte Kortbehn lange und gründlich. Als er den Kleiderschrank im Schlafzimmer durchforschte, sagte Lindenschmidt: «Und dazu hast du dir deinen einzigen heilen Rock angezogen? Man sieht, du läßt es dich etwas kosten. Da muß ich mich wohl noch bedanken; du tust mir sehr viel Ehre an.»

Kortbehn wühlte schweigend weiter. Dann warf er die Schranktür zu und sagte: «Ich weiß schon, daß man bei dir sorgsam zu suchen hat. Aber du mußt nicht meinen, du könntest mich hinter das Licht führen wie damals den Korporal mit seinen Leuten.»

Zuletzt kamen sie in die Wohnstube. Kortbehn sah auf die Säule und lächelte. Lindenschmidt stieg es rot in die Augen, und der Vorgang, den er sich so oft ausgemalt hatte, verschob sich ihm in einen andern. Denn verworren flackerte es ihm jetzt durch den Sinn, wie ein Herausreißen des Zapfens einem Herausreißen der Säule entspräche und wie der Einsturz der Decke Simson und seine Gegner erschlagen müßte.

Kortbehn verlangte den Schlüssel zur großen Truhe.

«Was ist das?» fragte er nach einer Weile und hielt ein altes Gebetbuch in die Höhe.

Lindenschmidt erklärte heiser, er wisse wohl, daß der Besitz und Gebrauch papistischer Gebetbücher von der Obrigkeit unter Strafe verboten sei. Dies aber müsse nicht als Gebetbuch angesehen werden, indem es allem zuvor die Eigenschaft einer Familienchronik habe. Auf die vom Druck freigebliebenen Blätter des Anfangs und des Schlusses habe bereits sein Großvater Nachrichten über seine Herkunft, über die Geburten seiner Kinder, über Todesfälle und andere wichtige Vorkommnisse eingetragen, und das nämliche hätten auch sein Vater und er selbst getan.

Kortbehn fragte, warum er nicht die Blätter herausgerissen und das Buch ohne sie der Behörde abgeliefert habe. Hierauf blieb Lindenschmidt die Antwort schuldig.

Kortbehn sagte: «Ob das nun ein Gebetbuch ist oder eine Familienchronik, das wird man wohl bei Gericht feststellen. Was mich angeht, so halte ich es für ein Gebetbuch. Denn das Wort ‚Gebetbuch' steht, wenn ich recht lesen kann, auf dem Titelblatt. Als zu polnischen Zeiten auf lutherische Bibeln Jagd gemacht worden ist, da hat es auch nichts genützt, daß Kindstaufen und Begräbnisse auf den leeren Seiten standen.»

Kortbehn blätterte. Er fand ein herbstliches Datum und dabei die mit Tinte geschriebenen Worte:

«An diesem Tage ist die Seuche in der Stadt Wenden –»

Hier endete die Seite. Kortbehn schlug um, offenbar sehr neugierig, welches Wort Lindenschmidt gewählt haben werde.

Da stand nun nicht etwa «erloschen», sondern «zum Stillstand gebracht worden.»

Kortbehn grinste. Lindenschmidt, der ihm scharf zugesehen hatte, gewahrte und verstand dies Grinsen. Es besagte: «Natürlich, das ist ja bekannt, daß Lindenschmidt sich allerlei in den Kopf gesetzt hat; darüber haben schon vor Jahren die Schulkinder gelacht.»

«Es ist eine Anzeige eingegangen», bemerkte Kortbehn. «Wie man sieht, nicht ohne Grund.»

«Eine Anzeige?» dachte Lindenschmidt. «Von wem anders als von dir selbst!»

«Es heißt», fuhr Kortbehn fort, «du hangest im stillen immer noch der päpstlichen Irrlehre an. Es heißt, du hieltest Gegenstände des römischen Aberglaubens in deinem Hause versteckt. Es heißt, du habest es dir herausgenommen, gesprächsweise das gereinigte Bekenntnis zu schmähen. Der zweite Punkt ist erwiesen, damit auch der erste. Der dritte wird sich wohl ebenfalls erweisen lassen.»

Lindenschmidt erwiderte, in sein Herz sähe niemand. Das Buch sei eine Familienchronik. Zum dritten Punkt verlange er zu wissen, wer ihn bezichtige und zu wem er solche Äußerungen getan haben solle.

Kortbehn verwies auf das Amtsgeheimnis. Er habe sich an seine Anweisungen zu halten. Ohne Zweifel werde Lindenschmidt bei Gericht jede Auskunft erhalten, die er rechtmäßig verlangen könne.

«Das Buch muß ich mitnehmen», fuhr er fort. «Aber nicht das Buch allein. Mach dich fertig.»

Lindenschmidt hatte bis dahin, obwohl mühsam, an sich gehalten. Nun, da die Verhaftung ihm angekündigt wurde, schrie er auf und schlug mit der schweren Faust auf den Tisch.

Kortbehn, der, das Buch in der Linken, am Fenster stand, erhob seinen Amtsstab, nicht wie eine Waffe, sondern wie ein feierlich mahnendes Zeichen öffentlicher Hoheit, mit einem Anspruch also, der unangemessen, lächerlich, aufreizend wirken mußte.

Lindenschmidt antwortete auf diese Gebärde mit Hohngelächter, Kortbehn verlor die Ruhe, Rede und Gegenrede prallten aufeinander wie Schlag und Stoß, beide fluchten, beide brüllten, keuchten und tobten, das war, als wolle die Hölle überkochen.

«Gib das Buch her!» schrie Lindenschmidt. Schaum auf den Lippen, sprang er auf seinen Feind zu. Fast war er an ihm, da hielt er inne; mit einem Aufschrei endlichen Triumphes machte er kehrt und stürzte zur Säule.

Lindenschmidt war ein großer, kräftiger Mann, auch noch jetzt im Alter, und überdies mag ihm die Wut eine Stärke gegeben haben, die er sonst nicht gehabt hätte. Ohne Werkzeug, allein mit Daumen und Zeigefinger, ging er den Zapfen an, der doch nur um eine Winzigkeit aus dem Säulenholz vorragte, und mit splitternden, blutenden Fingernägeln riß er ihn heraus.

Rot, von der Blutfarbe des Zornes, fuhr die Flamme aus dem Loch. Sie brauste durch das Zimmer, drohungsvoll summend und zischend, wie eine tollgewordene Hornisse.

Kortbehn hatte Stab und Buch fallen lassen. Er lehnte sich gegen das Fensterkreuz, die Augen weit aufgerissen, das Gesicht teigfarben. Er gab keinen Laut mehr von sich.

Er sah die Flamme aus ihrer rasenden Kreisbahn brechen, sie schoß geradenwegs auf ihn zu, sie streifte sein Haar, er sank zusammen.

Lindenschmidt stieß abermals einen wilden Triumphschrei aus. Gleich danach verstummte er. Die Flamme kam auf ihn zu, er machte keinen Versuch, ihr auszuweichen.

Er glitt auf die Ofenbank, als säße dort noch die strikkende Frau und als könnte er einer noch fortdauernden Gemeinsamkeit mit ihr habhaft werden. Er fühlte die feurige Anrührung seiner Stirn. Dann, mit verlöschender Sehkraft, gewahrte er das zornfarbige Rot erbleichen und das stummgewordene Flämmchen in gemächlichem Schaukeln verschweben.

Drunten in der Werkstatt, aber auch draußen auf der Straße war der leidenschaftliche Lärm der Auseinandersetzung zu hören gewesen. Es fiel auf, daß da oben plötzlich aller Lärm abbrach. Nach einiger Zeit kamen der Altgesell und die Haushälterin, um nachzusehen, und fanden die Toten. Die wiedergeöffnete Höhlung in der Säule, die ja winzig war, und den irgendwo am Boden liegenden Zapfen bemerkten sie nicht.

Jetzt erhob sich viel Aufregung und Gespräch, und auch der alten Gerüchte und Sagenerzählungen gedachte man wieder.

Die Leichname wurden genau untersucht. Einen Arzt gab es derzeit nicht in der Stadt, so wurde der Bader geholt. Da keine äußeren Verletzungen sich finden ließen, wurde angenommen, vermöge eines sonderbaren Zusammentreffens seien die beiden ja nicht mehr jungen Männer gleichzeitig vom Schlage gerührt worden. Auch sagte man sich, die Erregung des Streites, in den sie geraten waren, möge dies Ende bewirkt haben; und hierbei hielt man sich an die Aussagen der Haushälterin, der in der Werkstatt Arbeitenden und derer, die, vom Lärm angelockt, vor dem Hause stehengeblieben waren.

Lindenschmidts Töchter fanden das Loch in der Säule und den Zapfen unter der Ofenbank. Aber das war nun für sie eine dunkle und verworrene Geschichte aus den alten katholischen Zeiten, und es schien weder ratsam noch zweckverheißend, sie wieder hervorzuholen.

Wohl aber berührte die Töchter der Ausdruck vollkommenen Friedens im Gesicht des Vaters. Und ohne daß sie diese Empfindungen hätten in deutliche Worte oder auch nur in deutliche Vorstellungen bringen können, fühlten sie beide, daß irgend etwas Nichtzubenennendes, aber Versöhnliches und Gnädiges bei aller Leidenschaftlichkeit dieses Endes gegenwärtig gewesen oder hinzugetreten sein müsse; und wir werden das mit ihnen meinen, wenn wir daran denken, daß ja die Seuche nicht wiedergekehrt und von den zwei Leichen keinerlei Ansteckung ausgegangen ist.

Beide wurden am selben Tage bestattet, und beide nach

den Gebräuchen der lutherischen Kirche, denn andere waren ja nicht zugelassen.

Einige Tage danach war Allerseelen. Dieses Fest wurde nicht mehr begangen, und das Anzünden von Seelenlichtern auf den Gräbern war als ein heidnischer und götzendienerischer Gebrauch verboten. Kortbehn der Jüngere kam, in allerlei Gedanken an den toten Vater, aber auch an das nach Lindenschmidts Hinscheiden leichter zugänglich gewordene Meisterrecht, in der Abenddämmerung zufällig am Kirchhof vorüber. Er stutzte, als er ein Licht auf einem der Gräber gewahrte. Er eilte hin, um festzustellen, wem das Grab gehörte, und hernach die Hinterbliebenen zur Anzeige zu bringen.

Was auf Lindenschmidts frischem Grabe brannte, das war keine Kerze. Es saß da ein kleines silberweißes Flämmchen. Es zuckte und flimmerte nicht im abendlichen Herbstwind, sondern glänzte ruhig und stet. Und mit Verwunderung bemerkte Kortbehn ein Summen, das wie ein leiser, inniger und gleichsam fürbittender Gesang anmuten mochte.

Doch hielt er späterhin alles für eine Sinnestäuschung, und in der Tat glitt ja auch die Flamme, wenige Augenblicke, nachdem er sie wahrgenommen zu haben meinte, in die noch lockere Erde des Grabes und war nicht mehr zu sehen.

Die Bärenbraut

Damals, als es im Terriküllschen Kirchspiel noch Bären gab, lebte bei den Bauern ein Mädchen, das, wie die Leute sich ausdrückten, keinen Ort in der Welt hatte. Die Mutter war ledig und starb im Wochenbett, der Vater soll ein Soldat gewesen sein, irgendeiner von den Schweden oder den Russen, von den Sachsen oder Polen, der Teufel soll es wissen, es sind viele durchgekommen. Die Bauern hätten das Kind draufgehen lassen, weil es knappe Zeit war, aber der Pastor befahl den Dorfältesten zu sich und schimpfte ihm in sein christliches Gewissen, dazu hatte er den Reitstock vor sich auf den Studiertisch gelegt. So blieb das Mädchen in Dorfpflege, jedes Jahr zu Georgi kam es auf einen anderen Hof, und es war bei den Wohlhabenderen der Anfang gemacht worden, weil doch der Mensch in seiner frühesten Lebenszeit zu nichts taugt als zum Brotessen. Aber mit vier Jahren kann man ihn schon zum Hüten brauchen, wenn man ihm nur die Spielerigkeit austreibt; darauf verstehen sich die Bauern.

Das Mädchen hieß Lisu. Als sie sechs Jahre alt geworden war, kam sie zu Jürri mit dem Klumpfuß. Seine Frau wurde Maret mit dem Klumpfuß genannt, des Mannes halber, sie selbst hatte gerade Füße und konnte laufen wie ein Wolf. Der Mann meinte, sie hätte auch eine Stimme wie ein blaffender Jungwolf, Lisu meinte dasselbe. Lisu hatte das Fürchten verlernt, dazu war sie zu viel geprügelt worden, aber vor Maret mit dem Klumpfuß fürchtete sie sich.

Lisu hockte im Moorwalde und strickte für Maret mit dem Klumpfuß, während ihre Kühe grasten. Es war schwer, die Zeit einzuteilen, denn hier hatte sie noch keine Begriffe, sondern nur Erfahrungen, wie ja auch Tiere Erfahrungen haben: hatte sie zu lange Beeren gepflückt und zu wenig gestrickt, dann schlug Maret sie am Abend mit dem Feuerhaken; hatte sie zu lange gestrickt und zu wenig Beeren gegessen, dann blieb sie hungrig, denn das Brotstück, das sie mitbekommen hatte, reichte nicht weit, und es war auch Brot, das mit Häcksel und gemahlener Baumrinde gebacken war; anderes freilich aß selbst der Dorfälteste nicht.

Am Sonntag hätte sie Haus und Kinder hüten sollen, während der Klumpfuß mit seiner Frau zur Kirche gefahren war. Lisu band das Kleinste mit dem Fuß ans Tischbein, damit es sich keinen Schaden tun konnte, und lief zum See, weil sie gehört hatte, das Ertrinken dauere nicht lange und die Seefrauen gäben einem Brot aus schierem Mehl zu essen. Aber im See stand ein Ruderboot, drin saß der Schreiber des gnädigen Herrn und fischte. Er rief ihr zu, erst auf deutsch und dann, weil sie die Herrensprache nicht verstand, auf estnisch, sie solle sich nicht unterstehen, zu baden und seinen Fischfang zu stören. Da lief sie zurück, band das Kind los, warf sich hin und heulte, indem sie sich mit Fingern und Zähnen in den alten Schafspelz krallte, unter dem die Bauersleute auf der Ofenbank zu schlafen pflegten.

Daran dachte sie beim Kühehüten und auch daran, daß mit ihr vieles anders bestellt schien als mit den übrigen Menschen, von denen sie wußte. Sie dachte aber nicht, wie sonst die Leute denken, welche ja von klein auf häufig miteinander über allerlei Vorkommnisse reden und daher in ihrem Denken eine gewisse herkömmliche Ordnung haben. Sondern weil nie jemand mit ihr sprach, außer daß er ihr einen Befehl oder ein Scheltwort gab, und weil sie fast immer allein draußen im Walde war, darum war auch ihr Denken so, daß da etwas aufsprang wie ein Lachs im Fluß, und dann war es fort, und es sprang ein anderer Lachs auf und war auch wieder fort. Und sie hatte ja auch keine Erfahrungen machen können, die über das Kühehüten, Stricken, Brotessen und Schlägebekommen hinausgegangen wären; so war sie denn nicht sehr von einem Tier verschieden, denn die Sehnsucht nach einem Zustande der Unbedrohtheit hat ja ein Tier auch; das aber, was sie als einen von Natur rechtgeschaffenen Menschen über die Tiere erhob, das hatte sich in ihr nicht gehörig entfalten und sich in ihrem Bewußtsein nicht festsetzen können. Darum war sie mit den Tieren vertraut, freilich ohne je ein Schaf oder eine Kuh zu liebkosen, wie es die Herrenkinder wohl manchmal tun, und sie hätte sich nie vor einem Tier so fürchten können, auch vor einem Wolf nicht, wie sie sich vor der Maret mit dem Klumpfuß fürchtete.

Während sie sich hastig, um die Zeit auszukaufen, den Mund voll Beeren stopfte, schien es ihr, als sei eine der Kühe unruhig geworden. Lisu rief sie an, in jener Sprache, die sie mit den Tieren redete; sie hatte sich die Worte und Laute nicht ausgedacht, auch sie nicht von anderen gehört, sondern sie mit Selbstverständlichkeit in sich vorgefunden. Die Kuh blökte ein wenig und trottete scheu umher, unentschlossen mit den Richtungen wechselnd. Die anderen taten es ihr nach. Lisu wollte aufspringen, nur eine winzige Weile dachte sie sich noch zu gönnen, denn sie konnte sich nicht gleich von den Beeren lösen. Da sah sie die Kühe laufen, hörte ihr ängstliches Gebrüll, mit vollem Munde richtete sie sich erschrocken in die Höhe, da fiel es über sie wie ein schwerer, schwarzer und warmer Schatten; ja, er war warm und ganz dunkel.

Es geschahen in dieser Dunkelheit allerlei Dinge, ohne daß Lisu sie genau hätte wahrnehmen oder begreifen können. Sie konnte auch nicht ermessen, in welchen Zeiträumen oder in welcher Reihenfolge diese Dinge mit ihr sich ereigneten, und wir müssen wohl bedenken, daß sie ja nicht angewiesen worden war, sich Rechenschaft zu geben, wie es die anderen Menschen tun. Da glitt etwas Feuchtes über ihr Gesicht, und diese Berührung war rauh, ohne daß sie indessen etwas Böses vorzukündigen schien. Da drang ein warmer Hauch, wie sie ihn von Kuhmäulern kannte, zu ihr, ein Hauch, der nach Wald und Krautfrische roch. Da streiften sie Zweige und auch Dornen, sie empfand Risse in der Haut,

Wunden und Blutabfluß und quetschende Pressung und eine wohltätige Weichheit unter ihren Gliedmaßen, die wiederum mit Schmerzen zu wechseln schien. Einmal meinte sie ein Gluckern zu hören, und dies vereinigte sich ihr mit Durst, Kriechbewegungen, Feuchtigkeit und Durstlöschung. Und es gab auch Brummen und Schnaufen und unfeindliche zottige Anrührungen. Solcherart etwa waren die damaligen Erlebnisse, die nachmaligen Erinnerungen des Mädchens beschaffen, wenn hier denn von Erinnerungen geredet sein darf. Es waren auch Rüben darunter und ein Kürbis und Honigwaben und selbst Brot, und sie hatte ferner die Vorstellung eines Tieres, dessen warmes Blut sie getrunken und von dessen rohem Fleisch sie gegessen hatte.

Die Schmerzen verloren sich, und es verlor sich auch die gänzliche Dunkelheit, denn es gab eine Stelle, von welcher Licht einfiel, wenn auch wenig. Einmal aber reichte es doch hin, um Lisu erkennen zu lassen, daß neben ihr eine schnaufende und behagliche Masse dalag, und sie wunderte sich gar nicht, daß es ein Bär war, und sie hatte Freude daran, ihm übers Fell zu fahren, ihn zu krauen und zu ihm zu sprechen, wie sie zu den Kühen gesprochen hatte.

Dies wiederholte sich, und auch alles andere wiederholte

sich, das Essen und Trinken und das weiche Mooslager mit seinen Polstern und Hüllen, die viele Dunkelheit und das schmale Licht und das Brummen und Schnaufen und die gute Wärme, die von dem Bären ausging, wenn Lisu sich an sein Fell schmiegte und ihn kraute; dies tat sie besonders gern vorn am Halse, wo sich im Felldickicht eine weiße Stelle befand, von der kleine Streifen nach den Seiten zu sich ausstreckten.

Lisu war satt und warm, die gering scheinenden Pausen des Kalt- und Hungrigseins hatten keine Bedrohung; sie durfte schlafen nach ihrem Gefallen; keiner sagte ihr ein feindliches Wort, und sie brauchte vor niemandem auf der Hut oder Flucht zu sein. Sie hatte kein Bewußtsein vom Verfluß der Zeit; denn sie lebte ja in der Fülle und in einer Befriedigung der Wünsche und Bedürfnisse, wie ein Ungeborenes im Leibe seiner Mutter lebt. Wünsche aber und Bedürfnisse waren ihr noch eins. Fand sie sich allein, so wußte sie, daß der allmächtige Bär wieder da sein werde und mit ihm zugleich Nahrung, Fell- und Leibeswärme und alles Behagen, für das sie ihm dankte mit jener für Behagen dankenden Liebe, mit welcher ein Hund sich an seinen Herrn schmiegt.

Die Leute haben später vergeblich aus dem Mädchen herausbringen wollen, ob denn der Bär sie auf irgendeine Art am Verlassen der Höhle gehindert habe; etwa indem er einen Stein vor den Eingang wälzte, wie man es wußte aus der Geschichte von einem Bärenmenschen oder Menschenbären, welche die alten Leute im Dorf nach den Erinnerungen ihrer Vorfahren zu erzählen liebten. Desgleichen ist davon gesprochen worden – und auch der Pastor soll dieser Meinung gewesen sein –, es sei vielleicht bei dem Aufenthalt des Mädchens nicht an eine rechte Bärenhöhle zu denken, sondern es möge sich um einen jener Schlupfwinkel handeln, wie sie von Bauern oder Flüchtlingen während der langen Kriegszeit in den mächtigen Wäldern, und vorzugsweise um steiniges Quellengeklüft, erbaut und später verlassen worden sind. Vielleicht, so meinten sie, habe der Schlupfwinkel eine Art Falltür gehabt, welche zuschlug, wenn der Bär beim Verlassen der Höhle mit seinem großen Leibesgewicht unwissentlich an eine bestimmte Stelle rührte. Denn es schien ihnen zu glauben unmöglich, daß Lisu aus freien Stücken bei dem Bären ausgedauert haben sollte. Auch hieß es, das Mädchen möge da wohl auf einige versteckte und vergessene Lebensmittel gestoßen sein, etwa Schafkäse oder Salzfleisch, das durch Hüllen von geteerter Leinwand gegen Würmer und Verderbnis geschützt gewesen sei. Denn das war ja nicht erhört, daß der Bär dem Mädchen die Nahrung zugetragen haben sollte, wie es die Tiermütter ihren Kindern tun. Nur Ülo, der Wasserhofbauer, erinnerte sich an den Bären, der in der Dämmerung zum Backofen gekommen war und die Weiber so arg in Schrecken gestürzt hatte. Ülo besaß ein Gewehr – es hieß, er habe einmal im Walde einen versprengten Musketier erschlagen. Ülo schoß auf den Bären, und es blieb eine Blutspur im Grase.

Einmal, als der Bär zurückkam, da knurrte und stöhnte er, und Lisu merkte, daß er an der Schulter naß war von einer warmen Flüssigkeit, zugleich aber lag ein Brot da, welches auch warm war. Da leckte Lisu die warme Flüssigkeit von seinem Fell, indem sie dazwischen in das warme Brot biß. Weil aber die Flüssigkeit nicht endete und der Bär immer unruhiger stöhnte, so riß Lisu ein Stück von ihren Lumpen ab und band es dem Bären fest um die Schulter; es mag wohl sein, daß das dörfliche warme Brot ihr die Erinnerung geweckt hatte an eine Wunde, die sie im Dorfe hatte verbinden sehen. Der Bär blieb nun eine längere Weile als sonst in der Höhle liegen. Als er endlich fortging, da hatte er beim Zurückkommen die Lumpen verloren; allein die Wunde blutete nicht mehr.

Einmal war es dem Mädchen, als müsse der Fortgang des Bären ungewöhnlich weit zurückliegen; dies ermaß Lisu an der Heftigkeit ihres Hungers, nachdem alles verzehrt war, was sich in ihrem Umkreis an Nahrung hatte erspähen oder ertasten lassen. Der Hunger wuchs und drückte Lisu zugleich ihre dumpfe Angst aus vor irgend etwas, das ihr die Ordnung der Dinge stören möchte. Es kam dahin, daß Ratlosigkeit und Not ihr den Wald mit Pilzen und Beeren, ja, den Klumpfußhof mit seinen Brotlaiben vor Augen stellten.

Plötzlich sah das Mädchen sich einer schmerzhaften Helligkeit preisgegeben; denn draußen schien die Sonne durch die kahlen, tropfenden Birkenzweige, und der schmelzende Schnee gleißte, daß sie die Augen schließen mußte. Zugleich aber empfand sie eine große Schwäche in den Beinen, und so schleppte sie sich durch den nahrungslosen Wald von Stamm zu Stamm, mit blutenden Füßen und in sehr schlimmer Qual. Sie kam ans Moor, allein das war ungangbar, die Eisschollen splitterten unter ihren Tritten, das Schneewasser gurgelte, und die streichenden Schnepfen quarrten; sonst aber blieb alles still, da mochte sie schreien, so laut sie konnte. Sie suchte den Rückweg, den Rückweg gab es nicht; es wurde dämmerig, danach aber wurde es dunkel. Sie hockte an einem Steinblock in der Windstille, sie hatte Moos vom weichgewordenen Boden gelöst, um die Füße zu wärmen, sie rieb sich alle Glieder mit Schnee, um der Erstarrung Widerstand zu tun; so ging die Nacht im Elend hin. Frühmorgens aber hörte sie Glocken, darüber wunderte sie sich sehr. Sie erkannte das Geläut der Terriküllschen Kirche, da stand sie auf und wollte dem Klange nachgehen, allein weil ihre Kräfte sich sehr verringert hatten und sie der Frühlingsgewässer und des Moores halber viele Umwege machen mußte, so brauchte sie eine lange und arge Zeit, bis sie aus dem Walde und an die Kirche kam. Der Kirche gegenüber liegt der Krug, da standen die Bauernfuhrwerke in langer Reihe an den Wagenbaum gebunden, und sie erkannte den alten Schimmel der Klumpfußleute. Auf den schwankte sie zu, kroch ins Heu des Wagens und verlor ihre Besinnung.

Sie wurde wach von Rütteln und Geschrei, sie sah sich umstarrt von Gesichtern, es waren mehr, als sie zählen konnte, und auch Maret war dabei, so daß Lisu sich an den Feuerhaken erinnerte. Allein da kam eine laute und tiefe Stimme, vor der nahmen die Männer ihre Mützen ab, und nun hörte und sah das Mädchen für lange Zeit nichts weiter.

Der Pastor erinnerte sich wieder des Waisenkindes, und es tat ihm leid, daß er sich in den vergangenen Jahren nicht um Lisu gekümmert hatte. Aber wie hätte er das anfangen sollen, er war ein alter Herr, seinen Amtsbruder in Hallenberg hatten die Kosaken gehängt, und den Probst von Manda hatte ein General als Geisel mitgenommen, man hat nie wieder von ihm gehört. Da mußte der Pastor deren Obliegenheiten mitverrichten, ungezählte Quadratmeilen weit.

Jetzt ließ er Lisu ins Pastorat bringen und auf einen Strohsack legen und gut zudecken. Danach hat die Pastorin sie waschen lassen und ihr Tränke gekocht, die Füße aber wurden gesalbt und verbunden. Sie mußte gefüttert werden wie ein winziges Kind, denn sie hat im Anfang nichts Gekochtes bei sich behalten können, und die Pastorin hat gefürchtet, sie werde hinsterben wie ein junger Hase, den man in einer menschlichen Behausung mit Kuhmilch aufzuziehen sucht.

Mit der Zeit jedoch kam Lisu zu Kräften, aß nun wie ein Mensch, war gekleidet wie ein Mensch und gab auch Antwort nach menschlicher Weise, wenn sie angeredet wurde; denn sie hatte nun manches benennen gelernt, das sie früher nicht gekannt hatte. Die Leute sagten, es sei ihr ein großes Glück geschehen, daß sie über eine Bärenhöhle ins Pastorat gekommen war, und der Pastor werde zu seiner Zeit schon sorgen, daß sie einen ordentlichen Mann bekäme, einen Lostreiber oder Halbkörner, und werde wohl auch ihrer Ausstattung nachhelfen. Andere glaubten ihr nicht und meinten, sie habe sich wohl mit Zigeunern oder marodierenden Soldaten umgetrieben. Alle aber setzten ihr mit Fragen zu, und die Kinder riefen ihr nach: «Bärenbraut, Bärenbraut!»

Eines Abends im späten Herbst kam Lisu aus dem Stall und wollte Wasser vom Hofbrunnen holen. Da war der gnädige Herr angeritten gekommen in seinem geflickten Jagdrock, sie sah ihn im Halbdunkel mit dem Pastor aus der Haustür treten. Der Pastor rief sie zu sich, und nun mußte sie dem gnädigen Herrn von der Zeit in der Bärenhöhle Bericht geben. Der schüttelte dazwischen den Kopf, lachte knurrig und sagte: «So, so», oder «Wer weiß?» und gab dem Pastor schließlich ein Kupferstück, er möge es für das Mädchen aufheben. Übrigens wisse er aus jener Zeit von keinem Bärenabschuß auf seinem Gebiet, aber es trieben sich ja immer noch Soldaten umher, die Musketen hatten und nach keinem Jagdrecht fragten, so war nichts Genaues auszumitteln. Dann wies er auf ein Sternbild am schwarzblauen Himmel, gerade über dem Kleetendach, und sagte mit seinem übellaunigen Lachen: «Das ist der große Bär, schau ihn dir an, vielleicht bist du bei dem zu Gast gewesen, und wenn du nur groß genug wirst, kannst du ihn vielleicht noch einmal an der Kehle krauen.»

Das verstand Lisu nicht recht. Der gnädige Herr ritt wieder ab, der Pastor sah ihm nach und sagte zu Lisu: «Es ist besser, einem Bären zu begegnen als einem Narren in seiner Narrheit. Sprüche Salomonis am siebzehnten, Vers zwölf. Wenn du zur Einsegnung kommst, will ich dir das als Spruch mitgeben.»

Der Pastor hatte das Mädchen jetzt in die Christenlehre genommen. Da hörte sie von einem allmächtigen Fürsorger, einem Wärme- und Speisegeber, dem sie dankbar und dienstfertig sein sollte. Bald war es ihr, der Pastor meine damit sich selber und seine verhutzelte kleine Frau, bald schien jemand anders gemeint, den sie nicht kannte, und so blieb ihr Denken bei dem Bären, der ihr alles gewährt und keine Arbeit dafür verlangt hatte. Jetzt aber mußte sie auf dem Hofe zugreifen und auch die Kühe des Pastors hüten – es waren sechs, vor dem Kriege aber sollten es vierundachtzig gewesen sein. Hierbei rief sie alle Worte in den Wald, welche sie dem Bären gegeben, und dazu noch manche bittende Wortfolge, die der Pastor sie gelehrt hatte. Doch wollte der Bär sich nicht herbeilassen.

Wem sie auch begegnete, der erinnerte sie mit Fragen oder Scherzreden an den Bären. Jürri mit dem Klumpfuß sagte: «Guten Tag, kleine Bärenbraut, grüß mir den Bräutigam!» Und Maret mit dem Klumpfuß rief ihr nach: «Gehst du bald wieder zum Faulenzen in deine Bärenhöhle?» Anzurühren freilich wagte sie das Mädchen nicht mehr, seit es auf dem Pastorat war.

Hatte der Pastor Besuch, so wurde Lisu in die große Stube gerufen, und nun durften die Gäste sie befragen, und sie sollte antworten. Da stand sie denn an der Tür, und es mußte ihr streng anbefohlen werden, näher heranzukommen und ihren Mund aufzutun. Aber was sollte sie denn sagen? Sie hatte das alles nun so oft wiederholt, es schien ihr mit jedem Worte schlechter und unwahrhaftiger zu werden – einerlei, ob die Hörer ungläubig lachten oder ob etwa ein alter Bärenjäger sagte, dergleichen ereigne sich, wiewohl selten. Da fühlte Lisu deutlich, daß es ein falscher Zustand war, in welchem sie lebte; denn sonst hätte es ja nicht geschehen können, daß ihre bärische Himmelszeit ihr selber schlecht und unwahrhaftig vorkam. Und es waren auch viele Fragen dabei, die sie nicht verstand, und darum stockte sie und merkte, daß man mit ihr unzufrieden war, und es hatte nichts mehr seine Richtigkeit.

Im zweiten Jahre ihrer Pastoratszeit war ein fremder Herr gekommen, und da wurde Lisu aufgetragen, sich die Hände und Füße zu waschen; danach mußte sie in die Stube gehen und sich anschauen und fragen lassen, und dann redeten der Pastor und sein Gast deutsch miteinander, und sie merkte, daß es ihr galt, und empfand einen unerträglichen Überdruß und Kummer. Als sie wieder auf dem Hof war, stand dort mit den Pferden der Reitknecht des Fremden, ein grauhaariger Mann mit einer Tabakspfeife, und sprach sie an; da mußte sie auch ihm Antwort geben. Er hörte gleichgültig zu, dann spuckte er aus und sagte:

«Gestern sind wir auch einem Bären begegnet, mein Herr und ich, das war am Birkenkrug. Da kamen Zigeuner vorbei, die führten einen an der Kette, zum Jahrmarkt nach Schwarzenberg. Ein mächtiger Kerl war es, sie sagten, sie hätten Mühe gehabt ihn abzurichten, weil er über die Jahre hinaus war. Er hatte eine Schußnarbe in der Schulter und einen weißen Kehlfleck, das ist nicht häufig bei den Bären.»

«Wo ist Schwarzenberg?» fragte Lisu.

«Na, da», sagte der Reitknecht, «geradeaus, und beim Wasserhof rechts ab, der Weg ist ja eingefahren.»

Als Lisu aus der dunstigen Stallwärme auf den Hof hinaustrat, da standen riesenhaft und mit kaltem Funkeln die herbstlichen Sternbilder über den schwarzen Gebäuden. Der Hofhund grunzte im Halbschlaf. Die Kälte machte sie zittern, und sie preßte das in einen Tuchfetzen geknotete Brotstück an sich, als könnte es wärmen. Sie hob den Blick: über den Apfelbäumen des Gartens stand in unbewegtem Glanz das Bärensternbild. Lisu sah es erstaunt an. Es fielen ihr jene Worte des gnädigen Herrn ein und dazu auch Reden, welche der Pastor in der Christenlehre wie in der Sonntagspredigt über den Himmel geführt hatte.

Als sie am Wasserhof abbog, da erinnerte sie sich zornig an Ülo, den Wasserhofbauern mit dem Gewehr, der ihr zwinkernd zu sagen pflegte: «Na, deinem Schatz habe ich aber tüchtig eins aufs Fell gebrannt!»

Um Sonnenaufgang ruhte sie zwischen den Weiden und aß von ihrem Brot. Ein Wagen kam, eine strenge alte Bäuerin saß darauf. Aber sie war aus einem fremden Dorf, darum fragte Lisu, ob sie mitfahren dürfe. Nach einer Stunde sagte die Alte: «Wer noch nicht gelernt hat, seinen Mund aufzutun über woher und wohin, wenn er gefragt wird, der soll zu Fuß gehen. Steige wieder ab, mein Kind.»

Am Abend gelangte Lisu zum Birkenkrug und schlich sich in den Hof. Da stand eine abgeschirrte Herrenkutsche, in der brachte sie die Nacht hin und träumte von der Fellwärme des mächtigen Leibes. Am Nachmittag kam sie in Schwarzenberg an, da fürchtete sie sich sehr vor Leuten aus ihrem Dorf. Sie sah auch Jürri mit dem Klumpfuß, aber der lag unter dem Wagen und schlief seinen Rausch aus. Im Krug war Lärm und Musik, und auf den Verkaufsständen lagen gute und bunte Dinge, auf welche Lisu nicht achtgab. Vor der Kirche wurde eine Trommel geschlagen, da redeten die Leute von den Zigeunern und dem Bären. Lisu lief hin und hatte jene volle Zuversicht im Herzen, mit der sie in ihrem vorigen Leben halb schlafend auf die Wiederkunft des Bären gewartet hatte. Sie zwängte sich durch die Menschen, da stand ein zerlumpter, schwarzhaariger Mann, schlug die Trommel und pfiff dazu. Hinter dem Wagen kam ein anderer hervor, der hatte eine Peitsche in der linken und eine Kette in der rechten Hand. Er blieb stehen, riß an der Kette und schlug mit der Peitsche zu. Um die Wagenecke kam ein Schnaufen, von dem wurde es Lisu heiß im Herzen. Der Zigeuner schlug und zerrte wieder, und nun trottete mit platschenden Tritten der Bär in den Kreis. Der Mann stieß ihn in die Seite, da richtete er sich widerwillig auf, brummte und begann sich zu drehen, trübselig, blöde und in schimpflicher Dienstbarkeit. Die Umstehenden lachten. Lisu hatte noch nie einen Bären in Gefangenschaft und Erniedrigung gesehen. Sie hatte nichts anderes denken können, als daß sie den Bären nur zu finden brauche, um alsbald zauberisch in sein Bärenland versetzt zu werden, wo es Fülle und Ruhe gäbe und jedes Genügen. Sie starrte das plumpe Tier an mit dem Drahtkorb vor dem Maul, der Narbe an der Schulter, der schweren Kette am Halsband, über dem ein Stückchen des weißen Kehlfleckes stand. Sie rief atemlos die alten Worte, der Bär drehte sich langsam hin und her, die trüben Augen gingen, zu keiner Unterscheidung tauglich, über die vielen furchterregenden Menschen weg.

Ein alter Mann stieß Lisu in die Seite: «Dummes Mädel, hast wohl Schnaps getrunken?» Zugleich blaffte von drüben her die zornige Jungwolfstimme der Maret mit dem Klumpfuß: «He, du! Bärenbraut! Warte, ich bringe dich zum Pastor zurück!»

Es kam eine Bewegung in die Zuschauer, der Trommler

hielt inne, viele wandten sich nach Lisu um. Der Bär blieb stehen und schien sich niederlegen zu wollen, doch glotzte er ängstlich zu seinem Führer, als wolle er sich vergewissern, daß ihm das keine Strafe eintragen könne. Endlich ließ er sich hinplumpen.

Lisu schrie wild auf und sprang ihm an den Hals. Sie preßte den Kopf gegen das warme Fell und griff nach dem weißen Kehlfleck. Der Bär machte eine zuckende Bewegung, welche Zorn, Erschrecken und Abschüttelnwollen zugleich ausdrücken mochte. Dann stieß er ein wütendes Gebrumm aus und schlug Lisu die linke Tatze in den Rücken. Im gleichen Augenblick fast schmetterte die rechte auf ihre Hirnschale.

Die Bauern brüllten, Knüppel, Äxte, neugekaufte Sensen wurden gehoben, die Zigeunerweiber kreischten, es fielen Schüsse. Nur Sekunden währte es, dann lag die schwarzbraune Masse ohne Regung wie ein steifgefrorener Bärenpelz.

Die Tote bedeckte man mit einem Stück Wagenleinwand und begrub sie anderen Tages im Namen Gottes, den sie unter dem Bilde eines Bären angebetet hatte.

Der Mann mit dem Helm

Der Kammerherr von der Recke auf Neuenburg in Kurland war es nicht gewahr geworden, daß die herbstlich frühe Dämmerung die Turmkammer des Schlosses, an deren Schreibtisch er saß, immer tiefer in Dunkelheit senkte. Schon hatten die hölzernen Hochreliefs der Decke, die Göttin Diana, die buntbemalten Knaben, die Tiere und Jagdtrophäen Farbe und Umriß verloren, schon war auf dem Schreibtisch das Weiß der Papiere mit dem Schwarz der Schriftzüge zu einer unbestimmten Helligkeitsmasse zusammengeronnen. Längst war die Meerschaumpfeife erkaltet, deren zerbissenes Holzmundstück die Lippen gleichwohl noch umschlossen hielten.

Wie es dem Alternden neuerdings immer häufiger geschah, und vorzugsweise um diese Stunde, irrten die Gedanken von seiner Arbeit ab; sie schweiften weglos, von keinem Willen gelenkt, sie suchten Menschen und Verhältnisse auf, die ihn umgeben, gefesselt, mit trüglichen Hoffnungen erfüllt hatten und nicht mehr waren. Dies Nichtmehr, dies Niewieder umlauerte ihn allenthalben; jeder Gegenstand seiner Umgebung, jedes der Bildnisse an den Wänden raunte es ihm unaufhörlich zu. Alles in dem düsteren, weitläufigen, noch aus der Ordenszeit herüberreichenden Schloß war Nachhall immer entfernterer, immer wirklichkeitsloserer Begebenheiten, und auch die des eigenen Lebens schienen schon hinübergegangen in die Schattenwelt der Vorfahren. Den zwischen den Fenstern hängenden Degen, dessen Gefäß matt durch die Dämmerung glänzte, hatte der Kammerherr vor Jahrzehnten im Thaddenschen Grenadierregiment getragen, Offizier jenes preußischen Königs, den seine Bewunderer «den Einzigen» nannten und der doch gleich allen anderen Menschen alt, bissig und kränklich geworden und endlich begraben worden war. Fiel Reckes Blick auf den Degen, so schien er ihm auf keine Weise mehr mit seinem Leben verbunden. Das war nichts als eins der zahllosen, jahrhundertealten Waffenstücke, die sich allmählich im Schloß angesammelt hatten, Staub und Rost auf sich lockten und es einer Mischung von Gleichgültigkeit, Pietät und Pedanterie zu danken hatten, daß man sie duldete.

Der hölzerne buntlackierte Becher vor ihm auf dem Tisch diente jetzt als Behältnis für die Schreibfedern. Er hätte den Kammerherrn an die zwei einförmigen Jahre seiner russischen Kriegsgefangenschaft erinnern können. Aber war er es denn, der damals aus diesem Becher getrunken hatte? Und ebenso fremd wie Degen und Becher erschien ihm das große, goldgerahmte, jetzt in der Dämmerung schon unkenntliche Bild an der Wand oberhalb des Schreibtisches. Es stellte die Frau dar, von der er sich getrennt, und das Kind, das sie ihm geboren hatte. Aber weder die Freude über die Geburt dieser Tochter noch die Trauer über ihr frühes Abscheiden hatte zwischen den Eheleuten jene Gemeinsamkeit herstellen können, die schon von den ersten, der Hochzeit folgenden Wochen als unmöglich erwiesen worden war.

Ihren mütterlichen Schmerz hatte die Frau wortreich und unermüdlich hingeströmt in Gespräche und Stammbuchverse, in Tagebuchblätter, Gesänge und zum Unendlichen schwellende Episteln. Er hatte dem Übermaß zu wehren getrachtet, und ihre feuchten, dennoch kalt erscheinenden blauen Augen hatten sich entsetzt geweitet, wenn er in solcher Meinung zu ihr gesprochen hatte. Oh, ein harter Barbar war er für sie!

Er begriff nicht, wie ein Mensch, der einen lebendigen Schmerz erfahren hat, sich Trost aus schwärmerischen Briefwechseln mit Lavater, Gleim, Göckingk, den Stolbergs gewinnen konnte, mit Männern, von denen er nichts wußte noch wissen wollte, als daß sie im Auslande lebten, Bücher schrieben, sich dem Vernehmen nach mit «himmlische

Seele» anredeten und häufige Tränen vergossen, vorzugsweise wohl bei Mondschein. Seiner nüchternen Sinnesart war auch die leichtherzige, die so bequeme Gläubigkeit versagt, welche die Frau ehrfürchtig zu Cagliostros Füßen gezwungen hatte, die läppische Zuversicht, eines pomphaften Wundermannes Kunststückchen könnten, und sei es auch nur für Augenblicke, dem Tode ein Leben wieder entreißen.

Freilich, seine Frau war nicht die einzige gewesen, die damals in Mitau dem Großmeister der ägyptischen Maurerei in sein malerisches Netz geflattert war.

Mit bitterem Lächeln gedachte Recke alles dessen, was ihm seit der Trennung vielfach und mit wechselnden Einzelausschmückungen zugetragen wurde: daß seine gewesene, immer noch seinen Namen tragende Frau unersättlich im Auslande umherreiste, von Stadt zu Stadt, von einem Badeort zum andern, um sich bei Liedermachern und Bücherschreibern Vivatbänder und Stammbuchverse zu sammeln, Gedenkzeichen tränenbetauter Schwärmerei; daß sie Gedichte und Aufsätze in Journalen drucken ließ und selbst die Geschichte ihrer eigenen leichtgläubigen Torheit in einem Buche über des berüchtigten Cagliostro Aufenthalt in Mitau dem spöttischen Urteil der Welt bloßgestellt; daß sie ihren Taufnamen Lotte in Elisa geändert hatte, um nicht durch die Gleichheit des Namens an eine Romanheldin des Herrn von Goethe erinnert zu werden, deren Verhalten ihren Ansprüchen an Tugend und Seelengröße nicht Genüge getan.

Nun, gewiß war er selber nicht ohne Schuld, rauh, reizbar und leicht aus der Geduld fallend, kein Jüngling mehr, als er heiratete, ein Murrkopf, ein alter Soldat, ein Jäger und Landwirt. Er hatte sich erbittern lassen von all diesen Dingen, von denen er ausgeschlossen war und ausgeschlossen sein wollte, von dem ewigen Briefeschreiben, dem ewigen Bücherlesen, den ewigen Worten von Freundschaft der Seelen, Tugend, Verbesserung der Sitten und vor allem von den ewigen Tränen: Tränen, wenn er verspätet von der Jagd zum Essen erschien, Tränen, wenn der Bote aus der Stadt wieder ein Briefpaket oder ein neues Gedichtbuch, einen neuen Almanach gebracht, Tränen, wenn die Sonne unter- oder der Mond aufging, Tränen, wenn die Nachtigallen in den Linden zu schlagen anhuben.

Nun, war er ungerecht gewesen, so hatte er gutzumachen gesucht, insbesondere nach dem Tode der kleinen Friederike nach Versöhnung gestrebt. Es war sein Gedanke gewesen, es müßte ihm möglich sein, die Art der Frau bis an eine bestimmte Stufe als eine unabänderliche zu erkennen und hinzunehmen und dennoch auf eine leidliche Weise mit ihr zu leben, indem er die Hoffnung vor Augen behielt, das jenseits dieser Stufe Liegende könnte sich mit der Zeit von selber ins Gleiche ziehen. Und hierbei rechnete er auf die Einwirkung künftiger Mutterschaften, die ihm dann auch den so sehr gewünschten Sohn und Erben nicht verweigern würden.

Empfindsamkeit mit Leidenschaftslosigkeit, ja, mit Kälte paarend, hatte die Frau die Fortsetzung eines gemeinsamen Lebens verweigert und ihre Familie, die Medems, auf ihre Seite zu ziehen gewußt. Vorübergehenden Trennungen folgte die rechtsgültige Lösung der Ehe, folgten Aufsehen und Gerede. Die Frau ging auf Reisen ins Ausland, nach Weimar, Jena, Düsseldorf, Halberstadt, Halle, Dresden, Berlin, in die böhmischen Bäder, in die Schweiz. Er hatte es längst aufgegeben, diesen Zickzackfahrten zu folgen.

Was hinderte ihn, der doch auf Söhne und Enkel dachte, eine zweite Ehe einzugehen? Dem Erbherrn der Neuenburgischen Güter stand jede Wahl frei. Aber in der einsamen Zeit war er alt geworden über seine Jahre hinaus. Mißtrauisch gegen sich selbst, scheute er den Entschluß und die Mühsal seiner Ausführung. Nein, er tat den Schritt aus der Dämmerung nicht mehr. Mit Vergangenem umgehend, im Bösen oder im Guten, im Vergangenen daheim, würde er seine noch übrigen Jahre einsam hinbringen, würde einsam sterben und keine Spur hinter sich lassen. Mochte Neuenburg seinem Bruder zufallen und von diesem an künftige Geschlechter seines Blutes weitervererbt werden.

Recke schrak geblendet empor, als Romanowsky, sein Kammerdiener, die Turmkammer betrat und die beiden Silberleuchter mit den brennenden Kerzen auf den Tisch stellte. Es war fast dunkel gewesen, und Romanowsky hätte längst kommen müssen. Aber er wurde langsam, träge, alt; es hatte keinen Sinn, ihn zu schelten.

Romanowsky hielt dem Herrn den brennenden Fidibus hin, und die Pfeife kam wieder in Brand. Als er gegangen war, schlurfend und hüstelnd, wandte Recke sich abermals seiner Arbeit zu, den Nachträgen zu seinem unlängst im Druck erschienenen «Auszug der wichtigsten Sachen aus den Landtäglichen und Conferential-Schlüssen, herzoglichen Reversalien und Kompositions-Akten».

Auch er also unter den Bücherschreibern! Er lächelte bei dem Gedanken. Was er schrieb – vielmehr weniger schrieb als auswählte, zusammenstellte, erläuterte –, das war keine unziemliche Entblößung des Inneren, das verriet mit keinem Wort einen Seelenzustand des Schreibers. Nüchtern und klar wurde Nüchternes, Notwendiges, Klares und Manneswürdiges abgehandelt.

Dies waren Dinge, die schon Form angenommen hatten und der Wandelbarkeit entzogen waren. Warum? Weil sie vergangen waren. Das Vergangene allein blieb, und es traf nicht zu, daß es tot sein sollte. Nein, das Vergangene allein hatte Kontur, es war fest. Dies war sein Vorzug, auch dort, wo es zu quälen vermochte. Aber quälen konnte es nur, so lange man den Blick kleinlich auf das eigene Leben gerichtet hielt. Es hörte auf zu quälen, sobald man sich dem Allgemeinen zuwandte, den Staats- und Landesgeschäften, den alten Rechten und Freiheiten und der Frage, was von ihnen sich würde hinüberretten lassen in die gnadenlos sich ankündigende Zeit der Veränderungen. Da wurden Irrtum und Unglück des Einzellebens geringfügig. Gib dich drein, Tropfen, das Meer, darin du untergehen darfst, ist gewaltig.

Der Kammerherr legte die Feder hin. Wieder kam ihn ein Zweifel an, ob seine Arbeit noch einen anderen Sinn hatte als den einer archivalischen Staubanhäufung. Wunderliches Staatsgebilde, halb Herzogtum, halb Adelsrepublik, souverän und doch von Polen abhangend, einem Königreich, das, wichtiger Länder beraubt, nur noch wie in einem dunklen Spiegel hinlebte! Kleines Ländchen zwischen Rußland, Preußen und Polen, zerrissen von Parteiungen und Intrigen, Truppen der Kaiserin Katharina schon eingerückt, Patrioten, die nach Berlin schielten, Patrioten, die nach Petersburg starrten, Patrioten, die noch immer mit Warschau rechnen wollten, Patrioten, die sich für keine dieser Entscheidungen schlüssig machten und allenfalls Zeit zu gewinnen hofften – Zeit wozu? Zu nichts anderem, als um sich an die Unvermeidlichkeit der Umwälzung zu gewöhnen? Zu ihnen gehörte der Kammerherr. Alles wie in Zwielicht, Dämmerung, Übergang, in Mitau noch der Herzog, der schon wissen mußte, daß es auf die Neige ging, machtlos, gleichwohl immer noch Herr der Lehen, übrigens dem Kammerherrn seit der Scheidung wenig wohlgesinnt, denn er selber hatte ja die Schwester der geschiedenen Kammerherrin zur Frau.

Die Tür im Rücken des Kammerherrn öffnete und schloß sich, ein kalter Luftzug erreichte ihn. In der Meinung, es sei Romanowsky, fragte Recke, ohne sich umzuwenden, was es denn gäbe. Er erhielt keine Antwort und erneuerte ärgerlich seine Frage. Alles blieb still, und doch hörte er hinter sich die Atemzüge eines Menschen, der vielleicht eilfertig die Treppen zur Turmkammer hinaufgestiegen war.

Befremdet wandte er sich um. An der Tür, außerhalb des Lichtkreises, stand jemand, ein Dunkler im Dunkeln.

Recke ergriff einen der Leuchter, hob ihn und ließ mit ausgestrecktem Arm den Kerzenschein auf den Eingetretenen fallen. Für einen Augenblick schauerte es ihn. War aus steinernen Särgen das Kurland der Ordenszeit gestiegen? Dann zog eine unwillige Verwunderung seine Augenbrauen zusammen. Was sollte dieser Mummenschanz? War es der törichte Maskenscherz eines der Gutsnachbarn, mit denen der Einsame wenig Umgang pflog und deren einer ihn auf diese wenig ziemliche Art zu sich in eine gesellige Beziehung zu setzen dachte?

Der Mann, der unangesagt und rätselhaft eingedrungen war, trug einen Helm von schwarzem Stahl, wie deren noch viele von alter Zeit her in Rüst- und Rumpelkammern sich aufbewahrt hatten. Das Visier war geschlossen, nirgends auch nur ein Streifen lebendigen Fleisches zu erblicken. Ein langer dunkler Reitmantel umhüllte die Gestalt, niederwärts bis auf die gespornten Stiefel reichend.

«Wen habe ich vor mir? Wie kommt man dazu, sich ohne Anmeldung zu mir zu drängen?» fragte Recke barsch, in der Absicht, deutlich zu zeigen, wie ungemäß ein in solche Formen sich kleidender Annäherungsversuch ihn dünkte.

Der Mann stand da wie ein Gespenst. Er antwortete nicht. Er bewegte sich nicht; nur daß unter dem Mantel die Hand an einer der inneren Taschen zu nesteln schien.

Der Kammerherr wiederholte, schärferen Tones, seine Frage auf lettisch. Die Antwort blieb aus. Der Kammerherr stellte den Leuchter hin und wollte nach der Klingel greifen.

Inzwischen war der Fremde an ihn herangetreten. Ohne sich zu verneigen, ja, ohne eine andere Bewegung als die der Füße und der sich ausstreckenden Rechten, hielt er ihm stumm ein Briefpaket entgegen, das die im ledernen Reithandschuh steckende Hand unter dem Mantel hervorgebracht hatte.

Sonderbarer Bote – immerhin ein Bote, und nun würde wohl die Botschaft die Sonderbarkeit ihres Überbringers auf irgendeine Art erklären.

Recke nahm, immer noch am Schreibtisch sitzend, den Brief entgegen.

«An seine Hoch- und Wohlgeboren den Kurfürstlich Sächsischen Kammerherrn . . .»

Er lachte gereizt. Jedesmal, wenn er dieses Wort hörte oder las, empfand er von neuem das Übelpassende des Ehrentitels. Kammerherr –, er, der Menschenscheuer, Feind aller höfischen Gesellschaftlichkeit, der statt des modischen

Haarbeutels immer noch den soldatischen Zopf trug! Wie einen schlechten Scherz hatte er die lange zurückliegende Titelverleihung empfunden, die doch nur eine Höflichkeit war gegenüber dem Vertreter eines der einflußreichsten und begütertsten Geschlechter, zugleich freilich auch eine einladende Gebärde des sächsisch-polnischen Hauses, das den Kreis seiner Anhänger zu mehren und ihn gegen den wachsenden Einfluß der russischen Kaiserin auszuspielen suchte. Kammerherr! Immer stiller und enger wurde sein Weg. Was am Ende lag, war eine dunkle Kammer. Da mochte er denn Herr sein.

Die Umhüllung trug fünf Siegel, aber offenbar hatte der Absender auf dem noch heißen Wachs den Wappenabdruck geflissentlich verwischt. Nichts hatte sich erhalten als der Helm. Und nicht einmal die Helmzier war so deutlich erkennbar geblieben, daß sie den Schluß auf ein bestimmtes Geschlecht zugelassen hätte.

Recke öffnete das Paket. Es enthielt ohne irgendein Begleitschreiben ein umfangreiches, vom Alter gelb gewordenes Dokument, mit schweren, in Holzkapseln steckenden Wachssiegeln, die in altertümlicher Prägung das herzogliche Wappen zeigten. Erstaunt begann er zu lesen, aber die verschnörkelte, längst aus dem Schwange gekommene Schreibweise machte ihm Mühe. Rasch überflog er die Urkunde, um an Namen, Datum, Unterschriften vorderhand eine ungefähre Kenntnis ihres Inhalts zu gewinnen – dann hielt er, aufs höchste betroffen, inne und schrie:

«Wie kommt Er dazu? Wer hat Ihm das gegeben? Wer ist Er?»

Niemand antwortete. Der Kammerherr wandte sich um. Der Mann mit dem Helm war verschwunden.

Recke sprang auf, er schüttelte die Tischglocke, er stürzte hinaus, er rief nach der Dienerschaft. Romanowsky kam angekeucht, andere liefen herzu, der Kammerherr fragte hastig durcheinander.

Keiner konnte befriedigende Auskunft geben. Ja, jemand hatte wohl, zufällig aus dem Fenster blickend, draußen im Halbdunkel einen Reiter vom Pferde steigen sehen, und an einem anderen war der Davongaloppierende vorbeigestoben. Ein dritter war dem Fremden auf der Treppe begegnet, aber betreten gemacht von der Unheimlichkeit der Erscheinung, hatte er den Mut zu einer Frage nicht gefunden, sondern sich scheu zur Seite gedrückt.

Recke hastete in die Turmkammer zurück, als fürchtete er, das Dokument könne ebenso rasch und unerklärlich wieder verschwinden, wie es zu ihm gekommen war. Aber da lag es auf dem Schreibtisch, er setzte sich hin, und mit aufgestützten Ellbogen durchlas er einmal über das andere die Urkunde, die mehr als anderthalb Jahrhunderte in unausgeforschter Verborgenheit geruht hatte und nun dem späten Nachkommen geheimnisvoll einen Anspruch in die Hand legte, dessen ebenso geheimnisvoll der Vorfahr verlustig gegangen war.

Denn das Schreiben, das jetzt seine Hände berührten, seine Augen immer wieder prüften, das war der Lehensbrief, in welchem Herzog Friedrich von Kurland seinem Landhofmeister und Feldobersten Matthias von der Recke, kriegerischer Verdienste halber, die reichen und ausgedehnten Herrschaften Talsen und Kabillen für sich und seine Nachfahren zu Lehen gab. Bis der Herzog starb und sein Neffe Jakob zur Regierung kam, hatte der Landhofmeister und hatte nach ihm sein Sohn auf den Lehensgütern gesessen. Aber als dieser Sohn nun, wie das Gesetz es vorschrieb, sein Lehen muten, das ist: beim neuen Landesherrn um die Bestätigung nachsuchen wollte, da erwies es sich, daß Herzog Friedrichs Lehensbrief, der dem Mutungsschreiben beigelegt werden mußte, ohne Spur verschwunden war. Es wurde lange gesucht, es erhob sich allerlei Verdacht, der doch nicht Stich halten wollte, endlich wurde die Suche aufgegeben. Die Mutung unterblieb, der neue Herzog erklärte die Lehen für kaduziert, apert und verfallen, und die Reckes mußten sich darein fügen, daß beide Herrschaften in andere Hände gegeben wurden. Kenner und Freund der Vergangenheit auch des eigenen Hauses, erinnerte sich der Kammerherr an den überlieferten Vorgang.

Er schellte und gab dann seine Befehle. Sofort sollten drei Leute aufsitzen, verschiedene Richtungen nehmen und bei Bauern und Buschwächtern nachforschen, ob jemand den behelmten Reiter gesehen, vielleicht gar gesprochen oder am Pferde erkannt habe. Ergab sich etwas, so sollte ihm unverzüglich ein Bote nachgeschickt werden. Er selbst wollte aufbrechen und, den morastigen Herbstwegen zum Trotz, durch die Nacht nach Mitau fahren.

Unterwegs in der Kutsche tastete seine Hand immer wieder an die Tasche, in der das Dokument steckte, leichthin unter der Berührung knisternd.

Ein paar Male nickte er ein, aber die Erregung verwehrte ihm den Schlaf. Der gefühlskarge Mann war wie im Rausch. Es war ja nicht, daß sein Besitz sich mehren sollte, er war begütert genug: es war, daß der Geist der Begebenheiten an ihn einen Anruf hatte ergehen lassen. Über eine schmale Gegenwart hinweg ließ sich von rühmlicher Vergangenheit eine Brücke schlagen in die Unermeßlichkeit der Zukunft, und er, er selbst sollte es sein, der diese Brücke baute, er war der Erwählte!

In Mitau begab sich Recke zu seinem alten Rechtsbeistand, dem Hofgerichtsadvokaten Hagenmöller, der ein behagliches, zweistöckiges Holzhaus in der Schreiberstraße innehatte. Unten lagen die Kanzleiräume, oben war die Wohnung. Hagenmöller, gleich seinem Klienten ein Liebhaber alter Zeiten und Kenner aller hergehörigen Angelegenheiten, wußte natürlich auch die Geschichte vom verschwundenen Lehensbrief. Er machte große Augen, als der Kammerherr das Schreiben auf den Tisch warf, die Hand darüber deckte und mit einer lange nicht gehörten, fast jugendlichen Hebung der Stimme rief: «Raten Sie! Was liegt da?»

Sie saßen lange beieinander, der rotbäckige, muntere alte Junggeselle und der schwerblütige, trockene Einzelgänger. Sehr genau wurde das Dokument geprüft, – denn hätte es nicht eine scherz- oder spottweise vorgenommene Nachahmung sein können? Allein es fand sich nichts, das einen solchen Verdacht rechtfertigte. Die Urkunde war die echte, es gab keinen Zweifel.

Wer aber konnte dahinterstecken? Hagenmöller äußerte neugierige Vermutungen über die Herkunft des Briefes, über die Person des Auftraggebers, denn den Mann im Helm mochte er nur für einen Diener und Boten gelten lassen. Der Kammerherr hielt das nicht für gänzlich erwiesen, aber was bedeuteten die Mutmaßungen? Irgendeine, dem Leben gebietende Macht hatte ihm ein Zeichen gesandt. Was kümmerte es ihn, welcher Hand sie sich bedient hatte? Es mochte ein zufälliger Finder sein, der diese seltsame Form der Überbringung gewählt hatte, weil er keinen ehrenrührigen Verdacht auf einen seiner Vorfahren fallen lassen wollte, oder einer, dessen Gewissen eine verjährte Ahnenschuld drückte. Sicherlich hätten sich unauffälligere Wege finden lassen, wenn die Zustellung des Lehensbriefes denn so gehalten sein sollte, daß der Absender unerratbar blieb. Aber da gab es wohl der Erklärungen zahllose – konnte es zum Beispiel nicht sein, daß die Urkunde in die Hände einer empfindsamen Dame, eines den modischen Ritterromanen schwärmerisch zugewandten Jünglings gefallen war, und daß hier eine Freude am altertümlichen Aufputz sich spielerisch hatte sättigen wollen?

Sie sprachen von den Gütern. Diese waren schon vor längerer Zeit, nach dem Absterben des lehenstragenden Geschlechts, in herzogliche Domänen umgewandelt worden. Trat man jetzt mit dem Anspruch hervor, so hatte man es mit der schwächlichen Regierung zu tun, nicht mit einer vielleicht nahestehenden oder verwandten Familie, es würde kein Bitterkeit, Feindschaft, Haß erregender Prozeß werden.

Der Prozeß aber schien möglich. Das Lehen, so meinte Hagenmöller, sei nicht erledigt gewesen, sondern es habe geruht. Man müsse feststellen, was an Präzedenzfällen vorliege, welche Gesetzesstellen, welche Kommentare heranzuziehen seien. In einigen Tagen hoffe er Auskunft geben zu können.

Sie vereinbarten die nächste Unterredung. Recke ging. Er wartete nun in seinem Mitauer Stadthaus, voller Ungeduld, er, der sonst Bedächtige. Aus Neuenburg kam die Nachricht, man habe sich vergebens nach dem Manne mit dem Helm umgetan. Den Kammerherrn ließ das gleichgültig, er hatte es nicht anders erwartet. Sich die Tage zu kürzen, suchte er Bekannte auf. Man wunderte sich, ihm jetzt, zur Zeit der großen Jagden, in der Stadt zu sehen, und man wunderte sich, ihn lebhafter und angespannter zu finden als sonst.

Als habe sein Gedächtnis ihn getäuscht, stellte er sich um einen Tag zu früh ein. Aber Hagenmöller, sonst nicht der Geschwindeste, hatte diesmal die Zeit nicht verloren.

«Es wird gehen, es wird gehen!» rief er dem Eintretenden

aufgeräumt entgegen und schwenkte die Hand wie ein Marschall, der seinen siegreichen Truppen winkt.

Für einen Augenblick schwand die Farbe aus dem Gesicht des Kammerherrn. Er setzte sich schwerfällig.

Hagenmöller begann zu dozieren: «Erstens... zweitens... drittens . . .»

Recke hörte nicht mehr zu. Nachher mußte er sich alles wiederholen lassen. Er konnte nur das eine denken, daß des Anspruchs unwiderlegliches Beweisstück in seiner Hand lag und daß, ihn geltend zu machen, es Obrigkeit und Gesetz gab. Er hatte an Ende gedacht und sah plötzlich den neuen Anfang vor sich, mitten in Auflösung und Verfall. Was machten seine Jahre aus? Ältere als er hatten Söhne gezeugt und Geschlechter begründet. Frau und Tochter mochten verloren sein, er würde einen neuen Stamm auf den wiedergewonnenen Boden setzen, Jahrzehnte konnten ihm noch gewährt sein, und gestützt auf den neuen Lehnsbesitz und die Landtagsstimmen, die an diesem hingen, würde sein Geschlecht wieder in solcher Macht stehen, wie zur Zeit, da der alte Ordensstaat zerfiel und, wie die Meinung der Reckes lautete, es nur ein geringer Zufall gewesen war, der ihrem Ahnherren den Weg zur Herzogswürde verlegt hatte.

Man könne sich schon getrauen, so sagte Hagenmöller, mit Zuversicht auf einen glücklichen Ausgang zu hoffen. Eine Verjährung sei in Vindikationsangelegenheiten solcher Art nicht vorgesehen. Allerhand einleitende Schritte wollten getan, die und die Dokumente beschafft werden. Genauestens zu erwägen sei der Modus des Vorgehens. Vielleicht werde man gut tun, vorsorglich auch einen Anspruch auf Entschädigung für alle entgangenen Erträgnisse anzumelden – Erträgnisse aus anderthalbhundert Jahren! Zweifelhaft scheine es, ob man damit durchdringen werde, aber vielleicht ergäben sich hier Möglichkeiten eines vorteilhaften Vergleiches. Der Kammerherr wolle auch die politische Lage nicht aus dem Auge lassen: der Herzog sei, in diesen schwierigen und ungewissen Zeiten, mehr als jemals auf die

Geneigtheit der Ritterschaft angewiesen, und das werde ihn möglicherweise zum Entgegenkommen stimmen. Auch müßte es ihm höchst ungelegen kommen, wenn die Sache an den König von Polen als an den Oberlehnsherrn gelange. So werde es für alle Fälle nicht schaden, wenn man sich angelegen sein lasse, diesen oder jenen einflußreichen Mann in Warschau ins Interesse zu ziehen. Einiger Geduld freilich werde dies alles bedürfen, und das wisse man ja, daß noch niemand auf den Einfall geraten sei, die Justitia etwa mit geflügelten Sandalen abzubilden.

Hagenmöller lächelte bei diesen letzten Worten, es war das Lächeln der vergnügten alten Herren mit den gesunden Rotweinbäckchen und der behaglichen, freilich mitunter schon zu leichtem Schnaufen nötigenden Leibesfülle.

Recke winkte ungeduldig ab; was lag an Monaten oder selbst an Jahren, wenn es um einen Kampfpreis ging, der in künftige Jahrhunderte hinüberwies?

Nach Neuenburg zurückgekehrt, setzte der Kammerherr alle Nachbarn in Erstaunen. Er schien jünger, spannkräftiger, wohlgelaunter als je. Er näherte sich gesellig den Menschen, er ließ große Jagdeinladungen ausgehen, er fand sich zu Kartenpartien ein, er nahm längst eingeschlafene Beziehungen wieder auf.

«Was ist mit dem alten Brummkater?» fragte man. «Hat er sich verliebt? Hat Cagliostro damals eine Flasche von seinem Verjüngungselixier zurückgelassen und Recke hat sie im Apothekerschränkchen seiner Frau gefunden, zwischen Peau d'Espagne und Millefleurs?»

Recke sprach zu niemandem von seinem Vorhaben. Hagenmöllers erprobter Verschwiegenheit konnte er gewiß sein.

Einen großen Teil des Winters verbrachte der Kammerherr in Mitau, auch hier aus der alten Ungeselligkeit heraustretend, auch hier ein verwundertes, wiewohl nicht ungutmütiges Aufsehen hervorrufend. Er begann sich anders zu kleiden, nicht zwar mit einer betonten Jugendlichkeit, die ihn ja hätte lächerlich machen müssen, immerhin mit würdiger Zurückhaltung der Mode sich anbequemend. Häufig saß er bei Hagenmöller in der Kanzlei, häufig sah er ihn zu Tische bei sich. Er kümmerte sich um die ritterschaftlichen Landesgeschäfte, er beendete seine «Nachträge» und beförderte sie zum Druck. Die Parteien näherten sich ihm werbend, er zeigte sich bei Hof, er besuchte das Theater, Konzerte, Assembleen und Soireen. Und jeder spürte, daß er diese Hinkehr zur Lebendigkeit nicht einem bestimmten Zweck zuliebe seiner widerwilligen Natur auferlegte, sondern daß er damit einem neuerwachten Bedürfnis Genüge tat. Den Frauen gegenüber legte er die mürrische Höflichkeit ab; er mühte sich, mitteilsamer, zuvorkommender zu sein und doch die Grenzen zu achten, deren Überschreitung ihn der Medisance preisgegeben hätte. Bald hatte er eine Witwe im Auge, eine heitere, noch jugendkräftige Frau, doch über die Jahre der Unerfahrenheit hinaus, einem der großen Geschlechter des Landes angehörig.

In dieser Zeit neuer Lebenszugewandtheit betraf Recke sich auf dem Wunsch, milder und billiger über seine Frau zu denken. Konnte es nicht sein, daß er sich von dem, was ihn Unnatur dünkte, allzusehr hatte reizen und verhärten lassen? Vielleicht, da sie ja keine Neigung verriet, je in die Heimat zurückzukehren, würden sie einander nie wieder begegnen. Sollte sich da nicht eine Aussöhnung bewirken lassen? Ihm schien, er sollte in den neuen Lebensabschnitt, den er vor sich sah, nichts Unbeglichenes hinübernehmen. Das ähnelte wohl von weitem den Empfindungen eines Menschen, der sich zur Abreise in ein fernes Land anschickt oder zum Sterben.

«Zum Sterben? Nun ja, natürlich zum Sterben! Der alte Adam soll tot sein!» sagte er sich belustigt. «Und an seiner Stelle ein neuer Mensch hervorgehen.»

Hieß es nicht so ähnlich? Er entsann sich dunkel eines Spruches von seiner Konfirmationszeit her oder auch aus dem Gottesdienst der Neuenburgischen Kirche, den er, des Beispiels und der Reputation halber, mit einiger Regelmäßigkeit besuchte. Nun, wie das auch sein mochte, er beschloß, Lotte, die jetzt Elisa hieß, zu schreiben. Doch war er verlegen darum, wie er es anfangen sollte.

Da bot sich ein Anlaß, denn in einem Winkel des Stadthauses fand sich durch Zufall ein Stapel ihr gehöriger Briefe und Bücher. Er ließ die Briefe unangerührt und blätterte in den Büchern. Sie enthielten Gedichte, und diese Verse kamen ihm jetzt nicht so widerwärtig vor wie dereinst. Ja, fast wollte ihm scheinen, als spreche sich hier, wiewohl auf eine etwas fremdartige und umständliche Weise, manches aus, was er selber auch schon empfunden hatte; nur allerdings, er wäre nie darauf verfallen, das so auszudrücken.

Er packte das Gefundene zusammen und schrieb dazu, er hoffe sehr, sie werde es noch nicht vermißt haben. Er höre manchmal von ihren Reisen sprechen, und er sei in seiner Jugend und während des preußischen Siebenjahrkrieges ja auch in Deutschland gewesen; freilich möge es damals in mancher Hinsicht anders ausgesehen haben als jetzt; zu Berühmtheiten habe er keinen Zugang gehabt, außer zu ein paar militärischen, und das wisse sie ja, daß er zweimal Gelegenheit gehabt habe, mit dem König zu sprechen. Nun, das alles sei vorbei, ihm selber seien in manchem Betracht andere Gedanken gekommen, und so wünsche er ihr das Allerbeste. Romanowsky werde alt und sehe nicht mehr gut, der Pastor habe bei einem Jagdunfall eine Ladung Schrot in den Oberschenkel bekommen, er könne aber schon wieder gehen, beim Gribbasch-Bauern habe es gebrannt, doch sei der Schade nicht groß, und er, Recke, habe ihm Bauholz und auch ein wenig Geld gegeben. Das seien so die Neuigkeiten von Neuenburg, nichts für ungut, sie werde Großartigeres gewöhnt sein.

Der Brief war ein wenig holperig abgefaßt. Und vielleicht hätte auch einen mit dem Kammerherrn nicht bekannten Leser hier etwas rühren können, etwas wie die Ungeschicklichkeit eines briefschreibenden Kindes, das ja auch keine Gesinnungen und Empfindungen auszudrücken weiß und sich dafür mit einer aufzählenden Wiedergabe kleiner Alltagsvorkommnisse behelfen muß.

Zu Ausgang des Winters erhielt der Kammerherr, derzeit wieder in Neuenburg sich aufhaltend, einen Brief des Hofgerichtsadvokaten, doch erhielt er ihn mit einiger Verspätung, denn er fand ihn vor, als er von einem mehrtägigen Nachbarschaftsbesuch heimkehrte. Es sei nun alles vorbereitet, schrieb Hagenmöller, und die Vindikationsklage könne jetzt gehörigen Ortes eingereicht werden; der Kammerherr möge in nächster Zeit einmal nach Mitau kommen, um noch ein paar Einzelheiten zu bereden und die notwendige Unterschrift zu leisten.

Recke fühlte, daß ein Abschnitt geschlossen, ein neuer, bedeutungsvoller eröffnet wurde. Er hatte sich so sehr in die Zukunft hineingedacht, und nun, da alles in die Nähe gerückt war, nun empfand er eine Scheu, den Schritt über ihre Schwelle zu tun. Er zögerte. Er ließ ein paar Tage verstreichen, er kümmerte sich um einige Angelegenheiten der Gutswirtschaft, um die Abrechnung mit einem Holzhändler, den Streit zweier Bauern, die Krankheit eines Lieblingshundes. Nun, das war eine Anwandlung, sie ging vorbei. Er schüttelte den Kopf über sich selbst und ließ anspannen.

Romanowsky saß gekrümmt auf dem Bock neben dem Kutscher, in seinen Pelz vergraben. Es war keine Schlittenbahn mehr, Wasser, Schnee und Erde hatten sich zu schmutzigem Brei verbunden. Die vierspännige Kutsche kam langsam vorwärts, blieb im aufgeweichten Straßenboden stekken, erlitt einen Radbruch.

Recke erwog schon, auf einem der am Wege liegenden Gutshöfe einzukehren und sich ein Reitpferd auszuleihen. Indessen unterließ er es. Er hatte sein Zaudern überwunden, aber nichts drängte ihn zur Eile, denn was vor ihm lag, schien ihm Unendlichkeit zu haben. Es verdroß ihn kaum, daß eine vom Hochwasser beschädigte Brücke einen zeitraubenden Umweg nötig machte.

Für die Nacht hatte er die Gastfreundschaft eines Vetters

ansprechen müssen. Vormittags war man in Mitau. Er hatte sein Haus noch nicht erreicht, als er einem vom Friedhof heimkehrenden und schon in der Auflösung begriffenen Leichenzug begegnete.

Recke ließ halten. Er befahl Romanowsky, abzusteigen und sich nach dem Beigesetzten zu erkundigen. In der kleinen Stadt kannte jeder den andern, und die Ansehnlichkeit des Trauergefolges zeigte an, daß man keinen gleichgültigen Mann zu Grabe gebracht hatte.

Romanowsky stapfte in seinem über und über von Straßenschmutz bespritzten Pelz mühselig durch den bräunlichweißen wässerigen Schnee.

Er kam zurück, öffnete den Kutschenschlag und meldete in seinem wunderlichen Deutsch:

«Gnädiger Herr, das Hofrichtsadvokats Hagenmöller ist ausgestorben, ist eben eingemacht worden auf Kirchhof.»

«Was sagst du? Wer?» rief der Kammerherr. «Ja, wer denn? Romanowsky! Der Hofgerichtsadvokat?»

Romanowsky wiederholte gleichmütig. Dann, da der Herr offenbar keine weiteren Befehle für ihn hatte, schloß er den Kutschenschlag, humpelte, eine teichartige Pfütze vermeidend, nach vorne und kletterte auf den Bock.

«Fahren?» fragte der Kutscher auf Lettisch.

«Er hat nichts gesagt», antwortete Romanowsky. «Ach, fahr nur los, was soll man noch warten, wir hier oben sind naß genug.»

Am Nachmittag schien die Sonne. In seiner kleinen städtischen Halbkalesche fuhr Recke in der Schreiberstraße vor.

Ach Gott, da hatte also Hagenmöller sterben müssen. Nun, er war bejahrter als der Kammerherr und mehr als dieser auf fette Gänse, Pontac, Franzwein und Ungarwein versessen gewesen. Recke hatte ihn gern gehabt, Recke war durch ein Dritteljahrhundert an ihn gewöhnt, er war gescheit, kenntnisreich, verläßlich, wenn auch nicht übermäßig flink, kein gelehrter Querkopf, und es hatte sich mit ihm auskommen lassen. Recke war, wie er sich sagte, voll eines ehrlichen Mitgefühls. Aber nachdem er diesem in seinen Gedanken eine Weile Raum gegeben hatte, durfte er doch, so sagte er sich ebenfalls, wieder auf seine eigenen Lebensangelegenheiten bedacht sein, seine Zukunftspläne, seine Vindikationsklage. Die Kanzlei freilich würde geschlossen sein, doch mußte sich in Hagenmöllers Wohnung das Nötige erfragen lassen.

Die Kanzlei war nicht nur geschlossen, sie war versiegelt. Über der Tür, vor den versperrten Fensterläden hingen an mehrfarbig geflochtenen Aktenschnüren rot die obrigkeitlichen Siegel.

Der Kammerherr stieg die Treppe hinauf. Oben öffnete ihm der Diener, führte ihn ins Staatszimmer und holte die Haushälterin.

«Herr Kammerherr», rief sie, «es war namenlos! Namenlos war es.»

Sie war noch im schwarzen Trauerstaat und bestrebt, feierlich, würdig und schmerzgebeugt zu erscheinen. Recke entsann sich, daß Hagenmöller gewohnt gewesen war, von ihr als von seinem Seelenreibeisen zu sprechen.

Sie bat den Kammerherrn aufs Kanapee, sie drückte das schwarzgesäumte Taschentuch gegen die Augen, sie berichtete.

«Herr Hofgerichtsadvokat war noch in so guter Verfassung. Nur, im Vertrauen, er hat zu oft in Warschau zu tun gehabt, da hat er sich die schweren Ungarweine angewöhnt. Plötzlich, bei Tisch, wir hatten acht Herren zum Abendessen, Herr Hofgerichtsadvokat hält die Tischrede, so ein launiger Mann, wie er war, ich habe es von nebenan gehört, wie alle gelacht haben, mitten im Satz fällt er um. Ich herbei, so erschrocken wie ich war, wir haben ja alles versucht, aber erbarmen Sie sich, Herr Kammerherr, was kann man schon machen bei Schlaganfall?»

Eine Weile ließ Recke das so fortgehen, dann erkundigte er sich nach der Kanzlei und den Geschäften.

Nein, es werde alles aufgelöst und die Kanzlei nicht weitergeführt werden, Herr Hofgerichtsadvokat habe ja keinen Gehilfen gehabt, nur ein paar untergeordnete Schreiber. Wegen der Geschäfte müsse der Herr Kammerherr so gut sein, sich an den Hofrat Pantenius zu wenden. Es sei von der Obrigkeit unter Pantenius' Vorsitz eine Kommission von Vertrauenspersonen bestellt worden, welche die versiegelte Kanzlei öffnen solle und den Auftrag habe, Akten und Schriftstücke zu ordnen und sie den Mandanten des ohne Anhang und Erben Verblichenen oder deren neuen Rechtsberatern zuzustellen.

Als habe Reckes Kommen vorzugsweise ihr gegolten, sagte die Haushälterin bei seinem Aufbruch: «Ich bedanke mich auch vielmals für den Besuch, Herr Kammerherr, es war mir ein rechter Trost.» Das Seelenreibeisen seufzte, schluchzte und setzte hinzu: «Es war wieder wie damals, als mein Mann starb. Es war namenlos, Herr Kammerherr, namenlos war es.»

Recke fuhr zu dem ihm gut bekannten Hofrat und Fiskal Christian Pantenius, einem angesehenen und beliebten Manne, dessen klares Gesicht der Kammerherr gern sah.

«Ach Gottchen», sagte Pantenius, «ja, der gute Hagenmöller hat es eilig gehabt, unter die Erde zu kommen. Immerhin, bedenken Sie: das Glas in der Hand, die Serviette unterm Kinn, holländische Austern auf dem Tisch – so ein Ende möchte man sich und jedem Freunde wünschen. Und er ist noch im alten Kurland gestorben. Wer weiß denn, wie das neue aussehen wird.»

Dann sprachen sie von den Geschäften.

«Nichts für ungut, ich hatte ihn gern, aber es kann sein, daß die Ordnung in seiner Kanzlei nicht übermäßig groß gewesen ist», erklärte Pantenius. «Vielleicht werden wir damit nicht gleich im Handumdrehen fertig. Aber Sie können ganz ruhig sein, es wird alles bestens erledigt werden.»

Danach nannte Pantenius auf Befragen verschiedene Juristen, unter denen, wie er höre, sich die Klienten des Verstorbenen ihre neuen Rechtsbeistände wählen wollten. Er kennzeichnete jeden mit ein paar ausgewogenen Worten, vermied es aber, einen von ihnen auf Kosten der übrigen zu empfehlen.

Recke verabschiedete sich und lud Pantenius, schon im Vorzimmer, zur Schnepfenjagd ein. «In drei, vier Wochen ist es so weit», sagte er. «Das sind die Dinge, auf die man sich verlassen kann.»

Recke schlief unruhig. Am nächsten Morgen brachte die Post einen Brief aus dem Auslande. Recke erkannte die Handschrift seiner Frau.

Sie dankte ihm für das Übersandte. Sie dürfe es guten Gewissens annehmen, könne sie doch sicher sein, ihn damit nicht zu berauben; sie wisse ja, daß das Lesen von Büchern ihm noch nie ein Pläsier gemacht habe. Es freue sie, nicht zuletzt um seinetwillen, daß er alle die vorgefallenen Streitigkeiten zu bedauern scheine. Was sie selber angehe – nun, selbst Bitternisse gleich denen, die sie schuldlos habe durchkosten müssen, seien nicht imstande, ein strebendes Herz an der schönen Pflicht zur Versöhnlichkeit irre zu machen. Sie werde sich treulich bemühen, alles Erlittene zu vergessen. Ob sie je wieder nach Kurland komme, wisse sie nicht. Auf jeden Fall wolle sie bis an ihr Ende, das angesichts so vielen erfahrenen Unglücks vielleicht nicht ferne sei, ewig beflissen bleiben, seiner ohne Zorn zu gedenken. Der Brief war mit «Elisa» unterzeichnet.

Recke schauderte es. Das war der kühle Tugendstolz, der im Genuß der eigenen Großmut schwelgte. Das war die mitleidlose Selbstgerechtigkeit der schwärmerischen, nur um sich selber und um ihre zarten Empfindungen bewegten Seelen. Das war der Gefühlsüberschwang, der eine eisigere Kälte aushauchte als alle Neuenburgische Einsamkeit.

Der alte Zorn stieg ihm in die Höhe, das alte Unglück und der alte Hader mit dem Geschick. Ein Narr war er, daß er geschrieben hatte!

Halt. Weg damit. Wirf es hinter dich. Es sollte alles neu werden. Es traf sich nur so unglücklich, daß der Brief gerade heute kommen mußte, gleich am Tage nachdem er Hagenmöllers Tod erfahren hatte. Schlechte Zeichen. Ein Unglück auch, daß Hagenmöllers letzter Brief ihn verspätet erreichte. Und verdammt, dreimal verdammt, daß er nicht sofort nach Mitau aufbrach, und wenn ein paar Pferde darüber zum Teufel gegangen wären! Ach was, das hat nichts zu besagen. Ob nun Hagenmöller oder ein anderer — für einen halbwegs tüchtigen Juristen würde es keine Schwierigkeit haben.

Er schellte. Romanowsky erhielt Befehl, ihm ein Glas Rotwein zu bringen und die Pfeife zu stopfen.

Recke hörte sich nach den Rechtsgelehrten um, die Pantenius ihm genannt hatte. Er überlegte lange und suchte nach einigen Tagen einen von ihnen auf. Der junge Mann gefiel ihm. Er besprach mit ihm das Nötige und verständigte alsdann Pantenius, wohin er die Akten zu senden bitte.

Bald danach schickte Pantenius ihm ein Verzeichnis aller auf seine Geschäfte bezüglichen Papiere, die sich in der Hagenmöllerschen Kanzlei vorgefunden hatten. Die Akten selbst, so schrieb er, habe er des Kammerherrn neuem Rechtsbeistand ordnungsgemäß übergeben und sich von ihm die Empfangsbestätigung ausstellen lassen.

Recke überflog das Verzeichnis. Da waren Schriftstücke über lange zurückliegende Pachtverträge, Verkäufe, Bürgschaften, Erbschaftsangelegenheiten aufgeführt. Lehensbrief und Vindikationsklage waren nicht erwähnt.

Mit dem Zeigefinger den Zeilen folgend, studierte der Kammerherr das Verzeichnis von neuem. Aber der Zeigefinger bebte.

«Er hat es nur im Verzeichnis vergessen! Natürlich ist es mit abgegeben worden!» sagte er. Indessen nahm er sich nicht erst die Zeit, aufs Anspannen zu warten. Er hinterließ, der Wagen möge ihn bei seinem Rechtsbeistand abholen. Dann stürzte er aus dem Hause. Zu Fuß eilte er durch den stürmischen Vorfrühlingsregen. Kaum brachte er es fertig, unterwegs den Grüßenden zu danken.

Die Akten wurden herbeigeholt. Stück für Stück sahen sie

sie durch, der Kammerherr und sein junger Sachwalter, und verglichen das Vorhandene mit dem Verzeichnis. Alles war vollzählig, nur der Lehensbrief und die Vindikationsakten fehlten.

Die Halbkalesche wartete bereits vor dem Hause. Recke sprang hinein und fuhr zu Pantenius. Er traf ihn nicht an, er war in Dienstgeschäften unterwegs, vielleicht in diesem Amt, vielleicht in jenem. Der Kammerherr jagte durch die halbe Stadt. Endlich erreichte er Pantenius in seiner Wohnung, gerade als der Hofrat sich mit Frau und Kindern zu Tisch setzen wollte.

Er hörte Recke an, er suchte zu beschwichtigen. Dann meinte er sich zu erinnern, es habe sich ein steifer blauer Pappdeckel vorgefunden, mit der Aufschrift «Talsen und Kabillen, Vindikationssache Recke». Doch habe er keinerlei Papiere enthalten, nicht einmal ein winziges Merkzettelchen.

Recke war außer sich. Seine Erregung teilte sich Pantenius mit, denn dies konnte ja an seine Ehre rühren. Er ließ das Mittagessen im Stich, er fuhr mit dem Kammerherrn in die Schreiberstraße.

Alle Kanzleiräume wurden durchsucht, die Haushälterin, der Diener, die Schreiber hinzugezogen. Kein Möbelstück blieb an seinem Platz. Sie fuhren zu jedem einzelnen Gliede der Kommission, es waren lauter hochgeachtete Männer von makellosem Ruf. Niemand wußte etwas. Allenfalls vermochte sich noch einer des blauen Aktendeckels und seiner Aufschrift zu entsinnen. Aber nicht einmal der Aktendeckel fand sich, er mochte mit dem übrigen Inhalt der Papierkörbe, die mehrmals des Tages hatten geleert werden müssen, in die Küche geraten sein.

Die Suche beschränkte sich nicht auf diesen einen Tag. Recke ordnete an, daß sein Verlust durch die Blätter bekannt gemacht werde, und setzte hohe Belohnungen aus; schon der geringste Hinweis sollte reich vergütet werden. Hagenmöllers Wohnung wurde durchsucht, sein Schlafzimmer, die

Bibliothek, die Taschen seiner Kleidungsstücke, die noch unverbrannten Stöße des Ausgesonderten. Nichts fand sich. Aber es war auch niemand da, den man mit einigem Fug hätte verdächtigen können.

Man fuhr zu allen Juristen, allen Klienten, deren Aktenstücke aus Hagenmöllers Kanzlei überstellt worden waren, ob nicht das Gesuchte mit anderen Papieren zu ihnen geraten sein könnte. Überall fanden der Kammerherr und der Hofrat Entgegenkommen, ja, Anteilnahme, überall ließ man sie bereitwillig suchen. Alles blieb ohne Ergebnis.

Pantenius hatte treulich an Reckes Seite ausgehalten. Der Kammerherr sah grau und verfallen aus, als er ihm die Hand drückte und sagte:

«Ich danke Ihnen, Herr Hofrat. Ich sehe wohl, hier ist nichts mehr zu verrichten. Ihretwegen müssen Sie sich keine Gedanken machen. Höre ich von jemandem, der Ihnen etwas Unrechtes zugetraut haben will, der muß sich mit mir schießen, Knie an Knie, so wahr mir Gott helfe.»

Recke gewahrte, daß er in der Stadt zum Gesprächsgegenstand geworden war. In den Mienen der Menschen, im Ton ihrer Worte entdeckte er Mitgefühl. Auch das drückte, auch das reizte. Dennoch gewann er es nicht über sich, Mitau jetzt zu verlassen, denn dies hätte geheißen, die Niederlage als endgültig anerkennen.

Was dieser Zeit den Charakter gab, das war das zornige oder das beängstigte Aufschrecken in der Nacht; bei Tage minuten-, später schon stundenweise ein halbes Vergessen, dann aber die unerbittliche Wiederkehr der Erinnerung, und stets von neuem das Grübeln, wie das Geschehene denn hatte geschehen können und ob nicht doch bei den Nachforschungen etwas Wichtiges, vielleicht das einzige, auf das es angekommen wäre, übersehen und versäumt sei. Recke sah sich verurteilt, nach Erklärungen zu suchen; er fand keine; verurteilt, nach einem Menschen zu suchen, dem ein Vorwurf gemacht werden konnte. Er fand keinen, es sei denn sich selber, der sich vielleicht von Hagenmöllers Brief augenblicks hätte nach Mitau jagen lassen müssen. Aber auch da hätte es schon zu spät sein können – er mochte die Tage nicht nachrechnen, ach, es war ja gleich.

Die Bekanntmachung war im Druck erschienen. Jeder las sie, niemand meldete sich.

Recke fühlte Zusammenhänge, die er nicht zu deuten, ja nicht einmal zu benennen wußte. Selbstquälerisch kehrte er zu allem Verqueren zurück, das ihm je widerfahren war. Alles Mißgeschick seiner Ehe drängte sich ihm in die Gedanken. Der Brief seiner Frau beschäftigte ihn als eine unwiderrufliche Abweisung – nicht von seiten der Schreiberin, denn was wäre daran gelegen?, sondern von einer befugteren Macht, und es schien ihm kein Zufall, daß die Abweisung ihn gerade in diesen Tagen getroffen hatte. War aber etwas Endgültiges geschehen, wie konnte er sich mit dem Gedanken trösten, es habe sich ja nur die Lage vom vergangenen Herbst wiederhergestellt? Wer sich in eine Ausgangsstellung zurückgeworfen sieht, kann der jemals vergessen, daß er der Geschlagene ist?

In solcher Verfassung des Gemüts fiel es ihm ein, Hagenmöllers Grab aufzusuchen. Wahrhaftig, dies war eine Selbstverständlichkeit, wie hatte er das vergessen können! Es kam ihm in den Sinn, wie er damals nur um eine Stunde zu spät die Stadt erreicht hatte – sonst hätte er, wie es ziemlich war, dem Sarge folgen und mit drei Handvoll Erde dem Toten seine Ehre geben können. Auch hier zu spät, immer zu spät, und vielleicht war auch die Urkunde um Jahre zu spät aufgetaucht. Wäre er jünger gewesen, um fünfzehn, zwölf Jahre jünger, ja, dann!

Er ließ sich vom Friedhofswärter den Weg beschreiben, aber er winkte ab, als der Mann ihn hinführen wollte. Er mochte niemanden bei sich haben, es schien ihm plötzlich, es könne ihm von dieser Örtlichkeit ein lösender Aufschluß zuteil werden.

Es fiel ein warmer Regen. Die Stunde war nachmittägig, die verborgene Sonne, deren Dasein nur vorgegeben zu sein

schien, mochte es nicht mehr weit zum Untergange haben. Die Farben verloren sich. Von den Schneehaufen zu beiden Seiten des Weges ging ein bleiches Licht aus.

Recke ging langsam unter den laublosen Trauerweiden. Klagende Genien standen, aus verwitterndem Stein gehauen, umher, antikisch gebildet, Frauengestalten, niedergebeugt von einem edel gemilderten Schmerz, Säulenstümpfe, Obelisken, hier und da ein Kreuz, noch aus der älteren Zeit stammend oder von Menschen, die noch der älteren Zeit anhingen.

Recke fuhr aus seinen Gedanken auf. Unweit des Weges, hinter einem Vorhang kahler, tropfender Zweige, meinte er etwas Helmähnliches zu erblicken.

Betroffen trat er näher heran. Auf einem quadratischen, nicht ganz mannshohen Sandsteinblock lag, ebenfalls aus Stein gehauen, ein Helm, wie wohl homerische und vergilische Krieger ihn getragen hatten.

Der Sockel war mit dunkelgrüner, jetzt schwärzlich erscheinender Bemoosung überzogen, und es mochte eine lange Inschrift unter ihr verborgen sein. Einzig den oberen Teil der viereckigen Fläche hatte das langsam steigende Wachstum noch nicht erreicht. Hier standen, im Dämmerlich nur mühsam entzifferbar, die Worte: «Eph. VI, 17. Et galeam salutis assumite.»

Recke las in tiefer Bewegung den Satz; sein halbvergessenes Latein — sehr stattlich war es nie gewesen — reichte gerade noch hin, ihn die an die Epheser gerichtete apostolische Aufforderung verstehen zu lassen: «Und nehmet den Helm des Heils.»

Der Kammerherr stand lange vor dem helmgekrönten Grabmal. Es gelüstete ihn nicht, den Namen und die Lebenszeit des hier zur Ruhe Gekommenen zu erfahren. Wie jener ersterschienene Helmträger, so mochte auch dieser ein Unbekannter bleiben. Scheu, als fürchte er sich, von jemandem bei dieser Bewegung beobachtet zu werden, legte er die Hand auf den kalten Steinhelm und ließ sie eine Weile dort ruhen.

Als er sich endlich losmachte, war die letzte Helligkeit geschwunden. Jetzt, in der Dunkelheit, hatte es keinen Sinn mehr, nach Hagenmöllers frischem Grabe zu suchen. Recke ging langsam und in vielerlei Gedanken in der großen Mittelallee auf und nieder. Mit einem Beben des Herzens fühlte er, daß ihm abermals ein Zeichen gesandt worden war. Aber würde er es zu deuten wissen?

Er fühlte, daß der Helm außer seiner schützenden und seiner verhüllenden Bestimmung noch eine dritte Bedeutung haben mußte, nämlich eine offenbarmachende, und im Widersinn dieses Gedankens lag etwas unverständlich Beglükkendes. Ja, er meinte vom Bilde des Helms einen Glanz ausgehen zu sehen, als säße er, von Glorien angestrahlt, auf dem Haupt eines kriegerischen Engels.

Auf eine ihm selber unerklärliche Weise war er nicht mehr ratlos dem Nichtzuenträtselnden preisgegeben. Er würde nun ablassen, den Hergängen nachzugrübeln. Denn wichtiger als die Hergänge schien ihm nun die Bedeutung, die in ihnen verborgen liegen mußte, wie das menschliche Antlitz im geschlossenen Helm, und ihr meinte er auf der Spur zu sein. Auf der Spur, nicht mehr; denn hier fand er Schranken, die er nicht zu überwinden wußte. Wo lag ergreifbar das Heil, das der Helm sinnbilden wollte? Recke war gewohnt, die natürlichen, handelnd sich kundmachenden Kräfte des Menschen hochzuschätzen und, gleich so vielen Männern seiner Zeit, der Gläubigkeit als einer Abart der Schwärmerei zu mißtrauen; niemand hatte ihn gelehrt, die Hand nach dem Helm des Heils auszustrecken. Was sich ihm jetzt gezeigt hatte, das war wie ein kleiner, im Dunkel aufblitzender Funke, den er gern ergriffen hätte, aber nicht zu ergreifen wußte. Und vielleicht muß dieser Wunsch, muß diese Geneigtheit zum Ergreifen schon für das vollzogene Handausstrecken gelten.

Der Regen hatte aufgehört. Es roch nach feuchter Erde und gleichmutsvoll sich erneuerndem Wachstum.

Der Friedhofswärter, der die Pforte verschließen wollte,

kam mit einer Laterne, um dem verspäteten Besucher hinauszuleuchten. Er fragte den Kammerherrn, ob er das Grab gefunden habe. Recke murmelte irgend etwas zur Antwort und verabschiedete sich mit einem Trinkgeld.

Der aufgekommene Wind scheuchte die Wolken fort. Hier und da kam ein Stern zum Vorschein. Den Hut in der Hand, ging Recke langsam nach Hause. Er schickte Romanowsky früh zur Ruhe und verbrachte einen beträchtlichen Teil der Nacht grübelnd in seinem Polsterstuhl, als habe er sich vorgenommen, jetzt noch bei seinen Gedanken auszuharren und sie bis an einen bestimmten Grad der Reife zu führen, dann aber sich mit dem Erreichten zu begnügen und den kommenden Morgen wieder den Tätigkeiten des Lebens zuzuwenden.

Die Hand, die er absichtslos ins Leere gehalten, hatte eine unbekannte, eine nicht zu bezeichnende Macht ihm geheimnisvoll gefüllt, und gleichermaßen geheimnisvoll war die Gabe in ihre Dunkelheit zurückgekehrt. So war denn alles nur eine Vorspiegelung gewesen, ein ihm vom Geiste des Lebens hingehaltener Köder?

Wie die Erscheinung des Mannes mit dem Helm ihm die Verheißung einer unendlichen Zukunft gewesen war, so wurde ihm jetzt die dunkle Gestalt zu einem Merkzeichen der Vergänglichkeit. Er sah den Unbekannten wieder vor sich, das Visier öffnete sich, etwas Blasses und Weißliches stand inmitten der finsteren Umrahmung, ein Totenschädel starrte ihn an. War es denn nicht auch der Tod selber gewesen, der, des Hofgerichtsadvokaten Hagenmöller sich bemächtigend, mit einer solchen Kraft der Endgültigkeit in Reckes Gegenwart und Zukunft gegriffen hatte? Und doch schien es, als glimme ein Licht in den leeren Augenhöhlen auf, eine schmale, indessen vielleicht des Wachstums fähige Helligkeit. Die dunkle Kammer lag am Ende des Weges, aber war nicht Hoffnung, daß irgendein Licht vom Helme her in sie fallen könnte? Er mußte nur erkennen und die Erkenntnis bewahren, daß Dauer und Vergänglichkeit von der nämlichen Verheißung getragen waren, mußte den Punkt finden, da der Widerspruch sich aufhob, da beide Waagschalen im gleichen Gewicht standen und gemeinsam die unendliche Zahl des Daseins anzeigten.

Schon am folgenden Tage kehrte der Kammerherr nach Neuenburg zurück, und von da ist er nur noch selten und um dringlicher Ursachen willen zur Stadt gekommen.

Die Schnepfen waren verläßlich wie die Jahreszeit, und ohne Übereilung begann der Frühling sich anzudeuten. Pantenius stellte sich ein, und sie saßen des Abends mit brennenden Pfeifen beim Wein, rühmten das gute Schnepfenjahr und sprachen miteinander von der Jagd, von alten Zeiten, von den Angelegenheiten des Landes und den russischen, polnischen, preußischen Händeln.

Pantenius wünschte den Kammerherrn zu schonen und tat des Lehensbriefes keine Erwähnung. Recke selber aber begann unbefangen davon zu reden und sagte:

«Lieber Hofrat, da soll mich keiner bedauern. Jeder erlebt wohl etwas, das ihm nicht recht begreiflich vorkommt. Was braucht der Mensch Talsen und Kabillen? Mehr als *eine* Gruft kann er zum Schluß doch nicht bewohnen. Das alles hat keine so große Wichtigkeit. Man muß nur herausbringen, was einem bekömmlich ist und was nicht, und muß sich die Flausen aus dem Kopf schlagen. Und sehen Sie, mir ist es bekömmlich, als Hagestolz in Neuenburg zu sitzen und dies Frühjahr ein paar Nachmittage lang mit Ihnen Schnepfen zu schießen. Das Übrige findet sich schon.»

Er lächelte ein wenig, und dies Lächeln schien seinem Gast liebenswert. Doch mochte er nichts sagen, und die beiden Männer tranken einander schweigend zu.

Romanowsky wurde herbeigeläutet, er mußte Holz nachlegen, die Kerzen putzen und dann eine neue Flasche holen.

«Noch etwas», sagte der Kammerherr, als er wieder mit Pantenius allein war, «noch etwas, und dann kein Wort mehr über diese Geschichten. Ich bin ja auch so ein behelmter Mann mit heruntergelassenem Visier gewesen. Nicht daß ich den Helm abgelegt hätte, aber es ist schon was, wenn man den Helmsturz hochklappt und nun fällt das Licht nicht nur durch den schmalen, für die Augen bestimmten Schlitz, sondern badet die ganze Gesichtshaut. Das gehört wohl auch zum Bekömmlichen.»

Eine Verbindung mit Elisa stellte sich nicht wieder her, und nur noch wenige Male erreichte den Kammerherrn ein unbestimmtes Gerücht. Ruhig lebte er die ihm noch eingeräumten Jahre; zurückgezogen, indessen nicht abgesondert; die ihm vorgezeichneten Grenzen innehaltend, aber ohne Geringschätzung dessen, was jenseits dieser Grenzen lag. Ruhig unterzeichnete er die Urkunde, in welcher die Ritterschaft die neue Ordnung der Dinge guthieß, des Herzogs Abdankung bestätigte und der russischen Kaiserin huldigte. Ruhig machte er sein Testament, und ruhig ist er gestorben; ja, wie sein Kammerdiener, der Nachfolger des lange vor ihm begrabenen Romanowsky, bezeugt hat, mit einem plötzlich erschienenen Gesichtsausdruck von heiterer Verwunderung.

Der Lehensbrief aber ist nie wieder zum Vorschein gekommen, gleichwie auch das Geheimnis seines Auftauchens und abermaligen Verschwindens, so viele Zeitgenossen und Spätergeborene auch an ihm herumgedeutet haben, niemals aufgeklärt worden ist.

Der Augenblick

Es scheint Augenblicke zu geben, für den Miterlebenden wie für den Nachkostenden, in denen ein Blick in die Werkstätte der Weltgeschichte freisteht; vulgärer ausgedrückt, in denen man das Haar zu erblicken meint, an dem eine winzige Zeitspanne lang das Geschick der Welt hing – und damit unser aller Schicksal, weil ja immer eins aus dem anderen sich ableitet. Der Geist der Begebenheiten hält den Atem an, es ist, als besinne er sich, fast schwankend, ehe er ihrem Weitergange die Entscheidung vorschreibt. Dann entschloß er sich, die Ereignisse sich so vollziehen zu lassen, wie wir es aus der Weltgeschichte kennen; damals jedoch hatte er, zum mindesten scheinweise, noch die Freiheit, ihnen einen anderen, vielleicht den entgegengesetzten Lauf zu geben.

Offiziere der napoleonischen Division Loison haben später, als das keine Gefahr mehr hatte, einen Vorfall solcher Art erzählt.

Am fünften Dezember 1812 übertrug der Kaiser den Oberbefehl seinem Schwager Murat und verließ die Armee in Richtung Oszmiany–Paris. Oszmiany liegt südöstlich von Wilna. Begleitet war er von Caulaincourt, Duroc und Mouton, die seit ein paar Jahren Herzog von Vicenza, Herzog von Friaul und Graf von Lobau hießen.

Eine knappe Stunde vor ihm gelangte nach Oszmiany durch Estafette ein Befehl, der ihn ankündigte und Vorsorge für Pferdewechsel und ein eiliges Frühstück anordnete; im übrigen seien Umstände und Ehrenerweisungen verbeten. Es blieb kaum Zeit, die notwendigsten Maßnahmen zu treffen.

Im Ort lag die Division des Generals Loison. Über Wilna aus Ostpreußen kommend, war sie tags zuvor in Oszmiany eingetroffen. Sie hatte ein mühsames Vorwärtskommen gehabt, die Wilnaer Straße war bereits von rückwärts drängenden Menschenknäueln verstopft. Die Division umfaßte sieben französische, zwei neapolitanische und zehn rheinbündische Bataillone; diese setzten sich aus Thüringern, Anhaltern und Frankfurtern zusammen. Der letzte Rekrut wußte, daß der Division kein anderes Schicksal bevorstehen konnte als das, in den allgemeinen Untergang hineingezogen zu werden; eine frische Truppe, würde man sie den Russen als Nachhut entgegenwerfen.

Loison ließ aus sämtlichen im Ort selbst untergebrachten Regimentern die Grenadierkompanien herausziehen, deren jedes Regiment eine hatte, und zu einer Wachtabteilung für den Kaiser zusammenfassen. An ihre Spitze stellte er Lapie, Major beim Stabe des hundertunddreizehnten französischen Linieninfanterieregiments, das übrigens fast ganz aus Piemontesen bestand.

Die Truppe sammelte sich auf dem Marktplatz. Wie alles in diesem Lande war er leer und von ungeheuerlicher Ausdehnung. An ihm lag das für den Aufenthalt des Kaisers bestimmte, vom Divisionsstab in Eile geräumte Haus. Es war, wiewohl einstöckig und von Holz, das ansehnlichste des Ortes und hatte ein Vordach, das auf vier hölzernen Säulen ruhte.

Drei Schlitten fuhren im Galopp vor. Die Grenadiere riefen: «Vive l'Empereur!» Aber es kam dünn heraus, denn nur in den ersten zwei Gliedern taten die Leute richtig den Mund auf; auch von ihnen berühmten sich einige nachher, sie hätten: «Vive l'Empereur de la Russie!» gerufen.

Loisons Meldung unterbrach Napoleon brüsk. «Scheren Sie sich zur Vorpostenkette», sagte er. «Wissen Sie nicht, daß Oberst Seslawin mit seinen Partisanen bis hart an den Südrand der Ortschaft streift?»

Napoleon und seine Begleiter, fast unkenntlich unter ihrem Pelzwerk, verschwanden im Hause. Loison, bleich im Gesicht, entfernte sich mit den Offizieren seines Stabes. Die Mannschaften der Wachtabteilung schlugen mit den Armen, um sich zu erwärmen; vergebens, denn der bissige Frost hatte kein Erbarmen.

Die Offiziere traten zusammen. Lapie sah vom einen zum andern. Dann sagte er mit gedämpfter Stimme, doch so, daß seine Worte von der ganzen Gruppe vernommen werden konnten: «Maintenant! Messieurs, ce serait le moment!»

Jeder verstand ihn. Jeder wußte, welcher Augenblick gekommen war und welche Tat er verlangte, und das, obgleich noch nie von einem solchen Augenblick und von einer solchen Tat die Rede gewesen war, zum mindesten nicht in einem so großen Kreise. Lapie vertraute darauf, der Gedanke werde kaum einen ungestreift gelassen haben. Wer aber bisher weder Gedanken noch Worte gewagt hatte, sah jetzt den Kaiser westwärts jagen und die Armee – Trümmer und Überreste – im Stich lassen.

«Dieser Mann hat es sich selbst zuzuschreiben», sagte finster einer der Kompaniechefs. Sprach man damals vom Kaiser, so wurde er als «cet homme» bezeichnet.

«Richtig, und das auch noch im besonderen», antwortete ein anderer. «Denn wenn er den General und seinen Stab eingeladen hätte, mit ihm zu frühstücken, wäre die Sache unmöglich.»

«Und die Mannschaften?» fragte ein Piemontese. «Werden sie uns folgen?»

«Sie zweifeln? Wie es heute steht, würde ich es mir zutrauen, selbst die Garde in ein solches Unternehmen zu führen.»

Alle bestätigten, ein jeder nach seinem Temperament. Sie berieten die Ausführung.

«Kann man uns kommen sehen?»

«Nein», sagte Lapie, der beim Divisionsstab zu tun gehabt hatte. «Die Stube, in der gedeckt ist, liegt nach der Gartenseite.»

«Und der Mameluck?»

«Wird im davorliegenden Zimmer sein und die Tür bewachen. Auch dies Zimmer hat kein Fenster nach unserer Seite.»

«Was hat das Eßzimmer sonst noch für Ausgänge?»

«Einen rückwärtigen, wenn mir recht ist. Er führt auf den Korridor und von da zur Küche.»

War alles verrichtet, so würde der größte Teil der Division, wo nicht die ganze, sich anschließen. Drei Trompeter mit weißen Tüchern nehmen zu Pferde die Spitze. Mit klingendem Spiel und fliegenden Fahnen wird zu Seslawin marschiert. Das Kommando führt zweckmäßigerweise einer von den deutschen Herren. Er erklärt Seslawin, man stelle sich unter den Befehl Kaiser Alexanders.

Es waren noch einige Einzelfragen zu lösen. Man einigte sich auf folgenden Plan. Eine Kompanie dringt ins Haus, eine andere besetzt den rückwärtigen Ausgang; dies jedoch erst im letzten Augenblick, da ihr Anrücken ja durchs Fenster wahrgenommen werden und cet homme und die Seinen zur Flucht veranlassen könnte. Alles kommt darauf an, daß die Bewegungen beider Kompanien aufeinander abgestimmt sind.

Der Mameluck wird niedergestoßen, man ist im Eßzimmer. Zwei Gruppen werfen sich sofort auf die rückwärtige Zimmertür, niemand darf entkommen. Von diesen Gruppen bleibt eine an der Innenseite der Tür, die andere dringt weiter in den Korridor, um etwa sich einmischende Leute, vielleicht von den servierenden Ordonnanzen oder vom Küchenpersonal, unschädlich zu machen. Hier, vor allem jedoch im Eßzimmer, gilt der Grundsatz: wer Miene macht, sich zu wehren, muß über die Klinge springen.

«Und wer keine Gegenwehr versucht?»

Diese Frage, von einem neapolitanischen Unterleutnant vorgebracht, blieb unbeantwortet. Rasch wurde gesagt: «Bajonett und Säbel sind die Waffen. Pulver und Blei würden Alarm geben, überdies im Zimmer die eigenen Leute gefährden.»

Vielleicht möchte mancher die Beratungen für Zeitvergeudung halten. Doch waren sie notwendig; nicht nur, weil jeder Umstand sorgfältig erwogen sein wollte, sondern noch mehr, weil die Gedanken der Männer Zeit haben mußten, sich an das Ungeheure zu gewöhnen.

Bisher hatte es «man» geheißen. Jetzt war die Frage, wer in Person die Handgriffe zu vollziehen hatte.

Lapie schlug den dienstältesten Kompaniechef vor. Dies war Herr von Schallheim, Kapitän in Sachsen-Weimarischen Diensten.

«Und Sie selbst, Herr Major, als der Urheber des Anschlags?» fragte Schallheim betreten.

«Es soll und muß ein Kompaniechef sein», antwortete Lapie. «Ich selbst befehlige keine Kompanie und habe daher keine Mannschaft, die ich genau kenne und deren ich – und gar in einer solchen Sache – so sicher sein könnte wie ein Kompaniechef seiner Leute.»

Während der Ratschlagung hatte Schallheim nicht widersprochen. Jetzt starrte er eine Weile in schweren Gedanken auf den beschneiten Boden. Endlich sagte er: «Was Sie von mir verlangen, meine Herren, das ist ein Mord.»

«Er hat Hunderttausende gemordet!» rief Lapie.

«Vielleicht sollten die Herren Kompaniechefs losen», bemerkte ein Premierleutnant.

«Wenn Herrn von Schallheims Gewissen für den Vordereingang zu zart ist, könnte er das Haus von rückwärts abriegeln», erklärte der Kapitän, der die Grenadierkompanie der Hundertdreizehner kommandierte, ein metzgerhaft aussehender Mann mit schwarzen, zusammengewachsenen Augenbrauen.

Schallheim verlangte schwankend, Napoleon und seine Begleiter sollten gefangengenommen und den Russen übergeben werden.

«Das ist zu gefährlich! Wer weiß, was geschieht, bevor wir bei Seslawin sind.»

«Und wenn sie sich wehren?»

«Dann gilt das Gesetz des Kampfes», entschied Lapie. «Herr von Schallheim», fuhr er fort, «ich werde Sie begleiten. Sie brauchen den Degen nur in der Notwehr zu ziehen.

Aber die beiden jungen Herren werden sich der guten Sache nicht versagen!» Er machte eine höfliche Handbewegung auf Schallheims Kompanieoffiziere zu.

Ohne Zögern erklärten beide sich bereit. Der eine hatte einen älteren Bruder in preußischen Diensten gehabt, der von Königsberg nach Rußland gegangen war und jetzt drüben ein Regiment kommandierte. Der andere war ein blutjunger Secondeleutnant mit kalten Schwärmeraugen und schmalen Lippen; er gehörte zu den Leuten, die Napoleon Ideologen nannte.

Lapie wandte sich an seinen Regimentskameraden, den Kapitän mit den zusammengewachsenen Augenbrauen: «Und Sie, Kamerad? Wollen Sie das Haus von der anderen Seite her in die Zange nehmen?»

«An mir soll es nicht fehlen», versetzte der Kapitän lachend. «Gibt es vorn eine Stockung, so dringe ich von rückwärts ein und bringe die Sache zu Ende.»

«Ist alles klar?» fragte Lapie. «Hat einer der Herren noch eine Frage?»

In diesem Augenblick erschien Caulaincourt unter dem Säulenvordach, ohne Kopfbedeckung, den Pelz locker über die Schultern gehängt. Er klatschte laut in die Hände und rief ungeduldig: «Eh bien! Pourquoi ne partons-nous pas?»

Gleich darauf fuhren die Schlitten vor. Caulaincourt eilte ins Haus zurück.

Die Offiziere liefen zu ihren Kompanien und Zügen, und während die Schlitten abfuhren, wurde abermals: «Vive l'Empereur!» gerufen.

Der Sandarzt

Dipplinger studierte die Heilkunde, hatte Schulden und fand kein Ende, man weiß, wie das geht. Sein Vater, der eine Ökonomie bei Ingolstadt besaß, drang auf Abschluß der Studien. Die Armee wurde auf Kriegsfuß gesetzt, um gegen Rußland zu marschieren, weil König Max Joseph mit dem französischen Kaiser im Bündnis war. Dipplinger ließ sich gleich anderen Studenten als Unterarzt einreihen und hatte das Unglück, in Gefangenschaft zu kommen, allein über Glück und Unglück sollen wir nicht zu geschwind urteilen.

Dipplinger hatte Fähnrichsrang, bei den Russen ist der Fähnrich bekanntlich ein Offizier, Dipplinger wurde als Offizier behandelt. Man nahm ihm sein Ehrenwort ab und wies ihm die Kreisstadt Berdjuchow zum Aufenthalt an. Er mußte sehr viele Tage reisen, um sie zu erreichen.

Man braucht die Kreisstadt Berdjuchow nicht zu beschreiben, sie gleicht zahllosen anderen Kreisstädten auf das genaueste. Und zu beschreiben braucht man eigentlich auch Dipplinger nicht, ein jeder hat seinesgleichen kennengelernt. Allenfalls wäre von Berdjuchow zu sagen, daß es dort unter vielen niedrigen Häuserchen auch ein vierstöckiges Holzhaus gab, an der Westseite des Marktplatzes und dem Gebäude der Kreisverwaltung gegenüber. Es war vor langen Jahren aus einer wunderlichen Laune errichtet worden, und der Propst hatte damals gesagt, mit dem babylonischen Turmbau habe alle menschliche Hoffart begonnen. Später wurde es zum Mietshaus, es war nicht sehr beliebt, denn wer macht sich gern die Mühe des Treppensteigens, und so wohnten keine sehr ansehnlichen Leute darin, und um so weniger, je weiter es nach oben ging. Im vierten Stock lebte die Witwe eines Kollegienregistrators, und bei ihr nahm

Dipplinger eine Stube zur Miete. Auch er, der schon ein wenig zur Fülle neigte, liebte es nicht, Treppen zu steigen, und beklagte das Unglück seiner Gefangenschaft; indessen nicht übermäßig, denn er hatte es ja in Berdjuchow behaglicher als beim Regiment.

Die Witwe war mit ihm zufrieden; er verhielt sich ruhig und beschädigte nichts. Sein Vorwohner war ihr mit zwei Monatsmieten davongegangen, und da hatte sie gemeint, bei einem Gefangenen habe man seine Sicherheit; doch enttäuschte es sie, daß er ungefesselt blieb. Übrigens war es ihr anfangs doch zugleich als ein Wagnis erschienen, einen Franzosen in die Wohnung zu nehmen. Beim Einkauf wurde sie von der Krämersfrau gefragt, wie er sei. Sie antwortete: «Bei Gott, ich lüge nicht: ganz wie unsereiner.» Vielleicht hatte sie gedacht, die Franzosen hätten Hörner auf dem Kopf oder sechs Beine.

Dipplinger galt, man wird es schon bemerkt haben, für einen Franzosen, denn was wußte man in Berdjuchow von Bayern, und er war doch im französischen Kriege gefangengenommen worden. Dies brachte Vorteile, aber auch Schwierigkeiten; indessen überwogen die Vorteile.

Dipplinger durfte sich innerhalb der Stadt und ihres Umkreises frei bewegen, mußte sich aber täglich um die Mittagszeit auf der Hauptwache melden. Hier saß ein lahmer Kapitän, der unter Suworow gedient hatte und demzufolge für eine Autorität in allen französischen Dingen galt. Neugierige fragten ihn über Dipplinger aus, und es kam vor, daß jemand ihn bat, in dieser oder jener Sache den Dolmetscher zu machen. Zuletzt sagte er verdrießlich, es sei schwer, sich mit ihm zu verständigen, der französische Doktor spräche eine bestimmte Mundart, man nenne das die langue d'Oc.

In Berdjuchow gab es einen Arzt, einen dem Trunke ergebenen, altersschwachen und zerfahrenen Mann. Dieser suchte Dipplinger auf, weil er meinte, sich eines Kollegen annehmen zu müssen, und sich zudem langweilte, denn seine überjährigen Witzworte mochte niemand mehr anhören. Er wollte mit Dipplinger französisch reden, aber darin war dieser schwach, und da er von seiner Schulzeit bei den Ingolstädter Klosterbrüdern noch einiges Latein wußte, so sagte er: «Intelligis latine?»

Der Doktor sah ihn erschrocken an.

«Scientiam habesne linguae latinae?» fragte Dipplinger.

«Habeo, habeo», stotterte der Alte verlegen, und nun erklärte Dipplinger ihm, es sei doch unter Gelehrten nicht ziemlich, sich der gleichen Sprache zu bedienen, die daheim von Schreinern und Fuhrleuten geredet wurde.

Sie plauderten noch ein wenig weiter und sagten sich nicht, was sie eigentlich zu sagen wünschten, sondern dasjenige, zu dessen Umschreibung ihnen zufällig ein paar Ausdrücke geläufig waren, und von dieser Eigentümlichkeit wurden auch sonst die Gespräche beherrscht, welche zwischen Dipplinger und den Leuten von Berdjuchow geführt wurden.

Dipplinger sah ein, daß es für ihn beinahe wichtiger war, Französisch zu können als Russisch. Er beschaffte sich ein paar Bücher, aber das Lernen war ihm nie leichtgefallen, und so kam er nicht sehr weit. Immer wenn er mit seinen Büchern am Fenster saß, irrten seine Blicke ab und gingen hinunter auf den riesigen, leeren Marktplatz, wo sich Schweine und Kinder im Schmutz wälzten, Landwehrleute die Habacht-Stellung lernen sollten und bäuerliche Fuhrwerke sich drängten, ohne daß der Platz deswegen gefüllt erscheinen wollte. Dazu rauchte Dipplinger seine Pfeife oder knackte Sonnenblumenkerne und spuckte die Schalen auf den Fußboden, denn diese Näscherei hatte er sich bald angewöhnt.

Dipplinger erhielt zahlreiche Angebote, Unterricht in der französischen Sprache, im Tanz und in den feinen Weltformen zu geben, denn da die Leute sich gewöhnt hatten, ihn «unser Franzose» zu nennen, so waren sie überzeugt, daß er in diesen drei Dingen beschlagen sein müsse, und man

fand etwas Echtfranzösisches in seiner Art. Er hatte Mühe, sich solcher Anträge zu erwehren.

Er wurde viel eingeladen und üppig bewirtet. So hatte er kein schlechtes Leben, höchstens daß das Bier ihm nicht recht schmackhaft erscheinen wollte, und schließlich lernte er es auch, sich zur Not verständlich zu machen. Zur Hauptwache ging er schon längst nicht mehr, denn dem alten Kapitän war es langweilig geworden, ihn täglich kommen zu sehen und sich nachher fragen lassen zu müssen, was denn der Franzose heute gesagt habe, und so wurde die Regelung getroffen, daß Dipplinger jeden Tag durch den kleinen Neffen seiner Wirtin, der hierfür sechs Kopeken in der Woche erhielt, eine schriftliche Meldung hinschickte. Mit der Zeit schien auch dies zuviel, und nun führte es sich ein, daß der Zettel mit der Meldung, ein für allemal mit des Kapitäns Unterschrift versehen, dem Jungen auf der Hauptwache gleich wieder mitgegeben wurde. Nur das Datum hatte der Schreiber des Kapitäns täglich abzuändern, und so hielt der Zettel immer so lange vor, bis Vorder- und Rückseite mit ausgestrichenen Kalenderbezeichnungen bedeckt waren oder bis das Papier von den Fingern des Botenjungen tiefschwarz geworden war; dann wurde ein neuer begonnen. Zuletzt blieb der Zettel einfach auf der Hauptwache liegen, und alle

Monate einmal mußte der Schreiber sämtliche Kalendertage auf der Rückseite vermerken und mit Stempeln versehen, und mit Ausnahme des Botenjungen, dessen Monatseinkommen damit von vierundzwanzig auf sechs Kopeken gefallen war, fand jedermann das in der Ordnung. Nur am Zwanzigsten jeden Monats ging Dipplinger noch zur Hauptwache, um sich seinen Gefangenensold auszahlen zu lassen. Mit diesem zu reichen, wäre schwierig gewesen, denn Dipplinger liebte es nicht, sich einzuschränken. Aber dessen bedurfte es auch nicht, denn kaum hatte es sich herumgesprochen, der Franzose sei ein Doktor, als auch bereits ein paar Wagemutige zu ihm kamen. Was gab es in Berdjuchow auch schon für Gelegenheiten, ein Unternehmungsbedürfnis zu befriedigen? Einer folgte dem anderen, und da die Polizeimeisterin an einem kalten Magen litt und der Kreisadelsmarschall eine neue Rheumatismussalbe brauchte, so wurde nach der venia practicandi nicht lange gefragt.

Dem alten Doktor war es ganz lieb, daß ihm etwas Arbeit abgenommen wurde, und besonders bei schlechtem Wetter. Ein paar Male ließ er Dipplinger zu einem Consilium bitten und hatte sich vorher einige lateinische Sätze zurechtgelegt, und so gingen die beiden wichtig, gelehrt und höflich miteinander um. Aber auf die Dauer mußte er doch merken, daß die Erleichterungen, die seinem Bequemlichkeitsbedürfnis zuteil wurden, auf Kosten seiner Beliebtheit und seines ärztlichen Rufes gingen.

Dipplingers Kenntnisse waren bescheiden und hatten zur Not für die Soldaten gelangt, die sich ja nicht beklagen dürfen. Er hatte Glück, denn die Einwohner von Berdjuchow sind ein Volk von guter Körperbeschaffenheit, das mit seinen Krankheiten schon fertig wird. Aber es gab doch Leute, die sich nicht ganz zufriedengestellt fühlten, besonders nachdem die erste französische Mode ein wenig abgeflaut war. Und dazu ging neuerdings der Alte umher, lächelte boshaft und geheimnisvoll und sagte, man solle schon sehen, was das für ein Ende nehmen werde. Hiermit spielte er auf eine Eingabe an, die er an den Gouverneur gerichtet hatte und in der es hieß: «Belieben Eure Hohe Exzellenz zu wohlgeneigter Kenntnis zu nehmen, daß die Grundlage seiner Heilkunst nicht die wahre und vaterländische Wissenschaft ist, sondern schon so ein Gemisch von ausländischen Faxen ... Und wer weiß denn, ob er nicht von den Seinen angestiftet worden ist, die Gesundheit der russischen Menschen arglistig zu untergraben?»

Nun lebte im Nordostzipfel des Berdjuchowschen Kreises und von der Stadt sehr entfernt eine wohlhabende junge Gutsbesitzerin namens Wera Lwowna Bulkina; ihr Mann hatte gleich nach der Hochzeit zur Armee abgehen müssen und war beim ersten Zusammenstoß mit dem Feinde gefallen. Sie erwartete ein Kind, und als die Zeit gekommen war, siedelte sie in ihr Berdjuchower Stadthaus über. Sie hatte wegen ihrer Trauer sehr zurückgezogen gelebt, und so war auch die Nachricht, daß es jetzt einen französischen Doktor gab, noch nicht bis an ihre Ohren gelangt, und sie hatte vor, sich der Hilfe des alten Arztes zu bedienen. Die Geburt schien schwer, und die Bulkina litt große Schmerzen. Das Kind wollte nicht erscheinen, und die junge Frau meinte kein Ende ihrer Qualen absehen zu können.

Es war spät in der Nacht, dem Arzt fielen die Augen zu. «Da ist schon nichts zu machen, da ist Geduld nötig», sagte er schließlich. «Gott mit dir, Mütterchen, ich bin ein alter Mann, ich muß sehen, daß ich in meine Federn komme, morgen früh soll ich über Land fahren.»

Es war umsonst, daß alle die Weiber, die zum Bulkinschen Hause gehörten, ihn ums Bleiben anflehten und auch die Hebamme ihm zusetzte. Er ging. Die Kreißende war so elend, daß sie keinen Versuch machte, ihn zu halten.

Die Weiber jammerten und raunten: eine sprach von dem französischen Doktor, der sei nicht so schläfrig wie der Alte, und da sie nun einmal von ihm zu reden angefangen hatte, so fuhr sie auch fort und erzählte von wunderhaften Kuren, die er gemacht haben sollte.

«Pulver und Tropfen versteht er zu verschreiben, da kann man sich gar nicht auswundern!» sagte sie. «Er schreibt nur hin, der Apotheker braucht bloß zu mischen, und schon hat Gott Gesundheit verliehen.»

Die Bulkina befahl zuletzt mit schwacher Stimme, zu ihm zu schicken. Die Alte, die ihn gerühmt hatte, nahm ihr Umschlagetuch und machte sich auf den Weg. Es war eine stürmische Nacht zu Ende des Märzmonats, der Schnee stürzte mit dumpfem Gepolter von den Dächern, und das Schmelzwasser gurgelte unter ihren Füßen.

Dipplinger hatte den Abend zuvor mehr getrunken als sonst. Er schlief und weigerte sich aufzuwachen. Aber in seine Träume hinein wurde hartnäckig sein Name gerufen. Endlich erwachte er verdrossen, machte Licht, während das Rufen anhielt, und ging ans Fenster. Er öffnete es mühsam, der Sturm riß es ihm fast aus der vom Schlafe noch matten Hand.

Die Alte unten auf dem Platz mußte ihre Stimme gewaltig anstrengen, der Wind nahm ihr die Worte vom Munde.

«Euer Hochwohlgeboren!» schrie sie. «Hochgeehrtester Herr Doktor! Um Christi willen, erbarmen Sie sich! Wera Lwowna belieben das Kind nicht zur Welt bringen zu können!»

Es dauerte lange, bis der schlaftrunkene Dipplinger begriff, um was es sich handelte. «Was denn für ein Kind?» rief er wütend. «Holt doch die Hebamme! Ich bin kein Accoucheur. Mitten in der Nacht! Und bei so einem Wetter!»

Die Alte klagte, schmeichelte, flehte und hatte dabei immer das Heulen des Sturmes zu überschreien.

«Der Mann ist gestorben, allein ist sie wie ein Fingerchen, wie eine abgeschnittene Scheibe Brot, willst du die ganze Familie verderben lassen? Erbarme dich. Beliebe zu kommen, Gott wird vergelten.»

Dipplinger, der noch nie Geburtshilfe geleistet hatte, verwies auf den alten Arzt. Er empfand, im Hemde am offenen Fenster frierend, heftigsten Widerwillen gegen die Entbindung, die Frau, das Kind, das Wetter und überhaupt gegen alles, mit Ausnahme seines Bettes. Er knurrte und schimpfte. Aber das Volk liebt ja die groben Ärzte und faßt gern Zutrauen zu ihnen.

«Väterchen! Gnädigster! Du hast doch ein Gewissen, du wirst doch unsere Herrin nicht zugrunde gehen lassen. Du unser Wohltäter, du unser Ernährer! Du brauchst ja nicht zu kommen. Einen Trank, ein Pulverchen –, schreibe ein Rezept, Gott hat dir die Gabe gegeben.»

«Also gut», brüllte Dipplinger schließlich zurück. «Ein Rezept, in des Teufels Namen. Warte!»

«Ich warte, ich warte. Schreibe nur ein Rezept, wie es dein herrschaftlicher Wille ist.»

Er schloß das Fenster, trank einen Schluck Wasser, um sich zu ermuntern, und setzte sich an den Tisch.

Es wollte ihm nichts einfallen. Endlich schrieb er ein Pulver auf, dem eine allgemeine stärkende und beruhigende Wirkung beigemessen wurde, und damit es dem Apotheker nicht auffiele, wenn er einer solchen Verordnung halber mitten in der Nacht herausgepocht wurde, so hängte er noch ein paar Zutaten an, bittere und süße, die gewiß nicht schaden konnten.

Er setzte seinen Namen darunter, streute Sand und ging zum Fenster. Aber da war nun eine andere Schwierigkeit. Wie zum Teufel sollte er das Rezept in die Hände dieses verfluchten Frauenzimmers bringen? Hinunterwerfen, das ging nicht an, der Sturm mußte es packen und über die halbe Stadt davontragen. Drunten die Haustür war von innen verriegelt, und in dieser Nacht vier Treppen hinabsteigen und vier wieder herauf – das hatte ihm gerade noch gefehlt!

Gottlob, es kam ihm ein Einfall. Er drehte das Rezeptblatt zu einem Tütchen zusammen und füllte es mit dem feinen, goldgefärbten Sand, den er zum Trockenstreuen in einer hölzernen Büchse neben dem Tintenfaß stehen hatte. Das Gewicht mußte ausreichen, das Rezept sicher zur Erde gelangen, und für alle Fälle verschloß er das Tütchen noch mit einem Siegel.

«Paß auf!» schrie er. «Da kommt es!»

Er warf das Päckchen in die Dunkelheit hinunter, hörte es aufklatschen und schnitt das weinerliche Dankgeschwätz der Alten ab, indem er sich Namen und Wohnung der Wöchnerin sagen ließ.

«Ja, ja, meinetwegen!» rief er. «Morgen komme ich vorbei und sehe zu, wie es geht. Gute Nacht und daß dich der Teufel hole!»

Er schloß das Fenster, kehrte in sein Bett zurück und war gleich danach wieder eingeschlafen.

Gegen Morgen kam das Kind, ein gesundes Mädchen von fast elf Pfund, wobei allerdings bedacht sein will, daß das russische Pfund kleiner ist als das deutsche, sonst wäre es ja für Wera Lwowna ein Unglück gewesen.

«Ich muß ihn sehen! Ich muß ihn sehen!» rief die Wöchnerin immer wieder. «Bringt ihn her, ich will ihm danken!»

Am Vormittag machte Dipplinger sich unlustig auf den Weg und war nun doch in einiger Besorgnis, die Geburt möchte nicht glücklich abgegangen sein. Der nächtliche Sturm hatte sich gelegt, und der Himmel war zartblau. Die Sonne schien gelblich auf den mürben Schnee und spiegelte sich funkelblank in den Pfützen, und von der Lindigkeit der Luft und dem munteren Geschmetter der Vögel kam auch in Dipplingers Gemüt einige Erleichterung und einige Zuversicht.

Und siehe da, die Weiber empfingen ihn vergnügt und mit Ehrfurcht, mit viel Geschrei und mit viel Geschwätz, sie drängten sich um ihn, und die Alte, die ihn aus dem Schlafe gerissen hatte, küßte ihm die Hände und rief allen himmlischen Segen auf ihn herab. Sie zeigten ihm das Kind, das er nicht anders fand als sämtliche Neugeborenen von Ingolstadt bis Berdjuchow, und führten ihn auf den Zehenspitzen zu der Wöchnerin. Eine schlug die Vorhänge zurück, und da lag nun die junge Frau schlafend in ihrem hübschen Mahagonibett, das mit goldenen Amoretten verziert war. Sie war noch ein wenig blaß, und das schöne, blauschwarze Haar, das man zu zwei dicken Zöpfen geflochten hatte, hob diese Blässe auf eine rührende Weise. Dipplinger betrachtete sie wohlgefällig und hatte nun plötzlich die Empfindung, als habe er bei dieser Geburt das Beste getan.

Behutsam zog er sich wieder zurück, traf im Vorzimmer noch einige Anordnungen und empfahl zur Stärkung Portwein mit rohen Eiern. Er werde bald wiederkommen.

Die Alte half ihm unter gerührten Danksagungen in den Mantel. «Das schöne, goldene Pulverchen!» rief sie einmal über das andere. «Herr Doktor beliebten gleich zu wissen, daß im Golde die rechte Heilkraft ist, die wahrhaftige, der Himmel hat das schon so eingerichtet.»

«Im Golde?» fragte Dipplinger verwundert. «Wieso denn im Golde?»

«Aber wie denn, Euer Hochwohlgeboren? Golden war es doch, das gute Pulverchen, das Sie aus dem Fenster zu werfen beliebten. Golden wie das Gold in Gottes Kirche!»

«Soso, jaja», sagte Dipplinger. «Nun, und wie habt ihr es der gnädigen Frau denn gegeben?»

«In Ebereschenschnaps, du unser Wohltäter!» berichtete die Alte eifrig. «Wir haben gedacht, das ist kräftiger als in Wasser. Alle paar Minuten ein Gläschen, bis das ganze Pulver verbraucht war. Und da ist denn auch schon das Kind gekommen, ein Kind wie ein Wunder! Väterchen, von dem Pulver wirst du mir doch auch geben, um die Pfingstzeit wird meine Nichte an der Reihe sein.»

Wera Lwownas glückliche Entbindung blieb für Dipplinger nicht ohne Folgen, und es war noch die geringste, daß sie seinen ärztlichen Ruf befestigte. Er kam von nun an häufig zu der Witwe, um sich vom Gedeihen des Kindes und der Mutter zu überzeugen und es nach Angängigkeit zu befördern, und da Wera Lwownas Vetter als Beamter für besondere Aufträge dem Gouverneur zugeteilt war, so erhielt der alte Doktor auf seine Eingabe eine Antwort, die er nicht erwartet hatte, nämlich er wurde zum Heeresdienst einberufen und in der Gouvernementshauptstadt mit der Einrichtung eines Lazaretts betraut, das von einer patriotischen Dame gestiftet worden war. Das war nun eine Ehre für ihn, und eine Annehmlichkeit war es ebenfalls, er hatte seine Ansprache und seine Trinkgesellschaft, und es kamen auch Leute vor, die seine Anekdoten und Redensarten noch nicht kannten, und viel Arbeit gab es nicht. Nur einmal wurden zwei Landwehrleute eingeliefert, die sich geprügelt hatten, und einmal ein Rekrut, der sich im Sprunggarten das Schlüsselbein gebrochen hatte. Vom Kriegsschauplatz jedoch war die Gouvernementshauptstadt so weit entfernt, daß die Verwundeten, die man hinbringen wollte, unterwegs genasen, wenn sie Glück hatten, und, wenn sie Unglück hatten, unterwegs nach Maßgabe der bestehenden Dienstvorschriften verstarben; aber über Glück und Unglück, so hatten wir zu Anfang dieser Geschichte beschlossen, wollen wir ja keine schnellfertigen Urteile fällen. Übrigens geht uns der alte Arzt nichts weiter an, und für uns ist es die Hauptsache, daß sein Vorstoß gegen Dipplinger sich im Sande verlaufen hat. Und von nun an bekam Dipplinger es zu spüren, daß der Sand der Streubüchse in der Tat goldhaltig gewesen war.

In der schönen Jahreszeit kehrte Wera Lwowna wieder auf ihr Gut zurück, und jetzt schickte sie Dipplinger häufig ihren Wagen, und wenn seine Berufsgeschäfte es irgend zuließen, fuhr er zu ihr hinaus. Für solche Fahrten hatte ihm der Kapitän auf der Hauptwache ein für allemal einen Passierschein ausstellen müssen. Die Witwe und Dipplinger freundeten sich an, er war ja ein stattlicher und gut aussehender junger Mensch, und sogar von der Landwirtschaft verstand er etwas. Sie konnte ein wenig Deutsch, und mit der Zeit machte er auch Fortschritte im Französischen.

Kurz vor der Leipziger Schlacht ging der König von Bayern zu den Verbündeten über, damit war Dipplinger ein Bundesfreund geworden und plötzlich kein richtiger Franzose mehr, was manche Leute in Berdjuchow ein wenig enttäuschend fanden. Aber bis diese Nachrichten nach Berdjuchow gelangten und bis daraus Folgerungen entstanden, Gefangenenfreilassungen und dergleichen, dauerte es natürlich sehr lange, und so wurde Dipplinger noch eine geraume Weile von niemandem gestört.

Dann aber merkte er eines Tages, daß er Entschlüsse zu fassen hatte. Sollte er nun wirklich nach Bayern zurückkehren, nach Frankreich in einen neuen Krieg marschieren, sich in Landshut wieder auf die Schulbank setzen und sich mit Gläubigern und väterlichen Ermahnungen herumärgern?

Er fuhr zu Wera Lwowna, um sich mit ihr zu beraten. Es fing damit an, daß er ihr die Geschichte mit dem Rezept erzählte, und da fiel sie ihm lachend um den Hals. Dann aber seufzte sie, fuhr sich mit dem hübschen kleinen Spitzentüchlein über die Augen und sagte, ihre alte Kinderfrau, die sich auf Kartenlegen und Traumdeuten verstand, habe ihr immer prophezeit, sie werde vom Sande Unglück und Glück haben, und das Dorf, bei dem ihr Mann gefallen sei, habe Peski geheißen, und so viel wußte Dipplinger auch schon, daß dieser Ortsname einen sandigen Landstrich bezeichnet.

Sie heirateten im Jahre 1814, und in der Folge verstand Wera Lwowna es einzurichten, daß Dipplinger Direktor eines Petersburger Krankenhauses wurde.

Als die Sanduhr seines Lebens abgelaufen war, da war er

Ritter des Annenordens, stand im Range eines Staatsrats und besaß zwei Güter im Twerschen Gouvernement, denn der Besitz im Kreise Berdjuchow war der Tochter zugefallen. Die deutsche St. Petersburger Zeitung widmete ihm einen umfänglichen Nachruf und nannte ihn einen verdienten Pionier des Deutschtums in Rußland.

Sein Urenkel, der schon kein deutsches Wort mehr sprach, fiel 1914 in bayerische Gefangenschaft, und da er als junger Freiwilliger noch keinen Rang hatte, so kam er zur Arbeit auf einen Bauernhof. Nach Kriegsende blieb er dort hängen und heiratete ein, denn was hätte er in dem veränderten Rußland beginnen sollen? Er hatte einen Sohn, der schon als Bayer heranwuchs und 1941 in München Medizin studierte. Er wurde zum Heeresdienst eingezogen, und wer weiß, wie unsere Geschichte weitererzählt werden müßte, wenn wir nicht gesonnen wären, sie mit diesem Ausblick zu beschließen.

Die Augenkur

Kudrowo ist ein Flecken im Berdjuchowschen Kreise, hat zwei hölzerne Kirchen, eine Papiermühle, einige Behörden und achthundertundvierzehn Seelen. Die Einwohnerzahl von Kudrowo beläuft sich freilich auf achthundertundfünfundsiebzig Personen männlichen und weiblichen Geschlechts, aber weil es ja nicht gewiß ist, ob die Unchristen und die Halbchristen auch Seelen haben, darum tut man gut, die drei Lutheraner, acht Polen, neunzehn Juden und einunddreißig Tataren in der Seelenzahl nicht mitzurechnen, und so gibt es denn in Kudrowo mit Sicherheit nur achthundertundvierzehn Seelen. In dieser Zahl sind einbegriffen die Seele des Nikita Spiridonowitsch Argalow und die Seele der Aksinja Jakowlewna Podonkina, von denen diese weder lehrreiche noch übermäßig wahrhafte Geschichte handeln soll; denn da sowohl Nikita Spiridonowitsch Argalow als auch Aksinja Jakowlewna Podonkina, wie die Geistlichkeit jederzeit bestätigen wird, rechtgläubig getauft ist, so muß angenommen werden, daß sich alle beide im gültigen Besitz von je einer Seele befinden.

Wenn von den achthundertundvierzehn Seelen, die es in Kudrowo gibt, eine erkrankt, so muß sie zum Popen gehen oder sich sonst auf irgendeine Weise behelfen, das ist, hol's der Teufel, schon nicht mehr unsere Sache. Erkrankt aber einer von den achthundertundfünfundsiebzig Leibern, so wartet er erst in Geduld, ob es nicht von selbst wieder besser wird. Tut es das nicht, so macht er sich Umschläge mit Kamillentee oder mit feuchtem, hitzigem Mist, oder er legt sich ins Bett und schwitzt, oder er prügelt seine Frau und gelobt eine Kerze, oder er versucht die Krankheit auf einen schwarzen Hahn zu übertragen, der mit ihr dreimal über den Kirchhof laufen muß. Will das alles aber keine Wirkung tun, so wartet er noch ein bißchen, und zuletzt faßt er sich ein Herz und schickt zu Nikita Spiridonowitsch Argalow.

Nikita Spiridonowitsch Argalow ist nicht ein Arzt, wie das wohl jemand glauben könnte, der in Kudrowo nicht Bescheid weiß. Aber dafür ist er ein Feldscher, also dasjenige, was man in anderen Ländern einen verabschiedeten Sanitätsunteroffizier oder einen Heilgehilfen nennt. Nikita Spiridonowitsch Argalow hat eine Medaille, und er liebt es anzudeuten, daß er sie für eine glückliche Kur an Seiner Exzellenz dem Herrn Generalmajor Kanonarchow bekommen hat. Indessen behaupten einige Männer in Kudrowo, die früher ebenfalls bei den Soldaten waren, diese Medaille hätten an einem bestimmten Erinnerungstage nicht nur alle Sanitätsunteroffiziere bekommen, sondern auch sämtliche anderen Unteroffiziere, wenn sie nur lange genug im Dienst gestanden haben und über ihre Führung nichts Nachteiliges zu bemerken gewesen ist – aber auch das ist, hol's der Teufel, schon nicht mehr unsere Sache.

An Aksinja Jakowlewna Podonkina hingegen wendet man sich in anderen Nöten, denn Aksinja Jakowlewna Podonkina leiht Geld auf Pfänder aus. Manchmal tut sie es auch ohne Pfänder, aber in diesem Falle muß es andere Sicherheiten geben, und die Zinsen setzen sich dann ganz von selbst in die Höhe, da kannst du nichts machen. Aksinja Jakowlewna Podonkina liebt das Geld sehr, und Nikita Spiridonowitsch Argalow liebt es auch. Da ist es gut, daß Aksinja Jakowlewna Podonkina trotz ihrer Bejahrtheit einen so gesunden Körper hat, daß sie nie einen Feldscher braucht; denn wenn Nikita Spiridonowitsch Argalow und Aksinja Jakowlewna Podonkina einmal zufällig dasselbe Stück Geld lieben sollten, dann könnten sich leicht überraschende Dinge ereignen.

Man kann wohl nicht sagen, daß es in Kudrowo mehr regnet als in anderen Orten des Berdjuchowschen Kreises, etwa in Schtabskapitanowka oder in Skitki. Aber das ist eine

Tatsache, daß es diesen ganzen Sommer hindurch geregnet hat und daß es eine feuchte und rauhe Luft gibt, von der manche Menschen krank werden. Der eine hustet und der andere hat den Schnupfen, und wieder jemand hat es auf der Brust, so daß er fiebert, und tief im Innern ist es ihm, als würde er mit einer Spicknadel gestochen. Nun, von all diesem bleibt Aksinja Jakowlewna verschont, aber eines Morgens beginnen ihr die Augen zu tränen. Sie trocknet sie mit dem Kopftuchzipfel und denkt, das kommt von ihrem weichen Gemüt oder von den Zwiebeln, die sie gestern abend geschält hat – vielleicht ist eine von der starken, nämlich der nachwirkenden Sorte darunter gewesen, und es kann ja auch ein wenig Herdrauch in ihre Augen gekommen sein und sich dort auf eine arglistige Art eingenistet haben. Also beschließt sie, ihre Augen etwas auszulüften, und spaziert eine Viertelstunde lang vor dem Hause hin und her, auf den Holzplanken, neben denen das Regenwasser in breiten, bräunlichen Pfützen den Fahrdamm bedeckt. Hätte das geholfen, so wäre keine Geschichte zu erzählen. Da es aber nicht half, kehrte Aksinja Jakowlewna in ihre Stube zurück und stellte sich vor den Spiegel. Es zeigte sich, daß ihr linkes Auge geschwollen war und lauter kleine Blutpünktchen hatte.

Aksinja Jakowlewna denkt, es wird vorübergehen, Gott schickt Krankheiten und nimmt sie wieder fort. Man kann feuchte Umschläge machen, damit Gott sieht, daß man selber auch nicht müßig ist. Aber die Umschläge nützen nichts, und am nächsten Tage hat sie das Gefühl, als sei ihr etwas zwischen die Lider gesperrt worden, ihr linkes Auge juckt und schmerzt, ihre Tränen laufen immer hurtiger, und sie sieht wie durch einen Schleier.

Nun sind tränende Augen in manchen Gewerben nicht schlimm, einem Gefangenen zum Beispiel erwerben sie Mitleid, einem Trauernden stehen sie gut an, einem Bettler an der Kirchentür können sie nützlich sein. Will man aber Pfänder abschätzen, Versatzscheine ausschreiben, Geld zählen, dann muß man klare Augen haben, das ist gewiß. Aber wenn Aksinja Jakowlewna auch nur noch schlecht sehen kann, so viel sieht sie doch, daß gerade jetzt auf den Holzplanken, die den Bürgersteig vertreten, Nikita Spiridonowitsch Argalow an ihrem Fenster vorübergeht, und natürlich wohnt sie zu ebener Erde, denn in Kudrowo sind zweistöckige Häuser eine Seltenheit.

Aksinja Jakowlewna pocht gegen das Fenster, und Nikita Spiridonowitsch bleibt stehen. Sie macht das Fenster auf und beginnt ein Gespräch mit ihm, wobei sie den rechten Arm auf das Fensterbrett stützt und mit der Hand die Augen beschattet, damit er nicht sieht, daß sie tränen. Aber ein paar Tropfen laufen ihr unter der Hand hervor.

«Es sind, mein Lieber», sagt sie, «ein paar Pfänder bei mir verfallen, und da habe ich mir gedacht, ich muß als ersten den Wohltäter unserer Leiber benachrichtigen, unsern Nikita Spiridonowitsch. Er soll die Vorhand haben, vielleicht möchte er sie erwerben, noch vor der Versteigerung, denn es sind, heißt das, Medaillen, und er ist ja ein Mann, der Auszeichnungen verdient hat. Ich würde dir, Väterchen, einen besonders günstigen Preis machen. Und es wird dir doch gewiß lieber sein, du bekommst sie so als in der Versteigerung, denn erstens sind sie auf diese Weise billiger, und dann haben die Leute auch keinen Anlaß zum Geschwätz. Nikita Spiridonowitsch hat, so würden sie sonst reden, seine Medaillen ersteigert – was für Verdienste kann er sich da schon erworben haben? Aber so – du kaufst sie bei mir unter der Hand, eines Tages legst du sie an, du gehst damit zur Kirche, da werden dich alle bewundern, und es wird zu deinem Ruhme sein.»

Auf diese Worte drehte der Feldscher an seinem aufgewichsten Schnurrbart und antwortete: «Das sind Dinge, von denen die Weiber nichts verstehen. Ehrenzeichen muß man verliehen bekommen, nicht kaufen. Hier also werden wir kein Geschäft miteinander machen.»

«Nun», sagte die Frau, «das muß ja auch nicht sein, es

war mehr wegen der Höflichkeit, denn ich wollte mich nach Ihrem Befinden erkundigen, Nikita Spiridonowitsch. Aber das ist ja keine Lebensart, wenn man mit einer Frage nach der Gesundheit gleich so herausplatzt, darum habe ich von den Medaillen angefangen, aus Höflichkeit nämlich. Und die Gesundheit, das ist eine wichtige Sache, bei diesem Wetter, heißt das. Da gehst du herum, von einem Haus zum anderen, in der feuchten Luft! Wie leicht, Nikita Spiridonowitsch, kann dir das Auge tränen, Liebster, und das könnte dich ja hindern, die Krankheiten der Körperteile zu erkennen. Was tust du dann?»

Hierauf erwiderte Nikita Spiridonowitsch, daß ihm derlei nicht zu geschehen pflege. Einmal, so könne er sich erinnern, hätten ihm die Augen getränt, nämlich als er die Medaille bekommen habe. Aber vor Stolz, sozusagen vor vaterländischer Ehre, nicht vor feuchter Luft.

«Nun, Sie müssen das nicht so wörtlich nehmen», meinte Aksinja Jakowlewna, «ich habe ja nicht so sehr nach Ihren Augen gefragt, Nikita Spiridonowitsch, das wäre ja unbescheiden! Sondern so im allgemeinen, der Unterhaltung wegen. Ich meine, was man wohl überhaupt zu tun pflegt, wenn die Augen tränen, denn etwas tun muß man wohl, oder soll man ruhig warten, bis es vorübergeht?»

«Abwarten? Wo denken Sie hin, Aksinja Jakowlewna! Dies könnte gefährlich werden, denn es steht ja im Evangelium, daß das Auge des Leibes Licht ist und daß von einem bösen Auge der ganze Leib dunkel werden kann. Nein, da muß man es eilig haben, muß eben jemanden kommen lassen, vielleicht den Doktor aus Berdjuchow.»

«Den Doktor!» rief Aksinja Jakowlewna entsetzt. «Aber wenn man nun nicht von den Reichen ist, sondern, des Beispiels halber, vielleicht eine schutzlose Witwe?»

«Doktor oder nicht», sagte Nikita Spiridonowitsch, «jedenfalls aber eine Persönlichkeit, die mit der Heilkunde vertraut ist.»

«Und nun sage mir doch, mein Liebster, was würde eine

solche Persönlichkeit mit dem tränenden Auge wohl vornehmen?»

«Untersuchen und behandeln», erwiderte Nikita Spiridonowitsch.

«Ungesprächig bist du heute, Väterchen», sagte die Frau. «Erzähle doch ein wenig offenherziger, habe ich dir von den Medaillen nicht auch mit Offenherzigkeit erzählt? Wird die Persönlichkeit, heißt das, Umschläge verordnen oder Bettruhe oder Pflanzensaft?»

«Das, mein Mütterchen, ist sehr verschieden. Erst muß man genau wissen, was für eine Krankheit das Auge hat. Nimm zum Beispiel an, du hast die Augenkrankheit Ilja Akimitsch – ich will mich so ausdrücken, des Verstehens halber, denn in Wirklichkeit haben die Krankheiten ja viel schwierigere Namen, und dein Kopf würde die nicht annehmen. Also deine Augen haben die Krankheit Ilja Akimitsch, du aber machst ihnen die Umschläge, die für die Krankheit Akim Iljitsch erfunden sind. Da könnte es geschehen, daß du bis zur gänzlichen Einbüßung des Sehvermögens, will sagen, bis zur Blindheit gelangtest. Denn vielleicht liebt Ilja Akimitsch das Heiße, Akim Iljitsch aber das Kalte, Ilja Iwanowitsch liebt das Klebrige, Iwan Iljitsch aber das Trockene. Das ist wie bei den Menschen auch, da will jeder das Seinige, und mit dem Verkehrten kann man ihn sehr beleidigen. Das ist schon, Mütterchen, eine schwierige Wissenschaft.»

Die Tränen tropften der Frau auf das Fensterbrett, wie der Birkensaft aus einem angebohrten Stamm, als Nikita Spiridonowitsch sich verabschiedete.

Er machte zehn Schritte und blieb für ein paar Sekunden stehen, er machte zwanzig Schritte und blieb wieder für ein paar Sekunden stehen. Aber erst als er achtzig Schritte gemacht hatte, da rief sie seinen Namen.

Nikita Spiridonowitsch hat also die Augen untersucht und zuletzt hat er ein Tränentröpfchen mit seinem roten Taschentuch herausgewischt, ist ans Fenster gegangen und hat das Tröpfchen auf dem Taschentuch sehr lange betrachtet.

Aksinja Jakowlewna ist ängstlich dabeigestanden, und dann hat sie gefragt, ob er das Auge gesund machen kann.

«Ja, wenn Gott will, gesund machen kann man es schon», hat er geantwortet, und da hat sie gefragt, ob das sehr teuer sein wird.

«Teuer? Nein, was ist denn teuer für die Gesundheit? Weißt du nicht, daß der Küster einmal den Doktor aus Berdjuchow geholt hat? Und die gnädige Frau in Schtabskapitanowka hat im vergangenen Herbst sogar einen Arzt aus dem Auslande kommen lassen für ihre Tochter, und alles das bloß wegen der Gesundheit. Nein, für die Gesundheit kann nichts zu teuer sein.» Darauf ist er fortgegangen und mit einer Salbe zurückgekommen, mit der hat er das linke Auge beschmiert und dann geschwind auch das rechte.

«Aber, Väterchen!» ruft Aksinja Jakowlewna. «Was tust du? Das linke allein ist krank, das rechte hat nur ein wenig mitgetränt, zur Gesellschaft. Jetzt hast du es verschmiert und verklebt, jetzt werde ich auf dem rechten ja auch nichts mehr sehen können!»

Nikita Spiridonowitsch will sie beruhigen und erklärt, das geht nicht anders, denn wenn ein Auge krank ist, dann zieht es auch das andere in Mitleidenschaft.

«Das ist, siehst du, Mütterchen, genau wie bei der Milchverhaltung: wenn eine Frau auf der linken Brust keine Milch mehr hat, dann hat sie bald auf der rechten auch keine mehr. So eine Krankheit nimmt ihren Beginn auf der einen Seite und setzt sich auf der anderen fort.»

«Aber wie denn, o ihr Väter der Welt! Weil mir die Sohle am linken Schuh schadhaft geworden ist, darum soll ich auch den heilgebliebenen rechten besohlen lassen?»

«Wenn du den Schnupfen im linken Nasenloch hast, dann ist das schon so gut, als wäre er auch im rechten. Und so ähnlich, sagt man, ist es ja auch bei den Eheleuten. Da kann der Mann nicht lange traurig sein, ohne daß die Frau auch traurig wird.»

«Aber erbarme dich, Nikita Spiridonowitsch, werde ich

denn für die Behandlung des rechten Auges auch etwas zu zahlen haben?»

Darum solle sie sich jetzt nicht grämen, meinte der Feldscher, man werde sich schon einigen, und sie müsse zur Heilung alle ärgerlichen Gedanken fernhalten. Und während er so redet, hat er ihr einen Verband gemacht, über alle beiden Augen, und nun kann sie gar nichts mehr sehen und jammert mit großer Heftigkeit. Da nimmt er ihren Arm und führt sie zu ihrem Diwan, der mit schwarzem Wachstuch bezogen ist, und hier setzt er sie hin und redet ihr noch ein bißchen zu, und dann muß er weggehen, denn er hat dem Kaufmann Gluschkow die Hühneraugen zu schneiden.

Dies wird sich leicht begreifen lassen, daß für Aksinja Jakowlewna eine unlustige Zeit gekommen ist, recht eine Heimsuchung Gottes. Eine Magd hat sie nicht, denn so ein Frauenzimmer will nur fressen und nicht arbeiten, und oft stiehlt sie auch. Aksinja Jakowlewna aber ist, Dank sei dir, Herr, noch gesund und rüstig, da macht ihr die häusliche Arbeit nichts, und es hieße ja Gott kränken, wenn sie das gute Geld auf eine Bedienung verwenden wollte. Jetzt freilich wäre eine Hilfe vonnöten; aber wie kann man denn einen fremden Menschen ins Haus nehmen, wenn man kein Augenlicht hat, auf ihn achtzugeben? Fortschleppen würde ja die Person, was nur einen Wert hat, und vielleicht würde sie ihr im Schlaf die Kehle durchschneiden, um unter dem Kopfkissen den Geldkastenschlüssel hervorzuholen, davon hat man Beispiele, die Sünde ist groß unter den Menschen.

Darum also behilft sich Aksinja Jakowlewna allein im Hause, sie tastet nach dem Besen und fegt, sie wischt Staub nach ihrem Gefühl. Meist aber sitzt sie auf dem Diwan und häkelt. Das fällt ihr nicht schwer, denn um das teuere Petroleum zu sparen, hat sie das oft bei Dämmerung oder bei Dunkelheit getan. Auch das macht ihr keine Mühe, daß sie tappend das Wasser vom Hofbrunnen holt. Wenn sie sich aber eine Erholung gönnen will, dann stellt sie ihr großes Rechenbrett auf den Tisch vor dem Diwan, und nun macht sie allerhand Rechnungen, aufs Geratewohl, so wie die Frau des Kaufmanns Gluschkow manchmal aufs Geratewohl Klavier spielt, ohne Noten und ohne Beleuchtung; das nennt sie dann eine «Phantasie», und es ist schön anzuhören. Aksinja Jakowlewna aber findet, daß das Geklapper des Rechenbretts auch schön anzuhören ist und ein großer Trost in ihrer Heimsuchung.

Ein Junge aus der Nachbarschaft muß ihr Grütze oder Suppe aus dem Gasthause holen – denn in Kudrowo gibt es bekanntlich ein Gasthaus –, und sie hat ihm dafür jeden dritten Tag ein Kupferstück versprochen. Dann aber meint sie, mit der Bezahlung will sie warten, bis sie wieder gesund ist, da läßt sich die Summe besser abrunden, und nun hat der Junge ihr einen Frosch in die Suppe getan. Von da an geht sie selber einkaufen, immer hart an den Hauswänden entlang und schlägt mit dem Stock dagegen; es ist gut, daß sie den Stock hat, der Verwalterssohn aus Skitki hat ihn bei ihr versetzt wegen der geschnitzten elfenbeinernen Krücke. Jede Ware auf dem Markt oder in der Bude betastet sie genau, und das ist, als hätte ein anderer sie mit einer Brille angesehen. Auf diese Weise besorgt sie sich Brot und Speck und Heringe und Gurken, denn das ist ja ein Geschwätz, daß der Mensch immer gerade das Warme essen müßte.

Jeden Tag kommt Nikita Spiridonowitsch zu ihr, nimmt den Verband ab, wäscht die Augen aus, salbt sie von neuem und verbindet sie wieder. Und jeden Tag fragt sie, wann denn nun ihre Augen gesund sein werden. Dann mahnt Nikita Spiridonowitsch sie zur Geduld, und er hat, das muß man schon sagen, eine freundliche Stimme und kann reden wie ein Diakon. Eines Tages aber meint er, es wäre doch gut, wenn Aksinja Jakowlewna ihm eine kleine Zahlung gäbe.

«Väterchen, das ist kein richtiger Gedanke, den du hast», antwortete sie ihm. «Man bezahlt doch den Bäcker, wenn die Kringel fertig gebacken sind, und nicht vorher, womöglich gar in der Nacht. So werde ich dich nach meiner Schuldigkeit bezahlen, wenn du meine Augen gesund gemacht hast, aber nicht jetzt, sozusagen in der Nacht.»

Hierauf bemerkte der Feldscher, er müsse doch auch während der Behandlung essen und könne seinen Hunger nicht bis zu ihrer völligen Genesung aufschieben; Aksinja Jakowlewna aber warnt ihn vor der Unmäßigkeit und fragt, wovon sie ihn denn jetzt bezahlen solle, denn sie könne doch nicht arbeiten und nicht verdienen, und das alles nur deswegen, weil er ihr beide Augen verbunden habe; und auf diese Weise haben sie manche Unterhaltungen miteinander.

Nikita Spiridonowitsch ist ein wenig in Sorge um das Geld, das ihm zukommt, aber er ist ja ein kluger Mann, und da er weiß, daß Aksinja Jakowlewna immer Pfänder und Sicherheiten nimmt, wenn man ihr Geld schuldet, so fällt ihm eines Tages ein, er könne vielleicht auf eine ähnliche Art zu Werke gehen.

Dies ist nun in der Tat wahr, daß in Aksinja Jakowlewnas Geschäft eine Stockung gekommen ist. Sie hat schon einige Kunden zurückweisen müssen, denn es ist ja nach Gefühl und Geruch nicht festzustellen, ob ein Taufkreuzchen oder ein Serviettenring wirklich von Silber ist oder bloß von Messing. Das ist also begreiflicherweise ein sehr leidvoller Gedanke für Aksinja Jakowlewna, und da geschieht es denn, daß sie ein Groll ankommt gegen Nikita Spiridonowitsch, der ihr mit seinem Verband das Geschäft verdirbt und sich dabei nicht schämt, von Zahlungen zu sprechen.

Zugleich aber hat sie eine große Furcht davor, ihn zu kränken, denn er hat doch eine Macht über sie. Auch hat er einmal gesagt, es sei jetzt eine Krisis; höre man da mit der Behandlung auf, dann könnten beide Augen verloren sein. Hierüber ist Aksinja Jakowlewna sehr erschrocken gewesen. Das gleiche aber, so hat der Feldscher erklärt, könnte geschehen, wenn die Binde ohne ärztliche Vorsichtsmaßregeln abgenommen würde. Um nun Aksinja Jakowlewna nicht in diese Versuchung zu führen, darum hat er den Verband sehr künstlich verknotet mit allerlei Schlingen und Nadeln und Schnallen, da ist schon nichts zu machen.

Nikita Spiridonowitsch hat wieder davon gesprochen, daß es für ihre Augen gut sein könnte, wenn sie ihm eine Zahlung gäbe, nicht viel, einige Rubelchen nur. Aksinja Jakowlewna hat wieder geantwortet, daß sie ja nichts verdienen und darum auch nichts bezahlen kann.

Während dieses Gesprächs klopft es, und ins Zimmer kommt die Sawischna. Was soll von der Sawischna erzählt werden? In Kudrowo kennt sie ohnehin jeder, und für die Menschen in anderen Orten lohnt es nicht, viel über sie zu erfahren, sie ist, hol's der Teufel, eine ganz und gar langweilige Person. Also die Sawischna hat vor einiger Zeit ein Seidenkleid versetzt und verfallen lassen, und ihr Mann, der im Kontor der Papiermühle angestellt ist, hat sie durchgeprügelt. Darum fürchtet sie sich, ihre Uhr verfallen zu lassen, und so hat sie sich das Geld beschafft – irgendwie, das ist, hol's der Teufel, nicht unsere Sache –, und da ist sie nun und will die Uhr abholen. Denn ihr Mann kommt morgen von der Reise zurück und dann muß die Uhr im Hause sein.

Das alles erzählt sie, während der Feldscher Aksinja Jakowlewna wieder die Augen verbindet, und dabei kramt sie schon in ihrem Beutelchen, um das Geld zusammenzusuchen.

Aksinja Jakowlewna ist das gar nicht lieb, und sie gibt der Sawischna allerlei herzliche Worte, es sei heute ungelegen, und sie möchte doch ein anderes Mal wiederkommen. Aber da erhebt die Sawischna ein Geschrei: Aksinja Jakowlewna habe die Uhr wohl gar schon verkauft, wenngleich der Verfallstag noch lange nicht da sei, und ob sie nicht wisse, daß sie dafür nach Sibirien kommen könne?

«Sofort will ich meine Uhr haben, oder ich hole die Polizei!» schreit sie zuletzt, und das alles aus Angst vor ihrem Mann, und sie hört auf kein Zureden, ich sagte ja bereits, daß sie eine höchst langweilige Person ist.

Was bleibt schon Aksinja Jakowlewna übrig? Mit der Polizei möchte sie nicht gern zu tun haben, und das weiß sie natürlich, daß sie gesetzlich verpflichtet ist, jedes unverfallene Pfand auf der Stelle zurückzugeben, sobald der Eigentümer es verlangt und seine Zahlung leistet.

Nun hat Aksinja Jakowlewna einen ganzen großen Holzkasten voll Taschenuhren, da kann man nach dem Gefühl unmöglich die richtige herausfinden. An jeder hängt ein Zettel mit dem Namen und Verfallstermin. Aber sie kann doch die Sawischna nicht an den Kasten führen und die richtige Uhr aussuchen lassen — wer weiß, ob die nicht außer ihrer eigenen noch eine goldene herausnimmt in ihrer Wut?

Also sagte sie zu Nikita Spiridonowitsch: «Du willst mich ja nicht nach Sibirien bringen, mein Lieber. Darum sei schon so gut, mir die Binde abzunehmen, damit ich dieser Mißgeburt das Ihrige gebe.»

Hierauf erwidert Nikita Spiridonowitsch: «Nach Sibirien will ich dich gewiß nicht bringen, aber erblinden sollst du mir auch nicht. Es sind jetzt, sozusagen, die Tage der Krisis. Die paar Sekunden, in denen ich bei der Untersuchung deine Augen der Helligkeit aussetzen mußte, die waren schon das Äußerste, was sie ohne Schaden ertragen konnten. Hier ist es für mich eine ärztliche Verantwortung, und deshalb, siehst du, kann ich dir die Binde nicht abnehmen.»

Dabei beharrte Nikita Spiridonowitsch. Aksinja Jakowlewna aber hat Furcht um ihr Augenlicht und außerdem Furcht vor der Polizei, und so bleibt ihr schließlich denn gar nichts anderes übrig, als Nikita Spiridonowitsch um seine Hilfe zu bitten.

«Wie gern, Mütterchen, helfe ich dir!» sagt Nikita Spiridonowitsch. «Denn ich bin ja ein Hilfsbereiter nicht nur, was meinen Beruf angeht, sondern auch dem Herzen nach.»

Aksinja Jakowlewnas Bett steht in der Ecke hinter einem Kattunvorhang. Dahin führt sie also den Feldscher, und er muß eine Kerze anzünden wegen der Dunkelheit. Während sie nun stöhnt und jammert und den Feldscher beschwört, doch ja keinem Menschen zu erzählen, wo der Kasten sein

Versteck hat, läßt sie ihn unter das Bett kriechen und aus allerlei Gerümpel den Kasten hervorziehen. Sie schließt ihn auf und öffnet ihn ein wenig, und nun kniet sie davor und schützt ihn mit ihrem Leibe, so daß Nikita Spiridonowitsch nicht hineinsehen kann. Sie holt eine Uhr heraus, und Nikita Spiridonowitsch muß ihr sagen, was auf dem Zettel steht. Weil aber auf dem Zettel nicht der Name der Sawischna steht, sondern ein anderer Name, darum muß er ihr die Uhr zurückgeben, und sie legt sie wieder in den Kasten. Auf diese Weise wird eine ganze Reihe von Uhren herausgeholt und wieder hineingetan.

Nikita Spiridonowitsch hat sich vorsichtig neben Aksinja Jakowlewna hingehockt und lauert nun doch in den Kasten über ihre wühlenden Hände hinweg. Da sieht er denn manches, was angenehm zu sehen ist und einen schönen Wert hat. Aksinja Jakowlewna hält ihm gerade wieder eine Uhr hin, da hört sie ein Klappern im Kasten und merkt, daß Nikita Spiridonowitsch, dieser Teufelssohn, es fertiggebracht hat, über ihre Hände weg in den Kasten zu langen.

«O ihr Väter der Welt!» schreit sie auf. «Was tust du?»

«Aber Mütterchen, wie kannst du dich denn so erschrekken», antwortet er. «Das ist doch nur, um dir Arbeit zu sparen. Da habe ich gerade die Uhr der Sawischna gesehen und sie rasch herausgenommen.»

Aksinja Jakowlewna klagt weiter, während sie den Kasten zuschließt, und nun gehen sie zur Sawischna zurück, die inzwischen das Geld auf den Tisch gelegt hat, zwei Silberrubel und zehn Kopeken. Aksinja Jakowlewna zählt das Geld, sie hat es im Gefühl, dazu braucht sie kein Augenlicht, und dann umschließt sie es fest mit der linken Hand.

Die Sawischna ist fort, und Nikita Spiridonowitsch fängt wieder an, von der Bezahlung zu sprechen. Wenigstens das Geld von der Sawischna soll sie ihm geben, weil ein Arbeiter doch seines Lohnes wert ist.

Aber Aksinja Jakowlewna jammert, sie muß verhungern, gerade dies Geld braucht sie, um sich Nahrung zu kaufen.

Sie jammerte so laut und so heftig, daß Nikita Spiridonowitsch schließlich nachgibt und ohne Geld davongeht. Dafür aber hat er eine silberne Medaille in der Tasche, und auch noch eine Uhr, man sagt ja, daß die Heilkundigen geschickte Hände haben müssen.

Mit diesem Vorfall ist nun ein Anfang gemacht worden, und von da an geschieht es, daß Nikita Spiridonowitsch ihr manchen kleinen Dienst leistet und auch wohl diese oder jene Besorgung für sie macht. Einmal hat er sie sogar in die Kirche geführt und ihr geholfen, eine Kerze aufzustellen, für baldige Genesung. Ja, er hat ihr auch den Samowar aufgestellt, und nun hat sie nach langer Zeit wieder Tee trinken können. Er hat auch mitgetrunken, und sie hat abgezählte Zuckerstückchen herbeigeholt. Da haben sie denn zusammen am Tisch gesessen und von ihrer Krankheit geplaudert und von den Geschäften, von dem teuren Leben und allerlei Geschehnissen in Kudrowo.

«Ja, meine Liebe», hat Nikita Spiridonowitsch gesagt, «darüber freue ich mich: deine Augen sind nun schon so weit gekräftigt, daß ich eine andere Salbe nehmen kann, nämlich die schärfere, die aus Fischgalle gemacht wird. Davon hast du ja gehört, daß mit Fischgalle selbst der gottselige Tobias von der Blindheit geheilt worden ist, der heilige Erzengel Raphael hat sie ihm selber verordnet. Und den General Kanonarchow habe ich ja auch auf diese Weise geheilt.»

Darauf erzählte er ihr von jener berühmten Kur.

«Siehst du, Mütterchen, damals wurde gerade ein neues Lehrbuch für die Soldaten vorbereitet, wo alles drinsteht, wie man Rechtsum macht und daß das Dreiliniengewehr die Braut des christusliebenden Soldaten ist, und daß man es mit Sand am schnellsten sauber bekommt, aber dann wird man eingesperrt, indem nämlich Sand kein fiskalisches Putzmittel ist. Und da steht auch drin, wie der Soldat einen Vorgesetzten ansehen muß, wenn er mit ihm spricht, nämlich er muß einen mutigen und heldenhaften Blick auf den Offizier richten, sonst wird man bestraft. Und das mit dem mu-

tigen und heldenhaften Blick, das ist dem Kaiser erst eingefallen, nachdem er dem General Kanonarckow im Sommerlager begegnet war, und gerade zu Anfang der Lagerzeit hatte ich die Exzellenz behandelt, davon hatte er diesen Blick bekommen.»

«Aber wie denn, Nikita Spiridonowitsch, du hast doch sonst erzählt, du hättest die Exzellenz von einem inneren Geschwür geheilt?»

«Das war ja der andere Kanonarchow, der Bruder, der war auch General, das ist nämlich, mußt du wissen, eine kriegerische Familie! Da geht es nicht zu wie bei unsereinem, wo vielleicht der eine Bruder ein Schuhmacher ist und der andere ist Fuhrmann. Nein – lauter Generäle!»

Auf diese Weise also plaudern Nikita Spiridonowitsch Argalow und Aksinja Jakowlewna Podonkina miteinander, und so kräftigt sich ihre Zuversicht, daß ihre Augen bald gesund sein werden.

Dies ist nun wirklich höchst nötig. Denn es ist für Aksinja Jakowlewna jedesmal ein großer Kummer, daß sie den Feldscher in ihre Geschäfte hineingucken lassen muß. Aber wenn jemand kommt und will etwas versetzen, was ihr einen hübschen Gewinn einbringen könnte, dann wäre es doch noch ein größerer Kummer, das Geschäft überhaupt nicht abzuschließen und einen hilfsbedürftigen Menschen ungetröstet wegzuschicken; das liefe ja auch den Geboten Gottes zuwider. Und nachdem sich der Anfang gewissermaßen von selbst gemacht hat, da läßt sich der Fortgang nicht gut aufhalten.

Beispielshalber muß also Nikita Spiridonowitsch ihr sagen, aus welchem Metall ein Gegenstand ist, den man ihr in Versatz geben möchte. Das Gewicht aber stellt sie selbst fest, bis auf den halben Solotnik, nach ihrem Gefühl, sie hat ja ihre Erfahrung in den Händen. Natürlich sind die Zinsen jetzt etwas höher als sonst und die Pfandsumme niedriger, denn Nikita Spiridonowitsch könnte sich ja irren, da muß sie sich gegen Verluste schützen.

Nun läßt es sich auf diese Weise leider nicht vermeiden, daß Nikita Spiridonowitsch einige Male Geld zu sehen bekommt. Dann fängt er jedesmal an, von einer Bezahlung zu reden, aber sie macht ihm klar, daß dies Geld ja Geschäftskapital ist und nicht ihr persönliches Eigentum, denn sie ist ja keine Rentnerin, das sieht er wohl ein. Kurz, es ist ihr noch immer geglückt, das Geld, das er zu sehen bekommt, vor seinen Fingern zu bewahren. Und sehr gierig, das muß man schon zugeben, sehr gierig ist er auch nicht. Aber gerade darüber beunruhigt sich Aksinja Jakowlewna, und manchmal kann sie nicht einschlafen vor argwöhnischen und besorgten Gedanken.

Mit dem Hartgeld, das sagten wir schon, kennt sie sich aus. Wie aber soll man nach dem Gefühl einen bräunlichen Rubelschein von einem grünen Dreirubelschein unterscheiden? Und zum Unglück ist es nicht zu umgehen, daß sie auch mit Papiergeld zu tun hat.

Einmal setzt sich Aksinja Jakowlewna ans offene Fenster und ruft die Kinder herbei, die auf der Straße spielen. In der einen Hand hat sie einen verschrumpften Apfel und in der anderen eine zerknitterte Banknote. Sie verlangt die Farbe der Note zu wissen, und wer es ihr sagt, der soll den Apfel bekommen. Aber so sind schon in Kudrowo die Kinder, da rufen gleich viele Stimmen durcheinander, das ist fast wie bei einer Versteigerung: «Ein Rubelschein!» – «Ein

Grüner!» – «Nein, ein Dunkelblauer, einer zu fünfzig!» – «Was, blau soll der sein? Dir tränen wohl die Augen, Fedjuscha? Das ist doch ein regenbogenfarbiger, ein Hunderter ist das, auf Ehrenwort! Überzeugen Sie sich nur selbst, Aksinja Jakowlewna!» Während die Kinder durcheinanderschreien, kommt Nikita Spiridonowitsch dazu und fährt sie an: «Schämt euch für eure Gottlosigkeit, Kinder! Habt ihr denn nicht gelernt, die Wahrheit zu sprechen? Seht ihr denn nicht, daß es ein hellblauer Fünfer ist?»

So behält Aksinja Jakowlewna zwar ihren Apfel, aber sie ist doch wieder auf Nikita Spiridonowitsch angewiesen worden, und weil sie den Schein, bevor er ins Zimmer kam, schnell zu den anderen Scheinen unter ihr Busentuch gesteckt hat, darum kann sie es nachher nicht wissen, welcher Schein es gewesen ist und ob Nikita Spiridonowitsch die Wahrheit gesagt hat.

Es ist gewiß, daß Aksinja Jakowlewna sich an Nikita Spiridonowitsch gewöhnt hat und daß sie sich auf seinen Besuch freut, denn der ist ja ihre Abwechslung. Aber es erfüllt sie mit großer Sorge, daß sie einige Male etwas klirren gehört hat, nachdem er sich von ihr verabschiedet, aber bevor er die Türe hinter sich geschlossen hatte. Sie hat allerlei Stücke in ihrer Wirtschaft, die aus Pfandgeschäften stammen, aber im Kasten keinen Raum haben und nun auf Wandbrettern und Schränken herumstehen oder auf der Kommode, und manches ist auch in einer Ecke einfach aufeinandergeschichtet – Dinge, die sie bei Gelegenheit gut verkaufen oder aber an denen sie selbst ihre Erbauung haben will. Da hat sie zum Beispiel den großen, kostbaren, vernickelten Samowar, den sie selber nicht in Gebrauch zu nehmen wagt, und die französische Doppelflinte, die Feuerwehrtrompete und die Stutzuhr, die sie freilich nicht gehen läßt, um das Werk nicht unnötig abzunutzen, und die schönen Leuchter und die Kasserollen und Mörser aus Kupfer oder Zinn. Da wird man es verstehen, daß sie sich über dies Klirren ihre Gedanken macht und daß es recht ärgerliche und mißtrauische Gedanken sind. Sie hat dann nach ihren Sachen herumgetastet, aber das hat nichts genützt, denn es ist alles so vollgekramt bei ihr, daß sich da mit dem Tasten nicht durchkommen läßt. Darum beschließt sie, die wenigen Augenblicke beim Verbandwechsel zu benutzen, um Ausschau nach ihren Sachen zu halten. Allein da ist er immer schnell bei der Hand mit der Salbe, mit den Läppchen und Binden, und außerdem blendet sie das Licht so stark, daß sie wirklich nicht sehr viel unterscheiden kann. Aber weil sie mehrere Male nacheinander hartnäckig nach einer bestimmten Stelle ausgespäht hat, so glaubt sie fast mit Sicherheit zu wissen, daß der kostbare Samowar nicht mehr an dieser bestimmten Stelle steht.

«Nikita Spiridonowitsch, du mein Wohltäter», sagt sie sanft, «das ist gewiß, daß in meine Augen eine Besserung gekommen ist. Denn siehst du, ich habe eben die Wahrnehmung gemacht, daß der große Samowar nicht mehr auf dem Eckbrett steht.»

«Da hast du, bei Gott, richtig gesehen», antwortete er. «Ich habe ihn weggestellt wegen seiner Blankheit. Denn wenn zufällig dein Blick auf ihn fallen sollte, dann könnte, sozusagen, die Blendung dir Schaden bringen.»

«Und wohin hast du ihn gestellt, mein Liebster?»

«Hoch hinauf, auf den Schrank, ganz nach hinten, da kann er dir nichts anhaben.»

«Ach ich bitte dich, hole ihn mir herunter, ich will ihn blank putzen, damit er nachher schön verkäuflich ist, wenn ich wieder gesund bin.»

«Es geht nicht, Mütterchen, der Schrank ist zu hoch, ich komme nicht an.»

«Aber wie hast du ihn denn hinaufstellen können, frage ich dich?»

«Nun, damals bin ich auf den Tisch gestiegen, es war ein trockener und sonniger Tag, der einzige, sozusagen, in diesem Herbst. Aber jetzt geht das nicht an, ich würde dir mit meinen Stiefeln den ganzen Tisch beschmutzen, das könntest du mir nachher vorwerfen.»

Mit dem Leuchter, dies zeigt sich bald, verhält es sich nicht viel anders. «Ach, reiche ihn mir doch, ich habe eine so schreckliche Begierde, heißt das, ihn zu berühren und mir mit ihm die Stirn zu kühlen. Meine Stirn ist sehr heiß.»

«Heiß? Das ist ausgezeichnet», erwidert er. «Die Krankheitshitze aus den Augen entweicht, sie ist schon auf der Stirn, jetzt mußt du nur noch ein klein wenig Geduld haben.»

Hierauf schweigt Aksinja Jakowlewna eine ganze Weile. Dann sagt sie: «Nikita Spiridonowitsch, du wirst Schuld auf deine Seele laden.» Und sie hat eine ganz dumpfe und sehr bekümmerte Stimme gehabt bei diesen Worten.

«Lasse du mich, Mütterchen, für meine Seele nur selber sorgen, wie ich für deine Augen ja auch sorge.»

«Lasse mich, Väterchen», schreit sie empört, «vielleicht auch lieber für meine Augen selber sorgen, wie ich ja auch für meine Seele selber sorgen muß! Ein gefährlicher Heilkundiger bist du mir! Abreißen möchte ich deine verfluchte Binde und selber zuschauen, was in meinem Hause ist!» Hierbei ist sie von ihrem Wachstuchdiwan aufgesprungen, die Arme hebt sie zum Himmel und schüttelt die Fäuste.

Aber Nikita Spiridonowitsch bleibt ganz ruhig. «Ja, das mußt du nun machen, meine Liebe, wie du willst», meint er. «Es ist schon vorgekommen, daß einer von selbst seine Binden abgenommen hat, im verkehrten Augenblick nämlich. Hierdurch kann eine falsche Hitzigkeit entstehen, während der Heilkundige um die richtige Hitzigkeit besorgt gewesen ist, und kann von den Augen aus den ganzen Körper ergreifen und zur Auflösung bringen. Wenn du also in Blindheit sterben willst, wie könnte ich dir widerstehen? Das ist ja auch alles nicht so schlimm, denn wenn du ins himmlische Reich kommst, dann wird da, wie man hört, ein sehr großer Glanz sein; ein solcher Glanz, daß jedes Auge von ihm geblendet wird, einerlei, ob es auf unserer Erde nun zu sehen verstand oder nicht. Also mache das nur nach deinem Gutdünken. Ärgert dich dein Auge, so reiße es aus und wirf es weg, das soll schon nicht mehr meine Sache sein! Geld habe ich freilich noch keins bekommen, nicht ein Kopekchen. Und hiermit auf Wiedersehen!»

Da haben sie also einen kleinen Zank gehabt, die beiden. Aksinja Jakowlewna hat gedacht: vielleicht kommt er morgen nicht wieder. Nikita Spiridonowitsch aber hat gedacht: vielleicht reißt sie sich wirklich die Binde ab. Daher ist er wiedergekommen, und sie hat die Binde nicht abgerissen, und für eine Weile ist von Samowars und Leuchtern und Bezahlung nicht mehr die Rede gewesen, vielmehr sind die beiden recht höflich und friedfertig miteinander umgegangen. Nikita Spiridonowitsch hat wieder den Samowar aufgestellt, und sogar Zucker, Kringel und Eingemachtes hat er dazu mitgebracht. Und was die Augen angeht, so hat er eine ziemliche Besserung bemerkt.

Auf den Abend hat er sich wieder eingefunden und hat die Binde für die Nacht abgenommen, freilich hat er streng verboten, ein Licht anzuzünden. Am Morgen kommt er wieder und freut sich, daß es vorwärtsgeht mit der Heilung, und nun kann die Binde auch schon für die Dämmerungszeit entfernt werden. Die Augen haben aufgehört zu tränen, da bedarf es denn auch keiner Salbe mehr, und jetzt, sagt er, hat die richtige Hitzigkeit gewirkt und die falsche ist hinausgetreten. So ist es kein Wunder, daß die beiden beim Tee guter Laune sind und in Heiterkeit geraten. Damit aber die Heiterkeit noch größer wird, bittet Aksinja Jakowlewna, er möge die Feuerwehrtrompete nehmen und ein wenig blasen, auch wenn es nur ein paar Töne sind und keine richtige Romanze, denn nichts macht sie lustiger als ein wenig Musik. Das will er jedoch nicht, es könnten ja sonst die Nachbarn an einen Brand glauben und es müßte eine unnütze und schädliche Aufregung geben.

Es steht nun um die Augen der Aksinja Jakowlewna so, daß sie gesund geworden sind und allmählich an das Ertragen der vollen Helligkeit gewöhnt werden müssen. Also ist auch der kunstvolle Verband nicht mehr nötig; es genügt, wenn sie ein Taschentuch um die Augen bindet, doch soll sie es nicht eigenmächtig entfernen, es sei denn in der Dämmerung, sonst aber auf Nikita Spiridonowitsch warten.

Früh am Morgen kommt Nikita Spiridonowitsch, die Herbstsonne scheint durchs Fenster. Was sieht er? Aksinja Jakowlewna hat kein Taschentuch um die Augen. Sie läuft hin und her, sie kramt im Gerümpel, sie wühlt im Uhrenkasten, und sie hat ein sehr zorniges Gesicht.

Aber weil er so ruhig und höflich nach ihrem Befinden fragt, darum nimmt sie ebenfalls eine höfliche Miene an. Und sie denkt auch: Wozu soll ich mir die Galle erregen? Wir werden schon sehen, bei wem zuletzt der größere Vorteil sein wird – bei diesem Hundesohn oder bei mir.

Die beiden sitzen sich am Tisch gegenüber, sie auf dem schwarzen Wachstuchdiwan und er auf dem Stuhl, und es dauert nicht lange, da fängt er an, von der Bezahlung zu sprechen. Sie läßt ihn zu Ende reden, bis er gar nichts mehr zu sagen weiß, und sie fängt nicht einmal an zu jammern, als er seine Forderung für die ganze Kur genannt hat, obwohl diese Forderung von einer Höhe ist, daß man erschrekken könnte.

«Ich habe, mein Täubchen, sehr viel Achtung vor deiner Kunst», sagt sie freundlich. «Aber, siehst du, gesund machen hast du mich doch nicht gekonnt. Ich sehe, ja gewiß, ich sehe. Aber ich sehe, heißt das, nicht so gut wie früher. Manche Dinge sehe ich, das will ich nicht leugnen. Andere aber kann ich ganz und gar nicht sehen. Den Tisch, den Stuhl, dich, mein Lieber, kann ich sehen, das sind große und leicht erkennbare Gegenstände, und blank sind sie auch nicht. Aber ich kann die Feuerwehrtrompete nicht sehen und die Jagdflinte und den großen Samowar und die Uhr und den Leuchter und so manches andere. Wie kann ich dich denn bezahlen für deine Kur, wenn sie doch nicht vollständig war? Das ist ja so, als müßte ich dem Bäcker auch seine verbrannten Brote bezahlen.»

«Nun, das ist, du mein Mütterchen, deine eigene Schuld.

Warum hast du das Taschentuch abgenommen, ohne erst auf mich zu warten, und dazu noch im grellen Sonnenlicht? Davon konnte schon eine Verschlimmerung geschehen, ein Rückfall sozusagen. Was du aber von all diesen Dingen sprichst, verstehe ich nicht. Denn siehst du, ich habe ja, Gott sei gedankt, gute und gesunde Augen; aber alle diese Dinge, von denen du sprichst, die sehe ich auch nicht, und ich habe sie auch früher nicht bei dir gesehen.»

«Väterchen, mein teurer Nikita Spiridonowitsch!» ruft sie. «Ach, was hast du für ein schwaches Gedächtnis. Erinnerst du dich denn nicht, daß du den Samowar und den Leuchter der Blendung wegen fortgestellt hast? Besinne dich, Liebster!»

Der Feldscher streicht an seinem gewichsten Schnurrbart herum, denn ein stattlicher Mann ist er schon, und meint, das sei ihr so vorgekommen im Augenfieber und in der großen Hitzigkeit, die könne ja wohl, er sage das nicht zum Hohn, sondern in aller Ehrerbietung, auch ein wenig auf das Gehirn übergreifen. Aber das sei doch nicht zu verstehen, was ihr Fieber mit seiner Geldforderung zu tun haben solle.

«Wollen wir uns doch, mein Täubchen, an diesem schönen Gottesmorgen nicht streiten. Ich habe ja nicht nur deine Augen gesund gemacht, sondern bin zu dir gewesen wie eine Mutter. Mit deinen Kunden habe ich verhandelt, zur Kirche habe ich dich geführt, Einkäufe habe ich für dich gemacht, den Samowar habe ich für dich aufgestellt. Jetzt, mein Täubchen, stelle du einmal den Samowar für uns beide auf, ich habe heute noch keinen Tee getrunken, gleich in der Frühe bin ich zu dir geeilt.»

Was sollen wir weiter von den beiden erzählen, es ist spät am Abend, es ist Stille und Schlafengehenszeit.

Erzählen aber müssen wir doch noch, wie gut es sich getroffen hatte, daß Aksinja Jakowlewna das verfallene Seidenkleid der Sawischna noch nicht verkauft hatte. So konnte sie es zur Hochzeit anziehen und hernach immer noch verkaufen; denn ein einmaliges Tragen vermindert den Wert ja nicht, wenn man sich vor Flecken in acht nimmt. Nikita Spiridonowitsch aber trug an einem gelben Bändchen eine Medaille, und daneben hing noch eine andere Medaille, die war aus Silber, und alle Leute haben ihn bewundert. Und zwei Uhren mit schönen Ketten trug er auch. Bei der Hochzeit hat er viel getrunken, und schließlich hat er in seinem Rausch auf der Feuerwehrtrompete geblasen, erst im Zimmer, und dann ist er auf die Straße gelaufen und hat losgeschmettert, daß jeder in Kudrowo erwacht ist und gemeint hat, der Jüngste Tag bricht an. Zuletzt aber ist Nikita Spiridonowitsch auf das Hausdach gestiegen und hat sein Blasen von hier aus fortgesetzt. Da hat er das Gleichgewicht verloren und ist auf den hartgefrorenen Hof gestürzt, die Nachtfröste hatten ja schon angefangen.

«Gott sei seiner Seele gnädig, sie ist besoffen aus dem Leibe gefahren», sagte Aksinja Jakowlewna, als die Leute am nächsten Tage zu ihr kamen, um sie zu trösten.

Von nun an gibt es also in Kudrowo, sollte man meinen, nur achthundertunddreizehn Seelen. Aber das trifft nicht zu, denn es ist ja der Brauch des Lebens, daß es nie stillsteht, sondern weiterläuft in all seiner Herrlichkeit, unbekümmert um Leben und Tod von Feldschern, Geschichtenerzählern und Geschichtenanhörern. Und so sind denn in Kudrowo inzwischen wieder neun Seelen geboren und rechtgläubig getauft worden – der drei jüdischen und fünf tatarischen Geburten nicht zu gedenken.

Der alte Husar

Die besten Geschichten, sagte der Rittmeister, sind doch immer die, welche noch in der Zeit der Selbstherrschaft spielen. Die haben etwas von dem Urbildlich-Märchenhaften, das einer rechten Geschichte nötig ist. Die Macht ist nicht abstrakt und nicht anonym, sie hat Person in der Gestalt des Kaisers. Denken Sie, was aus den Märchen würde, wenn statt der Könige, Prinzen und Kalifen nur noch Präsidenten, Präsidentensöhne und Oberkonsistorialräte vorkämen. Man erlöst eine Prinzessin, und hernach ist es eine Bundesratstochter.

Man kann gegen die Selbstherrschaft sagen, was man will, die meisten werden sie nicht zurückwünschen, und wahrscheinlich paßt sie nicht mehr in unsere Zeit, obwohl wir es erlebt haben, daß ganze Völker ihre Freiheiten mit Vergnügen an irgendwelche Räuberhauptleute und Narren verschenkt haben. Läßt man die Schlagworte und Klischeevorstellungen einmal beiseite, was freilich schwer und für viele Menschen sogar unmöglich zu sein scheint, dann muß man sagen, daß es geschichtliche und geographische Bezirke gibt, in denen die Selbstherrschaft ihre Räson hat. Die Schwierigkeiten beginnen immer erst da, wo sich im Laufe der Zeit andere Voraussetzungen entwickelt haben als diejenigen, unter denen das betreffende geschichtliche Phänomen – in diesem Falle die Selbstherrschaft – zustande gekommen ist. Nun ist keine geschichtliche Erscheinung fähig, freiwillig abzutreten, ja, auch nur ihre Ablösbarkeit oder gar die Notwendigkeit ihrer Ablösung einzusehen; da prallt denn etwas aufeinander, und dadurch wird das eigentliche historische Leben bewirkt. Das nebenbei. Natürlich war in Rußland die Selbstherrschaft zu einer gewissen Zeit logisch und notwendig, und in den Geschichten ist sie es noch heute. Denn im Grunde war sie ein Abbild dessen, wie es auf der Welt zugeht. Man muß nicht meinen, ein unwissentlicher Mißbrauch der Macht sei nur bestimmten Regierungsformen eigentümlich. Ich versichere Sie, so etwas kommt in jedem Kindergarten, jeder Schulklasse, jedem Büro- und Geschäftsbetrieb vor. Man darf ja unsere Selbstherrschaft auch nicht mit dem monarchistischen Absolutismus verwechseln, wie es ihn im siebzehnten und achtzehnten Jahrhundert in den anderen Ländern gegeben hat. Sie war nicht aufgenötigt, und lange Zeit fand jedermann sie in der Ordnung. Schließlich waren die Selbstherrscher auch nur Schicksalsvollstrecker. Das Schicksal aber hat immer recht. Sagen Sie selbst, soll ein Mann wie Terentjew wirklich noch mit Würden belohnt und mit Orden ausgezeichnet werden?

Aber Sie wissen ja noch gar nicht, wer Terentjew ist. Einen Augenblick, wir sind gleich bei ihm.

Es ist gewiß sonderbar, daß man bei bestimmten Menschen bestimmte Eigenschaften voraussetzt, weil sie bestimmte Schnüre an der Jacke tragen. Es gibt da so eine romantische Vorstellung von den Husaren, aber gleich manchen dieser Vorstellungen war sie so stark, daß sie die Wirklichkeit zu beeinflussen vermochte. Ihre Macht war so groß, daß, wenn in einem Husarenregiment irgendeine skandalöse Geschichte passiert war, der Kommandeur und die älteren Kameraden mehr noch als anderswo bestrebt waren, sie beizulegen und zu vertuschen, sobald sie nur die Möglichkeit hatten, halb entschuldigend und halb mit kaum verhohlenem Stolz zu sagen: «Eine echte Husarengeschichte!» Auch die übrige Welt war gegen Husaren nachsichtiger als gegen andere. Ich erinnere mich, daß mich einmal, als ich noch Junker war, der Regimentskommandeur kommen ließ und mir sagte: «Solche Geschichten dürfen nicht wieder passieren. Wir sind hier nicht bei den Husaren.» Natürlich ließe sich einwenden, bei Ulanen, Grenadieren, Kosaken, ja, bei Sappeuren und gelehrten Artilleristen könnten genausolche

Dinge vorkommen. Gewiß, aber es gab nun einmal so etwas wie einen Husarenstil, und solange es Husaren gab, hat man von ihnen Husareneigenschaften erwartet, etwas Flottes, Leichtsinniges, Verwegenes, auch ein unbekümmertes Sichhinwegsetzen über dienstliche Vorschriften. Das hängt mit der entfernten Vergangenheit zusammen, denn ursprünglich haben ja in manchen Ländern die Husaren nicht zur regulären Armee gehört, sie waren so etwas wie Partisanen oder Freikorpsabenteurer. Man mußte ein wilder und phantasievoller Mazurkatänzer sein, ein tollkühner Reiter, ein Zecher, Hasardeur und Duellant, und man mußte die Überzeugung haben, es könne einem nichts zustoßen, weil es ja ein bestimmtes Husarenglück gab.

Die Geschichte, die ich Ihnen erzählen will, muß sich vor dem Jahre 1835 ereignet haben, denn sie hat zur Voraussetzung eine am kaiserlichen Hof gültige Sitte, die Nikolai der Erste im genannten Jahr abgeschafft hat. Damals war bei den Husaren dieser besondere Stil noch sehr ausgeprägt, später haben sich natürlich die unterscheidenden Merkmale abgeschliffen; immerhin, etwas von ihnen lebte auch noch zu meiner Zeit.

In eins unserer Husarenregimenter war nach dem Willen seines Vormundes Mawrikij Afanassjewitsch Terentjew, der Sohn eines frühverstorbenen Justizbeamten aus dem Twerschen Gouvernement, als Junker eingetreten.

Man mochte ihn nicht. Er war pflichteifrig, tüchtig und korrekt. Aber immer, wenn von ihm gesprochen wurde, dann hieß es doch zuletzt: «Es ist eben kein Husar.» Manche setzten auch hinzu: «Der gehört in die Topographenabteilung» – denn natürlich war eine gewisse Geringschätzung der Gelehrsamkeit im Husarenstil enthalten.

Ihm selber war es beim Regiment nicht wohl. Er merkte, daß man ihn langweilig fand und niemand seinen Umgang suchte. Als sein Vormund endlich gestorben und er selber Kornett geworden war, erbat er sich den Abschied, um Zivildienste zu nehmen. Das Regiment war so froh, ihn loszuwerden, daß er mit den schmeichelhaftesten Zeugnissen versehen wurde. Er ging nach Petersburg, fand ein Unterkommen im Finanzministerium und heiratete. Die Frau stammte aus einer Finanzbeamtenfamilie. Wahrscheinlich war sie ebenso langweilig wie er. Kinder hatten sie nicht.

Aber nun hatte Madame Terentjewa eine ältere Schwester. Diese Schwester hat schließlich Mawrikij Afanassjewitschs Schicksal entschieden. Freilich nicht in dem Sinne, in welchem sonst wohl muntere Schwägerinnen das Schicksal von Männern entscheiden können. Übrigens habe ich beobachtet, daß das Schicksal zu seinen Entscheidungen sich eigentlich recht selten der Schwägerinnen bedient – Gott sei Dank, denn wohin sollte das führen?

Es ist klar, daß Mawrikij Afanassjewitsch vortrefflich ins Finanzministerium paßte. Binnen kurzem hatte er sich unentbehrlich gemacht. Er gehörte zu jenen Beamten, die sich nach Dienstschluß Akten in ihre Wohnungen bringen lassen. Er war stolz darauf, daß er das Ministerium als erster zu betreten, als letzter zu verlassen pflegte. Sein Leben war von einer vollkommenen Regelmäßigkeit. Er ging sehr früh zu Bett und stand sehr früh auf. Sonntags trank er, der Gesundheit zuliebe, vor dem Mittagessen ein Schnäpschen und hörte nachher dreiviertel Stunden lang dem Klavierspiel seiner Frau zu. Viel Verkehr pflegten Terentjews nicht. Der Minister merkte bald, was er an ihm hatte. Mawrikij Afanassjewitsch stieg zum Sektionschef auf.

Er befand sich schon eine Weile in dieser dienstlichen Verwendung, da kam ein Brief von der Schwägerin. Diese Schwägerin hatte einen wohlhabenden Gutsbesitzer im Gouvernement Kursk geheiratet und war verwitwet. Jeder wird verstehen, daß sie sich in ihrem eintönigen Landleben eine Abwechslung wünschte. Sie sagte sich also bei den Terentjews zu Besuch an – so für die Weihnachtszeit und bis ins neue Jahr hinein.

Daß sie gerade über Neujahr in Petersburg zu sein dachte, das hatte seinen Grund. Ich habe davon gesprochen, daß es damals am Kaiserhof eine bestimmte, wahrscheinlich bis in recht alte Zeiten zurückreichende Sitte gab, und diese Sitte wollte sich die Schwägerin zu ihrer Unterhaltung zunutze machen. Natürlich dachte sie auch daran, daß sie nach ihrer Rückkehr aufs Land den Nachbarn und Bekannten etwas zu erzählen haben wollte.

Der Anbruch des neuen Jahres wurde am Hofe herkömmlicherweise durch ein Maskenfest im Winterpalais begangen, und hierbei hatte jedermann, ob Fürst oder Bauer, ob Wäscherin oder Generalswitwe, ohne weitere Förmlichkeit

freien Zutritt, also sollte wenigstens einmal im Jahr dargetan werden, daß vor dem Kaiser wie vor Gott alle Menschen gleich waren und daß der letzte nicht anders als der erste ins ungewisse neue Jahr zu gehen hatte und daß den einen wie den anderen jeder neue Jahresbeginn ein Stück näher an das Ende seiner irdischen Schicksale heranführte.

Das Maskenfest spielte sich so ab, daß die kaiserliche Familie mit dem gesamten Hofstaat, alle in Dominos gekleidet, einen Umzug durch sämtliche der Repräsentation und Geselligkeit bestimmte Räume des Winterpalais hielt. Danach soupierte der Hof im Theater der Eremitage, und auch hierbei durfte jedermann als Zuschauer und als Hörer der Tafelmusik zugegen sein. Das Publikum zählte oft nach Tausenden. Man konnte bäuerliche Schafspelze neben Gardeuniformen, Frauen im Kopftuch neben Damen in Gesellschaftstoilette sehen; manchmal kamen Menschen im Gedränge zu Schaden.

Ursprünglich war es so gehalten worden, daß alle diese Gäste nur als Zuschauer kamen. Mit der Zeit entwickelte es sich, daß einige in der Festlaune zu tanzen begannen, ja sogar in Maskenkostümen. Ein paar anschlägige Köpfe unter der Schloßdienerschaft richteten in abgelegenen Seitengemächern Büfetts ein, es wurde gezecht und geschmaust, man sah Betrunkene, ja, die Überlieferung will sogar von noch weiter getriebenen Ausartungen wissen. Das Überhandnehmen solcher Unzukömmlichkeiten veranlaßte zuletzt den Kaiser, mit der Sitte zu brechen.

Petersburg ist eine Beamtenstadt. Im Leben des Beamten gibt es zwei große Termine. Der eine kehrt allmonatlich wieder, das ist der Zwanzigste, da werden die Gehälter ausbezahlt. Der andere ist nur einmal im Jahr, das ist der Neujahrstag, da sind die sogenannten Belohnungen fällig, also Beförderungen, Titelverleihungen, Orden; gelegentlich auch noch Tabatieren oder Brillantringe, aber das fing damals schon an, altmodisch zu werden.

Zu jeder dieser Auszeichnungen mußte man höheren und zuletzt höchsten Ortes eingegeben, man mußte, wie es in der russischen Amtssprache hieß, «zu Belohnungen vorgestellt» werden. Dies bereitete sich schon im November und Dezember vor. Da erhob sich ein aufgeregtes und neugieriges Summen in allen Ämtern. Die einzelnen Abteilungen machten ihre Vorschläge, es wurde gestrebert und intrigiert, gemutmaßt und gehofft, endlich hatten die Minister dem Kaiser die ihr Ressort angehenden Listen vorzulegen und seine Gutheißung zu erbitten.

Es versteht sich, daß unter den Besuchern des kaiserlichen Maskenfestes zahlreiche Beamte waren, und unter diesen wiederum viele, die bereits genau wußten, was für eine Belohnung der folgende Tag ihnen bringen werde; und auch aus diesem Grunde überließen die anonymen Gäste des Winterpalais sich vielfach einer feiertäglich ausgelassenen Laune.

An dieser Lustbarkeit also wünschte die Schwägerin teilzunehmen. Mawrikij Afanassjewitsch versuchte es ihr auszureden, indem er eindringlich versicherte, es gebe nichts als Lärm, Hitze und Gedränge und man gerate unter gewöhnliche und grobe Leute; man laufe Gefahr, von ihnen beiseite gestoßen zu werden und weder von der kaiserlichen Familie noch vom Hofstaat etwas vor Augen zu bekommen. Aber es zeigte sich, daß die Schwägerin auf ihrem Willen bestand. Ja, Mawrikij Afanassjewitsch mußte sogar Vorwürfe von seiner Frau entgegennehmen. Was er sich denn denke, ihrer Schwester die Freude verderben zu wollen? Und ob er vergesse, daß sie nicht verstimmt werden dürfe? Sie habe doch das Gut und außer den Terentjews keine leibesverwandten Erben! Der Mann mochte nichts erwidern. Für sich dachte er mit jener Übertreibung, der sich der Mißgelaunte zu überlassen pflegt, leicht könne eine solche Störung in seinen Gewohnheiten sein Leben dergestalt abkürzen, daß auch die prangendste Erbschaft ihm nicht mehr zugute kommen würde.

Nun, es half nichts; am Abend des einunddreißigsten Dezember fuhr Mawrikij Afanassjewitsch mit seinen beiden Damen ins Winterpalais, sicherlich der verdrossenste aller Staatsbeamten. Am vorigen Neujahrstage hatte er einen Orden und eine Rangerhöhung erhalten, so hatte er vom morgigen Tage nichts Sonderliches zu erwarten. Mit Sicherheit jedoch erwarteten ihn heute abend alle jene Unannehmlichkeiten, die er seiner Schwägerin geschildert hatte, und zwar erwarteten sie ihn nach einer Fahrt durch die eisige Winterluft, wie leicht konnte man sich da eine gefährliche Erkältung zuziehen – und gar erst auf der Rückfahrt! Einen Daheimgebliebenen aber hätte schon jetzt das Behagen des gewohnten Bettes erwarten dürfen. Seine einzige Hoffnung war die, beide Damen würden bald ermüden und ebenfalls nach Hause verlangen.

Unter diesen Umständen hatte er darauf gedrängt, die Fahrt bereits sehr zeitig anzutreten, und durch unablässiges Antreiben hatte er auch erreicht, daß es wenigstens hierin nach seinem Willen ging. So hatte er die Hoffnung, doch noch zu vergleichsweise leidlicher Zeit in sein Bett zu gelangen.

Zunächst ließ sich alles vortrefflich an. Mawrikij Afanassjewitsch und seine Damen waren die ersten Gäste, die vor dem Winterpalais aus dem Schlitten stiegen.

Nun ist einer weiteren, am Silvesterabend geltenden höfischen Sitte zu gedenken. Sie stammte aus den Tagen Kaiser Alexanders und wollte es, daß der erste, der das Winterpalais betrat, und der letzte, der es verließ, nach Namen und Beruf gefragt und daß die Antwort auf diese Fragen anderen Tages dem Kaiser mitgeteilt wurde. Warum? Das wäre um einige Längengrade zu westlich gefragt. Denken wir an den Vers, mit dem Kinder die Sterne zählen:

«Eins, zwei, drei,
die andern stehn dabei»,

und nehmen wir an, diese beiden hätten stellvertretend für die gewaltige, in der Namenlosigkeit verbleibende Masse gestanden, sie einschließend, wie das Alpha und das Omega alle Buchstaben einschließen, ja, diese beiden hätten nicht nur alle Silvestergäste des Kaisers, deren Namensliste ihm vorzulegen ja unmöglich war, sondern zugleich sein ganzes unzählbares Volk repräsentiert.

Mawrikij Afanassjewitsch wurde also am Saltykow-Portal vom wachthabenden Offizier um seinen Namen gebeten, und dieser ehrenwerte Name wurde mitsamt seinem Titel in das Wachtbuch eingetragen, um kommenden Tages dem Kaiser gemeldet zu werden. Danach traten sie ein. Die Räumlichkeiten waren noch leer. Sie schlenderten durch die Säle und betrachteten sich die Kostbarkeiten und Kunstwerke, und die Schwägerin freute sich daran, wie bewunderungswürdig man nach der großen Feuersbrunst alles wieder hergerichtet hatte. Darüber kam die Stunde, in der Mawrikij Afanassjewitsch sein bequemes Bett aufzusuchen gewohnt war. Die Gobelins, die Teppiche und die Möbelbezüge, an deren Anblick die beiden Damen sich ergötzten, wurden ihm immer gleichgültiger. Eine tödliche Schläfrigkeit bemächtigte sich seiner Augen, seiner Gliedmaßen, seines Geistes. Bereits beim Eintreten hatte er ein kleines, nur schwach beleuchtetes Seitenkabinett entdeckt, das mit anziehenden Polstermöbeln ausgestattet war. Es war ihm nicht möglich,, seine Gedanken auf etwas anderes zu richten als auf dieses Kabinett.

«Kinder», sagte er, «ihr werdet so gütig sein, mich zu entschuldigen. Ich werde mich dorthin zurückziehen und einem der Lakaien ein Trinkgeld geben, damit ich ungestört bleibe. Seht euch nach Herzenslust um, und wenn ihr genug habt, kommt ihr mich abholen. Ich wünsche gute Unterhaltung. Seid nicht böse, aber ich kann unmöglich noch länger aufrecht bleiben.»

Die Schwägerin machte eine mokante Bemerkung. Aber sehr viel hatte sie von seiner Begleitung ohnehin nicht gehabt, also wurden ernstliche Einwendungen weder von ihr noch von ihrer Schwester erhoben. Wenige Minuten später hatte er es sich behaglich gemacht, ein Lakai hatte die Lampe gelöscht und die Tür geschlossen, Mawrikij Afanassjewitsch hatte sich bekreuzt und war entschlummert.

Inzwischen hatten sich draußen die Säle gefüllt, und bald kündigte die Musik den Beginn des Domino-Umzugs an.

Es hat für uns wenig Sinn, die beiden Damen auf ihrem Rundgang zu begleiten; auch will das Wort Rundgang längst nicht mehr passend erscheinen, es klingt allzusehr nach einer geordneten, von Plan und Willen gelenkten Bewegung. Sie hatten vieles zu bestaunen, und die ältere der Schwestern mußte ihre Absicht fallenlassen, im Feldherrensaal die vierhundert Porträts verdienter Armee- und Flottenführer der Reihe nach anzusehen und bei einem jeden sich

der Persönlichkeit des Abgemalten zu versichern. Auch an einiger Unbequemlichkeit, wie Mawrikij Afanassjewitsch sie prophezeit hatte, fehlte es nicht. Dafür trafen sie Bekannte, die sich ihrer annahmen und mit ihnen sogar Champagner tranken, und es war auch ein sehr stattlicher Mann darunter, bei vorgerückten Jahren, indessen vorzüglich konserviert, ein Herr Portugalow, der einen respektablen Posten in der Wegebauverwaltung bekleidete und morgen, wie er gern erzählte, den Stanislausorden zweiter Klasse erhalten sollte.

Die Zeit verflog schnell. Man hatte die kaiserliche Familie nicht nur wandeln, sondern auch soupieren und danach sich zurückziehen gesehen. Schließlich verlangte es einen selber nach Hause.

Vater im Himmel! Wie viele Säle gibt es im Winterpalais und wie viele Seitenkabinette, Türen und Lakaien! Die Lakaien sehen alle gleich aus, und das ist kein Wunder, denn für sie ist ja nicht nur die nämliche Uniform vorgeschrieben, sondern auch die nämliche Größe und die nämliche Haar- und Barttracht. Selbst wenn du bei Kräften und Geduld bist, sämtliche Seitenkabinette aufzufinden und zu betreten, wie willst du denn an sie heran kommen, da doch Tausende von Menschen wie Mauerwerk davorstehen! Und wie willst du in diesem verwirrenden Durcheinander von Menschen, Feldherrenporträts, Musik und Champagner dich noch erinnern, welchen Lakaien du bereits gefragt, welche Tür du dir öffnen lassen, welches Seitenkabinett du suchend betreten hast?

Herr Portugalow bringt die Damen im zweispännigen Schlitten heim, alles wie es sich gehört. In Erwartung des Hausherrn trinkt man noch ein Glas Tee miteinander, und die Terentjewa spielt sogar zur Unterhaltung ein wenig Klavier. Mawrikij Afanassjewitsch ist nicht gekommen, nun, das ist kein Unglück, in seinem Kabinett kann ihm nichts zustoßen, er war ja auch so müde, dafür hat man Verständnis, denn jetzt ist man es ebenfalls, und so trennt man sich denn mit den herzlichsten Wünschen für ein gesegnetes Jahr – alles wie es sich gehört.

Mawrikij Afanassjewitsch kam erst bei hellem Tage heim. Er war des Morgens durch einen Mann geweckt worden, der die Absicht bekundete, den Fußboden zu bohnern. Mawrikij Afanassjewitsch kaufte ihm noch ein halbes Stündchen ab, zu mehrerem aber wollte der Mann sich nicht verstehen; immerhin erbot er sich, einen Schlitten zu holen. Am Portal wurde Mawrikij Afanassjewitsch wieder nach seinem Namen gefragt, und danach hatte er nur noch in den Schlitten zu steigen und sich heimfahren zu lassen.

Das solchermaßen begonnene Jahr ging für die Terentjews unauffällig dahin. Erwähnung verdient lediglich, daß die Bekanntschaft zwischen der Schwägerin und Herrn Portugalow sich zu Verlöbnis und Heirat steigerte, so daß man annehmen durfte, wenn einmal Nachlaßangelegenheiten zu regeln seien, werde Herr Portugalow schon Rat wissen.

Erst gegen Ende des Jahres geschah etwas unmittelbar auf Mawrikij Afanassjewitsch Bezügliches, das freilich vorderhand noch nicht zu seiner Kenntnis gelangte. Im Dezembermonat nämlich unterbreitete der Finanzminister dem

Kaiser die Liste der aus seinem Ressortbereich zu Belohnungen Vorgestellten und bat um die Allerhöchste Genehmigung.

Der Kaiser überflog nickend die Liste.

«Terentjew auch?» fragte er dann.

Der Minister äußerte einige, nun freilich schon ein wenig gedämpfte Worte zum Lobe seines Sektionschefs.

«So, das ist also deine Meinung, Graf», sagte Nikolai. «Aber ich habe eine andere. Ach, ihr Minister! Was wißt ihr schon von euren eigenen Leuten? Lasse dich belehren, Bruder.»

Er erklärte sich, zum Französischen übergehend und seine Rede reichlich mit «sapristi!», «voyez, mon cher», und «tiens, tiens, tiens, tiens» schmückend. Das viermalige, in Lautstärke und Nachdrücklichkeit sich steigernde «tiens» hatte die Aufgabe, den Gemütszustand auszudrücken, in welchem der Kaiser feststellen mußte, daß in der Tat ein und derselbe Mann als erster gekommen und als letzter gegangen war.

Es war Nikolais Stolz, sich besser unterrichtet zu zeigen als seine Minister. Er meinte manchmal ein Nachlassen seines Gedächtnisses wahrzunehmen und war der Überzeugung, er dürfe dies keinesfalls merken lassen. So benutzte er gern – eine Neigung vieler Machthaber – Gelegenheiten, die ihn im Besitz eines bewunderungswürdigen Gedächtnisses zeigten: den Namen Terentjew hatte er länger als elf Monate in seinem Notizkalender bewahrt. Wer Macht auszuüben und zugleich darzustellen hat, neigt dazu, sich stichprobenartig zu verhalten und das ihm zufällig zu Ohren und Augen Gekommene für das Charakteristische zu nehmen. Vielleicht kann ein Selbstherrscher, ja schon ein Regimentskommandeur, Gutsverwalter oder Klassenlehrer seine Lage nicht anders ertragen und braucht die Vorstellung einer nahezu vollkommenen Allwissenheit. So war Nikolai der Erste nicht der Meinung, daß er zufällig etwas erfuhr, sondern der, daß sich höchstens zufällig etwas seiner Kenntnis entziehen konnte.

«Das erste Mal, daß mir nur ein einziger Name genannt

wurde: was mußte das für ein Mensch sein! Nun, ich habe seine Personalakten einsehen lassen. Was ist er? Selbstverständlich ein alter Husar! Wer weiß, warum er den Abschied genommen hat? Wahrscheinlich hat er etwas angestellt, das selbst für Husarenbegriffe zu stark war. Natürlich steht davon nichts in den Papieren, aber ich weiß ja, wie meine Husaren einander decken. Alles an seinem Ort. Husarenallüren passen nicht ins Finanzministerium. Der Mann ist ein Nachtschwärmer und kein Arbeiter.»

Er ergriff die Feder und tilgte den Namen Terentjew durch einen balkendicken Strich.

Von da an pflegte der Kaiser jedesmal, wenn der Finanzminister zum Vortrage bei ihm war, beim Abschied mit einem kleinen selbstzufriedenen Lächeln zu fragen: «Nun, und was macht Ihr Husar?»

Dem Finanzminister wurde das lästig. Eines Tages ließ er Mawrikij Afanassjewitsch rufen und legte ihm nahe, um seinen Abschied einzukommen.

Mawrikij Afanassjewitsch verdorrte wie eine in ungünstige Bedingungen versetzte Pflanze. Allerdings hätte er auf Grund eines glänzenden Dienstzeugnisses eine vorzügliche Stellung als Direktor einer Bank oder sonst eines großen Unternehmens erhalten können. Aber erstens wünschte er das gar nicht, denn er war auf den Tod verwundet und wollte es bleiben. Und zweitens hatte er keineswegs das verdiente Ruhmeszeugnis empfangen. Denn es war zwar nicht wahrscheinlich, aber doch keineswegs ausgeschlossen, daß dem Kaiser, der sich nun einmal in dieser wenig freundlichen Weise für Mawrikij Afanassjewitsch interessierte, ein solches Zeugnis, vielleicht durch einen abenteuerlichen Zufall, vor Augen gekommen wäre; damit hätte der Minister den Kaiser verstimmt, was auf seine persönliche Stellung, zugleich aber auch auf die Angelegenheiten des Finanzministeriums und die Vorbereitungen der Finanzreform zurückgewirkt hätte.

Dem Kaiser war sein standard-joke langweilig geworden.

Einige Jahre lang war von Mawrikij Afanassjewitsch nicht mehr die Rede. Dann aber, Gott weiß warum, fiel eines Tages Nikolais Erinnerung auf ihn, und er fragte: «Was macht eigentlich Ihr Husar?»

Der Minister antwortete: «Er ist gestorben, Eure Majestät.»

Nikolai bekreuzte sich gleichgültig und sagte formelhaft: «Gott gebe ihm das Himmelreich.» Dann setzte er hinzu: «Er hätte bei den Husaren bleiben sollen. Jeder muß wissen, wo er hingehört. Sicher wäre ich eines Tages auf ihn aufmerksam geworden und hätte für seine Laufbahn gesorgt. Ich kann forsche Husaren brauchen, nur nicht gerade im Finanzministerium. Alles an seinem Platz, es muß Ordnung sein. Übrigens, woran ist er gestorben?»

Der Minister mochte nicht, wie es der Wahrheit entsprochen hätte, die Antwort geben: «An Kränkung und Gram.» So sagte er aufs Geratewohl: «Am Herzschlag, Eure Majestät.»

«Am Herzschlag? Das habe ich mir gedacht. Immer auf Bällen . . . der erste und der letzte . . . getrunken wird er auch haben . . . ich kenne doch diese alten Husarengewohnheiten.»

Hätte Mawrikij Afanassjewitsch wenigstens so lange leben können, bis Alexander der Zweite, der ja von dieser Geschichte nichts wußte, zur Regierung gelangt war, dann wäre er, Gott behüte, am Ende Finanzminister geworden. Aber die Vorsehung hat das offenbar nicht für wünschenswert gehalten.

Diese Geschichte lebte in allen Husarenregimentern weiter, und wenn sie einem neu eingetretenen Avantageur erzählt wurde, dann vergaß man selten, hinzuzufügen: «Recht ist ihm geschehen.»

«Überaus bemerkenswert», sagte dann wohl der Avantageur.

Das Florettband

Zur Zeit, als Dostojewski am Raskolnikow, das Brüderpaar Siemens an seinen elektrisierenden Erfindungen und Hindenburg an der Vorbereitung aufs Fähnrichsexamen arbeitete, also in den sechziger Jahren des vorigen Jahrhunderts, war am Stadttheater zu Riga ein junger, aus dem Elsaß stammender Schauspieler beschäftigt, den wir Mortimer nennen wollen, um damit zugleich die Richtung seiner Wünsche zu bezeichnen. Dieser Mortimer hatte von seinen Fähigkeiten eine große Meinung und für seine Zukunft sehr gewisse Hoffnungen. Einstweilen aber wurde er in kleinen Rollen modischer Stücke verwandt, etwa als lebemännischer Freund und Vertrauter jugendlicher Helden, an deren Reichtum er schmarotzte, bis er sie im Augenblick eingetretener oder irrigerweise angenommener Verarmung geschwind im Stich ließ oder auch bis er nach einem jähen Umschwung ihrer Sinnesart zum Ernsteren von ihnen fortgejagt wurde. Dies später in Abnahme gekommene Fach wurde in jener Zeit als das der falschen Freunde bezeichnet; wer es lange genug zur Zufriedenheit bedient hatte, konnte hoffen, zum Bonvivant aufzusteigen.

Unser Elsässer fühlte sich weder zum falschen Freunde noch zum Bonvivant geschaffen. Er hatte die Überzeugung, es müsse ihm nur einmal eine Gelegenheit zuteil werden, seine Leidenschaftlichkeit und Kraft in einer Rolle wie der des Mortimer zu zeigen, und seine Laufbahn werde aus den farblosen Niederungen augenblicks steilauf führen. Aber eben diese Gelegenheit schien sich nicht bieten zu wollen, und er schob die Schuld bald auf das Unverständnis des Direktors, bald auf neidische Machenschaften aus dem Kreise der Kollegen, bald schwermütig auf einen Unstern, der nun einmal über seinem Dasein stehe. Vielleicht indessen – wie will man das heute noch feststellen? – war es einfach so, daß von Mortimer eben nicht jene schwer zu bezeichnende Eigentümlichkeit ausging, deren der Schauspieler bedarf, wenn er den Zuschauer ergreifen soll. Übrigens hatte die französische Bühne, die er in seinen Anfängen umworben, sich ihm nicht auftun wollen; es scheine, so sagte man ihm, er könne sich den elsässischen Akzent nicht abgewöhnen.

Wir müssen also die Frage nach Mortimers Fähigkeiten offenlassen. Um so mehr wird uns im stillen die seines Ehrgeizes beschäftigen. Aber auch hier kommen wir fürs erste zu keiner genau bestimmten Auffassung. Es bleibt einstweilen offen, ob dieser Ehrgeiz in der Tat, wie Mortimer glaubte, von Natur und Notwendigkeit her dem Bühnenlorbeer zustrebte oder ob er sich nicht ebensogut auf einem anderen Felde die zur Selbstbestätigung dienlichen Erfolge hätte suchen können.

Seiner untergeordneten Stellung gemäß wurde Mortimer niedrig gagiert. An den geringen Rollen, die man ihm zuwies, war nicht viel zu memorieren, so hatte er reichlich Zeit für sich selbst. Er benutzte sie, seine Sprachkenntnisse zu erweitern und französischen Konversationsunterricht zu geben. Das half seinen Einkünften auf und unterhielt ihn. Zweisprachig herangewachsen, hatte er die Fähigkeit, sich in fremden Sprachen behende zurechtzufinden, was wohl auch als ein Ausdruck seiner Anpassungsgabe, zugleich aber seines einer schauspielerischen Natur nicht schlecht anstehenden Anpassungsbedürfnisses aufgefaßt werden mag. Er vervollkommnete sich im Englischen und beschäftigte sich mit dem Russischen und Lettischen als den beiden Sprachen, die neben dem Deutschen landesgängig waren. Doch trieb er das alles nicht mit rechter Freude; es war Lückenbüßerei.

Mit der Zeit kam es dahin, daß er gelegentlich von wohlhabenden Handwerkern herangezogen wurde, um Liebhaberaufführungen bei Silberhochzeiten und Vereinsfestlichkeiten einzurichten. Allein in die oberen Gesellschaftskreise gelangte er nicht, obwohl sie sich in Riga den Schauspielern und Schauspielerinnen weiter öffneten, als die strengen Begriffe der Zeit es in Deutschland gestattet hätten.

In den Städten Deutschlands ereiferte man sich damals über Herrn von Bismarcks Bemühungen um Aufrichtung einer preußischen Hegemonie, über Lassalles Arbeiterverein, über Parlaments- und Verfassungsfragen. Riga gehörte zum russischen Kaiserreich, es galt nicht für bon ton, allzuviel von Politik zu sprechen, und schon gar nicht vor Damen. Aller Enthusiasmus der Gesellschaft, von öffentlichen Dingen wenig in Anspruch genommen, kehrte sich, wie das in ähnlichen Umständen zu geschehen pflegt, der Bühne zu, und diese Leidenschaft, fast bis zur Narretei getrieben, konnte sich überdies schon auf eine Tradition von Jahrzehnten berufen. Seit fast einem dreiviertel Jahrhundert besaß man das Originalmanuskript des Don Carlos. Wurde er aufgeführt, so stand auf dem Theaterzettel: «Textfassung nach der im Besitz des Stadttheaters befindlichen Handschrift des Dichters». Wurde das Nachtlager von Granada gegeben oder sang, säuselte, schmetterte irgendwo ein Männerquartett «Das ist der Tag des Herrn», so erinnerte man sich an den Komponisten Kreutzer, der Kapellmeister am Stadttheater gewesen war und nun in Riga begraben lag. Sein Vorgänger war Richard Wagner gewesen, ein schwieriger, indessen faszinierender Mann, der, wie es jetzt hieß, schon damals von seinen auf Rienzi und eine holländische Schiffersage abzielenden Opernplänen gesprochen hatte; auch wer seine Musik nicht liebte, war stolz auf ihn und bemühte sich um den Nachweis, daß die berühmtesten seiner Musikdramen zumindest keimhaft in die Rigaer Zeit zurückreichten – ohne zu bedenken, daß hierin, selbst wenn es zutraf, kein Verdienst des Rigaer Publikums erblickt werden konnte. In Wagners Kapellmeisterzeit war der schlesische Wanderdichter Holtei Direktor des Theaters und Abgott der Stadt. Als seine Frau, eine viel angeschwärmte Schauspielerin, im Wochenbett starb, gab es den stolzesten Leichenzug des Jahrhunderts, und hinter dem Sarge ging neben dem Witwer der Generalgouverneur der Ostseeprovinzen. Das alles war noch frisch, als sei es gestern gewesen, dazu hatte man jetzt das schöne, neue Theatergebäude, das Geld floß reichlich, die Damen machten ihr Glück, aber was hatte Mortimer davon? Über ihm stand der Unstern, der Himmel mochte so heiter sein, wie er und wie der Gott der Bühnenkunst nur wollte.

Plötzlich indessen ging sein Unstern unter, der Stern ging auf. Zunächst freilich hatte es diesen Anschein noch nicht.

Vielleicht waren die neuesten Franzosen – Scribe, Augier und, was noch schlimmer war, Sordou – ein wenig zu viel gespielt worden. Pastoren und Oberlehrer verlangten Sittenreines und Klassisches, sie steckten sich hinter die Theaterkommission des Rats, und der Direktor kündigte Wallenstein an. Der erste Abend sollte das Lager und die Piccolomini bringen. Dieser Direktor war ein magenleidender und daher oft mißgelaunter Mann. Jeden, dem er Unbeglückendes mitzuteilen hatte, pflegte er «lieber Freund» anzureden. Er wies Mortimer die Rolle des Götz zu.

Man kennt diese Rolle, oder vielmehr: man kennt sie nicht, denn hier ist wenig zu kennen. General Götz, ein schweigsamer Herr, kommt im Ganzen neunmal zu Wort, ohne es doch, alles in allem, auf mehr als achteinhalb Verszeilen zu bringen. Seine Äußerungen sind nicht bedeutend; in der Hauptsache sagte er: «Herr Bruder, prosit Mahlzeit! ... Excusiert mich ... Bin's nicht imstand ... Herr Graf, erlaubt mir, daß ich mich empfehle ...»

«Machen Sie kein solches Gesicht, lieber Freund», sagte der Direktor. «Schillers Götz ist nun einmal nicht Goethes Götz, das sind eben die Unterschiede zwischen den Dichtern, dafür dürfen Sie mich nicht verantwortlich machen. An der Rolle haben Sie nicht lange zu studieren, das ist auch etwas wert. Ich wollte, ich hätte so viel freie Zeit wie Sie.»

Mortimer murmelte etwas Unterwürfig-Verdrossenes.

«Was wollen Sie denn?» sagte der Direktor. «Sie bekommen ja außerdem noch eine Rolle im Lager, etwa den zweiten Leibgardehusaren oder den Einjährig-Freiwilligen vom dritten Train-Bataillon, darüber hören Sie noch Endgültiges von mir.»

Mortimer ging niedergeschlagen nach Hause. Auch die Aussicht auf das Lager hatte nichts Tröstendes. In diesem Stück treten bekanntlich nur Statisten auf; wenn sie noch so viel reden, sie bleiben Statisten, und nicht einmal der Kapuziner findet aus der Anonymität hinaus.

Aber nun ging der Unstern unter, der Stern ging auf. Einige Tage vor der Hauptprobe wurde Mortimer zum Direktor beschieden.

«Ich bin sehr ärgerlich, lieber Freund. Der Max ist frei geworden. Herr Neumann hat eine Sehnenzerrung, dem geht kein Schuh über den Knöchel. Der Doktor rechnet mit zwei Wochen. Herr Monti hat Blinddarmentzündung. Und Herr Schröder ist zu dick. Ich muß es wohl oder übel mit Ihnen probieren. Nicht sehr wohl, lieber Freund, eher sehr übel, aber das hilft nichts. Trauen Sie es sich zu? Bekommen Sie diese Tiraden noch rechtzeitig in den Kopf?»

«Ich beherrsche die Rolle, Herr Direktor!» rief Mortimer.

«So? Na, dann lassen Sie mal hören.»

Mortimer hatte den Max auf Vorrat studiert, ingrimmig und verbissen, wie er alle Rollen studiert hatte, die ins Mortimerfach schlugen.

«O schöner Tag, wenn endlich der Soldat –»

Und als er zuletzt erklärte, für ihn, für diesen Wallenstein, das letzte Blut seines Herzens tropfenweise verspritzen zu wollen, da war es ihm, als sei er Mortimer im vierten Aufzug, den Dolch ziehend und leidenschaftlich rufend:

«Was willst du, feiler Sklav' der Tyrannei?
Ich spotte deiner, ich bin frei!»

(Dies «frei» wurde in jener Zeit noch vielfach mit einem Ypsilon geschrieben, und hätten wir Heutigen bei Mortimers einsamen Rollenstudien dabei sein dürfen, wir hätten das Ypsilon deutlich zu hören gemeint.)

Max und Mortimer sind Rollen, die damals in höherer Schätzung standen als heute. Mortimers Deklamation hätte uns vielleicht nicht zugesagt, aber unseren Großeltern sagte dergleichen zu, und da unsere Großeltern das Publikum des Rigaer Stadttheaters bildeten, so riskierte der Direktor im Grunde nichts.

Er hatte zum Fenster hinausgesehen. Als Mortimer verstummte, sagte er, ohne sich umzudrehen:

«Es wird, weiß Gott, schon wieder Regen geben. Also schön, spielen Sie meinetwegen diesen Jüngling, den man so frühzeitig zum Obersten gemacht hat. Es hilft ja nichts, ich kann den Wallenstein nicht mehr absetzen. Den Götz kann ich auch von einer Garderobenfrau spielen lassen. Schließlich kann man ihn auch streichen. Das Stück hat ohnehin schon zu viel Generäle. Was?»

Als Mortimer ging, rief der Direktor ihm nach: «Aber nehmen Sie sich zusammen, es wird ein wichtiger Mann in meiner Loge sein!»

«Sehr wohl, Herr Direktor», antwortete Mortimer. Damals sagte man noch «sehr wohl». Ich selbst habe das «sehr wohl» nur einmal in meinem Leben gehört: das war, als mein Schwiegervater im Kreise der Familie ein Kapitel aus einem Fontaneschen Romane vorlas. Es klingt sehr wohl.

Der wichtige Mann, dies sprach sich bald herum, war irgendwo in Deutschland Intendant eines großherzoglichen Hoftheaters. Sein Sohn war Legationssekretär bei der großherzoglichen Gesandtschaft in Petersburg und hatte dort soeben geheiratet. Der Intendant kehrte von der Hochzeit nach Deutschland zurück und nahm auf der Durchreise einen kurzen Aufenthalt in Riga.

Mortimer zitterte in waghalsigen Hoffnungen. An Stelle des untergegangenen Unsterns war nicht ein Stern aufgegangen, sondern ein ganzes Sternbild, dessen Mittelpunkt der Intendant bildete. Er würde sich Mortimers Namen merken, er würde – nun, vielleicht nicht sofort, großherzogliche Dinge brauchten Zeit. Doch gab es auch Dinge, die sofort an den Tag treten mußten. Gefiel Mortimer als Max in den Piccolomini – und wie sollte er nicht gefallen, er würde sich Beifall auf offener Szene erzwingen! –, so war es klar, daß er einige Wochen später den Max auch in Wallensteins Tod würde spielen dürfen. In der Zeitung würde man lesen: «Die größte Überraschung des Abends aber war der Max des Herrn Mortimer. Wir fragen uns: warum hat die Direktion uns eine Könnerschaft solchen Ranges bis jetzt vorenthalten? Vergebens sucht man nach einer Erklärung.» (An dieser Stelle würde es vielleicht auch heißen: «Erkläret mir, Graf Oerindur . . .») – «Nun, man tut nie gut, sich bei Vergangenem aufzuhalten. Für die Zukunft jedenfalls dürfen wir wohl hoffen, Herrn Mortimer in seinem Talent angemessenen Rollen zu begegnen.»

Das Sternbild ging unter, der Unstern ging wieder auf. Es war in der Wende des März zum April, das Wetter windig, feucht, rauh. Wer irgend konnte, hatte eine Erkältung oder Halsentzündung, mit Fieber gepaart. Solche Krankheiten wurden damals noch als Grippe bezeichnet. In älteren Biographien liest man häufig: «Er starb an einer Grippe, nachdem er kurz zuvor noch den Schmerz hatte erleben müssen, seine Lebensgefährtin im Alexanderbade an einem hitzigen gastrischen Fieber zu verlieren.» Später kam das Wort aus der Mode, und jene Biographien büßten, zum mindesten im Schlußkapitel, an Verständlichkeit ein. Für Linguisten, Patienten und Hinterbliebene gleichermaßen überraschend, tauchte der Krankheitsname 1917, mitten im Kriege, wieder auf, was vermutlich damit zusammenhing, daß an der Spitze des militärischen Medizinwesens alte Herren standen, welche die Gelegenheit wahrnahmen, eine Jugenderinnerung aufzufrischen. Dies nebenbei.

Mortimer, besonnener, als es einem Mortimer oder Max ansteht, gurgelte und nahm vorbeugende Pillen. Am Tage vor der Hauptprobe erwachte er fiebrig, heiser, mit Halsschmerzen. Er rannte zum Arzt. Der Arzt untersuchte, pinselte, verschrieb. Aber nun scheint es ja, als stecke in manchen Organen des menschlichen Körpers eine koboldige Lust, ihrem Herrn gerade dann, wenn er auf ihr Wohlverhalten am dringendsten angewiesen ist, den Gehorsam zu verweigern und ihn damit der Bloßstellung und Verzweiflung zu überantworten. Indessen, haben sie nicht vielleicht gerade dann einen geheimen, verschämt ihnen zugekommenen selbstfeindlichen Befehl ihres Herrn auszuführen?

Mortimers Zustand verschlimmerte sich. Der Schüttelfrost warf ihm die Schulterblätter hin und her. Ihn schwindelte. Er fühlte das Blut sieden und in den Ohren brausen. Nichts verschlug. Er gurgelte, jetzt nicht mehr prophylaktisch, sondern therapeutisch, er lag den größten Teil des Tages im Bett und sprach mit niemandem ein überflüssiges Wort. Dennoch fühlte er von einer Stunde zur anderen seine Widerstandskräfte verfallen. Mit Selbstvergewaltigung, Medikamenten und Spirituosen hielt er sich im Theater noch notdürftig aufrecht. Er überstand die Hauptprobe und war der Meinung, es sei ihm bei der Generalprobe gelungen, das Übel verborgen zu halten.

Es wurde ihm bewiesen, daß dies ein Irrtum war. Denn der Direktor sagte:

«Es scheint, lieber Freund, Sie sind nicht ganz bei Stimme. Legen Sie sich sofort ins Bett und schwitzen Sie. Morgen früh höre ich mir noch einmal Ihr Organ an. Wenn es nicht besser ist, werde ich doch auf Herrn Schröder zurückgreifen müssen. So dick ist er schließlich gar nicht. Außerdem ist mir eingefallen, daß Max ja schon Oberst ist. Obersten brauchen nicht die Figur von Leutnants zu haben.»

Als Mortimer nach der Generalprobe das Theater verlassen wollte, gesellte sich auf dem Korridor die Souffleuse zu ihm, eine gutmütige alte Person, die eine mütterliche oder tantenhafte Zuneigung für ihn hatte. Im Laufe ihres Lebens war sie Naive, Heldenmutter und komische Alte gewesen, und sie hatte sich von all diesen Kategorien ein Seelenstückchen bewahrt.

«Mein Gott, was ist Ihnen? Wie sehen Sie aus?» rief sie.

Er wollte stumm abwinken und davoneilen, denn jedes vermeidbare Wort dünkte ihn unverzeihlich. Aber nun spürte er die bescheidene, einfache Warmherzigkeit der Alten, und es befiel ihn das Verlangen, sich fallen zu lassen, nicht mehr zu widerstreben und nach der Weise der Kinder einer mütterlichen Gewalt und Sorge die Verantwortung anheimzugeben. Er warf die Selbstbeherrschung ab, es schien ihm ein Glück, den schmerzhaften Husten nicht mehr zurückhalten zu müssen und seinen ganzen Körper von ihm erschüttern zu lassen.

Dann begann er zu reden, zwar noch immer unterbrochen von Hustenstößen, denen er sich wie in einer Wollust der Selbsterniedrigung überließ. Er klagte bitter, so müsse es ihm immer gehen, wenn endlich einmal das Glück ein Mantelzipfelchen sehen lasse; er sei zu nichts gut als zum Verderben.

Die Souffleuse hielt über dem Zuhören den Blick auf ihn gerichtet, mitleidig und wohlgefällig zugleich. Sie sah nicht nur sein augenblickliches Elend, das sich wie eine Schicht trüber, schmutziggewordener Schminke über ihn gelegt hatte; sie sah, wie sie es von jeher getan hatte, hinter dieser

Schicht ihn selbst. Er war hübsch gewachsen, sehnig und schlank, er hatte regelmäßige, lebhafte Züge. Doch hatte er auch jenes gewaltsam Angespannte, das man in den Mienen vom Ehrgeiz besessener, aber noch zu keinem Erfolg gelangter junger Männer so oft wahrnimmt – ein Ausdruck, der zugleich ein jugendliches Gesicht anziehend, ja, herzbewegend machen kann, und sei es auch nur so, daß den Betrachter etwas überkommt wie ein dunkles, als Frage sich an die Zukunft wendendes Mitleid, welches zugleich dem Verfall aller menschlichen Schicksale und ihrem Abgleiten in die Gewöhnlichkeit gilt. Allerdings dürfen wir nicht annehmen, derartiges sei der Souffleuse zu deutlichem Bewußtsein gekommen.

«Hören Sie», sagte sie nach einem kleinen Zaudern, «ich weiß ein Mittel für Sie, aber Sie dürfen mich nicht auslachen.»

«Ach Gott», antwortete er kläglich, «mir ist nicht nach Auslachen zumut. Aber was für ein Mittel sollte mir denn helfen können? Ich habe ja schon die halbe Apotheke auf dem Nachttischchen stehen. Am besten ich gebe es auf, melde mich krank und gehe zu Bett. Wenn ich nach zwei Wochen wieder auf den Beinen bin, kann ich ja den Götz spielen.»

«Es gibt da so etwas anderes», erklärte sie und schien nun ganz verwandelt vor Eifer. «Man darf nur nicht unnütz davon sprechen, sonst könnte es, wie man sagt, seine Kraft verlieren. Es soll ein Vermächtnis sein, aber man darf auch nicht nach der Herkunft oder nach den sonstigen Zusammenhängen fragen. In der Moskauer Vorstadt ist ein Posamentierladen, so eine unscheinbare, hölzerne Bude, in einer Quergasse ist das, noch ziemlich weit hinter den Roten Speichern. – Aber machen Sie kein solches Gesicht, auf das, was ich sage, können Sie sich verlassen, ich habe es selbst ausprobiert, mehr als einmal, und manche von meinen Bekannten auch.»

Ihre Mienen wurden beweglicher, ihre Handgebärden

lebhafter, als stünde sie noch auf der Bühne und habe endlich eine gute Rolle als Kupplerin, Anstifterin, Intrigantin, jedenfalls als eine Anrührerin fremder Schicksale, die sie über die Ungeformtheit und Unausgeführtheit des eigenen forttrösten mochten. Ja, eine richtige kleine Szene spielte sie ihm vor, eine Szene mit zwei Rollen, und vielleicht hatte das für sie von fern eine ähnliche Bedeutung wie eine der Mortimerszenen aus der Maria Stuart sie für ihn gehabt hätte. Am Ende, so hat Mortimer nachher gedacht, und so mag auch einer oder der andere von uns denken, am Ende hatte sie diese ganze Sache überhaupt nur eingeleitet, um Gelegenheit zu einer solchen Schaustellung zu haben. Aber damit hat Mortimer und damit hätte einer oder der andere von uns etwas Unrichtiges gedacht.

«Passen Sie auf», sagte sie. «Also ich komme jetzt herein.» Sie trat einige Schritte zurück, als habe sie einen Anlauf zu nehmen, und die Szene begann.

So also hatte es zuzugehen, wenn man jenen armseligen Laden in der Moskauer Vorstadt betreten hatte. Eine kleine weißhaarige Frau stand hinter dem Verkaufstisch, beugte sich vor und fragte mit etwas zitteriger Stimme, was der Dame gefällig sei. Die Käuferin nahm eine Miene von geheuchelter Gleichgültigkeit an und antwortete halblaut: «Ein Stückchen schwarzes Florettband».

Weiter durfte man nichts sagen, nicht wie lang es sein und wie breit es liegen sollte, und schon gar nicht durfte man sich nach dem Preise erkundigen. Die Verkäuferin sagte kein Wort. Auch ihre Miene drückte nun jene erheuchelte Gleichgültigkeit aus, hinter der doch Einverständnis, ja Mitwisserschaft geheimnisvoll vorschimmerte. Sie zog eine Schublade auf, entnahm ihr das Gewünschte – es war bereits abgeschnitten – und reichte es, ohne sich weiter um die sonderbare Kundin zu kümmern, ja ohne sie anzusehen, über den Ladentisch. Die andere nahm schweigend das Endchen schwarzes Band entgegen, steckte es zu sich und entfernte sich ohne Bezahlung, Dank oder Gruß.

«Wenn man bezahlen will oder dankt, wirkt es nicht, das steht fest», sagte, gleichsam abgeschminkt, die Souffleuse. «Und da habe ich mir gedacht, am besten spricht man überhaupt kein Wort, da geht man sicher, und in solchen Sachen ist es bekanntlich geratener, etwas zu viel zu tun als zu wenig. Das Ganze ist natürlich komisch, aber noch komischer ist es, daß es wirklich hilft; es gibt da gar keinen Zweifel. Natürlich habe ich zuerst auch nicht daran glauben wollen. Man muß das Band in der Nacht um den Hals tragen und bei Tage in der Tasche. Ob es nun etwas mit dem Kehlkopf ist oder mit der Stimmritze oder eine Halsentzündung, alle Schmerzen und Beschwerden gehen weg.»

Mortimer starrte zu Boden. Er sagte nichts. Die Alte redete drängend auf ihn ein und beschrieb wortfreudig die Örtlichkeit. Plötzlich ergriff er ihre Hand und flüsterte heiser: «Also in Dreiteufelsnamen, ich probiere es.» Dann lief er hustend hinweg.

Und jetzt, während Mortimer in die Moskauer Vorstadt eilt, um in abgelegenen, pflasterlosen, schnee- und pfützenreichen Gassen, zwischen windschiefen, einstöckigen, buntgestrichenen Holzhäuserchen nach einer Posamentierbude zu suchen, jetzt scheint es angebracht, daß wir uns mit einigen Worten über die Natur des Aberglaubens verständigen. Damit wird auch Mortimers Verhalten begreiflich werden und zugleich möglicherweise noch auf die Natur des Menschen und des Schicksals ein kleines Lichtstreifchen fallen.

Natürlich wußte Mortimer, wie wir alle es wissen, daß, wenn schon von heilkräftigen Textilien die Rede sein soll, Florettband hinter Flanellbinden zurücksteht und daß alles ein törichter Aberglaube war, und wahrscheinlich wußte das in ihrer Art sogar die Souffleuse. Aber ein solches Wissen schließt den Glauben ja nicht aus. Es ist töricht, zu argumentieren: «Wie kann der und der das und das glauben? Er muß doch merken, daß es widersinnig ist!» Die so reden, verkennen die Natur des Aberglaubens. Das Einleuchtende zu glauben, wird uns bis zum Überdruß allstündlich zugemutet. So steckt denn im Menschen eine Lust, gerade das Widersinnige zu glauben und mit diesem Glauben und diesem Widersinn ein zwinkernd-ernsthaftes Spiel zu treiben. Dies Element des Spielerischen steckt in jedem Aberglauben. Wer einen Aberglauben ausübt, glaubt natürlich an ihn, aber doch nur gewissermaßen und nicht in dem Sinne, in welchem er etwa an die Logarithmentafel, das Adreßbuch oder den Börsenkurszettel glaubt. Schauspielern und künstlerischen Naturen überhaupt sagt man einen Zug zum Aberglauben nach, und man täte falsch, sie deswegen für noch dümmer als die Phantasielosen zu halten. Und nun war Mortimer ja nicht nur ein Schauspieler, sondern zugleich ein Fieberkranker, überdies ein Mensch in Not und Verzweiflung, der vor einer Entscheidung seines Schicksals zu stehen meinte. Denn das war ihm gewiß: er war ins Spiel gekommen und dachte seine Karte auszuspielen, welche Metapher hier am Platze sein mag, denn ein spielerischer Charakter scheint ja nicht nur dem Menschen und seinem Aberglauben, sondern auch dem Schicksal innezuwohnen. Stach die

Karte nicht, so hatte er sich geschlagen zu geben, und sein Urteil war vielleicht endgültig gesprochen. Es kann auch sein, daß er gar nicht so sehr an die medizinische Wirkung des Florettbandes dachte und daß er hier etwas auf sich zukommen fühlte, das nicht so sehr heilungs- als vielmehr heilbewirkend in sein Leben zu greifen willig war. Im Fieber denkt der Mensch kindlich-bildhafter als für gewöhnlich, und da mochte es ihn bedünken, als könne mit einer solchen freiwilligen Annäherung an den Bezirk der Trauer, des Todes und der Krankheiten, wie sie sich im Erwerb des schwarzen Florettbandes ausdrückte, den finsteren Mächten etwas von ihrer Bedrohlichkeit abgekauft sein. Greifen wir nicht alle nach dem Absurden, wenn das Verständige nicht fruchten will? Auch hatte ihm, seinem elenden Zustande zum Trotz, die Szene gefallen, sowohl die von der Souffleuse dargestellte, als auch diejenige, die sich im Posamentierladen abgespielt haben mochte, und die, in der er selber, entschlösse er sich zum Hingehen, mitzuspielen haben würde. Also entschloß er sich, beschwingt auch von der Vorstellung, daß nach Umschlägen, Pillen und Pinselungen nun etwas ganz Neues zu unternehmen war.

Kaum sind wir mit diesen Erwägungen fertig geworden, da erscheint Mortimer in dem recht bescheidenen Zimmer der Souffleuse, mit Affekten geladen: zornig und niedergebrochen zugleich.

«Haben Sie das Florettband?» fragte sie.

«Was Florettband!» schrie Mortimer. «Eine Schlinge um den Hals und aufhängen!»

Vielleicht übertrieb er nach Schauspielerart seine Verzweiflung.

Natürlich berichtete er nicht wie unsereiner; vielmehr spielte jetzt auch er die Szene mit den zwei Rollen. Aber die Rolle, die er außer der eigenen zu spielen hatte, war nun nicht die einer weißhaarigen Frau, sondern eines rundgesichtigen, semmelblonden Verkäufers.

«Womit kann ich dienen?»

«Ein Stück schwarzes Florettband.»

«Soll es für einen Trauerfall sein? Wie breit soll es liegen? Da hätte ich Ihnen Verschiedenes zu zeigen.»

Mortimer antwortet nicht. Er zeigt die Länge mit ein paar unbestimmten Handbewegungen an, und in seiner Verlegenheit spreizt er schließlich Daumen und Zeigefinger voneinander.

Der Verkäufer lächelt höflich.

«Ich versteh', ich versteh'», sagt er. «So viel wie für den Arm und Hut nötig ist. Also da hätte ich verschiedene Sorten.»

Er kramt in seinen Fächern, breitet das zu Tage Geförderte auf dem Tisch aus und beginnt mit seinen Erläuterungen.

Mortimer schweigt noch immer. Er hebt die rechte Hand und bewegt sie einige Male feierlich und bedeutsam hin und her.

Der Verkäufer fragt, wofür sich der Herr entscheide. Mortimer deutet stumm auf das ihm zunächst liegende Stück. Der Verkäufer hält ihn offenbar für einen Sonderling, aber das ist ja kein Grund, ein Geschäft, selbst ein noch so bescheidenes, scheitern zu lassen.

Er schlägt das Florettband in Papier, reicht es über den Ladentisch und sagt: «Fünfundachtzig Kopeken.»

Mortimer sieht ihn stumm, aber eindringlich an, und sein bittender Blick wirbt um Verständnis. Er nimmt das Päckchen entgegen, nickt und will sich entfernen.

«Bitte ... fünfundachtzig Kopeken», sagt der Verkäufer voll Unwillen.

Mortimer weiß nicht mehr, was er tut. Er wirft das Päckchen auf den Ladentisch und stürzt zur Tür. Er will nichts als fort, mag man ihn für einen Geistesgestörten oder einen Schwindler halten. Hinter ihm schreit und zetert der Verkäufer. Doch da er allein im Laden ist, bleibt Mortimer unverfolgt.

Die Souffleuse genoß die Szene.

«Großartig, großartig», sagte sie. «Aber das alles ist doch

unmöglich! Sie müssen in einen falschen Laden geraten sein!»

Mortimer hörte nicht auf diese so vernünftigen Worte. Er erging sich in Selbstverwünschungen, Klagen und Anklagen, er tobte und war nicht zu beschwichtigen. Es dünkte ihn unwichtig, wie das Mißgeschick zustande gekommen war. Auch uns kann es einerlei sein, ob die Souffleuse, wie es ihrer freundlich konfusen Natur entsprach, sich vorhin bei ihrer Ortsbeschreibung nicht präzis genug ausgedrückt, oder ob Mortimer nicht genau zugehört hatte – in einem Zustande wie dem seinen wird man ja mehr vom unbestimmt Gefühligen (heute sagt man: Emotionalen) als vom Exakten angezogen.

Die Souffleuse war bereit, alle Schuld herzlich auf sich zu nehmen, er aber schrie, jetzt sei ihm ein Zeichen gegeben, daß die Macht des Unsterns sich nicht brechen lasse und er nie hoffen dürfe, vor die rechte Schmiede zu kommen, und so werde er auch nie der Schmied seines Glückes sein. Damit ließ er sich auf das Sofa fallen und bohrte den Kopf in die Wildnis der Blumenkissen und Schlummerrollen.

Nun aber wurde die Souffleuse resolut, wie das ja innerhalb dieser Szene ihre Rolle verlangte, und so stemmte sie die Fäuste in die Hüften. Das Publikum ist dazu erzogen, diese Geste als ein Symptom der Resolutheit zu begreifen; es gibt bekanntlich einen Code zur Verständigung zwischen Bühne und Zuschauerraum, wir alle beherrschen ihn von klein auf, schon im Weihnachtsmärchen hat es angefangen.

«Schämen Sie sich!» rief sie. Dann legte sie ihm die rechte Hand bedeutend auf die Schulter wie eine Prophetin, während die linke an der Hüfte verblieb, zum Zeichen, daß die Souffleuse immer noch resolut war.

«Ich werde Ihre Schmiedin sein», erklärte sie, «und ich werde Ihr Eisen schmieden, so lange es heiß ist.»

«Mein Halseisen», sagte er matt.

«Schön, Ihr Halseisen. Bleiben Sie hier auf dem Sofa liegen, ich decke Sie zu, ich mache Ihnen noch rasch einen Tee, dann laufe ich los und komme mit dem richtigen Bande zurück!»

Aber nun sprang Mortimer auf, denn das wollte er nicht zulassen, vielleicht hatte wirklich die Schuld bei ihm gelegen, und dann wollte er doch sehen, wie es im Laden zuging. Auch ein kleines Mißtrauen hatte sich eingeschlichen, denn war es nicht denkbar, daß sie jetzt irgendwo in der Nähe ein beliebiges Stückchen Florettband kaufte, um nicht blamiert zu sein?

«Ich komme mit!» rief er.

Aber sie konnte ihm doch nicht erlauben, daß er noch einmal den Weg zu Fuß machte, durch Regen und Schnee, und so nahmen sie einen Kaseliner, wie man in Riga verächtlich die einspännigen Lohnfuhrwerke nannte, und fuhren für zehn Kopeken in die Moskauer Vorstadt und für zehn Kopeken wieder zurück, und der Fuhrmann war zufrieden, als er noch fünf Kopeken Trinkgeld erhielt. Die Souffleuse hatte zahlen wollen, aber das duldete Mortimer nicht, und sein kleines Mißtrauen tat ihm schon auf der Hinfahrt leid. Natürlich ging alles so ab, wie die Souffleuse es ihm geschildert hatte. Sie spielte ihre Szene im Laden genau so vortrefflich wie im Theaterkorridor, nein, noch viel brillanter, denn das Publikum hatte sich ja vervierfacht: es bestand außer Mortimer und der alten Verkäuferin noch aus zwei Kindern, die für ein paar Kopeken Wäscheknöpfe kaufen sollten.

Mortimer dankte ihr auf der Heimfahrt, er drückte ihr beide Hände und wollte sie unbedingt in die Caviezelsche Konditorei führen. Aber davon mochte sie nichts hören, vielmehr sollte er schleunigst nach Hause und ins Bett. Er gehorchte, und es tat ihm wohl, zu gehorchen. Aber bevor er gehorchte, erklärte er, für einen Augenblick abermals umdüstert: «Das ist der letzte Versuch, sozusagen ein Gottesurteil. Geht jetzt wieder etwas schief, dann mache ich keinen Finger mehr krumm – soll daraus werden, was will!»

«Sie werden schon sehen», sagte die Souffleuse.

Mortimer schluckte ein Medikament, schlang sich das Florettband um den Hals und legte sich nieder. Er trank Glühwein, Grog und Cognac und fühlte sich in eine wärmende Fürsorglichkeit eingehüllt. Noch im Entschlummern nahm er sich vor, den Besuch bei Caviezel nachzuholen und überhaupt der Alten ihre Guttätigkeit ausschweifend zu vergelten.

Am nächsten Morgen erwachte er dumpf. Ging es ihm besser? Aber wie entscheidet man das in den ersten Augenblicken? Beim Aufwachen ist noch niemandem gut zumute gewesen.

Er nahm noch vor dem Rasieren einige Schlucke Cognac und entschied dann, daß er sich besser fühlte. Er ging ins Theater.

«Haben Sie geschwitzt, lieber Freund? Ja? Das ist recht. Ihre Stimme klingt klarer. Schonen Sie sich nur bis heute abend. Dann aber nehmen Sie sich zusammen. Ich möchte nicht vor diesem großherzoglichen Intendanten blamiert werden.»

Und Mortimer antwortete wieder:

«Sehr wohl, Herr Direktor.»

Das Florettband in der Tasche, stand Mortimer am Abend auf der Bühne. Der Stern war auf-, der Unstern untergegangen. Gewiß, Mortimer spielte im Fieber, aber es war jene Art des Fiebers, die dem Rausche gleicht: alle Kräfte scheinen gesteigert, irdische Hemmnisse haben keine Gewalt mehr.

Indessen kann man in Wallensteins Lager, auch wenn man sich auf der Bühne befindet und noch so herrlich fiebert, nicht fortwährend spielen. Oft genug steht man, wie es halt bei den Soldaten so ist, einfach herum und hat Zeit zu Gedanken und Beobachtungen. Mortimers Gedanken galten den Piccolomini, seine Beobachtungen dem Zuschauerraum.

Das Haus war gut besucht. Auch Graf Schuwalow, Generalgouverneur der drei Ostseeprovinzen, befand sich, von allerlei Uniformen umstrahlt, in seiner Loge, der mittelsten des ersten Ranges, der Bühne gerade gegenüber. Aber diese Loge, Kaiserloge genannt – denn der Generalgouverneur saß hier gleichsam in Vertretung des Souveräns –, hatte für

Mortimer keine Wichtigkeit. Sein Glanzgestirn sollte ja nicht hier, sondern in der Proszeniumsloge aufgehen. Wahrhaftig, dort saß neben dem Direktor der Intendant, ein distinguierter Herr von Jahren. Auf diese Loge würde er nachher hinzuspielen, alle Kraft seines Willens einbohrend dorthin zu richten haben. Jetzt freilich, als Militärstatist, konnte er noch nicht hoffen, irgendeine Aufmerksamkeit in der Proszeniumsloge zu gewinnen.

Endlich wurde das Reiterlied intoniert. Obwohl Mortimer sich im Wiederbesitz seiner Stimme glaubte, sang er vorsichtigerweise nicht mit, sondern beschränkte sich darauf, mit vielleicht übertriebenen Mundbewegungen seinen Chorsängereifer darzutun. Plötzlich erinnerte er sich daran, daß er ja vorgehabt hatte, der getreuen Verbündeten im Souffleurkasten ein Zeichen des Einverständnisses zu geben. Wahrhaftig, er hatte es vollkommen vergessen. Rasch suchte er sie mit den Augen. Da sie während des Schlußliedes nicht zu soufflieren hatte, so hatte sie sich ein Bonbon in den Mund gesteckt und ihren Strickstrumpf hervorgezogen. Jetzt, von seinem Blick getroffen, sah sie auf. Er lächelte, sie aber winkte mit der rechten Stricknadel.

Gleich danach endete das Lied. Der Beifall war zufriedenstellend, der Vorhang ging einige Male hoch, alle Waffengattungen durften sich verbeugen. Der Kapuziner verstand es, sich in unkameradschaftlicher, jedoch galanter Weise vorzudrängen, indem er die Gustel von Blasewitz bei der Hand nahm und mit ihr einige hüpfende Tanzschritte machte; dem Publikum gefiel es, der Direktor aber runzelte die Stirn, er war kein Freund von Improvisationen, wenn er sie nicht selber angeregt und einstudiert hatte.

Die Pause war vorbei, die Bühne zeigte «einen alten gothischen Saal auf dem Rathause zu Pilsen, mit Fahnen und anderm Kriegsgeräthe decoriert». In diesem Saal agierten Oktavio und Questenberg den dritten Auftritt. Mortimer stand in der Kulisse und wartete auf sein Stichwort. Oktavio hatte es zu geben, es lautete: «Still! da kommt er», und ein zweckmäßigeres Stichwort läßt sich nicht denken. Mortimers Sternenaugenblick rückte näher. Er stand zum Absprung bereit wie ein Jagdhund, er stand vor der Wende, vor Urteil und Entscheidung, vor Ja und Nein! Er fühlte Kräfte wie nie zuvor. Es fiel ihm die Redensart ein, mit welcher der Russe das herrliche Machtgefühl der Trunkenheit bezeichnet: «Das Meer reicht mir bis an die Knie.» Alle würde er sie zwingen, das Publikum, die Presse, den Direktor, den Intendanten, die großherzogliche Familie, den Hofstaat, die Residenz, das Schicksal. Und Questenberg hatte soeben gesagt: «Es ist des Himmels sichtbarliche Fügung.»

Der Stern ging unter, der Unstern – nein, wir wollen auf dieses astronomische Bild fortan verzichten. Übrigens soll ja die Geschichte vom Florettband den Nachweis erbringen, daß es sich bei Stern und Unstern gleichwie bei Morgen- und Abendgestirn um den nämlichen Himmelskörper handelt. Außerdem wird sich herausstellen, daß die Weisheit des Schicksals die Klugheit des Menschen übertrifft. Wenn nichts anderes einleuchtend würde als dies, so hätte es schon den Aufwand gelohnt.

Plötzlich hörte Mortimer hinter sich klirrende, unziemlich laute Schritte. Erschrocken wandte er sich um. Er hatte einen Offizier vor sich, keinen wallensteinschen, sondern einen kaiserlich russischen. Er kannte ihn vom Ansehen, es war der zweite Adjutant des Generalgouverneurs. Sein Gesicht war von Aufregung entstellt. Ja, wenn Mortimer nicht so bestürzt gewesen wäre, hätte er einen Ausdruck des Entsetzens in seinen Augen wahrnehmen müssen. In der Hand hielt er ein Papier. Hinter ihm gestikulierte fassungslos der Inspizient.

«Können Sie Russisch?» fragte der Adjutant.

Mortimer nickte.

Der Adjutant hielt ihm das Papier hin und sagte etwas. Mortimer, immer noch am erwarteten Stichwort hängend, war nicht imstande, es aufzunehmen. Der Offizier wiederholte. Er sprach halblaut, doch tat er das nicht, um das Spiel nicht zu stören. Denn er sagte: «Gehen Sie nach vorne und verlesen Sie diese Depesche. Teilen Sie dem Publikum mit, daß die Vorstellung abgebrochen wird.»

In diesem Augenblick sagte Oktavio: «Still! Da kommt er», und eilte mit väterlichem Gebaren dem langentbehrten Sohn entgegen. Questenberg folgte mit diskretem Abstand.

Max dagegen zeigte weder die Haltung eines Sohnes noch die eines Kürassierobersten von leidlicher Erziehung. Ohne sich um die beiden militärischen Würdenträger, den Generalleutnant und den Kriegsrat, zu kümmern, ging er mit wankenden Knien nach vorn. Er sah gerade noch die entsetzt aufgerissenen Augen der Souffleuse, dann verschwamm alles vor seinen Blicken.

Er blieb an der Rampe stehen und verlas das Telegramm.

Es besagte, daß im Petersburger Sommergarten ein Schuß auf Seine Majestät, den Herrn und Kaiser Alexander den Zweiten abgegeben worden war. Der Schuß habe tödlich getroffen.

Mortimers Stimme zitterte, als er mitteilte, die Vorstellung werde abgebrochen. Er begriff, daß alle seine Hoffnungen fehlgeschlagen waren. Das Theater würde für eine längere Trauerzeit geschlossen werden, inzwischen der Intendant längst abgereist, Herr Neumann aber genesen sein und Herr Monti ebenfalls. Das Schicksal hatte gegen ihn entschieden. Alle Nerven- und Willensspannung dieser letzten Tage, alle Vergewaltigung seines vom Fieber geschwächten Organismus löste sich in einem verzweifelten, krampfartigen Aufschluchzen. Er fühlte sein Gesicht von Tränen naß werden. Er griff in seine Tasche, suchte nach dem Schnupftuch und brachte statt dessen den schwarzen Trauerflor zum Vorschein. Er hielt ihn in der Hand, starrte ihn einen Augenblick an und machte mit ihm eine gleichsam abwinkende Bewegung der hoffnungslosesten Resignation und der äußersten Verzweiflung. Dann verbeugte er sich kurz und ging.

Solange Mortimer auf der Bühne stand, hatte er doch noch etwas von Haltung bewahrt. Jetzt schwand ihm die

Kraft. Im Abgehen brach er zusammen; so früh, daß er gerade noch vom Publikum gesehen werden konnte, und doch so spät, daß man innewurde: er hatte nicht die Absicht gehabt, den Zusammenbruch sehen zu lassen.

Es ist natürlich nicht daran zu denken, daß Mortimer in Ohnmacht und zu Boden gefallen wäre. Aber er sackte im Gehen zusammen, sein Kopf fiel auf die Brust, seine Schritte schleiften, es wurde deutlich, daß ein gebrochener Mann davonwankte. Es war eine eindrucksvolle Szene. Dann fiel der Vorhang.

Das Publikum hatte ihn in einem Zustande der Erstarrung angehört. Was hier mitgeteilt wurde, war von vollkommener Ungeheuerlichkeit, ja Unmöglichkeit. Es verging eine Zeit, ehe es ins Bewußtsein der Anwesenden gelangte.

Den heutigen Leser, der von vielen russischen Attentaten weiß, mag das überraschen. Er wolle bedenken, daß mit jenem durch den Studenten Karakossow am vierten April 1866 abgefeuerten Schuß das Attentat als etwas gänzlich Neues in die russische Geschichte eintrat. Es hatte Palastverschwörungen und Zarenmorde gegeben, aber dergleichen war hinter Schloßmauern und im Geheimnis vollzogen worden und konnte als eine freilich schreckenerregende Selbstreinigung des Kaisertums empfunden werden; auch lag das letzte dieser Vorkommnisse, die Tötung des Kaisers Paul, sechseinhalb Jahrzehnte zurück. Man wußte, daß in Frankreich Höllenmaschinen vor dem zum Theater fahrenden kaiserlichen Wagen gedonnert hatten. Daß aber in Petersburg und in aller Öffentlichkeit jemand die Waffe gegen den Zaren erhob, und gar gegen den wohlwollenden Alexander, den Zar-Befreier, das schien den Zusammenbruch alles Verbürgten, das Heraufkommen unvorstellbarer Furchtbarkeiten anzukündigen. Auch will erwogen sein, daß jene Gesellschaftsschicht, die das Rigaer Stadttheater besuchte, jeglichen auf Umsturz abzielenden Bestrebungen einen fast religiösen Abscheu entgegenbrachte – wir kennen doch unsere Großeltern!

Endlich wurden Aufschreie laut, kreischende Frauenstimmen, Stöhnen, Tränenausbrüche, das Geräusch krachender Sessel und ungeordneter Bewegungen. Aus einer Loge fiel ein Fächer, aus einer anderen ein Opernglas. Fremde Menschen packten einander bei den Armen. Viele starrten noch auf den geschlossenen Vorhang, als sei von dorther etwas Aufrichtendes zu erwarten. Nein, nichts Aufrichtendes – niemand wollte aufgerichtet, jeder in seiner Zerstoßenheit bestätigt werden. Und so stark war die Einheitlichkeit aller Empfindungen, daß nur wenige Anstalt trafen, das Theater zu verlassen und damit aus dem Kreise dieser schmerzhaften Gemeinsamkeit zu scheiden.

Mortimer war noch nicht fähig, an Abschminken und Umkleiden zu denken. Er saß in seinem Verschlag, hatte die Ellbogen auf das Tischchen gestützt und starrte öde in den Spiegel.

Die Tür flog auf, der Adjutant stürzte herein. Er hatte wieder ein Papier in der Hand. Sein Gesicht strahlte.

«Endlich!» rief er. «Ich habe Sie schon gesucht! Sie müssen vor den Vorhang. Es ist noch eine Depesche gekommen. Der Kaiser lebt!»

«Ruhe! Still! Ruhe!» wurde im Publikum gerufen, als Mortimer seine Depesche schwenkend, vor dem Vorhang stand. Die Leute, die im Aufbruch begriffen waren, stutzten. Viele strömten zurück.

Mortimer las. Entgegen anders lautenden, inmitten einer begreiflichen Verstörung und Verwirrung ausgegangenen Nachrichten werde festgestellt, daß seine Majestät der Kaiser am Leben und unverletzt sei. Die Vorsehung habe ihn behütet und sich hierbei eines der von Seiner Majestät befreiten Bauern bedient, des jungen Ossip Kommissarow, der den Arm des Attentäters im Augenblick des Schusses in die Höhe geschlagen habe.

Ein betäubender Beifall brach aus, Jubelrufe, Hurrageschrei und Händeklatschen. Der Applaus galt vermutlich in erster Linie der Vorsehung und dem Bauern Kommissarow, aber ein wenig davon durfte Mortimer doch wohl auch für sich selbst in Empfang nehmen. Er machte also drei Verbeugungen, eine nach der Loge des Generalgouverneurs als der des kaiserlichen Statthalters, eine nach der Loge des Direktors, in welcher der großherzogliche Intendant saß, und eine dritte dem Publikum schlechthin.

Es versteht sich, daß Mortimer sich von dem leuchtendsten aller Gestirnstände angestrahlt fühlte. Auch ihn ergriff die Gewalt eines geschichtlichen Moments. Die Vorstellung würde wieder aufgenommen werden, er durfte den Max spielen, und welchen Hintergrund hatte er sich für seinen Auftritt geschaffen! Noch nie hatte ein Schauspieler unter derartigen Bedingungen die Bühne betreten!

In solchem Überschwang des Herzens empfand er dennoch den Wunsch, auch seine jetzige mittelpunkthafte Rolle nicht vorzeitig zu beenden. Bis zum äußersten wollte sie ausgekostet werden.

Mortimer winkte mit der die Depesche haltenden Hand. Das Publikum merkte, daß er offenbar noch etwas anderes mitzuteilen hatte und nur darauf wartete, daß es Ruhe gebe.

Der Lärm legte sich. Mortimer verkündete abermals seine Botschaft, nun aber in deutscher, in französischer, in englischer, in lettischer Sprache. Daß Mortimer sich auch des Englischen bediente, ist ihm hoch und im Sinne einer besonderen Feinheit und Geistesgegenwart angerechnet worden. Denn es lag ein britisches Schulschiff im Hafen, und die Offiziere befanden sich mit dem Konsul und mit den meisten der in Riga ansässigen englischen Kaufmannsfamilien im Zuschauerraum. Doch wußte Mortimer hiervon nichts, und hätte er zufällig ein wenig Baskisch gekonnt, so hätte er auch in dieser entlegenen Sprache die Bewahrung des Kaisers kundgetan.

Die Einlage brachte ihm reichen Erfolg und Beifall. Diesmal war es klar, daß nicht die Vorsehung oder der Bauer Kommissarow gemeint war.

Mortimer wollte sich hinter den Vorhang zurückziehen,

denn nun mußte doch die Vorstellung so schnell wie möglich wieder in Gang kommen. Der Direktor, dessen Platz leer geworden war, stand wohl schon hinter der Szene und gab seine Anordnungen bekannt. Wir dürfen vermuten, seine Absicht sei die gewesen, eine Anzahl von Auftritten ausfallen zu lassen und statt ihrer ein völlig unmotiviertes, aber anregendes Ballett einzufügen. Er hatte ohnehin vorgehabt, beim großen Generalsdiner im vierten Akt eine Schar von Tänzerinnen auftreten zu lassen, und für den Dramaturgen war es keine Kleinigkeit gewesen, ihm das auszureden. Übrigens war der Direktor jetzt etwas verdrossen. Er fühlte sich übergangen. Es hätte sich gehört, daß der Generalgouverneur ihn als den Hausherrn gebeten hätte, die Depeschen zu verlesen. Aber freilich, bei so viel Schrecken und Aufregung war verständlicherweise die Schicklichkeit zu kurz gekommen, und es hatten sich ja auch für derartige Mitteilungen an das Publikum noch keine Traditionen ausbilden können. Indessen fühlte er sich auch gegen Mortimer gereizt. «Dieser junge Mann wird mir überhaupt zu forsch», dachte er. «Ich bin wieder einmal zu gutmütig gewesen. In Zukunft wird man ihn kürzer halten müssen.»

Im Begriff, sich zu entfernen, sah Mortimer, wie der Generalgouverneur aufstand und sich über die Logenbrüstung vorbeugte. Er winkte mit der Hand, es war klar, daß er sprechen wollte, laute Rufe mahnten zur Stille. Der Beifallslärm verstummte. Mortimer blieb.

Schuwalow sagte mit seiner deutlichen, angenehm klingenden Stimme in deutscher Sprache, indessen mit dem hart anmutenden Akzent des geborenen Russen:

«Meine Damen und Herren, nach den Gemütserschütterungen, die uns heute abend zuteil geworden sind, werden wir wohl kaum fähig sein, einer noch so vortrefflichen theatralischen Darbietung die ihr gebührende Aufmerksamkeit zu widmen. Gehen wir heim, illuminieren wir unsere Häuser und danken wir Gott für die gnädige Verhütung des Unheils.»

Darauf brachte er das Kaiserhoch aus. Wer noch nicht stand, sprang jetzt in die Höhe. Daran schloß sich die Hymne: «Gott, sei des Zaren Schutz!» Schuwalow hatte sie durch seinen Adjutanten anstimmen lassen, das ganze Haus sang mit.

Dem Publikum war es nicht unlieb, daß es beim Abbruch der Vorstellung bleiben sollte. Alle diese durch Erschütterungen gegangenen Menschen waren so begierig, zu reden, daheim zu erzählen oder im Hôtel de Rome, in der Stadt Frankfurt, im Club ihre Meinungen, Mutmaßungen und Erregungen auszutauschen, daß sie wahrscheinlich auch ohne die Aufforderung des Generalgouverneurs aufgebrochen wären. Einstweilen sangen sie noch. Zufrieden war auch der Direktor, ja seine Laune war augenblicks wieder hergestellt. Er kam früher ins Bett, und die Billette brauchten ja nicht zurückgenommen zu werden.

Mortimer stand noch immer an der Rampe. Er sang überlaut. Er hatte ja jetzt keinen Grund mehr, seine Stimme zu schonen. Er war endgültig geschlagen. Ein feindseliger Dämon von unüberwindlicher Kraft hatte von jeher sein boshaft neckendes Spiel mit ihm getrieben. Nun aber hatte er sich ihm erst ganz in die Hände gegeben, als er sich zu Hoffnungen hinreißen und sich von der Souffleuse die Geheimnisse des schwarzen Florettbandes ins Ohr blasen ließ.

Er war außerstande, sich mit dem Gedanken zu trösten, daß er schon übermorgen – denn morgen war Operntag – als Max auf der Bühne stehen und eine Aufmerksamkeit, eine Bereitwilligkeit finden würde, wie sie noch keinen Piccolomini erwartet hat. Er war außerstande, sich zu erinnern, daß er ja noch vor einer Woche keine Kenntnis von der Existenz des großherzoglichen Intendanten gehabt hatte und vor Triumph außer sich gewesen wäre, wenn man ihm gesagt hätte, er dürfe den Max vor dem gewöhnlichen Stammpublikum des Theaters spielen. Jetzt beherrschte ihn nur der eine Gedanke, daß der Intendant morgen abreisen und alle seine Hoffnungen mit sich über die Grenze nehmen werde.

Unter den Nationalhymnen der Welt ist das durch einen wahrhaften Dichter geschaffene russische Kaiserlied die kürzeste und prägnanteste. Jetzt war es zu Ende gesungen.

Mit den letzten Takten war Mortimers einer sichtbaren Handlung zudrängende Wut an ihren Gipfel gekommen. Stak nicht das verfluchte Ding noch immer in seiner Tasche, der schwarze Fetzen, in welchem alle tückische Unsternsgewalt verkörpert schien?

Er zog das Florettband heraus, hielt es vor sich und betrachtete es einige Sekunden lang unter den Augen des Publikums. Dann zerriß er es und streute die Fetzen zu Boden. Er hätte kein Komödiant sein müssen, wenn ihn der Vorgang nicht gepackt hätte. Zugleich aber war es ihm, als zerreiße er mit diesem Trauerflor seine eigene Vergangenheit und erträumte Zukunft, seine Hoffnungen und Enttäuschungen, als sage er sich los von allem, was ihm bisher lockend vorgeschwebt, aber auch von allem, was ihn irregeführt, verstört und bedrückt hatte, und als habe er sich mit diesem Zerreißen und Fetzenhinstreuen eine grenzenlose Freiheit erworben.

Das Publikum sah im Zerreißen des nun unnütz gewordenen Trauerflors einen allerliebsten Einfall von Eleganz, und während einzelne Nachdenkliche in der Stille ihre Kombinationen darüber anstellten, woher in aller Welt nur dieser Max Piccolomini gleich im passenden Moment einen Trauerflor bei der Hand haben konnte – eine belesene Dame erinnerte an die Taschen des Peter Schlemihl –, wurde die hübsche Schlußszene, mit der nun wirklich der Schlußstrich unter diesen denkwürdigsten aller Stadttheaterabende gezogen war, stürmisch bejubelt.

Mortimer aber quittierte den Beifall nicht und verbeugte sich nicht. Dramatisch ging er davon, ein echter Max, entschlossen, alles hinzuwerfen und in dem höchst dilettantisch angezettelten Gefecht bei Neustadt die Lösung aller Lebensverstrickungen zu suchen. In seinem Verschlag angekommen, zündete er sich zunächst eine Zigarette an, denn was konnten Rauchverbote ihm noch anhaben – solche des Arztes und solche der Theaterdirektion! Er knöpfte den Uniformrock auf und war willens, ihn auszuziehen. Es fiel ihm ein, daß, wenn vom Uniformrockausziehen eines Offiziers gesprochen wird, meistens gemeint ist, er nehme den Abschied und begrabe für den Rest seines Lebens alle Hoffnungen. Aber da öffnete sich die Tür, und der Adjutant erschien zum dritten Male.

«Bitte knöpfen Sie Ihren Waffenrock wieder zu, Herr Oberst», sagte er lächelnd. «Ich muß Sie bitten, mich in die Loge zu begleiten.»

Mortimer sprang auf, fast hätte er geschrien. Nein, er war nicht vergessen, der Intendant wollte ihn sprechen, alle Träume mußten sich erfüllen.

Er warf die Zigarette in ein überjähriges Schminktöpfchen, das sofort greulich zu stinken anhob, als habe es die Übertretung der Haus- und Patientenordnung zu ahnden. Mortimer schloß den Rock, und sie gingen. Es fiel ihm ein, daß er neben dem Adjutanten Figur zu machen habe. Er bewegte sich mit militärischem Anstand.

Als sie sich der Proszeniumsloge näherten, wollte Mortimer stehen bleiben und seinem Begleiter den Vortritt lassen.

«Hier?» sagte der Adjutant verwundert. «Es scheint, ich kenne mich in diesem Hause besser aus als Sie.»

«Das ist aber die Loge des Direktors . . .» murmelte Mortimer befremdet.

«Des Direktors? Ich habe den Auftrag, Sie in die Kaiserloge zu bringen.»

Mortimer stürzte ins Elend zurück. Zum Generalgouverneur also! Was konnte er von ihm wollen? Ein paar freundliche Worte würde er ihm sagen, und dann durfte er heimgehen und in alle Ewigkeit in Riga falsche Freunde spielen.

Sie traten ein. In der Loge saßen zwei Herren, der Generalgouverneur in seiner funkelnden Uniform und neben ihm ein beleibter, grauhaariger Mann im Frack, Orden auf der Brust und am Hals.

Mortimer verbeugte sich vor dem Generalgouverneur. Schuwalow nickte zerstreut. Mortimer verbeugte sich vor dem Herrn im Frack und sah, daß er einen Mann mit vielen Falten am Halse und im Gesicht und mit gescheiten, scharfblickenden Augen vor sich hatte.

Dieser Mann sagte:

«Ich habe Sie herbitten lassen. Ich bin der Fürst Jasnopolski. Aber das ist das wenigste. Nämlich vor allem bin ich ein exzentrischer alter Herr. Wenn man will, ein Narr, freilich ein gescheiter. Übrigens ist von einem bestimmten Grade des Einflusses und Reichtums an dem Menschen jede Narrheit gestattet. Dieser Grad ist bei mir gegeben. Es kursieren viele Anekdoten über mich. Ich sage Sie zu Ihnen, das ist eine große Auszeichnung, sonst duze ich mit Ausnahme des Kaisers alle Menschen, das ist so meine Gewohnheit. Meine sonstigen Gewohnheiten werden Sie noch kennenlernen. Es ist, mein Ehrenwort, keine darunter, die Ihnen Schwierigkeiten bereiten wird.»

Der Fürst sprach abwechselnd Russisch und Französisch. Er zog ein goldenes Etui hervor und sagte: «Tu mir die Liebe, Generalgouverneur.» Schuwalow nahm, der Fürst bot Mortimer an und bediente sich dann selbst. Die Zigaretten hatte der Kaiser in Mode gebracht; ein engerer Kreis hatte mit ihm schon Zigaretten geraucht, als er noch Thronfolger war und von seinem strengen, pfeifenrauchenden Vater gemißbilligt wurde. Alexander gelangte zur Krone, und die Zigarette eroberte sich von Petersburg aus die Welt.

Jasnopolski fuhr fort: «Sie haben Sprachkenntnisse, Einfälle und Geistesgegenwart. Sie sind ein Patriot. Sie verstehen es, Situationen zu erfassen und die Menschen zu nehmen. Der Kaiser hatte mich hergeschickt, um hier ein paar langweilige Behörden zu inspizieren. Morgen früh fahre ich nach Petersburg zurück. Wollen Sie als mein Privatsekretär mitkommen? Die Konventionalstrafe zahle ich für Sie.»

Da Mortimer noch schwieg, setzte er gleichmütig hinzu:

«Sie können Ihr Glück machen.»

Mortimer bewunderte es, wie prachtvoll der Fürst seine Rolle spielte, die er sich allerdings selber auf den Leib geschrieben hatte. Doch hatte Mortimer jetzt nicht die Zeit, diesen Gedanken nachzuhängen, es ging alles so geschwind. Auch um seinen Gesundheitszustand konnte er sich nicht mehr kümmern, es kam ja auch wenig darauf an. Freilich war er noch ein bißchen heiser, aber was macht das schon, heiser sind wir alle mitunter.

Mortimer spielte nun auf dem Schauplatz der Welt die ihm auf den Leib geschriebene Rolle, die Rolle wuchs ihm unter den Händen, und er hatte Grund, von Jasnopolskis Regie recht hoch zu denken. Mortimer paßte sich, wie es seine Art war und mit den Jahren immer mehr wurde, der Welt an, denn zu jenen emporgehobenen Naturen, welche die Welt sich anzupassen vermögen, gehörte er nun einmal nicht. Er starb am Vorabend des ersten Weltkrieges als Ritter mehrerer Orden und Besitzer mehrerer Güter in den Gouvernements Jaroslaw und Pensa. In seinen letzten Jahren lebte er, nachdem er viel in Rußland herumgekommen war, wieder vorzugsweise in Petersburg. Für das Theater hatte er sich ein Wohlwollen bewahrt, und da man ihn zu den Sachverständigsten rechnete, so war er längere Zeit Präsident des deutschen Theatervereins, gab hier Ratschläge, übte Einfluß und gewährte Protektion, kurz, spielte, wie man das nennt, eine Rolle. Nach Riga ist er nur noch einmal gekommen, und auch nur für wenige Tage, es mag ein Dutzend Jahre nach seinem Fortgang gewesen sein. Er begrüßte ein paar Kollegen von ehemals, einige mit Herzlichkeit, andere mit Zurückhaltung. Den Direktor fand er gealtert, von Schmerzen und Unterwürfigkeit gekrümmt, und präsentierte ihm nonchalant sein goldenes Zigarettenetui. «Tun Sie mir die Liebe, Direktor», sagte er. Der Direktor verbeugte sich ehrfurchtsvoll, ehe er hineingriff. Es versteht sich, daß er Mortimer nicht mehr «lieber Freund» nannte, sondern mit «Herr Hofrat» anredete, und einmal hat er sogar «Sehr wohl, Herr Hofrat» zu ihm gesagt. Sie plauderten eine Weile von alten

Zeiten. Mortimer fragte nach diesem und jenem, auch nach der Souffleuse, die ihm plötzlich wieder eingefallen war.

«Eine gute Seele, Herr Hofrat, und bescheiden», sagte der Direktor. «Ihr Tod war die einzige Ungelegenheit, die sie mir gemacht hat. Gerade waren wir wieder einmal beim Klassischen. Bei modernen Stücken ist so etwas nicht gefährlich, da hilft man sich schon weiter, wenn man kein Trottel ist. Aber beim Klassischen, lauter Verse und lauter Zitate, die das Publikum kennt und die Zeitungsmenschen erst recht ... Ja richtig, jetzt habe ich's, es war der Nathan, und Herr Monti hatte den Tempelherrn. Herr Monti, na ja, das Gedächtnis war nie seine Stärke, dafür hatte er viel Auffassung, und Auffassung ist ja auch wichtiger, vorausgesetzt, daß anständig souffliert wird. Also Herr Monti wird unsicher, er fängt an zu schwimmen, er spielt sich immer näher an den Souffleurkasten heran – kein Wort! Ich weiß noch heute nicht, wie wir den Akt überlebt haben. Kaum ist der Vorhang herunter, stürzt Herr Monti hin, um ihr Vorwürfe zu machen. Und ich bitte Sie, was war? Sie ist tot, Herzschlag. Herr Monti war empört. ‚Muß sie sich gerade diesen Moment aussuchen!' sagte er. ‚Lieber Freund', habe ich geantwortet, ‚vor dem Tode soll man Ehrfurcht haben. Und noch vor so einem! Das ist doch wie ein Soldat auf dem Schlachtfeld.' Aber Ehrfurcht, das war eigentlich nichts für Herrn Monti. Nun, Sie haben ihn ja gekannt. Allerdings, Auffassung hatte er, und Auffassung ist ja auch wichtiger ... Heute abend haben wir einen neuen Adolf Wilbrandt, nichts Genaues, aber wenn Sie Lust haben, in meine Loge zu kommen, Herr Hofrat ...»

Mortimer fühlte sich bedrückt, daß er so lange nicht mehr an die gute Alte gedacht hatte. Er hatte doch vorgehabt, mit ihr zu Caviezel zu gehen! Er hätte ihr wenigstens schreiben sollen. Und nicht einmal verabschiedet hatte er sich von ihr, das ging alles Hals über Kopf. Jetzt dachte er voller Rührung: «Souffleuse ... Einbläserin ... Einhaucherin ... Sie hat mir das Richtige zugeflüstert ...»

Weiter führte sein Gedankengang nicht. Wir jedoch möchten wohl noch hinzufügen, daß es damals ja nicht um das schwarze Florettband gegangen war, sondern um jene verborgene Genesungskraft, die in jedem Menschen ruht, und um wirksam zu werden, eines von Vertrauen genährten Anrufes bedarf, ja um jene zurechtrückende Instanz, die nicht nur Gesundheitsbehinderungen auflöst, sondern sich auch des Verqueren und Mißgebildeten im Schicksal des Menschen annimmt. Wir erinnern uns gern, daß das Wort Inspiration nichts anderes meint als ein Einhauchen und Einblasen und daß jene zurechtrückende Instanz es bisweilen liebt, ihre einhauchende und einblasende Funktion einem Menschen wie unserer guten Alten zu übertragen.

Mortimer beschloß, wenigstens an ihr Grab zu treten und einen schönen Kranz niederzulegen; ja, er dachte sogar daran, für die Dauer dieses Friedhofsbesuches an seinem linken Arm einen Trauerflor zu befestigen. Aber nun lagen doch die Friedhöfe so weit draußen, es war Winter und strenger Frost, auch hätte er sich erst umständlich erkundigen müssen, auf welchem Friedhof sie begraben war; zudem wußte er, mit wieviel Schwierigkeiten es verbunden ist, ein Grab aufzufinden, das nicht gerade zu den ansehnlichsten gehört. Und so überredete er sich ohne große Mühe zunächst, daß die Souffleuse mit einem Kranz nicht mehr viel anzufangen wissen würde, dann aber auch, daß die Alte und ihr Florettband mit den Geschehnissen seines Lebens eigentlich nicht viel zu tun gehabt haben konnten.

Die Greiffenschildtschen Damen

Ich habe mich nun einmal bereit erklärt, Ihnen, meine Damen und Herren, etwas zu erzählen, aber ich schwanke noch, ob es wirklich die Geschichte von den Greiffenschildtschen Töchtern sein soll.

Was dafür spricht, ist der Umstand, daß sie meine Gedanken gerade beschäftigt und ich im Augenblick nicht recht wüßte, mit welcher anderen Geschichte ich Sie regalieren sollte.

Dagegen aber spricht, daß es eigentlich gar keine Geschichte ist, sondern nur das Material zu einer Geschichte, und vielleicht nicht einmal das. Nun, dem freilich kann abgeholfen werden. Denn wenn ich sie Ihnen erzähle, ist sie auch schon so gut wie geschrieben. Nämlich von Ihnen, meine Damen und Herren, die Sie gleich mir sich an diesem gastlichen Sommerabend und an dieser vortrefflichen Bowle freuen, am Blick über den See und am Wetterleuchten, das eben wieder über den Horizont fährt, und die Sie mich zu einer Erzählung auffordern und von denen ich mir gewiß eine freundliche Zuhörersgeduld erwarten darf – also von Ihnen erzählt die eine oder der andere morgen oder übermorgen die Geschichte weiter, und es ist ja auch nichts vertraulich zu Behandelndes dabei. Und dann wird sie abermals weitererzählt, und schließlich kommt sie jemandem zu Ohren, der Geschichten nicht nur gern anhört und wiedergibt, sondern auch aufschreibt. Und er selbst oder auch wiederum ein anderer – vielleicht geschieht das erst nach sehr vielen Jahren – schreibt nun eines Tages das Gehörte tatsächlich nieder und macht eine richtige Geschichte daraus – wissen Sie, kunstvoll, so wie man eben meint, daß dergleichen geschrieben werden müsse, mit Exposition und Aufbau und mit einer Schlußpointe und womöglich noch mit einer leitenden Idee, alles nach Vorschrift.

In dieser Art sind wohl überhaupt sehr viele unserer Geschichten entstanden. Das ist schon in den alten Zeiten so gehalten worden, nur daß es damals bis zum Aufschreiben oft sehr lange gedauert hat, unter Umständen ein paar Jahrtausende. Da ist denn schließlich eine uralte indische oder ägyptische Geschichte von einem Manne aus Florenz oder Certaldo zu Papier gebracht worden, und um diese Entstehung für die späteren Literaturhistoriker deutlich oder auch undeutlich zu machen, hat er etwa dazugeschrieben: «Die Kunde von dem wunderbaren Ereignis aber verbreitete sich zum großen Ergötzen aller durch die hurtige Fama in wenigen Tagen über das ganze Königreich Kastilien. Bald kam sie in unser Italien und gelangte nun auch zu deinen Ohren, schöne und allergeliebteste, wiewohl allzu spröde Frau, die ich nicht nenne. Und da du den Wunsch aussprachst, sie möchte niedergeschrieben und, wie sie es verdient, der Vergessenheit entzogen werden, so habe ich mich beeilt, dein Geheiß zu erfüllen, nach bestem Vermögen und soweit ich mich auf die Kunst verstehe, wohl wissend, daß in der Liebe Gehorsam ziemlich ist, und nicht ohne die Hoffnung, es möge mit deinem Herzen eines Tages ähnlich ergehen wie mit dem der Heldin dieser merkwürdigen und lehrreichen Begebenheit . . .» Das heißt, natürlich wird der Erzähler, der mir vorschwebt, sich ganz anders ausdrücken, allein schon deswegen, weil die Geschichte von den Greiffenschildtschen Töchtern zum Leidwesen dieser Töchter – aber später haben sie sich darüber getröstet, und so dürfen wir es auch tun – eben keine Liebesgeschichte ist. Übrigens sollte ich vielleicht besser von den Greiffenschildtschen Schwestern sprechen, denn eigentlich treten sie mehr als Schwestern auf denn als Töchter, und am besten einigen wir uns wohl dahin, daß es sich um die Geschichte von den Greiffenschildtschen Damen handelt.

Die Greiffenschildts waren eine livländische Familie, und zu der Zeit, die ich im Sinn habe, stand diese Familie nur noch auf sechs Augen. Es waren die Augen dreier unverheirateter Schwestern. Jede von diesen Schwestern hatte stattlicherweise fünf Vornamen, aber so in der Eile bringe ich sie nicht mit Sicherheit zusammen, es kommt auch wenig darauf an, und darum wollen wir sie, in der Reihenfolge des Lebensalters, Annchen, Mariannchen und Susannchen nennen; übrigens waren die Altersunterschiede gering, und die sonstigen Unterschiede waren es ebenfalls.

Nun gab es in der Familie Greiffenschildt eine Überlieferung von einer angeblichen Zigeunerprophezeiung, wonach dereinst ein Blitz das Erlöschen des Geschlechts bewirken werde. Die Eltern gaben sich Mühe, den Töchtern diese sagenhafte Prophezeiung zu verheimlichen. Nicht daß sie ihr geglaubt hätten, denn sie waren vernünftige Leute, und der Vater hatte sich sogar die Schriften des Professors Kant schicken lassen, die unlängst in der Hartknochschen Buchhandlung in Riga erschienen waren und, wie man hörte, in Deutschland oder, denn so hieß es bei uns, «im Auslande» Aufsehen machten. Aber das Greiffenschildtsche Ehepaar wollte in den Mädchen keine unnötige Gewitterangst entstehen lassen, und der Vater war auch der Meinung, junge Frauenzimmer hätten schon von Natur genug Albernheiten im Kopf; außerdem eigneten sich solche Geschichten für Bauern und Dienstboten, die ungeläuterte Religions- und keinerlei Philosophiebegriffe hätten, seien aber für die Gutsherrschaft vollkommen unziemlich.

Die Sorgfalt der Eltern nützte nichts. Die Mädchen erfuhren durch die Dienstboten von der Sage, indessen verursachte ihnen das keinen Schrecken; denn als sie klein waren, erschien ihnen das Lebensende noch so ungeheuer weit entfernt, daß es keine Wirklichkeit haben konnte, und als sie heranwuchsen, hielten sie sich, da sie an ein höchstes Wesen, an Tugend und Unsterblichkeit glaubten, für Philosophinnen. Sie lasen sogar eine Zeitlang philosophische Bücher, obzwar nicht gerade die Kantschen Schriften, die ihnen allzu anstrengend erscheinen wollten.

Es ist eigentlich nicht einzusehen, warum sie nicht geheiratet wurden. Sie waren hübsch, gefällig im Umgang, von guter Familie und auch leidlich wohlhabend, wenn schon das Greiffenschildtsche Gut, es hieß Dulken, nach unseren Begriffen keinen übermäßig großen Umfang hatte und auch ein wenig heruntergewirtschaftet war. So könnte man denn wohl nur sagen, die Ehe habe eben nicht in ihren Horoskopen gestanden, aber wie um des Himmels willen dürfen wir in ihrer, der Philosophinnen, Gegenwart von Horoskopen sprechen? Doch, das dürfen wir, denn bei aller Hinneigung zu aufgeklärter Philosophie haben sie schließlich, die Jahre bringen dergleichen mit sich, den Glauben an die Unentrinnbarkeit der Prophezeiung angenommen und sind damit also weiter gegangen, als Freunde von Horoskopen zu gehen pflegen, für die es zwar Geneigtmachungen, nicht aber Nötigungen der Gestirnstände gibt. Offenbar aber tut es dem Menschen wohl, zu denken, daß schon lange vor seiner Geburt zukunftskundige Zigeunerweiber sich mit ihm beschäftigt haben, und gewissermaßen ist das doch eine schöne Ehre.

Nur über einen Punkt der Voraussage waren die Schwestern sich nicht im klaren. Die Prophezeiung war nämlich in verschiedenen Fassungen überliefert worden, und im Grunde ist das ja mit allen überlieferten Geschichten nicht anders, und von diesem Umstande leben die quellenforschenden Literarhistoriker, die dann von Lesarten und Versionen sprechen. In unserem Falle hatte die Kinderfrau die Wahrsagung so wiedergegeben und die Leuteköchin und die Küsterin anders, es ging da ein wenig drunter und drüber, und wahrscheinlich ist schon die ursprüngliche Prophezeiung nicht gerade sehr eindeutig gewesen; man weiß ja, daß Zigeunerinnen nicht pedantisch sind. Es gab also neben verschiedenen sonstigen Ungenauigkeiten auch die Lesart, eine von drei Schwestern werde am Blitz sterben müssen,

und damit werde das Zeichen für das Erlöschen des Geschlechts gegeben sein. «Eine von drei Schwestern» – bedeutete das nun irgendeine beliebige von den dreien oder war eine ganz bestimmte, nur eben noch nicht namhaft gemachte gemeint? Mit andern Worten, war der Ablauf unabänderlich festgelegt oder ließ er sich noch beeinflussen? – beeinflussen nicht, was das Geschehnis an sich, wohl aber was die Person seines Opfers anlangte? Für uns, meine Damen und Herren, hat diese Frage natürlich keine sehr große Bedeutung, denn Annchen, Mariannchen und Susannchen waren sich ja alle drei recht ähnlich, und eigentlich brauchen wir sie gar nicht ängstlich auseinanderzuhalten, aber sie selbst machten sich da doch ihre Gedanken, und es gab eine ganze Reihe von Fragen, die sich erst zweckmäßig lösen lassen würden, wenn jene eine Grundfrage geklärt war, die sich bedauerlicherweise der Klärung widersetzte.

Inzwischen waren die Greiffenschildtschen Eltern gestorben und im Erbbegräbnis beigesetzt worden. Es befand sich nicht bei der Kirche, sondern im Park; denn wenn der Herr von Greiffenschildt Kant gelesen hatte, so hatte sein Vater

Rousseau gelesen, und dieser Großvater unserer Greiffenschildtschen Damen hatte das bescheidene Mausoleum angelegt, unter den Trauerbirken und Weymouthskiefern, die er mit Hilfe seines aus Deutschland verschriebenen Gärtners gepflanzt hatte.

Übrigens sind hier auch die drei Töchter beigesetzt worden, und daraus dürfen Sie bereits schließen, daß sie unverheiratet geblieben sind und die Familie mit ihnen erloschen ist. Aber natürlich hat es vieler Jahre bedurft, bis die Greiffenschildtschen Damen zu der Erkenntnis gelangten, daß es ihnen bestimmt war, jüngferlich zu leben und jüngferlich zu sterben. Vorher nämlich meinte eine jede von den dreien, sie sei es, die, wenn auch nur in der weiblichen Linie, die Greiffenschildtsche Familie fortsetzen werde, und hiermit war denn verständlicherweise die sichere Überzeugung verbunden, daß die Prophezeiung unmöglich ihr gelten könne.

An dieser letztgenannten Überzeugung hielt eine jede fest, auch als die sänftlich hinfließenden Jahre die Heiratsgedanken bereits ein wenig fortgeschwemmt hatten. Und eben weil diese Überzeugung in jeder eine solche Festigkeit hatte, so bedurfte es keiner Auseinandersetzungen und Gespräche über den doch so wichtigen Punkt, die ja auch leicht etwas Mißliches hätten haben können; und nur ganz für sich grübelte eine jede darüber nach, welche der beiden anderen wohl die Auserlesene sein möchte. Aber selbst wenn es einmal kleine Verstimmungen gab, nie hat es sich ereignet, daß sich etwa zwei Schwestern darüber verständigt hätten, gemeinsam die dritte für das vorbestimmte Blitzopfer anzusehen. Und daß es in einer so merkwürdigen, viele, viele Jahre anhaltenden Lage ohne Gehässigkeiten und ohne ernsthafte Zerwürfnisse abging, dies macht deutlich, was für gute, verträgliche und freundliche Geschöpfe unsere drei blitzblanken Jüngferchen gewesen sein müssen, Annchen, Mariannchen und Susannchen. Ja, die Schwestern liebten sich, das darf man sich wohl getrauen zu behaupten, und am Ende könnte man sogar noch weiter gehen und die Behauptung aufstellen, die Schwestern hätten nicht nur sich, sondern auch einander geliebt. Aber wir wollen uns hier nicht in Untersuchungen über das Wesen der schwesterlichen oder gar der mitmenschlichen Liebe verlieren, das wäre auch gewiß nicht nach dem Sinne der Greiffenschildtschen Damen – man muß eben nicht allen Dingen auf den Grund oder auf die Schliche kommen wollen, wo gerieten wir da hin?

Heute denkt man hoch vom Wirtschaftsleben, und so werden Sie nichts dagegen haben, wenn ich auf etwas Wirtschaftliches zu sprechen komme. Hierher nämlich gehören jene oben angedeuteten Fragen, die nach Klärung verlangten und sich doch der Klärung bedauerlicherweise widersetzten. Herr von Greiffenschildt war ein philosophischer Landwirt gewesen und Dulken, das erwähnte ich bereits, ein schon zu seinen Lebzeiten etwas vernachlässigtes Gut, und nach seinem und seiner Frau Tode wurde das gewiß nicht besser, vielmehr hatten die Damen in der Wahl ihrer Bevollmächtigten und Verwalter, die überdies häufig wechselten, keine ganz glückliche Hand, und so gerieten sie in allerlei Verlegenheiten. Da nun ihre Gedanken sich immer wieder auf jenen einen Punkt zubewegten, so stellte sich begreiflicherweise auch zwischen jenem einen Punkt und diesen Verlegenheiten eine Verbindung her, denn es war ja klar, daß alle der Zukunft geltenden Erwägungen jenseits eines bestimmten, ob auch leider noch ungewissen Tages nicht drei, sondern nur zwei Damen und ihrer Versorgung zu gelten hatten. Freilich konnte dieser Tag, wenn das höchste Wesen es sich so in den Kopf gesetzt haben sollte, ebensogut erst eintreten, nachdem alle drei Schwestern das siebzigste, achtzigste oder neunzigste Jahr überschritten hatten. Aber das mochten sie sich doch nicht vorstellen, denn mit der Zeit waren sie ein klein bißchen ungeduldig geworden, und es ist ja dem Menschen eingeboren, selbst wenn er nicht übermäßig von Neugier geplagt wird, daß er gern wissen möchte, woran er ist. Kurz, eine Weile beschäftigte sie die Frage, ob nicht Dulken zu verkaufen und der Erlös in Leibrenten anzulegen sei, denn Leibrenten, so hörte man doch, sollten einen auf Lebenszeit aller Sorgen überheben. Nun zogen die Damen Erkundigungen ein, umständliche Erkundigungen, die viel Kopfzerbrechen und Ratschlagen verursachten, und da stellte es sich leider heraus, daß Leibrenten nicht einmal unter Geschwistern vererbbar waren. Das heißt also, man hätte wissen müssen, auf welcher beiden Schwestern Namen die Leibrenten lauten sollten: die dritte würde man dann auf Lebenszeit – und wie lange konnte das schon sein, Livland ist an Gewittern nicht arm – aus den Einkünften der beiden anderen versorgen, gewiß, gewiß, man würde es ihr an nichts fehlen lassen! Aber da konnte man sich schlecht einigen, und ganz deutlich beim Namen durften ja die Zusammenhänge nicht genannt werden. Immer zeigten, was man auch vorschlug, die beiden anderen sich hartnäckig, und ähnlich ging es auch, als der Gedanke einer Lebensversicherung aufgetaucht war, die doch den beiden Überlebenden wunderbar hätte zugute kommen müssen. Auch das wurde nun häufig und in einer ungemein ausfüllenden Weise erörtert, auch das freilich mit Behutsamkeit und in Andeutungen. Die Damen verwechselten da manches, indem sie mit großem Eifer von Lebensrente und Leibesversicherung sprachen, und auch von Versicherungsrenten und Rentenversicherungen scheint die Rede gewesen zu sein. Diese Dinge waren nun wirklich für Landdamen der alten baltischen Zeit schwer auseinanderzuhalten.

Wissen Sie, die Damen pflegten bei uns zulande in manchen Dingen, zu denen beispielsweise Versicherungsfragen gehörten – aber auch noch viel, viel wichtigere! –, unter Umständen etwas unerfahren geblieben zu sein, und wenn ihnen das in hohen Jahren ins Bewußtsein gelangte – manchmal kam das nämlich vor! –, dann bemerkten sie rückblickend mit einer leichten Empfindlichkeit: «Die Herren sagten uns ja nichts.» Nun, zu diesen Herren will ich nicht gehören, ich hätte es den dreien schon auseinandergesetzt, aber wo waren wir doch gleich stehengeblieben? Richtig, alles lief darauf hinaus, daß man von diesen wohltätigen Einrichtungen, mochten sie nun heißen, wie sie wollten, um so mehr Geld bekam, je länger man lebte, was schließlich nur in der Ordnung war. Und auch aus diesem Grunde hatte es viel für sich, zu den beiden Überlebenden zu gehören. Ganz und gar aber mußte man den störenden und alle Erwägungen verwirrenden Gedanken abweisen, daß ja unter den Greiffenschildtschen Damen auch natürliche und völlig blitzlose Todesfälle nicht ausgeschlossen waren.

Eigentlich hätten ja zwei Damen – wüßte man nur, welche! – sich insgeheim zusammentun und gemeinsam das Leben der dritten versichern müssen oder, um ganz sicher zu gehen, allenfalls eine das Leben der beiden anderen. Aber das Sichergehenwollen ist kostspielig, richtig zum Fenster wäre das Geld hinausgeworfen, und so ist schließlich aus allen diesen Finanzoperationen nichts geworden; mit der einen Ausnahme, daß nach langem Hin und Her Dulken verkauft wurde, und nicht einmal sehr ungünstig. Danach jedoch erhoben sich neue Bedenklichkeiten.

Der nunmehrige Besitzer, der das Gut nicht selbst bewirtschaftete, sondern nur zwei oder drei Male zur Jagd herüberkam, hatte den Damen auf Lebenszeit das Wohnrecht im Herrenhause eingeräumt, in jenem alten, guten Hause, in welchem der Großvater Rousseau, der Vater Kant gelesen hatte und den drei Damen ihre Kindheit und ihre Jugend freundlich dahingeflossen waren. Dies Haus galt es zu erhalten und zu behüten; kein Zweifel, es war bedroht.

Eine Weile war daran gedacht worden, das Haus gegen Blitzschaden zu versichern. Aber nicht nur, daß dies eine mühsame Transaktion gewesen wäre – «die Herren sagten uns ja nichts» –, nein, es hätte auch wenig Vorteil versprochen. Felder konnte man gegen Hagel versichern, das war den Damen bekannt, aber was das Haus anging, da mußte man doch auf andere Vorsichtsmaßnahmen denken, denn selbst die höchste Versicherungssumme hätte ein zerstörtes Haus nicht in der alten Traulichkeit wiederherstellen können. Außerdem hatte es sich ergeben, daß, wenn denn eine besondere Versicherung für das Gutshaus hätte abgeschlossen werden sollen, dies Sache des neuen Besitzers von Dulken gewesen wäre, und womöglich hatte der hier längst das Seinige getan, es war den Greiffenschildtschen Damen peinlich, ihn danach zu fragen.

Es blieb also nichts übrig, als die Sache von einer anderen Seite her anzupacken: nämlich nicht nach einer Versicherung des Hauses mußte man trachten, sondern nach einer Sicherung.

Gewiß, es gab Blitzableiter, und auch die Dulkenschen Baulichkeiten hatten an ihnen keinen Mangel. Aber vertraue einer sich diesen neumodischen Erfindungen an! Und es hieß ja auch, der Blitzableiter stamme aus Amerika, also aus einem wenig zuverlässigen und schwer überschaubaren Erdteil, in welchem am Ende die Gewitter von völlig anderer Beschaffenheit waren als in Livland. Nein, da bedurfte es schon einer größeren Sicherheit, und sicherer erschien es eben, sich nicht auf den Blitzableiter zu verlassen, sondern den Blitz dem Hause fernzuhalten; das hieß: dafür zu sorgen, daß ihm die Veranlassung, das Dulkensche Gutshaus aufzusuchen, überhaupt genommen wurde. Wie geschah das? Nichts Blitzanziehendes durfte während eines Gewitters im Hause sein. Was aber zog den Blitz an? Eine der Greifenschildtschen Damen — (wüßte man nur, welche!)

Bis die Schwestern zu dieser Schlußfolgerung gelangten, ist eine ziemliche Zeit hingegangen. Und sehr eingehender, sehr mühevoller Überlegungen hat es bedurft, bis die Damen endlich ihre sonderbaren Vorkehrungen in Angriff nahmen, Vorkehrungen, aus denen sich mit den Jahren ganz bestimmte Lebenssitten entwickelten. Kurz, man hatte sich, nicht gerade durchaus stillschweigender-, aber doch auch nicht völlig aus- und abgesprochenermaßen, dahin geneigt, sich während der gefährlichen Zeitspannen außerhalb des

Hauses aufzuhalten. Ich habe ja schon gesagt, daß die Schwestern sich ähnlich waren, und sie waren das nicht nur in ihrem Äußeren, sondern auch in ihren Gedanken. Ja, sie dachten ganz in einer und derselben Richtung und brauchten sich daher über viele Dinge gar nicht erst mit Worten zu verständigen. Die einzige Frage, in der keine Verständigung möglich war, das war die nach der Person der zum Blitzopfer Bestimmten. Sonst aber dachte und handelte man einträchtig, und wo es Meinungsverschiedenheiten gab, da hatten sie ihre Ursache wohl weniger in einem Mangel an Übereinstimmung als vielmehr in einem verständlichen Bedürfnis nach Unterhaltung, denn leider ist es auf der Welt so eingerichtet – nicht von mir, nicht von mir, da müßte ich doch sehr bitten! –, daß Meinungsverschiedenheiten eben unterhaltlicher sind als Eintracht. Verzeihen Sie mir diesen Exkurs, ich komme gleich wieder auf die Hauptsache zurück.

Es läßt sich nicht leugnen, daß der Entschluß, die Gewitterzeiten im Freien zu verbringen, Unbequemlichkeiten mit sich brachte. Man muß daran denken, daß es mitunter Gewitter gibt, die stunden- oder tagelang nicht weichen wollen. Aber die Damen nahmen die Unbequemlichkeit auf sich, jede in dem süßen Bewußtsein, daß die Zeit der Prüfungen und des Wartens einmal ein Ende haben müsse. Alle drei waren sich darin einig, daß sie hiernach, von der Trias zur Zweiheit zurückgeführt, bis an ihr noch sehr fernes Lebensende in allem Behagen das alte gute Haus bewohnen würden. Übrigens wurde alles getan, um die Unbequemlichkeit so bequem wie möglich zu machen.

Die Zurüstungen und Gewohnheiten, die diesem Ziele dienten und sich zu immer entschiedenerer Unverrückbarkeit verfestigten, gaben, weit über die Grenzen des Kirchspiels, ja, des Kreises hinaus, den Nachbarn und Abernachbarn viel Anlaß zu Kopfschütteln, Lächeln und Gerede. Schließlich jedoch gewöhnten sie sich an die Wunderlichkeiten der Greiffenschildtschen Damen, so wie sie sich an die beständige Weltuntergangsfurcht der Praksehdenschen Gräfin und an die zwölf Zimmer ausfüllende und noch immer wachsende Vogelbalgsammlung des Ordnungsrichters Dannenfeld gewöhnt hatten oder daran, daß die uralte Pastorin Pußmann sich jede Nummer der Rigaschen Anzeigen vom ersten bis zum letzten Buchstaben abschrieb, um, wie sie sagte, für später eine Erinnerung zu haben.

Es gab an der Dulkenschen Parkmauer, die übrigens nur den vorderen, sichtbaren Teil des Parkes umschloß, während der rückwärtige sich ohne viel Umstände und Zeremonien in allerlei Acker-, Wiesen-, Sumpf- und Waldgelände verlor – es gab da über einer Erdaufschüttung eine Art aufgesetzter Balustrade, einen kleinen, viereckig vorspringenden Ausbau, der nach drei Seiten von kniehohen Säulchen eingefaßt war. Dieser Platz war mit steinernen Fliesen gepflastert, und von jeher standen hier ein Tisch und ein paar Stühle, denn die Greiffenschildtschen Eltern hatten es geliebt, an schönen Tagen ihren Tee an dieser Stelle zu trinken und dabei über die Wiesen bis an den fernen Waldrand zu blicken, an dem das Rehwild seinen Wechsel hatte. Der Papa hatte dann stets ein zusammenschiebbares, mit Rosen bemaltes Taschenperspektiv von vergoldetem Messing neben sich liegen gehabt, einen zierlichen Gegenstand, dessen Hauptvorzüge freilich nicht auf optischem Gebiet lagen. Das heißt, natürlich lagen seine Vorzüge auf optischem Gebiet, denn das Perspektiv war entzückend anzusehen, und nur zur Vergrößerung und Erkennbarmachung entfernter Dinge war es nicht übermäßig dienstwillig. Der Papa hatte es von einer seiner Auslandsreisen mitgebracht – die Töchter meinten sogar: von Paris, doch waren sie ihrer Sache nicht ganz sicher. Wie alles von Eltern und Voreltern Stammende wurde es bei den Greiffenschildtschen Damen in Ehren gehalten. Es machte Freude, es auseinanderzuziehen und wieder zusammenzuschieben und die hübschen gemalten Rosen zu betrachten.

Es läßt sich denken, daß die Greiffenschildtschen Damen eifriger nach dem Wetter ausspähten als andere Menschen, und der erste Blick nach dem Erwachen vom Nacht- und Nachmittagsschlaf – beide pflegten tief, sanft und gesund zu sein – galt dem Himmel. Für diesen Blick hätte sich das Taschenperspektiv vortrefflich geeignet. Allein da die Schwestern getrennt schliefen, das Taschenperspektiv jedoch als gemeinsames Besitztum galt, so war es ein strenggehaltenes Gesetz, daß es in seinem runden, roten, goldumrandeten Saffianlederfutteral im blauen Salon zu liegen hatte, und zwar auf der Mahagonikonsole zu Füßen der hohen Vase mit den Zittergräsern. Und von hier wurde es nur fortgenommen, wenn die Damen sich anschickten, zur Gewitterecke zu gehen.

Die Gewitterecke hieß nämlich jene Stelle an der Parkmauer, und Sie werden schon erraten haben, meine Damen und Herren, daß sie bei drohendem oder bereits niedergehendem Gewitter Annchens, Mariannchens und Susannchens Zufluchts- und Aufenthaltsort bildete.

Hier saßen sie hübsch im Trockenen, die Elemente mochten rasen, so viel ihre Unvernunft es ihnen eingab, denn über den Greiffenschildtschen Damen wölbte sich ein fest im Boden steckender, ungeheurer Schirm, fast schon ein wasserdichtes Zelt, und zudem waren sie dicht in Mäntel, Tücher, Plaids und Shawls vermummt. Erst nach vielen Versuchen und Änderungen hatte der Schirm seine jetzige Gestalt erhalten und war bei Karbowsky in Riga eigens für die Greiffenschildtschen Damen angefertigt worden. Sein unterer Rand ließ sich aufklappen, so daß der Aufblick gen Himmel jederzeit gestattet sein konnte.

Karbowsky hatte einmal die Frage aufgeworfen, ob der Schirm mit seiner Spitze nicht geradezu den Blitz anziehen könne. Vielleicht werde im Hinblick auf diese Gefahr ein hübscher, kleiner Blitzableiter gewünscht? Ohne Schwierigkeiten würde er sich oben anbringen lassen.

Über diese törichte Karbowskysche Anregung brauchten die Damen untereinander nicht erst zu verhandeln. Wie? Saßen sie denn nicht gerade unter dem Schirm, um den Blitz anzuziehen? Den Blitz, der einer von ihnen – wüßte man nur welcher! – unweigerlich verhängt war? Und eine Gefahr sollte dabei sein? Was denn für eine Gefahr? Wo doch eine jede wußte, daß sie persönlich unbedroht war und daß von den beiden Schwestern die eine zu Recht, die andere irrtümlicherweise sich ebenfalls für unbedroht hielt! Es wurde also angenommen, Karbowsky habe sich nur einen Extraverdienst schaffen wollen, und es wurde ihm kurz mitgeteilt, man könne hier keine Gefahr erblicken.

Sie saßen da und warteten auf den Tod; nicht gerade auf den eigenen, aber doch auf einen sie nahe berührenden. Manchmal sind sie, die Wahrheit zu sagen, schon ein bißchen ungeduldig gewesen. Wäre es nur endlich soweit, daß man in aller Friedlichkeit und Trockenheit auch bei Gewitter im behaglichen Hause sitzen durfte – versteht sich, zu zweien – und nicht ewig dies gräßliche Regengetrommel über sich auf dem Schirmdach zu hören brauchte! Aber sie ließen sich solche Stimmungen gegeneinander nicht merken – ich sagte ja schon, daß die Schwestern sich liebten, und vielleicht nicht nur sich, sondern womöglich auch einander. Bloß manchmal, wenn in Schwüle und Schwärze die Blitze näherrückten, dann kam wohl eine unruhige Spannung über jede der drei Damen, und man schaute verstohlen auf die beiden anderen, die wiederum verstohlen zurückschauten. Aber auch wenn diese verstohlenen Blicke sich einmal unverstohlen kreuzten, selbst dann gab es keine übertriebene Verlegenheit, denn man war das in langen Jahren, in langen Jahrzehnten gewohnt geworden.

Hätte es nicht leicht geschehen können, daß ein niederfahrender Blitz, ob nun von der Schirmspitze angezogen oder nicht, sich an einem einzigen Opfer – wüßte man nur, an welchem! – nicht hätte genügen lassen? Indessen, solch einem Gedanken gestatteten die Damen den Zutritt nicht, und auch hierin wie in all ihrem altjüngferlichen Verhalten drückte sich doch eine große Unerschrockenheit und Unbefangenheit aus. Aber unbefangen waren bei uns zulande die

alten Damen überhaupt; anderswo, Gott weiß es, habe ich eine solche Unbefangenheit nicht gefunden, und die Unerschrockenheit gehörte auch dazu.

Einmal schlug krachend der Blitz in die große Pappel an der Parkmauer ein, etwa dreißig damenhafte Trippelschritte von der Gewitterecke entfernt.

«Das war wohl recht nahe», bemerkte nach einer Weile Mariannchen mit halblauter Stimme.

«Ach ja», sagten die beiden anderen, ebenfalls halblaut. Und dann sahen alle drei einander an und senkten hastig wieder die Blicke.

Leicht kann man sich vorstellen, daß den Barometern, deren sich allmählich eine sehr stattliche Anzahl im Hause ansammelte, eine große Aufmerksamkeit zugewandt wurde. Aber auch von Trinkgeldern begleitete Gespräche mit alten und aus irgendeinem Grunde für besonders wetterkundig geltenden Bauern waren nicht selten. Es versteht sich, daß auch die Dienstboten zu sorgsamer Himmelsbeobachtung angehalten wurden und der Dulkensche Nachtwächter Weisung hatte, die Damen wecken zu lassen, sobald er auf Gewitter deutende Wahrnehmungen gemacht zu haben meinte.

Meistens indessen fanden, wie es ja die Naturgeschichte vorschreibt, die Sitzungen in der Gewitterecke bei Tageslicht statt, und da pflegte das Taschenperspektiv ausgiebig zu Rate gezogen zu werden, obwohl es doch nur ein winziges Himmelsfleckchen vor den Blick stellte, und auch dieses nicht mit großer Genauigkeit, und obwohl sich allerlei Unzukömmlichkeiten daraus ergaben, daß sich die Greiffenschildtschen Damen mit vorrückenden Jahren zur Benutzung von Brillen genötigt sahen und es umständlich oder gar unmöglich war, die Qualitäten der Brillen und die Qualitäten des Taschenperspektivs aufeinander abzustimmen. Die Greiffenschildtschen Damen schafften sich auch nicht gleichzeitig ihre Brillen an, sondern mit Abständen von Jahren, und so hatten sie zeitweilig kein Verständnis dafür, daß die schwesterlichen Augen mit dem Taschenperspektiv nicht ganz zurecht kamen.

«Ach bitte, Mariannchen, gib doch einmal Papas Perspektiv herüber», sagte etwa Susannchen. «Du hast es jetzt schon so lange gehabt, und du spielst doch nur mit ihm. Kein einziges Mal hast du richtig hindurchgesehen!»

«Wie kannst du nur so etwas sagen, Susannchen! Also ich habe nicht hindurchgesehen! Großartig! Und daß ich es erst auf meine Brille einstellen muß und auf meine Augen, daran denkt hier niemand. Nun, ich bin eben für die Verträglichkeit. Bitte sehr, da hast du es! Das soll mir niemand nachsagen, daß ich ... daß ich ... also daß ich auf etwas, das noch von Papa stammt, allein Anspruch mache, obwohl ... obwohl ich gerade jetzt so gern hindurchsehen würde, denn eben muß das Gewitter beim Poikenschen Pastorat sein, das ist unmöglich zu verkennen.»

«Aber ich bitte euch um alles in der Welt», rief Annchen,

die als die Älteste zu Schlichtungsmanövern neigte, «was hat das schon zu bedeuten? Voriges Mal hat es auch über dem Poikenschen Pastorat gestanden, und was ist dabei auf Dulken gekommen? Nur ein klein bißchen Regen, gerade so viel, um die Steine bunt zu machen!»

«Nein, Annchen, ich finde, du siehst das zu subjektiv an», antwortete Susannchen. «Verallgemeinern darf man nie, und ich habe immer beobachtet, daß die meisten Gewitter aus der Poikenschen Gegend auch zu uns kommen. Und was ich dir noch sagen wollte, Mariannchen, bitte, jetzt kannst du das Perspektiv ruhig behalten. Inzwischen ist es so nahe gekommen, daß ich auch mit bloßem Auge alles am Himmel erkennen kann.»

Das Perspektiv lag auf dem Tisch, und da weder Susannchen noch Mariannchen es anrühren wollten, so blieb es noch eine Weile liegen, und dann wurde es von Annchen ergriffen und langsam auf die Wolken gerichtet. Eine Weile schwiegen alle drei.

«So», sagte endlich Mariannchen, «jetzt ist es beim Kabbasch-Gesinde und beim Praksehdenschen Kruge, aber da bleibt es hängen, weil es nicht über die Aa kann. Die Aa muß doch ein besonders kräftiger Fluß sein.»

«Erbarm dich, Mariannchen!» rief Susannchen. «Da bist du aber nun wirklich im Irrtum! Die Aa ist überhaupt nicht kräftig. Soll ich dir sagen, was die Aa ist? Tückisch ist sie – ganz einfach tückisch!»

«Ja, das ist bekannt, und davon hat man viele Beispiele», antwortete Mariannchen langmütig. «Aber wenn sie auch tückisch ist, deswegen könnte sie doch zugleich kräftig sein – meint ihr nicht auch?»

Hiermit hatte sie Annchen ebenfalls wieder in das Gespräch hineinziehen wollen. Annchen indessen war mit dem Perspektiv beschäftigt und behielt sich ein schlichtendes Eingreifen einstweilen noch vor.

«Nein, das kann ich nun gar nicht finden», sagte Susannchen. «Entweder kräftig oder tückisch. Und daß ein Gewitter nicht über einen Fluß kommt, das ist gar nichts Besonderes. Papa hat immer gesagt, im Ausland wären die Flüsse sehr oft zugleich Wasserscheiden.»

«Aber Susannchen! Das kann doch nicht dein Ernst sein! Das kann Papa unmöglich gesagt haben! Wahrscheinlich hat er von Wetterscheiden gesprochen.»

«Nein, nein, das weiß ich ganz genau, und das ist doch auch nur logisch. Der Rhein und dann diese Flüsse bei Pyrmont und Bad Elster, das *sind* eben Wasserscheiden. Aber Wetterscheiden – erbarmt euch, was sollte denn das für einen Sinn haben?»

«Mama hat oft davon gesprochen, wie fein Papa auf Reisen beobachten konnte. Ja, noch kurz vor ihrem Tode, ihr beiden wart nicht dabei, da hat sie mir erzählt, wie er in Schwalbenlangbach –»

«Aber es heißt doch Langenschwalbach!»

Jetzt ließ Annchen das Perspektiv sinken, schob es energisch zusammen und legte es auf den Tisch. Die Unterhaltung, so fand sie, war allzu sehr zum Zwiegespräch geworden, das war ja fast, als sei schon der Zeitpunkt gekommen, da es nur noch zwei Greiffenschildtsche Damen geben würde, und darin lag etwas vordeutend Unbehagliches.

«Ach, Kinder, zankt euch doch nicht!» sagte sie. «Erbarmung, was liegt schon daran? Da! Habt ihr den Blitz gesehen? Das muß wieder über dem Kabbasch-Gesinde gewesen sein. Paßt auf, jetzt kommt es doch noch über die Aa, wenn Mariannchen auch meint, die Aa wäre eine Wasserscheide.»

«Bitte, als Fräulein Hertzog bei uns wahr, da hat sie in der Geographiestunde auch von Wasserscheiden gesprochen.»

«Findet ihr wirklich», meinte Annchen, «Mama hätte mit Fräulein Hertzog einen glücklichen Griff getan? War sie nicht am Ende doch ein bißchen kokett? Nicht sehr viel, nein, das bestimmt nicht, aber doch ein bißchen?»

«Und dann schmeichelte sie auch!» rief Mariannchen aufleuchtend, als sei mit dieser Feststellung auch die Frage der Wasserscheiden endgültig geklärt. «Sie hat Mama geschmeichelt, und wenn Onkel Arnold da war, dann hat sie ihm auch noch geschmeichelt.»

«Das hat nichts zu sagen», entschied Annchen. «Früher gehörte Schmeicheln zur Höflichkeit. Aber Koketterie hat noch nie zur Höflichkeit gehört und wird auch nie dazu gehören.»

Dies letztere sagte sie mit einer großen Bestimmtheit.

Anfangs war es etwas lästig gewesen, wenn die bedrohlichen Veränderungen am Himmel gerade in die für die Mahlzeiten bestimmten Stunden fielen. Ja, da hatte man doch, in der Gewitterecke sitzend, mit einiger Ungeduld und Sehnsucht des sorgsam gedeckten, mit so vielen appetitlichen Dingen bestellten Tisches im Speisezimmer gedacht, von dessen Wänden die nachgedunkelten Großeltern und Eltern vielleicht mit Verwunderung, vielleicht gar mißbilligend, auf die drei leeren Stühle um den runden Tisch herniedersehen mochten.

Solchen Ungedulds- und Sehnsuchtsgefühlen zu begegnen, hatte Susannchen eines Tages sich ein paar Biskuits und ein Reisefläschchen mit Portwein in die Gewitterecke mitgebracht, und obwohl Annchen und Mariannchen diese Neuerung zunächst ungewöhnlich und nicht ganz passend gefunden hatten, so hatten sie mit der Zeit sich dies Verfahren ebenfalls zu eigen gemacht, und dann war ein förmlicher Wetteifer entstanden, und jede suchte die anderen durch neu ersonnene Stärkungs- und Erfreuungsmittel in Erstaunen zu setzen. Ich übergehe hier einige Entwicklungsstufen und bemerke, daß aus Susannchens gewagtem Entschluß allmählich eine der wichtigsten Greiffenschildtschen Gepflogenheiten erwachsen ist. Ich denke an nichts Geringeres als an die Greiffenschildtschen Gewittermahlzeiten.

Aber hier fällt mir etwas anderes ein. Nämlich vielleicht interessiert es Sie, zu erfahren, wie ich auf die Geschichte von den Greiffenschildtschen Damen überhaupt geraten bin. Nun, immer kommen einem ja Gedanken beim Rasieren, als bei einer Verrichtung von zugleich aktiver und kontemplativer Natur, und gar der ersten des Tages. Also heute früh beim Rasieren stellte ich mir plötzlich vor, was für ein hübsches Bild das sein müßte: drei freundliche alte Damen mit silbernen Pudellöckchen und langen, dünnen, vom Hals bis zum Gürtel reichenden Uhrketten, an denen zahllose kleine Ziergegenständchen baumeln, und die eine von ihnen hat eine silbergefaßte Brille, und alle drei sitzen sie häkelnd oder mit offenbar bestem Appetit speisend unter einem ungeheuren Regenschirm und einem noch ungeheuerlicheren Gewitterhimmel im Freien, im fließenden oder schon strömenden Regen, und mitunter sehen sie hinauf zu den schwarzen Wolken und den zuckenden Blitzen – aber mein Gott, das ist ja kein Bild mehr, das wird schon eine Folge von Bildern wie ein Kinofilm! –, wobei sie sich gelegentlich auch wohl ein wenig um ein Perspektiv streiten, während ein alter Diener mit silbernen Bartstoppeln – aber halt, vom Diener später! Nur soll deswegen niemand denken, er habe für unsere Geschichte keine Bedeutung. Natürlich liegt sie nicht in den Bartstoppeln, obwohl auch diese ... schließlich ist mir das Bild ja beim Rasieren eingefallen ... nun, was den Alten angeht, er rasiert sich schon lange nicht mehr jeden Morgen, das Leben ist ohnehin anstrengend für bejahrte Menschen, und die Greiffenschildtschen Damen haben sich mit der Zeit abgewöhnt, das so genau zu nehmen; vielleicht bemerken sie es gar nicht, sie richten ja auch ihr Perspektiv nicht gerade auf seine Backen- oder Kinngegend.

Ja, also wenn ich zu malen verstünde – das wäre so etwas für mich gewesen! Heute indessen malt man ja dergleichen nicht mehr, heute malt man abstrakt ... und doch könnte man am Ende die Meinung verfechten, es stäken auch in meiner Geschichte allerlei abstrakte Elemente, finden Sie nicht? Aber vielleicht werden Sie auch sagen, surrealistische, oder spricht man hier möglicherweise von existentiellen Grenzsituationen? Ich kenne mich da nicht so recht aus. Vermutlich ist das auch nicht sehr wichtig.

Was aber die erwähnten Greiffenschildtschen Gewitter-

mahlzeiten angeht, so sind diese seinerzeit in ganz Livland berühmt gewesen – und hierbei mag man sich wieder der klassischen Novellenwendung erinnern, daß die Kunde von dem wunderbaren Ereignis sich zum großen Ergötzen aller durch die hurtige Fama weithin ausgebreitet habe. An dieser Berühmtheit hatte die hierbei geübte Methode des Servierens einen wichtigen Anteil. Janne, der uralte, noch aus Greiffenschildtschen Elternzeiten stammende Diener, hatte das Benötigte aus dem Hause zur Gewitterecke zu tragen, und auch dies geschah nach strenger Anordnung der Damen bei schon niedergehendem Regen nie anders als unter einem gewaltigen Schirm, der nicht nur die Speisen, sondern auch Janne selbst vor dem Naßwerden behüten mußte. Denn wie die Greiffenschildtschen Damen schon sind, sie denken nicht nur an sich, sondern auch an den alten Mann und seinen Rheumatismus. Allerdings hatte er, des Regenschirmes wegen, nur eine Hand zum Servieren und zum Transportieren frei, und so mußte er denn seinen Weg ungemein oft zurücklegen, aber dafür hatte er doch sein sicheres Brot und hatte diese Dienste nur bei Gewitter zu leisten, sonst aber wurde nicht viel von ihm verlangt. Dann muß man auch bedenken, daß die Greiffenschildtschen Damen ja freundliche und gutmütige Wesen sind, und so nehmen sie auf den alten Diener alle erdenkliche Rücksicht: es gibt keine großen und schweren Bratenschüsseln und Suppenterrinen, sondern alles wird in winzigen Schüsselchen und Tellerchen angerichtet, ja, es gibt kleine und niedliche Dinge zu essen, und im Grunde haben die einander so ähnlichen und so einträchtigen Schwestern die auch am liebsten.

Aufmerksam wie ein Jagdhund steht Janne unter dem säulengetragenen Vorbau des Hauses und wartet. Wenn die Damen ihn benötigen, so läuten sie mit der messingnen Tischglocke, die schon zu Großpapas Zeiten in Gebrauch gewesen ist. Donnert es aber so gewaltig, daß ihr schmächtiger Ton sich nicht durchzusetzen vermag, dann wird mit optischen Signalen gearbeitet; bei Dunkelheit wird eine Laterne geschwenkt, sonst aber ist es erst ein Handwink gewesen, dann ein Winken mit dem Taschentuch, in späteren Jahren mit der Serviette, mit einem Handtuch, und zuletzt bediente man sich einer recht umfänglichen Fahne in den heißroten Greiffenschildtschen Wappenfarben, denn Janne ist ja alt, und sein Augenlicht verschlechtert sich zusehends.

Über die Fahne hinaus hat es freilich keine Steigerung mehr gegeben, denn Janne legte sich hin und starb. Als die Schwestern an sein Krankenbett kamen, um Abschied zu nehmen, da murmelte er: «Altes Mensch muß sterben ... was soll man da machen? ... Gute Herrschaft, gewiß: gute Herrschaft ... nur bißchen verdreht ... ach ja, liebes Gottchen ... ach ja, altes Mensch hat lange genug gelebt.»

Nach seinem Tode wurde der dritte Sohn des Kutschers in die Dienerlivree gesteckt, aber das war schon nicht mehr das Richtige, und die Greiffenschildtschen Damen konnten sich nicht so ganz an ihn gewöhnen. Er wurde ebenfalls Janne gerufen, obwohl er Andreews hieß, aber wenn die Damen von ihm sprachen, so nannten sie ihn «der Kutschersche» oder «der Neue».

«Er lauert immer», pflegte Mariannchen zu sagen.

«Janne hat auch gelauert», meinte Susannchen. «Alte Menschen lauern eben, das ist nicht anders, und man muß ihnen das lassen und sich abfinden. Aber was hat so ein junger Schmurgel zu lauern? Das kann doch nur von einem Mangel an Opinion kommen.»

«Opinion ist überhaupt selten», erklärte Annchen nachdrücklich, als wollte sie mit dieser Feststellung das Gespräch abschließen.

So schnell indessen mochten die anderen ihr Thema nicht im Stich lassen.

«Ach ja», stimmte Susannchen zu. «Eben, eben! Das ist es ja, was ich sage. Darum wird ja auch so viel gelauert.»

«Aber das Lauern ist noch nicht alles», bemerkte Mariannchen. «Wenn der Kutschersche nur lauerte, da wollte ich noch nicht viel sagen. Aber ich finde, er figuriert auch.»

«Was du schon wieder hast, Mariannchen!» sagte Annchen. «Nein, von Figurieren habe ich nichts bemerkt. Man muß auch nicht *zu* empfindlich sein.»

Die Greiffenschildtschen Damen wären wahrscheinlich in Verlegenheit und infolgedessen in Störrischkeit geraten, wenn man sie gefragt hätte, was sie in diesem Zusammenhange unter Opinion und Figurieren verstanden; ja, sogar das Lauern wäre am Ende nicht ganz leicht zu erklären gewesen. Nun, es fragt sie niemand, und das rechnen wir ihm zum Guten, es ist nicht chevaleresk, alte Damen in Verlegenheit zu setzen.

Janne hatte den Schirm in der Gewitterecke stets vortrefflich instand gehalten. Ob nun der Kutschersche es hier an Sorgfalt fehlen ließ oder ob der Schirm sich abgenutzt hatte oder der Gewalt eines über alles Gewohnte hinausgehenden Unwetters von Hause aus nicht gewachsen war, diese Unzulänglichkeit aber bisher nicht hatte merken lassen — jedenfalls, es geschah, daß er Beschädigungen erlitt und wie ein entwurzelter Baum zur Seite stürzte. Bald waren die Damen trotz aller Vermummung naß bis auf die Häute. Dennoch hielten sie aus und kehrten erst ins Haus zurück, nachdem das Gewitter in einen friedlichen, obzwar hartnäckigen Regen übergegangen war. Sie begaben sich sofort in ihre Betten, sie schluckten Pülverchen und Pillen, sie gurgelten mit allerlei Aufgüssen, sie nahmen schweißtreibende Kräutertees, und sie tranken mehr «warme Gläser», als es für Damen herkömmlich ist. Auf diese Weise hatten Annchen und Susannchen ihre Erkältungen nach zwei oder drei Tagen überwunden; bei Mariannchen aber wurde aus der Erkältung eine Lungenentzündung, und nach wenigen Wochen ist sie gestorben.

Da waren es denn nur noch zwei Greiffenschildtsche Damen, nämlich Annchen und Susannchen, die Älteste und die Jüngste, und da hätte man nun meinen sollen, die Frage «du oder ich?» müßte sich von nun an in ihrer äußersten Schärfe gestellt haben. Aber sehen Sie, meine Damen und Herren, jetzt kommen wir wieder auf das zurück, was man Versionen oder Lesarten nennt. Nämlich die einen behaupten allerdings, von jetzt an habe es kein verstohlenes Blickekreuzen mehr gegeben, sondern nur noch unverheimlichte Blicke von funkelnder Gehässigkeit, ja, spitze und böse Worte. Die anderen aber wollen das nicht gelten lassen und haben eine nahezu entgegengesetzte Theorie aufgestellt, indem sie sagen, Annchen und Susannchen hätten sich, zwar nicht durchaus stillschweigender-, aber doch auch nicht völlig aus- und abgesprochenermaßen, dahin geeinigt, jene zigeunerische Prophezeiung als erfüllt anzusehen. Mariannchen *war* doch am Blitz gestorben. Woher hatte sie denn ihre Lungenentzündung, wenn nicht vom Gewitter? Man mußte nur gutwillig sein, und das ist in der Frage des Eintreffens oder Nichteintreffens von Prophezeiungen ohnehin anzuraten – übrigens auch sonst, in allen Dingen, das versteht sich ja von selbst.

Hier also sind Widersprüche in der Überlieferung, aber sie sollen uns nicht bekümmern. Mag sich der künftige, kunstmäßige Nacherzähler meiner Geschichte, dem wir hier nicht vorgreifen wollen, mit ihnen auseinandersetzen und sie ins Gleiche bringen, nach seinem Behagen und Belieben, und vielleicht erfindet er auch etwas ganz Neues und höchst Überraschendes! Alle Einzelheiten sind ohnehin nicht mehr aufzuhellen, es ist doch schon recht lange her und inzwischen so viel passiert, wie will man da alles so genau wissen, und es kommt wohl auch nicht sehr viel darauf an.

Dies eine aber scheint festzustehen, daß Mariannchens Tod in den Gepflogenheiten der Greiffenschildtschen Damen keine wesentlichen Veränderungen bewirkt hat, und das könnte wiederum denjenigen recht geben, welche die Lesart vom Glauben der beiden Schwestern an eine bereits erfüllte und damit hinfällig gewordene Voraussage verwerfen. Aber natürlich läßt sich da einwenden, in höheren Jahren sei es nicht mehr leicht, sich von Gewohnheiten loszusagen, selbst wenn die Ursachen dieser Gewohnheiten fortgefallen sind, und es wäre doch auch schade, wenn alle so sorgsam ersonnenen Vorrichtungen nun plötzlich sinnlos geworden sein sollten. Kurz, die Damen saßen auch weiterhin in der Gewitterecke, nur war die Unterhaltung ein wenig wortkarger geworden, und in verdrießlichen Gesprächspausen sagte Annchen, als habe sie eine Rücksichtslosigkeit zu rügen, mit mildem Vorwurf: «Mariannchen hat uns allein gelassen.»

Ach, es dauerte nicht mehr sehr lange, da hatte sie in einem ähnlichen, wenngleich schmerzlicheren Tone vor sich hin zu flüstern: «Mariannchen und Susannchen haben mich allein gelassen.» Denn Susannchen, die jüngste der drei blitzblanken Jüngferchen, war eines Morgens nicht zum Frühstück erschienen; man fand sie behaglich hinübergeschlummert.

Auch über Annchens letzte Lebenszeit gehen die Meinungen auseinander. Es heißt, sie habe, nachdem sie zur einzigen Greiffenschildtschen Dame geworden war, den Glauben an die Prophezeiung vollständig von sich getan. Ich weiß nicht, ob das stimmt; träfe es zu, so würde ich es beklagen, denn es ist schwer abzusehen, womit sie die durch den Wegfall dieses Glaubens entstandene Lücke hätte ausfüllen sollen. Natürlich liegt es nahe, mit jener Version zu meinen, die Greiffenschildtsche Dame sei jetzt zur Erkenntnis gekommen, daß ihr nichts mehr drohte. Aber was heißt denn das? Daran, daß ein Blitzschlag *ihr* bestimmt gewesen wäre statt einer ihrer Schwestern, daran hatte sie ohnehin nie geglaubt. Und damit, daß sie Mariannchen und Susannchen überlebt hatte, damit war sie doch nicht auf einmal unsterblich geworden! Wenn es auch kein Blitz sein sollte – mein Gott, sie war alt, wie lange konnte es denn im wohlwollendsten Falle mit ihr dauern? Freilich, ob das gute Haus heil blieb über ihre Lebenszeit hinaus, das durfte ihr jetzt gleichgültig sein.

Einmal, so besagt eine andere Lesart, einmal kam ein merkwürdiger Gedanke über sie: nämlich es stieg ihr die Frage auf, ob denn in der Prophezeiung ausdrücklich gesagt war, es werde nur eine einzige der drei Schwestern am Blitz oder doch am Gewitter sterben. Aber sie verscheuchte, vielleicht törichterweise, diesen Einfall, der sie immerhin hätte in Anspruch nehmen und unterhalten können.

Sie war nun sehr einsam. Sie hatte auch nichts mehr, das ihre Gedanken recht beschäftigte, denn der wichtigste ihrer ehemaligen Gedankeninhalte war ihr ja genommen worden. Es tröstete sie auch nicht, daß ihr niemand mehr das Taschenperspektiv streitig machte und daß es jetzt nicht mehr im viel zu geräumig gewordenen blauen Salon auf der Mahagonikonsole zu Füßen der hohen Vase mit den Zittergräsern liegen mußte, sondern seinen Platz auf ihrem Nachttischchen erhalten hatte. Am Ende könnte man geradenwegs sagen, sie habe sich entsetzlich gelangweilt.

Sie versuchte nun, sich die großen philosophischen Ideen ihrer Jugend in den Sinn zu rufen, die Gedanken an ein höchstes Wesen, an Tugend und Unsterblichkeit, aber es kam nicht viel dabei heraus. Es blieb alles bleich und grau. Wie belebt aber und reich war das Dasein gewesen, als sie noch mit Mariannchen und Susannchen beim Gewitter unter dem Schirm gehäkelt und gespeist hatte und so unbeschreiblich gespannt darauf gewesen war, welche von den beiden anderen denn nun endlich vom Blitz getroffen werden würde!

Um nun wenigstens etwas festzuhalten aus dieser glücklichen Zeit von ehemals, blieb sie bei der alten Gewohnheit, sich zu Gewitterzeiten an der Parkmauer und unter dem längst wieder hergerichteten Schirm niederzulassen. Aber sie blieb bei ihr nicht lange, denn bald starb sie ihren Schwestern nach.

Da waren denn nun alle drei Greiffenschildtschen Damen richtig gestorben, Annchen, Mariannchen und Susannchen, richtig gestorben und auch richtig begraben. Sie lagen im großväterlichen Erbbegräbnis unter den Trauerbirken und Weymouthskiefern, daran ist gar nicht zu zweifeln, und notfalls ließe es sich aus dem Kirchenbuch nachweisen; da gibt es keinerlei Lesarten. Dennoch wurde behauptet, hin und wieder, insbesondere an schwülen und gewitterverheißenden Hochsommertagen, sähe man immer noch bald eine der Schwestern, bald zwei und bald alle drei draußen an ihrem Regenschirmplatz sitzen und über die Wiesen und hinauf zum Himmel blicken, manchmal durch das Taschenperspektiv, manchmal mit unbewaffnetem Auge. Von den Dulkenschen Bauern und von denen der Nachbarschaft wurde die Erscheinung der Damen, die so lange vergeblich auf einen passenden Blitz gewartet hatten, als Anzeichen eines unveränderlich schönen und heiteren Wetters genommen. Dann mußte man Heu machen! Und hieran glaubten die Bauern mindestens so fest, wie nur jemals die Greiffenschildtschen Damen an die Zigeunerprophezeiung geglaubt hatten. Es gab sogar Spezialisten, die ihre sehr ins einzelne reichenden Wettervoraussagen darauf gründeten, welche und wie viele von den Greiffenschildtschen Damen sich hatten wahrnehmen lassen; aber das führt vielleicht schon etwas zu weit.

Ob das jetzt noch so ist, darüber fehlen mir die Nachrichten. Sie haben ja davon gehört, daß es in meiner Heimat heutzutage ganz anders aussieht und zugeht als in meiner Jugend, aber auch ganz anders als noch vor zwei Jahrzehnten, und da erhebt sich nun die Frage, ob ein Spuk nicht doch darauf angewiesen ist, daß um ihn herum noch so einigermaßen die von Lebzeiten her vertrauten Zustände herrschen. Nehmen Sie etwa an, plötzlich landen Marsbewohner auf der Erde und bemächtigen sich als eines Stützpunktes irgendeiner Gegend, in der ein Barockmörder spukt – glauben Sie, es hat für ihn einen Sinn, da noch weiter zu spuken? Was könnte er sich davon versprechen?

Es ist in dieser Hinsicht schon auffällig, daß wir keinen Spuk kennen, der in sehr alte Zeiten zurückreicht. Die meisten Geister erscheinen im Kostüm der letztvergangenen Jahrhunderte. Es wird zwar häufig von Ritterspuk gesprochen, aber ich versichere Sie, das ist dummes Zeug, die ältesten Gespenster stammen nachweislich aus dem sechzehnten Jahrhundert. Auch diese werden von Jahr zu Jahr seltener, und daß von noch älteren gesprochen wird, das ist nur, weil solche Erzählungen sich eben weitervererben, von einer Generation zur nächsten. Kurz, die mittlere Spukzeit ist geringer, als viele Menschen glauben. Hierfür kann es zwei Gründe geben. Einmal könnte es, wie ich schon andeutete, an der Änderung der allgemeinen Daseinsformen und Umstände liegen, die so weit gehen kann, daß ein Spuk schließlich eine für ihn nicht mehr wiedererkennbare Welt um sich findet und sich resigniert zurückzieht. Ebensogut aber kann es sein, daß nach einer gewissen Zeit in den Gespenstern – ich will nicht gerade sagen, die Lebenskraft oder der Lebenswille erlischt, aber doch etwas Ähnliches, meinetwegen der Antrieb für ihre Umtriebe, oder daß die Ursache ihres Umgehenmüssens fortfällt. Wie nun die Zusammenhänge auch sein mögen, man kann die Behauptung wagen, daß selbst die verdammtesten Gespenster eines Tages erlöst werden und zur Ruhe kommen, und Sie werden mir zugeben, daß ich mit einer solchen Feststellung am Schlusse zu einem tröstlichen Ausblick für uns alle gelangt bin, gewissermaßen zu einem Happy-End, und bisher habe ich doch immer wieder hören müssen, meine Geschichten gingen oft so düster aus, und man wolle zum Schluß gern etwas Erhebendes und Befreiendes haben oder, wie man das nennt, etwas Lebenbejahendes.

Ich fürchte, diese Geschichte wird Sie trotzdem unbefriedigt gelassen haben. Ich könnte das verstehen. Aber schlimm wäre es nicht, denn wir dürfen uns ja mit dem Gedanken an den künftigen Erzähler trösten, vielleicht macht der etwas Vollkommenes daraus. Nun, wie dem auch sei, in jedem Falle möchte ich noch um ein Glas Bowle bitten.

Jakubsons Zuflucht

Daß Frau Ältester Heydenacker hat sterben müssen, das ist kein Wunder, sie war in den Achtzigern, da überstehen auch geringe Krankheiten sich schwer. Ein Unglück ist es auch nicht, sie hat ihr Leben gehabt, und wir sind alle zum Sterben auf die Welt gekommen. Sie wird, das ist gewiß, anständig und mit Respekt betrauert werden, wenn auch ohne Leidenschaft. Vorderhand indessen wissen ihre Angehörigen noch nichts von ihrem Tode. Sie liegt in ihrem letzten Bett, die Hände gefaltet; dies Bett steht in einem ärmlichen einstöckigen Holzhause der Dörptschen Vorstadt.

Frau Ältester Heydenacker war eine Witwe. Aber sie war kinderlos und hatte ihren Mann schon bei sehr jungen Jahren verloren, und so hatten sich in ihr allerlei Wunderlichkeiten ausbilden können, wie man sie sonst wohl den alten Jungfern nachsagt. Und im letzten Viertel ihres Lebens waren diese Wunderlichkeiten stärker geworden als alle Gewöhnungen und Rücksichten.

Sie war wohlhabend, aber sie fürchtete zu verarmen. Daher mochte sie keinen Besuch sehen und lebte in einer sonderbaren Eingeschränktheit. Sie war gesund und fürchtete krank zu werden. Sie lebte unangefochten und fürchtete sich vor Nachstellungen. Es kam zuletzt dahin, daß sie unaufhörlich die Wohnung wechselte, aus Besorgnis vor Verfolgern, die sich ihr bald als Krankheitserreger, bald als wilde Männer darstellten. Ihr Haus hatte sie verkauft, ihre Möbel verdarben auf irgendeinem Speicher. Sie wohnte zur Miete in abgelegenen Stadtgegenden, in unansehnlichen Häusern und pflegte sich mit einem einzigen Zimmer zu begnügen. Zu ihrer Verwandtschaft unterhielt sie fast gar keine Beziehungen; sie unterließ es, ihre Quartierwechsel bekanntzugeben.

Kraft solcher Lebensgewohnheiten war sie auch in das hölzerne Haus der Dörptschen Vorstadt geraten. Hier hatte sie bei der Witwe eines russischen Kanzleischreibers ein Zimmer genommen, hier war sie gestorben, und nun hatte die Witwe sich auf den Weg gemacht, um die Angehörigen ihrer Mieterin von dem geschehenen Tode in Kenntnis zu setzen. Wir aber wenden uns Jakubson zu.

Jedermann in Reval kennt Jakubson. Man müßte ihn einen Landstreicher nennen, doch vermag er sich von Reval nicht zu trennen, und so ließe er sich allenfalls als ein Stadtstreicher bezeichnen. Er spielt Ziehharmonika, er kann alle Melodien pfeifen, daß man meint, ein kunstvolles Instrument zu hören, er liebt es, allerlei Späßchen zu machen, welche die Leute einander mit Behagen weitererzählen. Wenn er betteln kommt, gibt man ihm gern etwas in den Revaler Häusern, obwohl man weiß, daß er es vertrinkt. Hält man ihm dies vor, so erklärt er, er bettle ja nicht nur, um seinen Hunger zu stillen, sondern auch, um ein bißchen Freude zu haben. Dagegen läßt sich denn nicht viel einwenden. Bei Frau Ältester Heydenacker hat er freilich nie etwas bekommen.

Jakubson ist auf seine Art beliebt, und nur Pastor Sturm von der Olaikirche nennt ihn unverschämt, wiewohl mit einem Lächeln. Pastor Sturm hat ihm eines Morgens, um ihn loszuwerden, einen halben Rubel gegeben. Jakubson hat sich bedankt und das Geschenk in die Rocktasche gesteckt. Pastor Sturm hat hinzugefügt: «Aber nun versaufen Sie es nicht gleich wieder, Jakubson!» Da hat Jakubson den Pastor mit einem sehr verwunderten Lächeln angesehen und hat geantwortet: «Was ich mit meinem Gelde mache, Herr Pastor, das geht Sie gar nichts an.» Und zu Pastor Sturms Ehre muß gesagt werden, daß er noch selbigen Tages einundzwanzig Werst gefahren ist, von Reval bis Sellifer, nur um seinem alten Jagdfreunde, dem Oberförster Kremmers, der gleich ihm ein Liebhaber von Anekdoten ist, als erster diesen Ausspruch Jakubsons zu hinterbringen.

Frau Ältester Heydenacker wechselt, wir sagten es, unablässig ihre Wohnungen. Hier gibt es fast eine merkwürdige kleine Vergleichsmöglichkeit zwischen den beiden, denn auch Jakubson hat kein Zuhause. Wollte man ihm eins geben, so wüßte er keinen rechten Gebrauch dafür, denn Jakubson liebt die Freiheit, und ebensowenig wie Frau Ältester Heydenacker vermöchte er lange unter dem gleichen Dache auszudauern. Aber auch wer kein Zuhause will, braucht doch ein Obdach, eine Zuflucht, insonderheit wenn er verfolgt wird.

Jakubson hat sicherlich viele Vorzüge, um derentwillen die Leute ihn gernhaben. Aber ein tapferer Mann ist er nicht, wenigstens nicht in der Art jener, die es für richtig halten, sich von vier angetrunkenen und streitwütigen Freunden die Knochen zerschlagen zu lassen, statt davonzulaufen. Mit diesen vier Freunden hat Jakubson am Abend Karten gespielt, und da hat es Unfrieden gegeben.

Jakubson hat noch einen Vorsprung, allein der Vorsprung verringert sich; die Laufschritte seiner Feinde hallen ihm schrecklich nach in den stillen, dunklen Straßen der Dörptschen Vorstadt. Er rennt um eine Ecke, zwei Häuser weiter steht ein Laternenpfahl, ein hoher, viereckiger Holzpfosten mit einer trübe brennenden Petroleumlampe. Die Straße ist leer. Das Licht fällt nicht weit. Gerade so weit fällt es jedoch, daß es ein halb geöffnetes Fenster zu ebener Erde sichtbar macht. Jakubson darf sich nicht lange besinnen, gleich müssen seine Verfolger um die Ecke kommen, Jakubson steigt ein. Und da steht er nun in einem fremden dunklen Zimmer, drückt die Hand gegen sein pochendes Herz und hört die vier Freunde vorbeilaufen, hört sie schimpfen und hört allmählich ihre Stimmen und ihre Schritte in der Ferne verklingen.

Nun hätte er eigentlich seine Zuflucht wieder verlassen können; allein es war ja keineswegs sicher, daß die Verfolger nicht umkehrten oder er ihnen nicht an irgendeiner Straßenecke unvermutet in die Hände lief. Auch mußte er fürchten, beim Aussteigen gesehen zu werden und in einen bösen Verdacht zu geraten.

Jakubson hatte den Wunsch, sich ein wenig zurechtzufinden. So tastete er vorsichtig umher, sehr langsam und ohne alles Geräusch. Er gelangte an einen Tisch, der Tisch trug mancherhand Gegenstände, einer davon war ihm vertraut, es war eine Flasche von leidlicher Größe, zu drei Vierteln voll. Jakubson führte sie an die Nase, es roch kräftig und süß, und Jakubson hätte vor lauter Vergnügen am liebsten den Jungfernkranz aus dem Freischütz gepfiffen. Jakubson war kein Weinkenner, er wußte nichts von Südweinen, die als Krankenstärkung verschrieben werden, aber das merkte er, daß dieses Getränk schmackhaft und wohltätig war, und so hatte er seine Freude an ihm, bis die Flasche leer war.

Jakubson tastete weiter, behaglich und neugierig. Er gelangte an Schalen, Pillenschächtelchen und ähnliches Gerät. Er gelangte an Arzneiflaschen, die widrig rochen, und an eine andere Flasche, die freundlich roch. Sie roch nach Spiritus, und in der Tat war Spiritus darin, guter, weißer Spiritus. Jakubson bedachte sich nicht lange, denn wozu ist Spiritus da?

Als auch die Spiritusflasche leer war, fühlte Jakubson sich nicht mehr geneigt, ein Obdach von solcher Gastlichkeit zu verlassen; überdies hatte es draußen zu regnen begonnen. Jakubson war müde, Jakubson dachte auf ein Nachtlager. Er schloß behutsam das Fenster. Hinter der vorgehaltenen Hand entzündete er ein Streichholz, um die tastweise im Finstern gewonnene Örtlichkeitskenntnis zu ergänzen. Im Licht dieses Streichholzes gewahrte er ein Bett, schön weiß bezogen und mit einer sauberen warmen Decke versehen. Indessen war dies Bett nicht leer; vielmehr lag in ihm eine kleine Greisin von strengem Aussehen, und die Hände waren ihr über der Brust zusammengelegt. Es war unschwer zu erkennen, daß sie nicht mehr zu den Lebenden gehörte.

Man kann nicht sagen, daß Jakubson erschrocken gewesen wäre. Erschrocken war er gewesen, als seine vier

Freunde ihm zu Leibe wollten. Aber was kann eine tote alte Frau einem schon tun? Verwundert indessen, ja, das war er.

Allein Verwunderungen halten nicht lange stand, wenn man eine Flasche Südwein und eine Flasche Spiritus im Magen und im Kopfe hat; da ist man nachsichtig gegen das Ungewöhnliche.

Jakubson faltete die Hände und nahm seine Mütze ab, denn das gehört sich doch so, wenn man zu einem Toten tritt; und er strich der Alten sehr behutsam in einem wohlwollenden Mitleid über das dürftige weiße Haar.

Sehr bald indessen beschäftigte ihn nicht so sehr die Tote, welcher ja nicht mehr zu helfen war, als das gute, breite, weiße Bett, von dem die schmächtige Alte nur einen bescheidenen Teil einnahm. Ach, wie lange hatte Jakubson nicht in einem solchen Bett gelegen! Und wie müde war er vom langen Stadtstreichen und vom langen Kartenspielen, von der Flucht und dem Südwein und dem klaren Spiritus!

Unter solchen Bewandtnissen fiel es Jakubson nicht sehr schwer, seinen Entschluß zu fassen.

Jakubson machte nicht viel Umstände mit der Toilette, das war nicht seine Gewohnheit. Gerade der Stiefel entledigte er sich, und die Ziehharmonika, die an einem alten Riemen vor dem linken Hüftknochen zu baumeln pflegte, die legte er auf einen Stuhl; hierbei verbrauchte er sein drittes und letztes Streichholz. Dann murmelte er etwas vor sich hin und kroch unter die Decke.

Jakubson schläft, und wir wollen jetzt wieder zu Frau Ältester Heydenacker zurückkehren. Aber nein, wir sind ja schon seit einigem zu ihr zurückgekehrt, und so bleibt uns nachzutragen, daß ihre Wohnungsgeberin den Neffen der Verstorbenen, den Hofgerichtsadvokaten Kawelkamp, in seinem Haus nicht angetroffen hat. So hat sie ihre Trauerbotschaft dem Diener des Hofgerichtsadvokaten bestellt, der wird sie seinem Herrn gleich bei der Heimkehr weitergeben, und ohne Zweifel wird sich der Herr Hofgerichtsadvokat gleich morgen früh im Sterbehause seiner Tante einfinden.

Es ist taghell, als Jakubson erwacht. Er fühlt sich schön ausgeschlafen und dehnt wohlig seine Gliedmaßen. Aber er hat seine klaren Sinne nicht ganz aus dem Schlaf zurückerhalten und kann nicht recht begreifen, was da eigentlich neben ihm liegt und wie er überhaupt hierher geraten ist. Er schließt die Augen, er denkt nach, und darüber fällt er noch einmal in einen leichten und glücklichen Morgenschlummer.

Er wird wach von einem zornigen und gewalttätigen Geschrei. Er meint, es müssen zehn tobende Menschen im Zimmer sein, aber es sind nur zwei, nämlich die russische Mietwirtin und der Hofgerichtsadvokat Kawelkamp.

Jakubson reibt sich die Augen, blinzelt umher und macht ein betrübtes Gesicht; es sind schon mehr böse Worte auf ihn herniedergegangen, als er aufnehmen und behalten kann, und noch immer hat es kein Ende.

«Schweinehund! Leichenschänder! Einbrecher! Nach Sibirien bringe ich dich!» schreit der Hofgerichtsadvokat, ein langer dürrer Mann mit flohfarbenem Backenbart und einer runden, in Gold gefaßten Brille vor zornigen kleinen Augen. Und dann ächzt die dicke, niedrig gewachsene Russin dazwischen mit ihrer kurzatmigen Stimme: «Gott, mein Gott! Und in meinem Hause! Herr, erbarme dich! Herr, wolle es nicht zurechnen!»

Aber es ist dem Hofgerichtsadvokaten nicht genug, den armen Jakubson zu beschimpfen. Auch der Witwe muß er Vorwürfe machen.

«Sie dwatsches Frauenzimmer!» schreit er sie an. Und weil ihm einfällt, daß sie ja kein Deutsch versteht, so fährt er in seinem fehlerhaften Russisch fort: «Sie sind schuld an allem! Wie konnten Sie denn weglaufen und das Fenster offenlassen? Was?»

«Aber ich bitte Sie, sehr geehrter Herr!» ruft die Witwe gekränkt. «Ich habe Ihr Tantchen gepflegt, wie eine leibliche Mutter bin ich ihr gewesen. Und jetzt wollen Sie mich beleidigen? Ich habe keinen Mann mehr, ich stehe unter Gottes Schutz, alle Menschen müssen einmal sterben; Sie, sehr geehrter Herr, Sie werden vor Gott verantworten müssen, was Sie da sagen. Als ob nicht Unglück genug in mein Haus gekommen wäre! Und wissen Sie denn nicht, Euer Hochwohlgeboren, daß man das Fenster öffnen muß, um die Seele hinauszulassen, wenn jemand gestorben ist?»

«Meinetwegen», erwiderte der Hofgerichtsadvokat. «Aber was glauben Sie denn, wie lange die Seele der gnädigen Frau braucht, um den Weg aus Ihrer Dreckbude zu finden? Die ist froh, wenn sie draußen ist. Warum in Teufels Namen haben Sie das Fenster denn nicht wieder zugemacht? Wissen Sie, was Sie getan haben? Das ist fahrlässige Beihilfe zur Leichenschändung! Dafür kann ich Sie vor Gericht bringen!»

«Ich gebe ja zu, ich habe vergessen, das Fenster wieder zu schließen», antwortet die Frau und schnauft dabei vor Kurzatmigkeit und vor Erregung. «Aber sonst habe ich alles getan, was ein Mensch tun kann! Zur Apotheke bin ich gelaufen, Medizin habe ich geholt, Krankenwein habe ich eingekauft. Ich habe in der Dunkelheit den weiten Weg bis zu Ihnen gemacht, Euer Hochwohlgeboren, und ich habe der gnädigen Frau – Gott soll ihr das Himmelreich geben! – die Augen zugedrückt und die Hände zusammengelegt, und wenn sie eine Rechtgläubige gewesen wäre, dann hätte ich ihr noch eine Sterbekerze hineingesteckt.»

«Aber als Sie von mir zurückgekommen waren, da hätten Sie doch noch einmal hineingehen und nach dem Rechten sehen müssen!»

«Warum? Was sollte ich hineingehen, sehr geehrter Herr? Verstorbene rennen nicht weg. Es war ja nichts mehr zu verrichten, und wer läuft denn für nichts in ein Zimmer, wo ein Toter liegt?»

Hierauf weiß der Hofgerichtsadvokat nichts mehr zu erwidern, und so fallen sie denn alle beide von neuem über Jakubson her.

Jakubson hat ein wenig Mut geschöpft, da er innegeworden ist, daß seine Angreifer sich gegenseitig in die Haare gerieten. Er ist inzwischen unter der Decke hervorgekrochen und sitzt nun auf dem Bettrande, mit dem Anziehen seiner Stiefel beschäftigt; den Rücken hat er vorgekrümmt, den Kopf tief in die Schultern geduckt, als wolle er ein ungutes Regengestöber ablaufen lassen.

Endlich hebt er den Kopf wieder und sieht die Scheltenden verständnislos an, wie ein unschuldig Leidender.

«Steh auf, Leichenschänder!» schreit der Hofgerichtsadvokat. «Du kommst nach Sibirien!»

Jakubson steht gehorsam auf. «Aber warum soll ich denn nach Sibirien kommen?» fragt er bescheiden. «Das kann ich nicht verstehen. Was habe ich denn getan? Das kann doch keine Leichenschändung sein, das ist doch in allen Ehren geschehen. Und ich bin ja kein Einbrecher. Das wissen Sie doch selbst, Herr Hofgerichtsadvokat. Wie oft habe ich an Ihrer Tür geklingelt, und sie haben mir fünf Kopeken geben lassen. Oder ich bin in Ihrer Küche gewesen, und man hat mir einen Teller Suppe gegeben, gute Suppe mit Fleischklößen, nichts zu sagen. Aber nicht ein Stückchen Zucker habe ich aus Ihrer Küche weggetragen. Nein, so etwas müssen Sie mir nicht vorwerfen. Wenn ich schlechte Gedanken gehabt hätte – die alte gnädige Frau hat doch den schönen goldenen Trauring an der Hand und den anderen Ring mit dem großen violetten Stein. Habe ich denn irgend etwas angerührt?»

«Und seine Ziehharmonika hat er noch mitgebracht!» ruft der Hofgerichtsadvokat. «Hast wohl gar noch Musik gemacht? Musik im Angesicht des Todes? Oder gepfiffen?»

«Aber wo werde ich denn Musik gemacht haben?» antwortet Jakubson. «Ich weiß doch auch, was sich ziemt. Und gepfiffen habe ich ebensowenig, ich wollte ja alles unnütze Geräusch vermeiden. Nein, gebetet habe ich noch für sie. Und dann habe ich mich ganz still hingelegt, mit aller Vorsicht, und breitgemacht habe ich mich auch nicht, bei Gott!»

In all seiner Ängstlichkeit kommt ihm ein lustiger Gedanke, er will ihn nicht äußern, aber so etwas kann man schlecht bei sich behalten, und so zwinkert er ein bißchen nach seiner Gewohnheit und sagt dann: «Sogar gefragt habe ich, in aller Ehrerbietung gefragt. Die gnädige Frau hat nichts dagegen gehabt.»

Der Hofgerichtsadvokat geht drohend auf ihn zu, aber er prallt zurück und schreit: «Besoffener Halunke! Nach Schnaps stinkst du auch noch!» Und im gleichen Augenblick hat die Wirtin die leere Südwein- und leere Spiritusflasche entdeckt, und jetzt hebt das Schelten und das Schnaufen von neuem an. Jakubson steht stumm da, mit gesenktem Kopf, und nur dazwischen hebt er das Gesicht und sieht den Hofgerichtsadvokaten bekümmert an.

«Herr Hofgerichtsadvokat», sagt er endlich, als die beiden für einen Augenblick innehalten, «Herr Hofgerichtsadvokat, jeder hat nur ein Leben, er muß sehen, daß er sich das erhält. Und wenn Ihr Leben bedroht ist, Herr Hofgerichtsadvokat, – was tut der Mensch nicht in einem solchen Fall?»

Und nun schildert er, wie die Ungerechten hinter ihm her gewesen sind mit finnischen Messern und Fleischerbeilen, wie er halbtot gewesen ist vor Schreck und wie er eine Stärkung nötig gehabt hat. Der Hofgerichtsadvokat lacht höhnisch und voller Geringschätzung bei dieser Geschichte, und die Wirtin tut es ihm nach.

«Und ich bitte, was hat es denn der Toten geschadet?» fragt Jakubson treuherzig. «Ja, wenn sie noch das Leben gehabt hätte!»

«Was es ihr geschadet hat?» wird ihm geantwortet. «Ihr Andenken ... ihr Ruf ... eine Schändung ist es! Es wird herumgeredet werden –»

«Mein heiligstes Ehrenwort», beteuert Jakubson. «Keiner Menschenseele werde ich ein Wort erzählen.»

Er machte eine kleine Pause, er schluckte ein wenig, und dann sagte er tapfer: «Und dann ist da noch etwas, Herr Hofgerichtsadvokat. Nämlich, ich bin doch gewissermaßen der letzte Mensch, der mit der gnädigen Frau zusammen gewesen ist. Wenn ich da bitten dürfte: ein kleines Andenken hätte ich wohl gern.»

Niemand antwortet. Der Hofgerichtsadvokat reißt die Tür auf und deutet, hochrot im Gesicht, mit dem abgespreizten Daumen der rechten Faust hinaus. Jakubson nimmt seine Ziehharmonika und seine Mütze, wirft noch einen Blick auf die Tote und entfernt sich mit einem bedauernden Kopfschütteln.

Damals waren in Reval noch allerlei sehr feststehende Trauergebräuche im Schwange. Zwei Tage nach dem Tode der Witwe Heydenacker fand die Leichenfeier im Kawelkampschen Hause statt, von dem aus unmittelbar danach der Trauerzug zum Friedhof von Ziegelskoppel aufbrechen sollte. Der große Saal war ausgeräumt und mit Palmen, Tannengrün und Strickbeerkraut düster geschmückt. Die Stühle standen in Reihen; diese Anordnung im Verein mit dem Harmonium ließ an ein Konzert denken.

Die Trauergäste begannen sich zu versammeln, schwarz

gekleidet und überdies Florschleifen an Kastorhut und Ärmel; die Herren in Frack und weißer Binde, und wer zur Verwandtschaft der Toten gehörte oder ihr auf andere Weise besonders nahegestanden hatte, der trug den schwarzen Frackkragen weiß eingekantet. Man begrüßte sich gemessen, man nahm Platz. Kein lautes Wort fiel, nur hie und da wurde wohlanständig geflüstert. Diener mit Servierbrettern gingen geräuschlos umher und boten jedem Gast das herkömmliche Glas Franzwein und das herkömmliche Leichenkonfekt an, ein zartes Makronengebäck aus der berühmten Studeschen Konditorei, weißglaciert und höchst kunstvoll mit schwarzen Traueremblemen in Schokoladenguß verziert, mit Urnen, Zypressen, Trauerweiden, Palmenzweigen, Kreuzen, Stundengläsern, zerbrochenen Ankern, Schädeln und gekreuzten Knochen. Alle nippten sie, alle kauten sie mit betrübten Gesichtern und warteten auf den Hausherrn und die Seinen. Denn es war hergebracht, daß diese als die nächsten Leidtragenden die Gäste nicht begrüßten, sondern erst unmittelbar vor dem Pastor eintraten und Platz nahmen. Einstweilen warteten sie im Nebenzimmer auf die Meldung, der Pastor habe das Haus betreten.

Plötzlich geschah in dieser feierlichen Stille ein Köpfewenden, Räuspern und Tuscheln. Mitten unter den Trauergästen wurde Jakubson bemerkt. Er war sauber rasiert und trug einen alten, schwarzen, ihm allzu weiten Rock, dem nur am linken Schoß ein Stückchen fehlte. Die Kragenaufschläge aber waren mit weißen Kreidestrichen eingefaßt. Es versteht sich, daß er seine Ziehharmonika nicht mitgebracht hatte; da man ihn jedoch sonst nie ohne sie zu Gesicht bekam, so scheint dieser Umstand immerhin der Hervorhebung nicht unwert.

Jakubson bewegte sich in gänzlicher Unbefangenheit. Er begrüßte diesen und jenen mit einer stummen Verbeugung und suchte sich seinen Platz; nicht gerade in einer der allervordersten Reihen, aber auch keineswegs ganz hinten oder am Rande einer Stuhlreihe. Er ergriff ein Glas Franzwein und einige Makronen, ja, binnen kurzem hatte er ein zweites Glas an sich zu bringen gewußt. Im übrigen betrug er sich geziemend; höchstens könnte gerügt werden, daß er ein wenig schmatzte.

Es war an jenem Morgen im Sterbezimmer freilich ausgemacht worden, der Vorfall sollte geheimgehalten werden. Aber aus wessen Schuld immer, diese Übereinkunft war durchbrochen worden, und es ist in Reval ja auch nicht leicht, Geheimnisse zu bewahren. So wußten denn manche unter den Trauergästen bereits, wie die Geizige, die Gastfeindliche eine sonderbare Gastfreundschaft nach ihrem Tode geübt hatte, und sie hatten nun manche Mühe, ihre lächelnwollenden Gesichter in schicklichen Trauerfalten zu erhalten.

Die Dienstboten waren in Unruhe und Verlegenheit. Sollte dieser Mann wirklich vom Herrn Hofgerichtsadvokaten eingeladen sein? Einige unter den Anwesenden stimmten flüsternd dafür, nach dem Hausherrn zu schicken; andere hatten die Meinung, man solle Jakubson unauffällig entfernen, bevor die Feier ihren Anfang nehme; indessen wäre dieses vielleicht nicht ohne einiges entweihende Geräusch abgegangen. So geschah denn vorderhand nichts, und jetzt öffnete sich auch schon die Seitentür, und der Hofgerichtsadvokat trat mit Frau und Kindern und einer Reihe Kawelkampscher und Heydenackerscher Verwandter ein. Unmittelbar darauf erschien im Ornat Pastor Sturm von der Olaikirche, zu dessen Gemeinde die Familie des Hofgerichtsadvokaten gehörte. Er war heute von einem sehr ernsthaften Gehaben, und wer ihn so sah, der hätte ihm die Fahrt nach Sellifer nicht glauben mögen; indessen ist sie bezeugt. Alle Anwesenden scharrten brauchgemäß zur Begrüßung mit den Füßen. Die Feier begann, und es war keine Möglichkeit mehr, in Sachen Jakubson das geringste zu unternehmen.

Das Harmonium präludierte. Nach den Eingangsworten des Pastors wurde ein Choral gesungen. Jakubson sang laut und andächtig mit. Er wußte nichts von jener eigentümlichen Befangenheit, die häufig auch singenskundige Menschen nötigt, inmitten des Gemeindegesanges stumm zu bleiben oder ihre Stimme in halber Höhe zu halten.

Nach dem Choral begann Pastor Sturm seine Ansprache, in welcher er das Lob der Abgeschiedenen verkündete. Jakubson hörte sehr aufmerksam zu, das Gesicht gehoben und dem Munde des aufrechtstehenden Geistlichen zugewandt. Der Pastor sprach von ihren Eltern, ihrem Gatten, den vielen Prüfungen ihres Lebens; er sprach von ihrem christlichen Sinne, ihrer Wohltätigkeit, Herzensgüte und Gastfreiheit. Bei solchen Erwähnungen nickte Jakubson gedankenvoll und in Zustimmung. Ja, einmal stieß er die neben ihm sitzende Ratsherrin Korbmacher mit dem Ellbogen an, um sie auf eine vornehmlich rührende und treffende Stelle aufmerksam zu machen und sich ihres Einverständnisses zu versichern.

Nach dem Schlußliede erhob sich die Versammlung, der Pastor trat zu den Hinterbliebenen, alle Gäste drängten gemessen dieser Gruppe zu, um den Leidtragenden murmelnd die Hand zu drücken. Während dieses Vorganges achtete niemand auf Jakubson. Als man sich seiner wieder erinnerte, war er verschwunden.

Nun geleitete ein langgedehnter Trauerzug die Verstorbene nach Ziegelskoppel. Abermals wurde gesungen, abermals redete Pastor Sturm von der trefflichen Artung der Abgeschiedenen und dem gerechten Schmerz der Zurückbleibenden. Allein es läßt sich nicht sagen, daß große Trauerausbrüche stattgefunden hätten. Der Sarg wurde in die Erde gelassen, ernst und höflich trat einer nach dem andern an das offene Grab und verrichtete stumm die abschließende Ehrenerweisung. Die Reihe der Erdstreuenden erschöpfte sich mit der russischen Witwe, in deren Hause Frau Ältester Heydenacker gestorben war. Obwohl eine Rechtgläubige, hatte sie sich bei der lutherischen Beerdigung eingefunden. Schnaufend warf sie unter der gesenkten Stirn hervor einen scheuen und wenig freundlichen Blick auf den Hofgerichtsadvokaten, bekreuzte sich eifrig und verschwand. Und hiermit hätte alles sein Ende haben können.

Da aber trat, ohne Scheu und in gänzlicher Sicherheit, Jakubson überraschend hinter einem Gebüsch hervor; er mag, so darf angenommen werden, heimlich auf dem rückwärtigen Trittbrett der letzten Kutsche nach Ziegelskoppel gelangt sein. Jakubson ging auf das Grab zu, die Mütze in der linken Hand zusammengeknüllt. Er warf ernsthaft drei Handvoll Erde hinunter und sagte sehr laut: «Auf Wiedersehen, gnädige Frau. Und ich bedanke mich auch.»

Danach setzte er seine Mütze auf, fuhr sich mit dem Rockärmel erst über die Nase, dann über die Augen – denn es war wohl schicklich, einige Traurigkeit zu bekunden –, und verschwand. Noch im Abgehen hörte man ihn pfeifen; kunstvoll hatte er all die Choralmelodien dieses Tages ineinandergeschlungen. Schließlich aber schien er doch wieder beim Jungfernkranz aus dem Freischütz angelangt zu sein.

Schneider und sein Obelisk

Ein junger Mensch, Jean Jacques Schneider, aus dem estländischen Städtchen Hapsal, hatte in Reval die Kaufmannschaft erlernt und war danach einige Jahre im Comptoir einer Reederei tätig gewesen. Als Superkargo begleitete er einen Segler seiner Firma noch Stockholm, lernte hier durch einen Zufall Ebba Risius kennen, die Tochter eines Advokaten, und verlobte sich mit ihr.

Der Advokat wollte seine Tochter keinem abhängigen Manne geben. Schneider solle warten, bis er selbständig sei. Der Advokat glaubte, damit sei die Heirat bis an die griechischen Kalenden verschoben, und seine Tochter werde sich inzwischen auf einen anderen besinnen. Denn wie sollte Jean Jacques Schneider es zur Selbständigkeit bringen, ein schüchterner junger Mann ohne Vermögen, ohne große Munterkeit des Geistes und, wie es dem Advokaten scheinen wollte, von geringen Gaben?

Ebba hingegen beharrte auf ihrer Erklärung, an ihm festhalten zu wollen, auch als er schon lange wieder in Reval war. Als Unterpfand eines glücklichen Ausganges nahm sie nicht so sehr ihres Jean Jacques etwaige kaufmännische Fähigkeiten, welche ja ihrem Urteil nicht zugänglich waren, als vielmehr die Erinnerung an seine zärtliche Stimme und an seine sanften, ein wenig traurigen Augen, dazu seine langen Briefe, aus denen ein Überfluß der Empfindung ihr entgegenströmte.

Schneider war fleißig und beharrlich, er sparte, er lernte Sprachen, er knüpfte Verbindungen an. Doch reichen ja bekanntermaßen solche Dinge nicht aus, einem mittellosen jungen Kaufmann die selbständige Etablierung möglich zu machen. Allein da fiel ihm eine unerwartete Erbschaft zu, und nun eröffnete er ein bescheidenes Geschäft, auf dessen goldgerändertem Porzellanschild in schön verschnörkelten und geschwänzten Buchstaben «J. J. Schneider, Spedition und Commission» zu lesen war. Der Advokat hatte verspielt, die Stockholmer Hochzeit wurde gehalten, dann brachte Schneider seine Frau nach Reval.

Es ist nicht nötig, viele Worte über das Glück der jungen Leute zu verlieren. Sie lebten sehr eingezogen. Ebba hatte als eine Stockholmerin in Reval keinen Anhang. Jean Jacques als ein Hapsaliter ebensowenig. Allein sie fanden aneinander ein volles Genügen. Des Abends saßen sie beisammen, Ebba über ihre Perlstickerei gebeugt, und der Lampenschein lag auf ihrem silberblonden Scheitel; Jean Jacques las ihr mit seiner wohllautenden Stimme die deutschen Dichter vor, welche er liebte. Dazwischen drangen ihm Tränen aufwärts in die Kehle, dann verstummte er, drückte Ebbas Hand und suchte mit seinen vergißmeinnichtfarbenen Augen ihr Gesicht. An anderen Abenden blies er auf der Flöte «Philomele, süßer Schall» oder «O silberne Selene!», und Ebba akkompagnierte auf dem Klavier. Auch spielten sie miteinander Schach, und Jean Jacques, der eine jahrelange Übung besaß, brachte es nicht über das Herz, seine Ebba matt zu setzen. So beging er zuallerletzt gewöhnlich irgendeine Mißgeschicklichkeit, die seinem Könige den Thron kosten mußte.

Diesem zärtlichen und stillen Leben wurde ein plötzliches Ende gesetzt. Ebba erkrankte und starb. Draußen in Ziegelskoppel, unter den alten Eichen, wurde sie begraben.

Jean Jacques Schneider war zu einem innigen und treuen Kummer geschaffen, nicht zu einer leidenschaftlichen Verzweiflung, und so sänftigte sich in nicht sehr langer Zeit die Raserei seines ersten Schmerzes. An ihre Stelle trat der Wunsch, ja, die Entschlossenheit, von der wunderbaren Harmonie dieses Lebens zu zweien das Festhaltbare festzuhalten in alle Dauer hinein.

Und warum sollte das nicht möglich sein? fragte sich Schneider. Wußte er denn nicht aus seinen Dichtern, aus seinem Flötenspiel, aus allen Ahnungen seines Herzens, daß der Geist stärker ist als die Bedingnisse der äußeren Welt?

So begann denn jenes wunderliche Treiben, dessen Erinnerung in Reval noch heute nicht ganz erloschen ist. Es hatte in seinem Anbeginn noch nichts Auffälliges; denn das ist ja natürlich, daß ein Hinterbliebener seine Gedanken auf das ihm Genommene wendet, und so war es dem Witwer natürlich, sein eigentliches Leben dort zu suchen, wo dessen Gefährtin lag. Mit Sorgfalt überwachte er die gärtnerische Herrichtung des Platzes; er beschäftigte sich eine geraume Zeit mit Überlegungen und Entwürfen, die auf ein würdiges Grabmal abzielten, er unterhandelte lange mit verschiedenen Steinmetzwerkstätten, er durchstreifte die Friedhöfe, hielt Umschau und trachtete, Anregungen zu gewinnen. Besonders taten es ihm dabei jene Baulichkeiten an, in denen Vorkehrungen für ein längeres Verweilen der Trauernden an den Gräbern ihrer Toten getroffen waren, in Gestalt von Überdachungen, verschließbaren Mausoleen, Ruhebänken. Und daß all das sich in Ansätzen erschöpfte, dies schrieb Schneider der Art der Menschen zu, welche ja anfangs häufig ihre Gräber besuchen, dann des Sonntags allein, zuletzt nur noch am Totenfest und endlich überhaupt nicht mehr, bis man sie in Särgen hinschafft.

Als Ergebnis all solcher trauerlichen Geschäftigkeit hob sich über Ebbas Grab auf viereckigem Sockel ein Obelisk von grauem Sandstein, übermannshoch, und die nach Osten gekehrte Seite trug, dem frühesten Morgenschein erreichbar, eine runde Bronzeplakette mit Ebbas Reliefbildnis. Die lange und nach der Weise der Zeit gefühlvolle Inschrift schloß mit den Worten: «Auf Erden war sie die Wonne ihres Gatten. Nun vermehrt sie in einer besseren Welt unter Freudentränen die Wonne der seligen Geister.»

Daneben stand unter einem Fliederbusch eine hölzerne Ruhebank, und hier pflegte Schneider viele Stunden hinzubringen. Doch empfand er wohl, daß der Örtlichkeit noch ein Charakter des Vorläufigen eignete, und dies wurde deutlicher, je mehr das Jahr sich dem Herbst entgegenneigte. An einem kühlen und nässenden Spätsommertage saß er fröstelnd unter dem aufgespannten Regenschirm und mußte bedrückt gewahren, wie schwer es ihm fiel, wetterlichen Unbilden zum Trotz seine Gedanken gänzlich auf Ebba gerichtet zu halten. Und wie, so fragte er sich, wie sollte es in den Wintermonaten werden, bei zehn, zwanzig Kältegraden, fadenhohem Schnee, schneidenden Winden?

In diesen Wintermonaten begannen in Reval sonderbare Erzählungen sich auszubreiten. Die Handwerker, die Schneider um das Grab seiner Frau beschäftigte, mögen als erste geredet haben. Bald warf mancher von denen, die den Friedhof von Ziegelskoppel besuchten, im Vorbeigehen neugierige Blicke auf das Bauwerk.

Es hatte damit begonnen, daß alles Gewächs entfernt und der Grabhügel eingeebnet worden war. Auf quadratischem Umriß um den Obelisken als Mittelpunkt entstanden Fundamente und Mauern. Nicht lange, so war das Gebäude aufgeführt und weißlich verputzt. Errichtet in der einfachen Tempelform des Altertums, glich dies Trauerhäuschen jenen Lusthäuschen, die sich in manchen Parks finden. Hinter dem griechischen Dreiecksgiebel verbarg sich das austretende Eisenrohr eines Kanonenofens. Aber jeder Blick in das Innere wurde verwehrt; denn im Gegensatz zu den üblichen Gruftbauten war die Vorderseite nicht offen und nur durch ein schmiedeeisernes Gitter versperrt geblieben, sondern der Eingang hatte durch eine Tür zu geschehen, die der Bauherr und Eigentümer verschlossen hielt. Und das kleine rückwärtige Fensterchen, das als Lichtgeber diente, lag hoch, hart unter der Decke.

Inmitten des solchergestalt geschaffenen Raumes stand nun der Obelisk. Der Boden war gepflastert und zur Abwehr der Kälte mit dicken Teppichen belegt. Und nun war alles dazu hergerichtet, unserem Jean Jacques Schneider durch jeden Wechsel der Jahreszeit ein unbeeinträchtigtes Trauern zu gestatten.

Hierbei jedoch sollte es sein Bewenden nicht haben, denn mit der Zeit meldeten sich neue Bedürfnisse; Schneider säumte nicht, ihnen Genüge zu tun. Wie wohl ein eifriges Kind immer neue Kostbarkeiten mit glühenden Wangen in eine geliebte und verborgene Spielecke schleppt, so brachte er bei jedem Friedhofsbesuch ein Stückchen Hausrat mit, und auf solche Weise entstand allmählich eine wohlgeordnete kleine Wirtschaft.

Alle diese Anstalten überstiegen eigentlich Schneiders Vermögenskräfte. Aber er lebte ja still und sparsam. Er spielte nicht Karten, er besuchte weder Klub noch Theater. Er arbeitete fleißig die Woche über. Sonntags aber, wenn er die Predigt gehört und sein einsames Mittagsmahl verzehrt hatte, dann fuhr er in seinem kleinen Kabriolett, das je nach der Jahreszeit auf Räder oder Schlittenkufen gesetzt werden konnte, mit seinem sanften Schimmelchen nach Ziegelskoppel hinaus. Das Gefährt wurde beim Friedhofsaufseher eingestellt. Schneider schloß sein Trauerhäuschen auf und heizte den Ofen. War der Raum durchwärmt, so legte er den Pelzmantel ab und schlüpfte in den geblümten Schlafrock. Er zog die Pantoffeln mit der Perlstickerei an, die Ebba ihm gearbeitet hatte; auf dem rechten waren zwei schnäbelnde Tauben, auf dem linken zwei rosenumkränzte Herzen zu sehen.

Hinter dem Kattunvorhang befanden sich in einer Ecke Brennholz, Wassereimer, Staubwisch, Besen und Schippe. Auf einem Wandregal standen Jean Jacques und Ebbas Lieblingsbücher, daneben lag die Flöte; auf einem anderen wurden allerlei Vorräte bewahrt. An Möbeln enthielt der Raum einen Tisch und einen gepolsterten Lehnsessel.

Dem Witwer wiederholten, ja verewigten sich bis in die kleinsten Einzelbewandtnisse die abendlichen, die sonntagnachmittägigen Stunden eines häuslichen und stillen Glükkes. Er blies auf der Flöte Ebbas Lieblingsmelodien, bis ein

aufsteigendes Schluchzen ihn zum Innehalten nötigte. Manchmal nahm er das Schachbrett vom Regal, loste mit geschlossenen Augen, wer Schwarz und wer Weiß bekam, und begann eine Partie. Oder er legte eine jener Patiencen, an denen er mit Ebba zusammen eine Zerstreuung gefunden hatte; freilich war ihm nie recht bewußt geworden, daß Ebba an dieser Verrichtung kaum je einen anderen Anteil genommen hatte, als daß sie ihn freundlich lächelnd fragte: «Nun, mon ami, wird es aufgehen?» Er bereitete sich den Kaffee und rauchte den guten finnländischen Knaster, dessen Geruch Ebba als aromatisch gerühmt hatte. Manchmal brachte er Ebbas Lieblingsblumen, häufiger Ebbas Lieblingsgebäck und Lieblingskonfekt mit und ließ es langsam im Munde zergehen. Gern las er mit halblauter Stimme in den Büchern, die er mit Ebba gelesen hatte. Besonders liebte er Jean Pauls Aufsätze über das Immergrün unserer Gefühle, das Leben nach dem Tode und den Trost bei dem Totenbette einer Freundin. Und er las auch das Buch vom Armenadvokaten Firmian Stanislaus Siebenkäs, freilich nicht ohne eine Einschränkung; denn nie hätte er sich erlaubt, fortzulesen über die Verpfändung des künstlichen Brautstraußes hinaus. Bei diesem Kapitel nämlich hatten sie gehalten, als Ebba erkrankte; es umschloß die letzten Entzückungen, die er mit ihr hatte teilen dürfen.

Ab und zu unterbrach er sich, legte Holz nach und warf einen gerührten Blick auf Ebbas Reliefbild, das nun freilich von keiner Frühsonne mehr angeglüht werden konnte.

Am vorgerückten Nachmittag setzte er abermals Wasser auf und mischte sich einen kräftigen Punsch. Sein Abendbrot bestand aus kalter Küche, doch ging er mit der Zeit zu einiger Abwechslung über; denn das Kanonenöfchen bot eine angenehme Gelegenheit, Ochsenaugen, Klops oder Heringspfännchen zu bereiten.

Spät am Abend erst machte er sich an den Heimweg, und ehe er aufbrach, besorgte er noch mit Genauigkeit allerlei kleine häusliche Verrichtungen, als: Fegen, Lüften, Wasserholen und Lampenreinigen.

Auf diese Weise ging es fort durch die Jahreszeiten und durch die Jahre.

Es versteht sich, daß es anfänglich in Reval viel Gerede, viel Kopfschütteln, viel Anstoß und Neugier gesetzt hatte. Allein dergleichen pflegt ja nach und nach von der Gewöhnung eingeschluckt zu werden. Viele freilich fuhren fort, Jean Jacques Schneider für närrisch zu halten. Andere aber meinten, es drücke sich hier doch ein rührendes Gemüt aus, und man könne eigentlich die Frau beneiden, der eine solche Herzenstreue sich zuwende. Ja, so müsse man geliebt werden wie Ebba Schneider! Unter denen, die so dachten, waren viele junge Mädchen und junge Frauen. Und wenn Schneider auch nicht mehr so fein und schmächtig war wie damals als Superkargo oder als junger Prinzipal, sondern rundlich geworden an Bauch und Bäckchen, so war er doch immer noch angenehm zu sehen mit seinen schönen vergißmeinnichtfarbenen Augen und seinem freundlichen Lächeln, dessen Wehmut sich um ein weniges verringert hatte.

Denn das ist nun nicht zu verhehlen, daß der Trauernde allmählich, ihm selber unvermerkt, in ein Behagen hineingeraten war, in ein Behagen und in liebe Gewohnheiten. Dies ganze Sonntagsleben, das er sich so fürsorglich aufgebaut hat, das ist auch nicht mit einem Male und nach einem vorgefaßten Plan ins Werk gerichtet worden, sondern es hatte alles im allmählichen Verfluß der Zeit sich entwickelt und immer eines aus dem andern folgerecht sich ergeben. Anfangs war doch Schneider nur bedacht gewesen, sich von der Witterung der bösen Jahreszeit in seiner Trauer nicht stören zu lassen; dann hatte er durch ein bescheidenes Sorgetragen für die Nahrung hindern wollen, daß die Bedürfnisse seines noch unverklärten Leibes ihn in seinem innigen Geistesleben an der Seite der Verklärten beeinträchtigten. Aber es haben ja alle Dinge auf Erden ein Bestreben nach Wachstum, Ausbreitung und Herrschaft.

So war Schneider längst vom Lieblingsgebäck der Frau zu seinem eigenen übergegangen, nachdem er erst noch eine Weile hindurch bei seinen Einkäufen die verschiedenen Sorten hatte mischen lassen. Auch in seiner Lektüre hatte sich eine Wandlung begeben, denn ohne daß er selber es gewahr wurde, hatte er eines Tages über die Brautstraußverpfändung weitergelesen bis zum Schwenkschießen und zum Glanze des Reisens und zu den Gärten des Schlosses Fantasie und Firmians Begegnung mit der himmlischen Natalie. Und nun war es einmal geschehen, und Ebba hätte gewiß nichts dagegen gehabt, um so weniger als ja Schneider redliche Tränen vergoß über den Tod der geliebten Lenette Stiefel, vormals Siebenkäs, gewesenen Jungfer Egelkraut aus Augsburg. So ergötzte er sich an den Abenteuern des Apothekers Marggraf, des Feldpredigers Schmelzle, des Doktors Katzenberger und des Luftschiffers Giannozzo die folgenden Sonntage über. Später griff er auch zu allerhand frisch erschienenen Büchern, er übte sich neuaufgekommene Flötenstücke ein. Und was das Patiencelegen angeht, so hatte er lange schon den beschränkten Kreis seiner Ehezeit hinter sich gelassen. Er hielt sich nicht mehr an die große Harfe oder die Bildergalerie, bei denen Ebba ihm zugesehen hatte, sondern er war kühnlich zur Achter, Zehner, zur Napoleonspatience übergegangen. Allein auch unter so veränderten Umständen hielt er treulich fest an der allsonntäglichen Fahrt nach Ziegelskoppel, gleichwie andere Revalenser des Sonntags ihre Lustfahrten nach Katharinental, Tischer, Kosch oder St. Brigitten richteten.

Eines Nachmittags, als Schneider so recht behaglich an seiner Pfeife sog, den Sommerregen auf das Dach prasseln hörte und sich sein gutes Sonntagshaus lobte, wurde gegen die Tür gepocht. Nun hatte Schneider an diesem Tage bereits einige Gläser Punsch getrunken, um der schädlichen Feuchtigkeit der Luft entgegenzuwirken, und so war er nicht nur nachsichtig gestimmt gegen eine unziemliche Störung, sondern auch in einer Laune neugieriger Kühnheit gegenüber dem Ungewöhnlichen. Nach kurzem Besinnen ordnete er mit ein paar Griffen seine Halsbinde und verließ den Lehnsessel.

Indessen pochte es ein zweites Mal, und eine Stimme rief: «Liebster Herr Schneider, gönnen Sie uns für einige Augenblicke eine Zuflucht vor dem Regen!»

Schneider öffnete und erblickte einen Bekannten, welcher beim Hafenzoll angestellt war und in Geschäften seines Dienstes häufig mit der Firma J. J. Schneider zu tun gehabt hatte. Doch war der Beamte, übrigens ein wohlerzogener junger Mann, keineswegs allein – was ja seine ersten Worte bereits zu erkennen gegeben hatten –, sondern es fand sich in seiner Begleitung ein schlankes Mädchen in einem hellen, duftigen Sommerkleide, und der Beamte stellte dies Mädchen als seine Schwester Alwine vor; gemeinsam hatten sie das Grab ihrer Eltern besucht und waren vom Regen überrascht worden.

Schneider bewillkommte in einiger Verwirrung seine Gäste und starrte auf den großen bebänderten Schutenhut, der ein regelmäßiges, ovales Gesicht mit freundlichen braunen Augen umrahmte. Alwine setzte den regenschweren Hut ab, und nun kam ein reiches, kastanienfarbenes Haargeflecht zum Vorschein.

«Wir müssen sehr um Verzeihung bitten, daß wir hier in einer Stunde stillen Gedenkens eindringen», sagte das Mädchen errötend.

«Aber ich bitte, Mademoiselle», antwortete Schneider. «Es wäre gewiß am wenigsten nach dem Herzen meiner seligen Frau, jemandem bei Regenwetter ein Obdach zu versagen.»

Nun herrschte eine kleine Befangenheit. Aber da besann sich Schneider, daß er seinen Gästen mit Rücksicht auf die ausgestandene Feuchtigkeit wohl einen wärmenden Schluck anzubieten schuldig sei. Also wurde Holz nachgelegt und Wasser aufgesetzt, Alwine griff zu, und bald gab es wieder Kaffee und Punsch, und daß sich allerhand kleine Schwierigkeiten einstellten, weil ja alle Vorkehrungen dieses Haushalts nur auf einen einzigen Menschen zugerichtet waren, dies eben erzeugte rasch ein Miteinander-Tätigsein und ein Miteinander-Vertrautwerden.

Schneider zeigte nicht ohne Stolz seinen Gästen alle Einrichtungen seiner kleinen Wirtschaft, lobte bescheiden ihre Zweckmäßigkeit und nahm gern ein bestätigendes Lob von dem Zollbeamten und dem freundlichen Mädchen entgegen. Dann aber begann er hastig und unvermittelt, als entsinne er sich plötzlich einer beschämenden Versäumnis, von seiner seligen Ebba zu sprechen, bekam darüber in der Tat redliche Tränen der Rührung in die Augen, und Alwine sah ihn mitleidsvoll an. Gleichwie Erzvater Jakob – so erzählte Schneider tropfenden Auges und ein wenig beklommen, denn er merkte, daß er die verzwickte Geschichte nicht mehr gänzlich im Kopfe hatte – sieben Jahre um Erzmutter Rahel dienen mußte, so habe er um Ebbas willen hart, aber voll Freudigkeit arbeiten und sich quälen müssen, bis er es endlich zur eigenen Firma gebracht habe; denn daß hierbei die Erbschaft den Ausschlag gegeben hatte, dies war in seinem Gedächtnis im Laufe der Zeit ein wenig in den Hintergrund gerückt. Und als endlich die Rosenketten des Glücks gewunden waren, mit welcher Unbarmherzigkeit wurden sie zerrissen! Bei solchen Schilderungen mußte auch Alwine sich einige Male über die großen braunen Augen fahren, und sie tat es mit einem winzigen, zarten Spitzentüchlein und auf eine anmutige, wiewohl ernste Weise. Hierbei sah Schneider dankbar zu ihr hinauf, denn selbstverständlich war ihr der gepolsterte Lehnsessel eingeräumt worden, während die beiden Männer es sich zu Füßen des Obelisken auf dem Teppich bequem oder unbequem gemacht hatten. Alwine stellte Fragen, sie hing mit den Blicken an Schneiders Munde; immer mehr wollte sie hören von diesem vergangenen Glücksleben, dieser getreuen Liebe und dieser herzlichen Wehmut.

Immer noch rauschte draußen der Regen. Es war natürlich, daß die Geschwister Schneiders bescheidenes Abendbrot teilten. Sie taten es ohne Ziererei und unter angenehmen und freundschaftlichen Gesprächen. Spät erst ließ der Regen nach, und der Mond trat milde aus den Wolken. Ehe sich die drei zum Aufbruch anschickten, wollte Schneider sich an seine herkömmlichen Hausarbeiten machen; allein das ließ Alwine nicht zu, sie erklärte dergleichen für Frauensache, sie fegte und räumte auf, und Schneider sah in wohlgefälliger Bewunderung ihren flinken Bewegungen zu.

Man war nun vertraut geworden, und Schneider lud die Geschwister ein, in seinem Kabriolett mit ihm zur Stadt zurückzufahren. Das Kabriolett war klein, man mußte sich arg zusammenpressen, und so geschah die Rückfahrt in einiger Wärme und Munterkeit.

Als Jean Jacques Schneider am folgenden Sonntag hinausfuhr, nahm er sich einiges an Tassen, Gläsern, Tellern und Bestecken mit, denn es könnte doch, so versicherte er sich, dieses oder jenes Stück schadhaft werden, da möchte es gut sein, etwas im Vorrat zu haben. Und in der Tat vergingen nur zwei Sonntage, da hatte er Anlaß, das neubeschaffte Gerät in Benutzung zu setzen, freilich ohne daß zuvor etwas zerbrochen wäre. Denn die Geschwister stellten sich ein, diesmal ohne Regen, und Alwine brachte einen Strauß weißer Rosen mit, den sie schweigend vor Ebbas Reliefbildnis zu Füßen des Obelisken niederlegte. Schneider drückte ihr ergriffen die Hand.

Auf dem Tische stand eine angefangene Schachpartie, und es fügte sich so, daß Alwine die Stelle der Toten einnahm, nachdem der Bruder sich erinnert hatte, daß er ja willens war, noch das Grab eines Jugendfreundes aufzusuchen. Schneider setzte sie matt; erst als es zu spät war, fiel es ihm vorwürfig ein, daß er bisher die Tote meist hatte gewinnen lassen. Danach nahm er die Flöte und blies klangvoll und wehmütig: «Philomele, süßer Schall».

Die Besuche wiederholten sich, Alwine brachte ihre Handarbeit mit, ein zweiter Lehnsessel wurde hinaus geschafft. Es kam dahin, daß Schneider mit Ungeduld dem Sonntag entgegensah und doch etwas wie eine Gewissensbedrängnis deswegen verspürte. Aber dann schärfte er sich ein, daß er ja in der von ihrem Bruder begleiteten Alwine einen Trauergast empfange, der an dieser Stätte Ebbas zu gedenken und seinen ehrfürchtigen Mitschmerz zu bezeigen vorhabe; hierbei erinnerte er sich, von einer italienischen Friedhofssitte gehört zu haben, daß nämlich am Allerseelentage Visitenkartenschalen an den Gräbern aufgestellt werden und die Hinterbliebenen nach der abendlichen Heimkehr mit Neugier, mit Stolz oder Enttäuschung die abgegebenen Karten zählen und feststellen, wer alles an ansehnlichen Leuten ihrem Toten die Ehre geschenkt hat. Und Schneiders hatten ja so sehr außerhalb aller Revaler Geselligkeit gelebt, da war bisher noch niemand gekommen, das Grab seiner Ebba aufzusuchen. Denn die Neugierigen, die sich im Anfang der Bautätigkeit hinzuschleichen suchten, die zählte Schneider nicht.

Jean Jacques Schneider prüfte ernsthaft sich und sein Leben. Er erkannte betroffen und beschämt, daß Ebba an seinen Sonntagen nicht immer so zugegen gewesen war, wie es hätte sein müssen. Aber das sollte anders werden! Denn nun hatte er ja jemanden, der seiner wankenden Trauer und Treue den Stab machen konnte. Gemeinsam würden sie dem Andenken der Seligen ihre Herzen und Sonntage hingeben.

Es ist ja klar, daß ein Erzählender nicht wohl tut, sich und den Hörer mit dem durchaus Selbstverständlichen aufzuhalten. So muß wohl nicht berichtet werden, wie Jean Jacques und Alwine sich verlobten, aufgeboten wurden und heirateten. Selbstverständlich ist es auch, daß sie am ersten Sonntag ihrer Ehe mit einer besonderen Feierlichkeit nach Ziegelskoppel hinausfuhren, Schach spielten, Patience legten und lasen. Und als Jean Jacques seine Alwine vor Ebbas Reliefbild in die Arme schloß, da rollten ihm Tränen über die wohlrasierten und wohlgerundeten Wangen, denn er fühlte die segnende Gegenwart der Verklärten, die das in ihrem Namen geschlossene Bündnis heiligte: eine einzige wunderbare Harmonie sollte von nun an drei gleichgestimmte, drei schöne und zärtliche Seelen vereinigen.

Allein zu den Selbstverständlichkeiten gehört es wohl auch, daß die Anwohner der zum Friedhof Ziegelskoppel führenden Straße in der Folge Anlaß erhielten, sich zu wundern, wiewohl nicht von heute auf morgen. Es kam dahin, daß sie kopfschüttelnd und in Besorgnissen zu raunen begannen, es sei die alte Regelmäßigkeit nicht mehr auf der Welt. Denn nicht mehr unverbrüchlich sei es, daß man Herrn Schneider jeden Sonntag in seinem Kabriolett nach Ziegelskoppel fahren sehe; schon habe er sich hin und wieder eines Mietwagens bedient, auch wohl den Weg zu Fuß gemacht, ja, an manchen Sonntagen sei man seiner überhaupt nicht mehr ansichtig geworden.

Es hat begreiflicherweise seine Zeit gebraucht, bis die Dinge auf diesen Stand kamen, ob auch keine übermäßig lange. Zunächst freilich war alles, wie es sich unser guter Jean Jacques vorgemalt hatte. Alwine trieb Perlstickerei, Alwine ließ sich Jean Paul vorlesen, Alwine akkompagnierte Jean Jacques Flötenspiel auf dem Klavier; es wurde Schach gespielt, es wurden Patiencen gelegt. Das alles geschah wochentags zu Hause, sonntags, das Klavier abgerechnet, in Ziegelskoppel.

Unmerklich aber wandelten sich Geruch und Geschmack dieser Dinge. Über dem Titan schlief Alwine ein, das Campanertal erklärte sie für langweilig. Zur silbernen Selene und «Philomele, süßer Schall» wußte sie nur noch zu sagen: «Ach, Jean Jacques, das hast du schon so oft gespielt.» Es war wohl auch gewiß, daß es modischere und flottere Musikstücke gab, und Schneider erinnerte sich mit Beschämung, daß es eine Zeit gegeben hatte, da auch er der Lockung neuerer Flötenweisen erlegen war. Aber war denn der Bund nicht über Ebbas Grabe geschlossen und geschlossen in ihrem Andenken? Selten nur noch, wenn er allein zu Hause war, blies er Selene und Philomele; ach, diese Melodien bedrückten ihn immer schwerer, zuletzt ließ er sie ganz fort.

War es denn wirklich so gemeint gewesen, daß nun ohne eine Ausnahme jeder, jeder Sonntag zur Fahrt nach Ziegelskoppel benutzt werden mußte? Hin und wieder, gewiß! Hin und wieder, meinetwegen! Aber was wird denn die Welt sagen, wenn Alwine fortdauernd zum Grabe ihrer Vorgängerin wallfahrtet? Dergleichen mochte für einen Witwer seine Schicklichkeit gehabt haben, aber ein Witwer war doch Jean Jacques nicht mehr!

Solche Meinungen mußte Schneider häufig hören, es blieb nicht bei den Meinungen. Ja, ihm selbst kam die Frage: wie durfte man denn sagen, Ebba sei zugegen, wenn Alwine und er nach dem Abendbrot beisammensaßen und sich keinesfalls darüber einigen konnten, ob jetzt die Coeur-Sieben oder der Pique-Bube in Bewegung zu setzen war?

Ach, die Reihe der Selbstverständlichkeiten ist noch nicht beschlossen, denn unter die Selbstverständlichkeiten gehört wohl auch dies, daß Alwines zärtlicher Gefühlsreichtum sich verzehrte – ob er nun von der Mode ihr anerzogen gewesen war oder angelesen oder angeflogen wie ein süß duftender Blütenstaub, den nach wenigen Frühlingstagen der Wind wieder davonführt. Genug, Jean Jacques meinte eine Veränderung zu gewahren gleich dem Armenadvokaten Siebenkäs, dessen geliebte Lenette, die gewesene Jungfer Egelkraut aus Augsburg, sich ja auch zu einem rührenden kleinen Teufel mit Staubwisch und Scheuerlappen entwickelt hat.

Im übrigen ging manches vortrefflich. Alwine hatte von Mutterseite her ein hübsches kleines Erbteil, das nun ins Geschäft gesteckt worden war und es wohltätig belebte; so wohltätig, daß die Firma sich zu dehnen begann und daß die Einstellung eines Prokuristen sich notwendig machte. Dieser wurde gefunden in der Person des Herrn Schmidt, eines geschäftigen und gefälligen Mannes mit munteren schwärzlichen Augen und munteren schwärzlichen Favoris.

Alwine beanspruchte Schimmel und Kabriolett zu sonntäglichen Ausfahrten nach Katharinental, Tischer, Kosch und St. Brigitten. Schneider gestand ihr das Fuhrwerk seufzend zu; er kutschierte und mußte unterwegs häufig zu feiertäglicherer Heiterkeit der Miene ermahnt werden. Hatte er es sich aber durchaus in den Kopf gesetzt, allein nach Ziegelskoppel zu wallfahrten, so fand sich für Alwines Ausflüge ein munterer Begleiter in der Person des Herrn Schmidt.

Eines kalten Wintersonntags, nachdem Jean Jacques Schneider seit fünf Wochen nicht mehr in seinem Trauerhäuschen gewesen war, machte er sich bekümmert auf den Weg zum Friedhof. Er ging zu Fuß, denn Alwine und Herr Schmidt hatten das Schimmelkabriolett zu einer Schlittenfahrt genommen. Schneider fand eine grauenvolle Veränderung vor. Die Tür war erbrochen, der Raum leer. Der Teppich, die beiden Lehnsessel, die Vorräte, die Pfeife, der gute finnländische Knaster, die Bücher, das Schachbrett, der geblümte Schlafrock und die Pantoffeln mit der Perlstickerei von Ebbas Hand, das Brennholz, der Besen, Teller und Gläser und Bestecke, alles fehlte. Nichts, nichts fand sich mehr in dem öden Raume als der steinerne Obelisk. Doch hatte der Einbrecher alles unterlassen, was seine Tat in die Nachbarschaft einer Grabschändung hätte rücken können. Ja, er hatte den sonderbaren Humor gehabt, einen riesigen düsteren Kranz, der von einem frischen Grabe stammen mochte, zu Füßen des Obelisken niederzulegen; so stellte sich das Geschehene weniger als ein Frevel dar, denn als ein erzieherischer Hinweis von volksmäßiger Deutlichkeit.

Da hockte denn Jean Jacques Schneider auf dem steinernen Boden und weinte. Er schlang die Arme um den Obelisken; es war ihm kein anderer Halt geblieben als dieser. Aber er weinte nicht um die toten Dinge, obwohl doch in den Jahren seit Ebbas Fortgang ein jedes von ihnen sein Leben gewonnen hatte und ein Stück seines eigenen Lebens geworden war.

Jean Jacques Schneider hatte nicht den Gedanken, zum Friedhofsaufseher zu gehen oder nachher in der Stadt den Vorfall zur Kenntnis der Behörden zu bringen. Nicht der Einbrecher, er selbst war schuldig: er, der Treulose, der Verräter und Verleugner. Er erfuhr eine Erschütterung, und sie war mächtiger als jene, die er an Ebbas Totenbett erfahren hatte. Denn nun erst litt er jenen großen Schmerz, der nichts Spielerisches mehr in sich duldet; denn nun erst gewahrte er die Vergänglichkeit in ihrer unerbittlichsten Form: nicht daß Ebba von ihm, sondern daß er von ihr gegangen war; nicht daß Ebbas Leben hatte vergehen müssen, sondern daß seine Treue und Trauer hatten vergehen können. Ja, er erkannte auch, daß sein Abfall schon begonnen hatte inmitten seiner Treue, nämlich als er anfing, sein eigenes Behagen mitten in seinen Schmerz hineinzurücken.

Vielleicht hatte Jean Jacques Schneider mit solchen Erkenntnissen in seinem Falle jenes äußerste Reifemaß erlangt, welches einem jeden Geschöpfe, wiewohl verschiedenförmig, gesetzt ist, und es hatte ihm die Vorsehung danach keine weiteren Aufgaben mehr zu verhängen. Als er heimkam, da hatte er Stunden des Aufenthalts im eiskalten Steingewölbe und da hatte er den Fußweg im schneidenden Nordwind hinter sich. Schneider hustete und fieberte, und doch ließ er sich nicht hindern, folgenden Sonntags abermals zum Obelisken hinauszugehen. So befiel ihn eine Lungenentzündung, und nach zwei Wochen war sein Leben zu Ende.

Alwine sah sich auf eine verstörende Weise aus ihrem tätigen und fröhlichen Dasein gerissen; und sie hätte, dies sah sie bald danach ein, gänzlich verzweifeln müssen, wäre ihr nicht Schmidt, der getreue Prokurist, zur Seite gewesen. Er übernahm alle Veranstaltung des Begräbnisses, er sorgte dafür, daß Jean Jacques Schneiders Reliefbild in genau gleicher Arbeit dem der verewigten Gattin gegenüber, also auf der westlichen Seite, dem Obelisken eingefügt wurde. Er fuhr mit Alwine des Sonntags nach Ziegelskoppel hinaus, ja, wenn das Geschäft es irgend zulassen mochte, auch inmitten der Woche, sie waren ja das gemeinsame Fahren bereits gewohnt. Er leitete die Firma mit Umsicht. Und so hatte es seine Selbstverständlichkeit, daß die beiden nach Ablauf des Trauerjahres heirateten. Von da an wurde Ziegelskoppel seltener aufgesucht, bis es zuletzt in eine gänzliche Vergessenheit geriet.

Eine Reihe von Jahren lebten sie beisammen, dann mußte Alwine an einer gleichgültigen Krankheit sterben. Schmidt ließ sie unter dem Obelisken beisetzen, ihr Reliefbildnis wurde an der südlichen Seite angebracht, und nie verging der Totensonntag, ohne daß er hinausfuhr und drei vollkommen gleiche Kränze höflich um den Obelisken gruppierte.

Schmidt, den ja die Frauen nach Alwines Vorgang gern hatten, hielt sich nicht an das Trauerjahr. Schon nach fünf Monaten verheiratete er sich zum zweitenmal, da, wie er sagte, ein Geschäftsmann nicht ohne Frau sein kann, weil er doch aus Gründen des Ansehens und der Bonität ein Haus machen muß. Die Frau brachte Geld, Schmidt fand überdies einen Kompagnon, und die Firma «J. J. Schneider Successores, Spedition und Commission» gelangte rasch auf eine stattliche Höhe.

Wir haben nicht Anlaß, des Verlaufes dieser Ehe ausführlich zu gedenken. Genug, Schmidt starb nach nicht sehr viel Jahren aus unbekannter Ursache und vielleicht lediglich der Symmetrie dieser Geschichte zuliebe. Man begrub ihn bei seiner ersten Gattin; die Nordseite des Obelisken erhielt sein Reliefbild.

Der Obelisk hatte, wie es ja der Natur eines Obelisken entspricht, vier Seiten. Wäre das Grabmal ein Dekaeder, ein Dodekaeder oder sonst ein Polyeder gewesen, so müßte diese Geschichte wohl noch lange forterzählt werden. So aber ist sie hier zu Ende, wie auch alle Treue und Trauer der Menschen einmal zu Ende sind.

Der Seeteufel

An der estländischen Küste, abseits der Städte und der Verkehrswege, liegt das Kronsgut Leonorenhof. Da die Krone ihr Landeigentum ja nicht selber bewirtschaften kann, so sitzt dort ein Kronsarrendator. In Deutschland würde man ihn Domänenpächter nennen, aber das Wort Pächter klingt unseren Ohren fremd und erinnert an einen Mann, der einen Zeitungsstand oder eine Theatergarderobe gepachtet hat, und so sagen wir seit Jahrhunderten Arrendator, Arrende und arrendieren.

Kronsarrendator von Leonorenhof ist Karluscha. Seinem Vater haben vier schöne Güter gehört; aber da waren neun Kinder, und sehr regsam ist Karluscha auch nicht, so ist er zuletzt, nachdem er dies und jenes versucht hat, in Leonorenhof hängengeblieben. Karluscha hat keine Frau und sucht wenig Verkehr auf den Nachbargütern. Da ist eine alte Generalin, die von Tierschutz und Seelenwanderung redet; da ist ein Junggeselle, der auch in Livland begütert ist und höchstens einmal im Jahr auf seinen einsamen estländischen Besitz kommt; da ist ein dritter Nachbar, mit dem Karluscha sich nicht vertragen kann – einmal haben sie sich bereits geschossen –, und ein vierter, der sich den ganzen Tag mit seiner jungen Frau schnäbelt. Übrigens sind auch diese Nachbarn weit genug entfernt.

Seinen Hauptumgang hat er darum mit dem Pastor und dem Doktor, die es nur zwei bis drei Fahrstunden weit haben bis nach Leonorenhof. Mindestens einmal in der Woche kommen sie zusammen, spielen Whist und Préférence und erproben neue Mischungen. Alle drei sind aneinander gewöhnt seit vielen Jahren, und außerdem sind sie das, was man in den Ostseeprovinzen Zeitgenossen nennt; hierunter versteht man nicht wie anderwärts Menschen, die miteinander auf der Erde leben, sondern solche, die zu gleicher Zeit in Dorpat studiert haben. Der Pastor ist zwar um rund ein Jahrzehnt älter als der Doktor und der Arrendator, allein deshalb sind sie doch Zeitgenossen, der Pastor hat nur länger zu seinem Studium gebraucht als die beiden anderen.

Es ist öde, rauh und windig in Leonorenhof. Das einstökkige, recht bescheidene Herrenhaus steht nicht weit vom Strande, Tag und Nacht, Sommer und Winter muß man die See hören. Der Boden ist schlecht, an der Küste Sand, weiter landeinwärts Moor; es ist nur gut, daß es dort Birkwild und Morasthühner gibt. Der Boden mag so gering sein, wie er will, wer an der Küste wirtschaftet, dem gibt das Meer einen Düngstoff, den man nicht verachten darf; nur das Einbringen macht Mühe, er muß aus dem Wasser geholt werden. Das ist der Seetang, der in riesigen dunklen Massen am Ufer aufgeschichtet wird, vornehmlich wenn es Sturm gegeben hat; denn die Stürme reißen ihn vom Meeresboden los und jagen ihn landwärts. Dies Bild hat Karluscha vor den Fenstern, jahraus, jahrein: die schwarzen Tanghaufen und die Reiher, die Ketten von Doppelschnepfen und Strandläufern, die sie durchstöbern.

Früher hat Karluscha gelesen, wenn er Langeweile hatte. Es standen in Leonorenhof ein paar Bücher herum, noch von seinem Vorgänger her: Thümmels «Reise in die mittäglichen Provinzen von Frankreich», Luise Mühlbachs geschichtliche Romane, in denen sehr viele Kaiser und Könige vorkamen, und die gesammelten Werke von Johann Ladislaus von Pyrker. Ordentlich, der Reihe nach, pflegte Karluscha diese Bücherei zu durchlesen, und es gibt heute sicherlich keinen so gründlichen Kenner der Pyrkerschen Werke mehr, wie er es gewesen ist.

Mit der Zeit aber waren ihm diese Bücher allzu vertraut geworden, so gewöhnte er sich an eine andere Art der Unterhaltung, die ja einem Landwirt auch besser ansteht. Er beobachtete das Wetter, er machte sich Aufzeichnungen und entwickelte allerlei kuriose Theorien über Anzeichen und Vorhersagungen und stritt hierüber häufig mit dem Doktor und dem Pastor, welche doch auch ihre Erfahrungen hatten. Jeden Abend trug er das Wetter des Tages in einen Folianten ein und verglich es mit dem Wetter der gleichen Kalendertage aus früheren Jahren. Er ließ sich aus Reval ein Thermometer kommen, und zum Glück besaß er ein Barometer ohnehin, ein längliches, halbmannshohes Stück, eins von der guten altmodischen Art, wie es sie früher in den baltischen Häusern gab. Da war nicht nur Sturm, Regen, Schönwetter und Trockenheit abzulesen, sondern es stand da auch «Erdbeben» und «Weltuntergang» verzeichnet. Heute wird diese Art nicht mehr angefertigt, heute wollen die Menschen ja nicht mehr an den Jüngsten Tag glauben. Es kam vor, daß Karluscha seinen Verwalter rief und ihm sagte: «Nächsten Mittwoch wird Sturm sein, am Donnerstag soll Tang eingebracht werden.»

Das Wetter ist also seine eine Unterhaltung, und die andere ist der Schnaps. Das ist nun nicht so zu verstehen, als hätte Karluscha mehr getrunken als die anderen Menschen in Estland. Und doch brachte er mit dem Schnaps einen großen Teil des Tages hin, soweit er sich nicht in der Wirtschaft zu schaffen machte, auf die Jagd ging oder sich um das Wetter kümmerte.

Was der Boden trägt an Kräutern, Beeren und Früchten, was die Sonne heißerer Länder an Gewürzen reif kocht – es ist nichts, worauf sich nicht der kräftige weiße Spiritus abziehen ließe. Kirschen, Pflaumen, Johannisbeeren, das sind gewöhnliche Dinge, jede Wirtschaftsmamsell kennt die Rezepte. Karluscha aber lockten die Feinheiten; ihn reizte das Neue, Absonderliche, das noch von keinem Gewagte. Er war unermüdlich in allen kunstvollen Destillierungs- und Mischungsprozessen, in Erfindungen und Unterscheidungen.

Da gibt es einen Haselnußlikör, der vierzig Wochen bei bestimmten, langsam gesteigerten und dann wieder gemilderten Temperaturen ziehen muß, einen anderen, bei welchem die kürzere Reifezeit durch einen geheimnisvollen Zusatz von Pfefferkörnern, Rosenblättern und einer Messerspitze Soda ausgeglichen wird. Da gibt es Pielbeeren, die unmittelbar vor dem ersten Frost gepflückt sind – ein wahrhafter Wetterkundiger muß den Zeitpunkt im Herzen haben. Da gibt es Faulbaumblätter mit Kardamom, Hagebutten, Kalmuswurzeln, Hanfsamen mit Honig, Birkenknospen, junge Kieferntriebe und die Knospen der Balsampappeln, Bocksbeerblätter, Berberitzenblätter und Berberitzenfrüchte. Und alle so gewonnenen Auszüge lassen sich wieder miteinander kreuzen, jeder Kreuzung kann durch bestimmte Beimischungen ein neues Stückchen Seele eingehaucht werden. Die Welt ist unendlich, wie die Romane der Luise Mühlbach unendlich gewesen sind.

Karluscha veredelt auch durch pfiffige Zutaten den als Neunmannskraft berühmten Dorpater Studentenschnaps, der aus neunziggrädigem Spiritus, auf rotem Pfeffer abgezogen, besteht und die Kehle hinabgleitet wie ein Fackelzug. Karluscha nimmt die Beschäftigung mit seinen Schnäpsen ernst. Die hellen Flaschen, in denen der Spiritus die geheimsten Kräfte aus Früchten, Pflanzen, Gewürzen zu locken hat, stehen in langen Reihen an den Fenstern. Kein Dienstbote darf sie berühren. Karluscha trägt sie eigenhändig von Zimmer zu Zimmer, von Fenster zu Fenster – sorgsam, denn sie vertragen kein unzeitiges Schütteln –, je nach Tageszeit und Sonnenstand, und es ist gut, daß er die Sonnenstunden im voraus zu berechnen vermag, denn die Sonnenkraft ist wichtig; es kommt vor, daß er sie durch Brenngläser und Spiegel verstärkt. Und wie seine Wetterbeobachtungen, so trägt er auch seine Branntweinerfahrungen, Branntweingedanken und Branntweinträume peinlich in Folianten ein.

Der Doktor und der Pastor sind sachverständige Männer. Es ist Karluschas Stolz, ihnen seine Neuheiten vorzuführen. Eines Tages sind sie wieder da, und Karluscha sagt: «Was ihr heute bekommt, das habt ihr noch nie bekommen.»

Andächtig gießt er die Gläser voll. Die Gäste halten sie in

die Höhe und lassen das Licht durchscheinen. Der Schnaps ist bräunlich, er erinnert in der Farbe an alten Portwein. Die Gäste ziehen die Witterung ein.

«Er riecht kräftig», sagt der Pastor. «Davon müßte man gesund werden können ohne Doktor und Apotheker, einerlei, was einem fehlt.»

«Was ist es für einer, Karluscha?» fragt der Doktor.

«Ihr müßt raten», erwidert Karluscha. «Das ist einer, den vor euch und vor mir noch kein Mensch getrunken hat.»

Nun trinken alle drei und schieben geschwind den Zubiß hinterher.

Karluschas Gesicht glänzt vor Neugier und Stolz. «Nun? Wie schmeckt er?» fragt er gierig. «Wovon ist er gemacht? Wonach schmeckt er?»

Der Pastor bewegt den Kopf langsam hin und her, riecht noch einmal an dem geleerten Glase, riecht an der Flasche und antwortete dann in seiner bescheidenen und bedächtigen Art: «Wenn du mich schon fragst, Karluschinka – ich würde sagen: so etwa nach ertrunkenen Matrosen schmeckt er.»

Der Doktor hat ebenfalls den Kopf hin und her bewegt, nur schneller und lebhafter als der Pastor. Er hat gerochen und hat sich ein wenig geschüttelt, wie in einem wohligen Mißbehagen. Dann lacht er ein bißchen und sagt: «Wie er schmeckt? Karluschinka, ich möchte sagen: er schmeckt genau wie die Kapitänin Holmberg.»

«Wie die Kapitänin Holmberg? Was heißt das? Wer ist die Kapitänin Holmberg?»

«Ach, ihr Hinterwäldler!» sagt der Doktor. «Als ich noch in Reval zur Schule ging, da hat jedes Kind gewußt, wer die Kapitänin Holmberg war.»

Nun fragt auch der Pastor nach der Kapitänin. Aber der Doktor will erst wissen, woraus Karluscha den Schnaps gemacht hat. Karluscha dagegen will erst wissen, wer die Kapitänin Holmberg war. Ja, er gerät ein wenig in Aufregung, denn er denkt, hier könnte vielleicht irgendein Schnapsgeheimnis liegen, das ihm bislang verborgen geblieben wäre. Und so gibt der Doktor nach und erzählt.

Holmberg war Kapitän eines Revaler Segelschiffes. Es ist lange her, und damals gingen Revaler Segelschiffe noch auf große Fahrt. Holmbergs hatten keine Kinder und kein Zuhause. Wenn sie in Reval waren, wohnten sie bei Verwandten; dies war gastweise. Holmberg hatte eine Wohnung nehmen und für seine Frau einrichten wollen, aber sie lachte ihn aus: «Du glaubst, ich lasse dich allein an Bord? Du wirst alles zum Schinder gehen lassen, wenn ich nicht hinter dir her bin!» Und so hat er keine Fahrt tun dürfen ohne die Frau; sie war eine Kapitänstochter und von Jugend an mit aller Schiffahrt vertraut.

Seeleute trinken gern, Holmberg trank auch. Aber die Kapitänin haßte den Schnaps und alle seine Liebhaber. Sie selbst bewachte die Vorräte; kleinere Schnapsportionen sind auf keinem Schiff ausgegeben worden als auf der «Ulrike». Sie selber hieß so, sie hatte es durchgesetzt mit ihrem harten Willen, daß die Reederei den neuen Segler auf ihren Namen taufte; Gott weiß, wie sie das zuwege gebracht hat.

Die Reederei ist noch mit keinem Kapitän so zufrieden gewesen wie mit Kapitän Holmberg. Aber das liegt nicht an ihm, das liegt an der Frau. Vielleicht war er von Hause aus nicht schlechter als andere, aber dann ist er geworden wie ein verprügelter Hund, so daß er kein Zutrauen mehr hatte zu sich selber und nichts Rechtes zustande brachte. Allein, das tat nichts, die Kapitänin hatte jede Gewalt über ihn und das Schiff, so ging alles wie am Schnürchen. Die Kapitänin war ein kurzgewachsenes Frauenzimmer, aber scharf und grob wie gehacktes Bauernschrot. Unablässig schrillte ihre Stimme. Nachts kontrollierte sie die Wache. Sie verdrosch eigenhändig die Schiffsjungen.

Wie Holmberg von seiner Frau dachte, das weiß man heute nicht mehr. Aber der Steuermann Pridik und die Mannschaft haßten sie wie das Feuer. «Der Seeteufel» hieß sie bei den Leuten.

Die «Ulrike» sollte wieder auf große Fahrt gehen, einerlei wohin, vielleicht zum Kabeljaufang bei Island oder den Lofot-Inseln. Die Kapitänin hustete und fieberte, sie hatte rote Flecken auf den Wangen. Holmberg sagte: «Bleib diesmal zu Hause, Ulrikchen. Du wirst krank werden.» Sie lachte ihn grimmig aus und fuhr mit. «Das ganze Schiff kommt zum Teufel, wenn ich es euch allein lasse.»

Eine längere Weile waren sie schon unterwegs, da merkte die Mannschaft die Veränderung. Die Kapitänin kam nachts seltener an Deck; Hustenanfälle erstickten ihr Geschimpf, endlich blieb sie ganz in der Kajüte.

Eines Morgens erschien Holmberg mit verstörtem Gesicht, ließ die Mannschaft antreten und sagte: «Die Kapitänin ist gestorben. Nachher kann jeder herunterkommen und Abschied nehmen.»

Da lag sie auf dem weißen Laken in ihrem Sonntagskleid, die Hände gekreuzt vor der Brust, und die Nase war noch spitzer als bisher. Der Reihe nach traten die Leute ein, blieben vor der Toten stehen, falteten die Hände und dachten Gott weiß was.

Holmberg trug den Todesfall umständlich ins Schiffsjournal ein, seine Finger zitterten dabei; vielleicht hatte er Mühe zu begreifen, daß von nun an sein ganzes Leben anders werden mußte. Die Leute aber redeten dreist miteinander, wie sie ihr die letzte Ehre geben wollten. Kräftig angepackt, ein fröhlicher Schwung, über Bord, ein Aufklatschen und nichts mehr! Den Seeteufel hat der Teufel in die See geholt! Und dann sollte der Alte Schnaps ausgeben, der abgefahrenen Seele zu Ehren! Er sollte Schnaps ausgeben, heute und alle Tage, von nun an!

Aber es kam anders. Denn in der letzten Nacht hat die Kapitänin den Mann gezwungen, vor ihrem Lager niederzuknien und die Hand zu heben. In Reval will sie begraben sein, neben ihren Eltern. Er hat schwören müssen, sie nach Reval zu bringen. Auch als Tote will sie ihre Krallen nicht abziehen von dem Schiff, das ihren Namen trägt.

Holmberg teilt das der Mannschaft mit, verlegen und unter vielem Räuspern. Er bespricht sich mit dem Steuermann, und dann gibt er seine Befehle.

Nun vollzieht sich ein Vorgang, der an Bord nicht herkömmlich ist, nämlich eine vorläufige Beisetzung. Die Mannschaft muß im Laderaum antreten. Da stehen sie gedrängt in dem engen, dunklen, mannigfach verstellten Behältnis und sehen einander an, höhnisch, neugierig, gereizt. Vor ihnen liegt längelang ein stattliches leeres Faß, der Schiffszimmermann hat den einen Boden entfernen müssen.

Der Trauerzug stolpert heran, es ist eine starke See, und das Schiff schlingert. Erst kommt der Kapitän, er scheut sich, den Blicken der Leute zu begegnen. Es folgen zwei Matrosen, die an Schultern und Füßen die Kapitänin im Sonntagsstaat tragen, und Pridik, der Steuermann, macht den Beschluß. Sie bleiben stehen, der Kapitän nimmt seine Mütze ab, die andern tun es ihm nach. Holmberg gibt dem Steuermann einen Wink, und nun spricht dieser ein ingrimmiges Vaterunser, während der Kapitän finster auf den Boden starrt.

Pridik sagt böse: «Amen!», und das ist, als hätte er gesagt: «Gottverflucht!» Die beiden Träger schieben die Kapitänin ins Faß, die Füße voran. Um ein Haar wären sie damit nicht zurechtgekommen, denn eben jetzt wirft der Seegang die «Ulrike» von einer Seite auf die andere. Dann wird das Faß aufgerichtet. Ein paar kleine Fässer stehen bereit, aus denen wird der sonderbare Sarg mit Branntwein gefüllt bis obenhin, denn so hat es die Kapitänin angeordnet, und Holmberg hat ja schwören müssen, ihr den letzten Willen zu tun.

Alle setzen ihre Mützen wieder auf. Damit ist die Feierlichkeit beendet, nun geht jeder wiederum an seine Arbeit. Nur der Schiffszimmermann bleibt zurück, er hat das Faß zu schließen, und der Kapitän steht neben ihm und sieht schweigend zu.

Die Schnapsvorräte der «Ulrike» waren nicht groß, dafür hatte die Kapitänin bei der Ausreise gesorgt. Und nun ging von ihnen noch all das ab, was dem Seeteufel in seinen Sarg hatte gegeben werden müssen. Dennoch wurde mit dem Verbliebenen nicht gespart. Denn der Seeteufel hatte ja nicht mehr die Gewalt, die auszugebenden Schnapsportionen zu bestimmen und die Ausgabe zu überwachen. Der Alte trank, der Steuermann trank, die Matrosen tranken, die Schiffsjungen tranken; scheu und einsam der Kapitän, lärmerisch und mit Gesang die Mannschaft.

Das ging eine Weile so hin, dann wurde der Schnaps knapp. Der Kapitän hatte es den Leuten gegönnt; dennoch hatte er sich heimlich einen kleinen Vorrat zu eigenem Gebrauch abgefüllt. Er hielt sich an den mit einer ingrimmigen, verbissenen Freude, und er tat, als sähe er nicht, daß die Mannschaft ohne Branntwein war. Ohne Branntwein bei Sturzsee und Regenfall, ohne Branntwein bei Wind und Kälte! Und es war keine Möglichkeit, irgendwo anzulaufen und neuen Branntwein an Bord zu nehmen, denn man konnte ja nicht die günstigen Fangverhältnisse ungenutzt lassen und Kurs auf einen Hafen halten, der Hunderte von Seemeilen entfernt lag.

Längst war Holmberg auch mit dem eigenen Vorrat fertig. Er schlich verdrossen umher, spuckte und knurrte und sprach kein Wort. Eines Nachts steckte er den Kopf an Deck, als die Wache sich ablöste. Er hörte den Abgelösten fragen: «Na, wie schmeckt er?» – «Gallenbitter und scharf», antwortete der Ablösende, «aber das gibt Lust in die Knochen.»

Am nächsten Tage stolperte Holmberg im Morgengrauen über einen Betrunkenen, riß ihn hoch und schimpfte. Ein Matrose kam dazu und hielt dem Kapitän einen gefüllten Trinkbecher hin.

«Bitte, Herr Kapitän», sagte er, «Sie sollten trinken, dies verdammte Wetter leidet es nicht anders.»

Holmberg sah dem Mann mit vorquellenden Augen ins Gesicht und sah wieder zur Seite. Er streckte die Hand aus, die Hand machte eine fahrige Bewegung und sank wieder. Holmberg streckte die andere aus, riß dem Matrosen das

Gefäß aus den Fingern und trank es hastig leer. Dann räusperte er sich und ging rasch davon.

Den Tag über stapfte er unruhig herum. Vor jedem, der ihm begegnete, machte er halt und hob sein Gesicht zu ihm als wollte er ihn anreden. Aber er schüttelte nur mit dem Kopf und stapfte schweigend weiter.

Gegen Abend schrie er aus seiner Kajüte. Ein Schiffsjunge kam vorbei, Holmberg winkte ihn her und befahl ihm heiser, ein halbes Stof Schnaps zu holen.

Und nun ging alles, wie es in der ersten Zeit nach dem Tode der Kapitänin gegangen war. Einmal, als Holmberg sich mutig getrunken hatte, fragte er so nebenbei den Steuermann: «Wo kommt eigentlich der Schnaps her?» Aber er mochte ihn nicht ansehen, als er das fragte, und die Worte kamen ihm heiser und halblaut aus dem Munde.

«Ach, da hat sich noch etwas gefunden», antwortete Pridik.

Es blieb nicht viel zu berichten. Als die «Ulrike» wieder in Reval einlief, da war längst kein Tropfen mehr im Faß. «Bei jedem Schluck haben wir gedacht: Hole dich der Satan!» erzählte später ein Matrose. «Und wir haben ja gewußt, daß sie damit ihre höllische Absicht hat wahrmachen wollen, noch über den Tod hinaus. Darum haben wir gelacht, gelacht bei jedem Schluck! Nochrajew war der erste, ‚Nur so, einmal zur Probe', hat er gesagt. Das hat uns anderen keine Ruhe gelassen. Und wie sie herausgenommen wurde, richtig vollgesogen ist sie gewesen, als hätte sie nach dem Tode noch alles nachholen müssen, denn bei Lebzeiten hat sie keinen Tropfen über die Lippen gelassen. Daran sieht man am besten: nur einmal zu begießen hätte man sie gebraucht, und sie hätte sich frisch erhalten. Das war bloß ihre Bosheit, daß das ganze Faß vollgeschüttet werden mußte.»

In Reval sprach sich die Geschichte herum. Die tote Kapitänin, die vollgesogene Branntweinhasserin, wurde in Ziegelskoppel beerdigt, wie sie es angeordnet und wie der Kapitän es beschworen hatte. Nein, es ist in keinem Stück von ihren Befehlen abgewichen worden. Aber wurde wohl je einer abgeschiedenen Seele ein wunderlicheres Trankopfer dargebracht als dem schnapsfeindlichen Seeteufel?

«Und was ist aus dem Kapitän geworden?» fragte der Pastor, als der Doktor zu Ende erzählt hatte.

«Er hat den Seeteufel nicht sehr lange überlebt», antwortete der Doktor. «Er fing an zu trinken – richtig zu trinken, nicht was unsereiner so nennt. Er verlotterte, das Schiff wurde ihm genommen, er ist als gewöhnlicher Matrose gefahren, und zuletzt war er Gelegenheitsarbeiter am Hafen. Als er starb, da hat seine ehemalige Reederei das Begräbnis bezahlt. Er wurde neben seiner Frau beerdigt. Und er hatte doch immer gesagt: Bei grober See will ich versaufen, sonst legen sie mich noch zu der Alten. – So, nun wißt ihr, wo die alte Redensart herstammt: ‚schmeckt wie die Kapitänin Holmberg.' Und jetzt will ich wissen, woraus du diesen höllischen Schnaps gemacht hast, Karluschinka!»

«Aus Tang», sagte Karluscha. «Alles andere hatte ich schon durchprobiert.»

Der Pastor nickte und sagte: «Ertrunkene Matrosen. Ich habe es doch gleich gemerkt.»

Der Doktor aber schrie: «Donnerwetter! Wir hätten ja alle an Jodvergiftung draufgehen können! Nur gut, daß du fünfundsechziggrädigen Spiritus genommen hast, das hat die Giftwirkung paralysiert.»

«Ach, weißt du», sagte der Pastor, «ich für mein Teil, ich möchte lieber an die Erbarmung Gottes glauben als daran, daß es die Fünfundsechziggrädigkeit deines Spiritus gewesen sein soll, was uns gerettet hat. Also, dann gieße mir noch einen Seeteufel ein, Karluscha.»

Der Kopf

Disjecta membra poetae
(Horaz, Sat. I, 4)

Magnus Rutz, der Sohn eines wohlhabenden Revaler Kaufmannes, hatte aus guter Kenntnis des Theaters eine Reihe von Bühnenstücken geschrieben, die ihm Erfolg eintrugen und ihn daher auf den Gedanken brachten, er sei ein Dichter.

In solchem Glauben, der, da er ja ein Glaube war, unbeirrlich und unwiderlegbar blieb, lebte Rutz bei reiferen Jahren in einem kleinen Ort an einem der norditalienischen Seen. In dieser Umgebung – sein Haus nannte er «Villa Parnasso», auch hatte er Pinien, Lorbeer und einen für echt gehaltenen antiken Torso im Garten – erfüllte er sich immer stärker mit allerlei herkömmlichen Dichtervorstellungen: etwa daß er seiner Zeit voraus sei und daher mit Notwendigkeit mißkannt werden müsse; daß etwas, das er unklar, aber innig als «reine Schönheit» empfand, den Anspruch habe, wieder als lebenführende Macht eingesetzt zu werden; und daß seine Verserzählungen den Vergleich mit Dante und Byron ehrenvoll auszuhalten vermöchten. In allem bestärkte ihn die sklavische Bewunderung seiner ältlichen Haushälterin und der Ortsansässigen, denen der Entschluß, auf ihn stolz zu sein, in Unkenntnis seiner Dichtungen und Muttersprache leicht gefallen war. Sie redeten von ihm als dem berühmtesten aller ausländischen Dichter, und da seine Bühnenstücke ihm, der schon von Hause aus nicht unvermögend war, ein tüchtiges Geld eintrugen, so gab es reichlich an ihm zu verdienen. Im übrigen war er ein gutmütiger Mann, dem wir seine Eitelkeit nicht zu hoch anrechnen wollen.

Wohl wissend, daß in seinem Vaterlande der Prophet in geringer Geltung zu stehen pflegt, und in diesem Wissen durch manche kleine Erfahrung bestärkt, hatte Rutz nach Absolvierung des Revaler Gouvernementsgymnasiums seine Vaterstadt und Heimat verlassen und sich, statt herkömmlicherweise sein Studium in Dorpat zu beginnen, nach Deutschland begeben. Er ist nie wiedergekehrt, auch nicht zu kurzem Besuche. In Reval hörte man wenig von ihm; später verlautete, er habe Bühnenwerke geschrieben, die vielfach aufgeführt worden seien. Aber da er in Reval, zu Recht oder Unrecht, seinen Altersgenossen als hochmütig und empfindlich, dem älteren Geschlecht als anmaßend und vorlaut gegolten hatte, sah das Revaler Theaterkomitee keinen Anlaß, bei der Direktion auf die Aufführung eines seiner Stücke zu dringen.

Magnus Rutz rächte sich durch eine herzliche Verachtung der Revaler Banausen; allein diese Verachtung konnte die Wunde nicht gänzlich schließen. Ja, je älter er wurde, um so häufiger überkamen ihn schwermütige Gedanken an die alte und wohlgefügte Revaler Welt. Eine elegische Milde gewann die Oberhand über die zornige Mißachtung, in welcher er sich so lange bestärkt und erhalten hatte, und in allerhand zeilenreichen Stanzen und Oden schufen solche Gemütszustände sich ihre Äußerung.

Unter mancherlei wunderlichen Gedanken war ihm schließlich auch der gekommen, seine Heimatstadt werde zuguterletzt, wenn seine Bedeutsamkeit voll erkannt sei, sich mit Beschämung und Stolz seiner als ihres Sohnes erinnern. Dann, so meinte er, werde an seinem alten, elterlichen Hause in der Rußstraße, in welchem inzwischen eine Korsettfabrik sich niedergelassen hatte, eine Gedenktafel angebracht, ja, es werde wohl gar das ganze Gebäude zu einem Rutz-Museum umgestaltet werden. Für diesen Fall wünschte er gerüstet zu sein.

Er erwarb einen Bestattungsplatz unweit der Villa Parnasso und ließ ein Grabmal anfertigen, auf welchem ein Lorbeerkranz, eine Lyra und ein Genius mit umgestürzter Fackel zu sehen waren. Hier sollte sein Leib ruhen. Sein Kopf aber, so verfügte er, hatte abgelöst, einbalsamiert, in seinen Heimatort gesandt und bis auf ein weiteres dem Museum der Estländischen Literärischen Gesellschaft übergeben zu werden. Denn in den baltischen Provinzen sagt man noch heute «literärisch», wie man es vor anderthalb Jahrhunderten auch in Deutschland gesagt hat, und man verteidigt diese Gepflogenheit gern mit dem Hinweis darauf, daß ja auch die Reichsdeutschen «militärisch» sagen und nicht «militarisch».

Es war alles sorgfältig bedacht: die Einbalsamierung sollte durch die Firma Gebrüder Serra, Jagdtrophäen und Ausstopferei, Verona, Via Mazzini, vorgenommen werden. Rutz hatte bei der Firma, die auch den Transport des Dichterhauptes in die Wege leiten mußte, die geforderte Summe bereits hinterlegt und zugleich genaue Angaben über die geographische Lage Revals und seine Verbindungen mit der übrigen Welt zu Papier diktiert; dies war notwendig, denn wie es sich erwies und gern glauben läßt, hatten die Gebrüder Serra bis an diesen Tag vom Dasein Revals keinerlei Kenntnis gehabt. Alles übrige war mit der Haushälterin abgeredet, ja, besiegelt worden durch eine feierliche Schwurszene, aus deren Erinnerung die Haushälterin – sie war testamentarisch mit einem Legat bedacht – für den Rest ihres Lebens ihre melodramatischen Bedürfnisse würde bestreiten können.

Wir alle sind sterblich, da ist nichts zu reden, Rutz starb. Der Totenschein war ausgeschrieben, der Sarg geliefert, das Begräbnis für den nächsten Vormittag bestellt. Am Abend ging die Haushälterin zu Benati. Benati ist der Friseur des Orts und eine romantische Natur. Er hat sich immer damit gebrüstet, daß der größte Dichter des Auslandes sein Kunde war. Insgeheim macht er Verse; ja, beim fünfundzwanzigsten Priesterjubiläum des Ortspfarrers Don Cipriano hat ein weißgekleidetes Schulmädchen im Namen des Musikvereins den von Benati verfaßten Prolog gesprochen.

Auf Wunsch der Haushälterin wird der Lehrling hinausgeschickt. Dann übergibt sie dem Friseur mit düsterer Feierlichkeit einen versiegelten Brief. Benati öffnet, liest und erbleicht. Der Brief ist von Rutz, dem Dichter. Benati hebt beschwörend die Hände, schüttelt die Locken, betrachtet sein Gesicht im Spiegel, das Gesicht eines Entsetzten. «Es ist unmöglich!» ruft er mit rollenden Augen. «Unmöglich! Nicht um alle Schätze der Welt!»

Alle Schätze der Welt sind ihm übrigens gar nicht angeboten worden. Angeboten worden sind ihm vielmehr dreihundert Lire, und so folgt er nach einer überaus bewegten halbstündigen Szene der Haushälterin zur Villa Parnasso. Zugegeben, er folgt mit wankenden Knien und heftigem Seufzen; allein er folgt.

Es ist ein stürmischer und mondloser Dezemberabend, es könnte einen schon schaudern, auch wenn man nichts Unheimliches vorhätte. Also schaudert es Benati doppelt. Er mag kaum zugreifen, als die Haushälterin ihm ein prächtiges Abendessen vorsetzt und ihm einschenkt von dem guten Bardolino, den der Selige zu trinken pflegte. Zugleich aber empfindet er jenen wohltätig erhebenden Schauder, von dessen seelenlösender Wirkung die Definitoren der klassischen Tragödie sprechen.

Grappa, muß man wissen, ist ein Traubenschnaps von allerlei Kräften, vortrefflich geeignet, einem Menschen in ungewöhnlichen Dingen Mut zu machen. Die Haushälterin nötigt Benati, mehrere Gläser zu trinken und die Flasche mitzunehmen, als er ächzend und unter häufigem Kreuzschlagen sich ins Arbeitszimmer des Dichters begibt; hier nämlich ist, im noch unverschlossenen, aber bald zu schließenden Sarge dasjenige aufgebahrt, was, wie Rutz sich in seinem letzten Willen ausdrückte, «sterblich an ihm ist». Die Haushälterin setzt sich mit ihrem Strickstrumpf in die Stube nebenan, Benati soll wissen, daß eine lebende Seele sich in seiner Nähe befindet.

Am nächsten Morgen, während es draußen noch schwarz ist und der Regen böse gegen die Scheiben schlägt, kocht die Haushälterin ihm einen starken Kaffee. Dazu trinkt er hastig den Rest aus der Grappaflasche. Sehr groß, das muß man schon sagen, ist dieser Rest nicht mehr.

Benati hat die paar letzten Nachtstunden, nachdem seine Verrichtung getan war, in dem schönen Bett des seligen Dichters schlafen dürfen; freilich ist es kein guter Schlaf gewesen. Nun muß er sich eilen, um den Dampfer zu erreichen, der in der Frühe nach Desenzano abgeht, wo man in den Zug nach Verona steigt. Stumm, aber mit einem großen Blick drückt er der Haushälterin die Hand, und dann rennt er hinaus in die feindselige, kalte Finsternis.

Die Trafiken erhalten von der königlichen Tabakregie ihre Waren in würfelförmigen, glattgehobelten Holzkisten, die an einem Stempel kenntlich sind. Wegen ihres handlichen Umfanges und ihrer sauberen Beschaffenheit werden sie von vielen Leuten gern auch zur Beförderung anderer Gegenstände benutzt; man bekommt sie um ein billiges von der Trafikantin. Eine solche Kiste hat Benati unter dem Arm. Außerdem hat er dreihundert Lire in der Tasche und die Geister einer Flasche Grappa im Gehirn. Auf dem Wasser ist es kalt, nebelfeucht und dunkel. Benati setzt sich mit seiner Kiste in die Kajüte, wo es Licht, Menschen, Expreßkaffee und Grappa gibt, – lauter Dinge, die einem verstörten Mann über sein Zähneklappern hinweghelfen können. Das Licht freilich wird viel zu früh gelöscht, noch im Halbdunkel, aber Grappa und Menschengesellschaft lassen sich gottlob nicht auslöschen; Benati hat Bekannte getroffen, die gleich ihm durchfroren sind und Grappa für ein wohltätiges Erwärmungsmittel ansehen. So kommt denn eine sonderbar übernächtige Lustigkeit auf, und dazwischen nickt Benati ein wenig ein.

Ob nun der Nebel schuld ist oder irgendeine andere Fahrtverzögerung – genug, als der Dampfer in Desenzano anlegt, ist der Veroneser Zug bereits abgefahren. Nun sehen alle Leute nach ihren Uhren und schimpfen, und so tun auch Benati und seine Bekannten. Hierauf begeben sie sich in

eine Wirtschaft unweit des Bahnhofes, um sich die Zeit bis zum Abgang des nächsten Zuges zu vertreiben. Und da sie einmal bei Grappa sind, so bleiben sie bei Grappa. Sie reden recht viel durcheinander und sie reden recht laut; einer spricht von den Geschäften, die er in Verona zu machen gedenkt, einer von seinem Glück bei den Mädchen, der Maurer Emiliani aber erzählt von Amerika und verlangt, daß alle sein amerikanisches Taschenmesser bewundern, das nicht nur Nagelfeile und Korkenzieher, sondern auch Säge und Patentkistenöffner aufzuweisen hat.

Benati ist es wirr im Kopfe, sein Herz ist noch voller Schrecknisse, aber auch voll eines düsteren Stolzes. Er hat Romane gelesen und Kinodramen gesehen, aber welcher Filmautor oder Romanschreiber wäre denn imstande, Dinge zu ersinnen, wie er sie erlebt hat? Da fahren diese guten Leute nach Desenzano, Peschiera oder Verona, machen ihre kleinen Geschäfte und meinen, so sei das Leben. Er aber, er weiß, daß es für ganz andere Sachen Raum hat, nächtliche, schaurige und große! Ja, und was gibt es für erhabene und rührende Konflikte in der Brust eines fühlsamen Menschen, wenn der letzte Wille eines Genies den grauenvollsten Freundschaftsdienst von ihm fordert!

Benati ist anfangs von stolzer Schweigsamkeit und antwortet nur mit verschwörerisch abwehrenden Andeutungen, als er nach seinem Vorhaben in Verona gefragt wird. Die anderen werden neugierig und necklustig, sie setzen ihm zu, und es gibt ja in der Tat Dinge, die schwer zu verschweigen sind, besonders wenn man einen Beruf hat, der zur Redseligkeit verpflichtet, und wenn man überdies in Grappawolken einherstolziert.

Der Maurer Emiliani ist natürlich am erpichtesten auf das Geheimnis der Kiste, denn er möchte doch endlich die Vorzüge seines amerikanischen Patentöffners beweiskräftig dartun dürfen.

Kurz, Benatis Andeutungen geraten in Zusammenhang, plötzlich hat er die Geschichte erzählt, die Kiste wird geöffnet, und nun können die Männer sich kaum fassen vor Lachen über diesen Teufelskerl von Friseur, der sie so wunderbar zum besten gehabt hat; denn in der Kiste befinden sich, sorglich in Holzwolle verpackt, vier große Glasbüchsen voll Honig.

Benati, der, wie man in solchen Fällen wohl sagt, den Kopf verloren hatte, blieb die Nacht über in Desenzano und kehrte am folgenden Tage gefaßt heim. Die Haushälterin stand am Hafen.

«Alles besorgt?» fragte sie.

«Alles besorgt», antwortete Benati.

Benati liebte es, seinen Kunden Ratschläge gesundheitlicher Natur zu geben, was ja sein Beruf ihm nahelegte. Bald nach den erzählten Vorkommnissen begann er, ihnen die Tugenden des Honigs zu rühmen.

«Seit ich einmal darauf verfallen bin – es war ein reiner Zufall –, gar nicht mehr leben könnte ich ohne mein Löffelchen Honig frühmorgens auf nüchternen Magen! Das reinigt, das gibt glatte Säfte, damit kann man zu Jahren kommen!»

Dieser oder jener folgte seinem Rat, und Herr Esposito, Gemeindeschreiber in einem der Nachbarorte, der als Imker am ganzen See einen Ruf hatte, Herr Esposito durfte ein kleines Ansteigen seines Absatzes buchen. Über Esposito wird noch einiges zu berichten sein.

Erwähnen wir zunächst noch, daß der Nachlaß des Dichters einstweilen von der Behörde in Pflegeschaft genommen wurde, daß die Haushälterin in ihr lombardisches Geburtsstädtchen übersiedelte, daß die Firma Gebrüder Serra, Jagdtrophäen und Ausstopferei, Verona, Via Mazzini, illiquide wurde, daher in Liquidation geriet, und daß erst eine geraume Weile später aus Reval ein allem Exzentrischen entschieden abgeneigter, des Italienischen durchaus unkundiger Vetter des Dichters eintraf, um die Hinterlassenschaft zu übernehmen und aufzulösen, so kann es nicht wundernehmen, daß dem Haupte des Poeten von keiner Seite nachgefragt worden ist.

Man könnte nun versucht sein, sich allerlei Begebenheiten voll grausiger Humore zu erdenken und sich etwa auszumalen, wie der Kopf des Dichters, geschehener Verwechslung zufolge, irgendwo als Silberhochzeitsgeschenk aus seiner Kiste gepackt worden ist oder als anzumeldendes Muster in der Kanzlei eines Patentanwaltes oder als «4 Kilo ff. Kanarienvogelfutter wie gehabt» bei einer freundlichen alten Dame. Da ja aber das Leben mit den Abschlüssen solcher kleiner Geschehnisketten anders zu verfahren pflegt als die Geschichtsschreiber, nämlich bald erfinderischer, bald weniger erfinderisch, wir uns auch genau an die Wahrheit halten wollen, so ist zu berichten, daß sich nichts dergleichen ereignet hat. Vielmehr sah, etwa um die gleiche Zeit, da in jener Wirtschaft unweit des Bahnhofs von Desenzano Benatis schöngepflegte Hände und Emilianis amerikanischer Patentöffner sich um die Kiste mühten, der bergaufsteigende Gemeindeschreiber Esposito das Ziel seiner Wanderung vor und über sich, nämlich eine hochgelegene Wassermühle, von der ihn nur noch zwei Wegekehren trennten; außerdem aber sah er noch etwas anderes.

Esposito hatte, um den Frühdampfer zu erreichen, schon

um vier Uhr von Hause aufbrechen müssen; kein Wunder, daß er unterwegs den Morgenschlummer nachgeholt, ja, an seiner Haltestelle, einige Stationen vor Desenzano, fast das Aussteigen verschlafen hatte. Im letzten Augenblick erwachte er, ergriff im Halbdunkel der Kajüte seine Tabakregiekiste und stürzte vom Schiff. Ziel seiner Reise war die verwitwete Mühlenbesitzerin, die er mit seinem berühmten selbstgewonnenen Honig zum Namenstage in allerlei Hoffnungen zu beglückwünschen dachte.

Als er jetzt die Witwe droben im Mühlengärtchen eng umschlungen von einem anscheinend recht stattlichen Mann erblickte, da stieß er einen Fluch aus und schleuderte das ihr zugedachte Geschenk mit einem zornmütigen Ausholen in die Felsenspalte, die sich unweit des Serpentinenweges hinzieht. Zwar bereute er das gleich im nächsten Augenblick, denn der Mensch soll ja seine Leidenschaftlichkeit im Zaum halten können, und der Honig wäre noch verkäuflich gewesen. Allein zu ändern war nichts mehr; in die schmale, wohl zweihundert Meter tiefe Spalte zwischen den glatten Steinwänden ist noch nie eine Ziege gelangt, geschweige denn ein Mensch.

Hier also wird im Laufe der Zeit die Kiste zerfallen und auch ihr Inhalt, und zuletzt wird er allerlei Pflanzen Kraft zu ihrem Wachstum geben, wie das ja in der natürlichen Ordnung der Welt bestimmt und auch unseren Köpfen einmal zugesonnen ist, ob wir sie nun in der Provinz Estland oder in der Provinz Verona oder in irgendeiner anderen Provinz der Erdkugel auf den Hälsen tragen. Uns, die wir des Glaubens sind, es solle in Gottes Schöpfung kein Ding mit kleinen Kunstgriffen seinem vorbedachten Ablauf entzogen werden, uns will es scheinen, als sei hiermit ohne Strenge und auf eine zurückwirkende Weise auch alles Verquere im Leben des Rutz wieder ins Gleiche und Natürliche gebracht. Und so hat sich uns mit Hilfe des Friseurs Benati, des Grappa und einiger anderer Umstände die ewige Verläßlichkeit der Schöpfung von neuem erwiesen.

Der Schutzengel

In den neunziger Jahren, so erzählte mein Onkel, schickte ich mich zu meiner ersten Auslandsreise an. Bis dahin war ich über die Grenzen unserer Ostseeprovinzen noch nicht hinausgekommen, abgesehen von einem kurzen Besuch in Petersburg und von der Freiwilligenzeit, die ich bei den Dragonern in Suwalki verbrachte.

In der letzten Nacht vor der Ausreise von Riga hatte ich einen Traum von größerer Deutlichkeit als sie Träumen insgemein eigen ist. Ich ging die Alexanderstraße entlang, die merkwürdig unbelebt war. In der Ferne sah ich einen Wagen, mit einem weißen und einem braunen Pferde bespannt; er näherte sich rasch. Jetzt meinte ich in den Pferden den Schimmel des Stabstrompeters aus Suwalki und den Braunen meines Wachtmeisters zu erkennen, aber da begannen sie sich zu verdunkeln und wurden nun zu Rappen. Sie trugen Trauerschabracken und nickende schwarze Pleureusen. Der Kutscher war im Dreimaster und in einem weitfaltigen pelerinenartigen Trauermantel, aber neben ihm saß ein grüngekleideter Mann auf dem Bock. Hierüber wunderte ich mich, und auch die einem Leichenwagen wenig angemessene Fahrtgeschwindigkeit hatte etwas Befremdendes.

Mit einem Male fühlte ich, daß zwischen diesem Fuhrwerk und mir eine Verbindung bestand. Im gleichen Augenblick lenkte es schräg über die Straße auf mich zu. Ich sah jetzt, daß ich es mit einem richtigen Leichenwagen zu tun hatte, und nun hielt er auch mit einem plötzlichen Ruck an; er hielt unmittelbar vor mir. Der Diener sprang vom Bock. Ich gewahrte, daß er einen langschößigen grünen Livreerock mit blanken Knöpfen und goldenen Ärmeltressen anhatte; auch das kleine grüne Käppi war mit goldenen Borten besetzt. Es war ein Mann über Mittelgröße; er hatte ein blasses, längliches, glattrasiertes Gesicht. Die braunen Augen hatten einen Ausdruck munteren Erstaunens, die Lippen waren voll, aber nicht sehr farbig, die rötlichen Ohren standen ab. Am Kinn, dessen wenig hervortretende Formen etwas kindlich Liebenswürdiges hatten, befand sich eine rundliche rote Narbe, etwa in der Größe eines Rubelstücks. Der ganze Eindruck war ein angenehmer. Später habe ich mich gewundert, daß alle diese Einzelheiten sich mir so unverwischt und wahrnehmlich zur Schau stellten; dergleichen ist in Träumen nicht gewöhnlich.

Ich sah jetzt, daß der schwarze Wagen, obwohl er doch unanzweifelbar ein Leichenwagen war, etwas von einer altväterischen Kalesche hatte, wie sie bei uns auf dem Land häufig in Benutzung waren. Der Diener nahm sein Käppi ab und öffnete den Schlag. Hierbei sah er mich an und lächelte, und dieses Lächeln hatte etwas höflich Gewohnheitliches und zugleich wiederum eine Beimischung von natürlicher Herzlichkeit. Es war klar, daß ich zum Einsteigen aufgefordert wurde.

Ich fühlte mich angelockt und abgestoßen zugleich. Ich stand verlegen und schwankte. Plötzlich überkam mich eine Empfindung äußersten Widerwillens. Obwohl ich nichts sagte und sie auch durch keine Gebärde ausdrückte, schien sie sich dem Diener sofort mitzuteilen. Ohne den angenehmen Ausdruck seines Gesichts irgendwie zu ändern, schloß er den Schlag, setzte sein Käppi auf und stieg wieder zum Kutscher auf den Bock. Der Wagen fuhr augenblicks in scharfem Trabe davon. Dieser Gangart zum Trotz drückte er jedoch vollständig und jedes Mißverständnis unmöglich machend alle Eigentümlichkeiten eines Leichenwagens aus, ohne daß ich zu sagen vermöchte, auf welche Art dies geschah.

Als wäre der Ruck, mit dem das Gefährt sich in Bewegung setzte, durch mich selber hindurchgegangen, spürte ich ein Zucken und erwachte. Es war noch dunkel. Eine Weile dachte ich meinem Traume nach und wunderte mich über

die Schärfe, mit welcher die Erscheinung und die Gesichtszüge des Livreebedienten sich mir eingeprägt hatten. Dann ermüdete ich und schlief abermals ein.

Am Abend reiste ich ab. Ohne mich in Deutschland aufzuhalten, fuhr ich geradenwegs nach Paris. Ich brauche meine Gemütsverfassung nicht zu schildern, ein jeder wird sie sich nachbilden können. Wie Paris auf mich wirkte, wie die Unermeßlichkeit der Überwältigungen mich beglückte und bedrängte, bis sich endlich ein Gleichgewicht bilden wollte, das gehört nicht in diesen Zusammenhang. Genug, daß ich bestrebt war, mir alles Neue anzueignen, auf welchen Gebieten es auch sein mochte.

Zu diesem Neuen gehörte, obzwar keineswegs an hervorragender Stelle, auch eine Gattung von Kaufhäusern, wie sie damals noch ungewöhnlich war, riesige, durch mehrere Stockwerke sich erstreckende, zahllosen Bedürfnissen Genüge tuende Magazine, in denen der Verkehr zwischen den einzelnen Geschossen vermittels des Lifts bewerkstelligt wurde. Auch dies war mir noch etwas durchaus Neues. Ich muß gestehen, daß ich am Liftfahren ein kindliches, oder nenne man es denn: kindisches, Vergnügen fand; ja, gewissermaßen setzte es das Karussellfahren meines ersten Lebensjahrzehnts auf eine um ein weniges erwachsenere Weise fort.

Eines Tages, es mag zu Beginn meiner zweiten Pariser Woche gewesen sein, betrat ich ein solches Warenhaus und stellte mich in Erwartung des Lifts im Vorraume auf. Er kam, die Fahrgäste stiegen aus, es entstand ein Gedränge und legte sich wieder.

Ich näherte mich dem Lift und hatte Mühe, einen Ausruf zu unterdrücken. Denn der neben dem Eingang stehende Fahrstuhlführer trug einen langen grünen Livreerock mit blanken Knöpfen und goldenen Ärmeltressen und in der Hand hielt er ein grünes Käppi mit goldenen Borten. Ja, er war in der Tat genauso gekleidet wie der Bediente, der in meinem Traume vom Bock des Leichenwagens gesprungen war. Aber auch seine Haltung und Verrichtung entsprachen denen jenes Traumbedienten, denn er stand seitwärts neben der geöffneten Fahrstuhltür und forderte lächelnd zum Einsteigen auf. Und dieses Lächeln in seiner halb gewerbsmäßigen, halb aus der natürlichen Beschaffenheit des Mannes fließenden Art, war ebenfalls das Lächeln, dessen ich mich aus meinem Traume so wohl entsann.

Ich machte diese Beobachtungen während der wenigen Schritte, die mir bis an die Tür des Aufzuges zurückzulegen blieben. Meine Betroffenheit wuchs; aber fast fühle ich mich außerstande, die Gemütsverfassung zu schildern, in welcher ich zuletzt vor dem Liftbedienten stand und ihn nun Zug um Zug wiederzuerkennen hatte. Ja, das war das längliche, blasse, glattrasierte Gesicht, das waren die munter erstaunten Augen, die breiten, aber unfarbigen Lippen, die rötlichen, abstehenden Ohren. Und auf der linken Kinnhälfte befand sich die rote, runde rubelgroße Narbe, eben jetzt von einem durchs Fenster fallenden Sonnenstrahl berührt.

Ich erinnere mich genau, daß ich nun sofort an den bekannten Gedächtnisirrtum dachte, auf Grund dessen man im Augenblick einer Wahrnehmung oder eines Erlebnisses die Vorstellung hat, diese Wahrnehmung oder dieses Erlebnis bereits in einem Traume vorweggenommen zu haben – ein Irrtum, dem besonders diejenigen ausgesetzt sind, die ihren Träumen und deren Zusammenhang mit den Vorfallenheiten des wachen Lebens eine nicht ganz geringe Aufmerksamkeit zukehren. Aber sofort wurde es mir mit bestürzender Deutlichkeit klar, daß, was jeden Irrtum abwies, ja nicht nur die Schärfe meiner Erinnerung war; sondern in noch höherem Maße tat dies der Umstand, daß ich meiner Mutter und einer meiner Schwestern gleich am Morgen danach jenen Traum erzählt hatte.

Ich konnte jetzt meine Blicke von dem Fahrstuhlführer nicht lösen. Aber zugleich fühlte ich die völlige Unmöglichkeit, jenes Behältnis, an dessen Stelle ich im Traume den Leichenwagen erblickt hatte, zur Fahrt zu betreten.

Der Liftführer sah sich um wie ein Auktionator, bevor er den Hammer hebt. Dann verschwand er im Gehäuse und schloß die Tür. Ich ging, sehr mit meinen Gedanken beschäftigt, in die Verkaufshalle; hinter mir hörte ich den Aufzug mit ruckhaftem Summen abfahren. Ich beschloß, die Bekanntschaft des Liftführers zu machen und dem Zusammenhang auf den Grund zu kommen. So unwahrscheinlich es anmuten mochte – der Mann mußte mir irgendwo begegnet sein, in Riga oder in Petersburg. Ich hatte ihn vielleicht auf der Straße gesehen und nur scheinbar wieder vergessen. Er hatte sich einer tiefer gelegenen Schicht meines Inneren eingeprägt, und der Traum hatte ihn aus dieser nach oben steigen lassen – ein sonderbares Geflecht von Zufälligkeiten!

Ich war eine Weile im Erdgeschoß umhergeschlendert, als ich bemerkte, daß eine eigentümliche Unruhe sich auszudehnen begann; es war, als verbreite sich eine Nachricht. Zugleich wurde die Menge der Umherstehenden und Umhergehenden von einer Bewegung erfaßt, die bald eine bestimmte Richtung erkennen ließ; auch ich konnte mich ihr nicht entziehen.

Die Unruhe stieg, erschrockene Ausrufe und Aufschreie erhoben sich. In der Vorhalle staute sich die Bewegung; offenbar war eine Absperrung vorgenommen worden. Die Leute redeten sehr aufgeregt; endlich verstand ich, daß mit dem Lift ein Unglück geschehen war. Es dauerte eine Weile, bis sich mir ein Bild des Ereignisses darstellte: es war etwas gerissen oder gebrochen, und der Aufzug war abgestürzt, damals waren gewisse, selbsttätig sich einschaltende Sicherheitsvorkehrungen ja noch nicht im Gebrauch. Es wurde von Schwerverletzten und Toten gesprochen; unter den vom Leben Gekommenen war, so hieß es, der Fahrstuhlführer.

Ich verließ das Kaufhaus in großer Erregung. Einige Stunden trieb ich mich auf den Straßen umher. Am Nachmittag kehrte ich ins Warenhaus zurück. In der Vorhalle wurde gearbeitet. Es sah aus, als würde ein beliebiger Schaden in Ordnung gebracht.

Ich ging ins Büro und wurde höflich empfangen. Man bestätigte mir, was ich gehört hatte. Ich fragte nach dem Fahrstuhlführer und erhielt seine Adresse; er hieß Auguste Parmentier, war neununddreißig Jahre alt, unverheiratet und aus Paris gebürtig. Seit zwei Jahren stand er im Dienst des Kaufhauses.

Ich fuhr zu seiner Wohnung. Plötzlich kam mir ein Gedanke, bei dem es mir heiß wurde. Nämlich ich sagte mir, selbst wenn es sich herausstellen sollte, daß er gleichzeitig mit mir in Petersburg gewesen war, so blieb es doch höchst unwahrscheinlich, daß er dort die gleiche Livree wie hier im Warenhaus getragen haben konnte. Allein wie auch alle diese Zusammenhänge sich klären mochten, dies blieb gewiß, daß ich ohne jenen Traum in den Aufzug gestiegen wäre und das Schicksal der Fahrgäste geteilt hätte.

Parmentier hatte ein sehr einfaches Zimmer in einer bescheidenen Gegend bewohnt. Die Wirtin, eine unsaubere und redselige Frau, erklärte, er habe seit acht Jahren bei ihr gewohnt und in dieser Zeit nur zweimal, und bloß auf wenige Tage, Paris verlassen. Ich sagte verwirrt, ich hätte gern etwas für ihn getan. Aber es gab keine Hinterbliebenen und auch keine nähere Verwandtschaft. Schließlich beglich ich eine kleine Rechnung, die bei der Wirtin noch offen stand.

Ich forschte weiter, ich ging zur Polizei, man wies mich hierhin und dorthin. Auch im Büro des Warenhauses hielt ich noch einmal Nachfrage. Zuletzt lagen die äußeren Merkmale des jäh beendeten Daseins wahrnehmlich vor mir. Es blieb dabei, daß Parmentier während seiner Warenhaustätigkeit, und das bedeutete: als Träger der grünen Uniform, niemals von Paris fortgekommen war.

Das Begräbnis wurde von der Direktion veranstaltet. Ich folgte dem Sarge, ich legte einen Kranz nieder und empfand bekümmert das Unzulängliche, ja, Armselige dieser Gebärde.

Paris erschien mir verändert und verhängt. Es war nicht mehr die strahlende Stadt des Lebens, es war nichts als der gleichgültige Schauplatz eines Geschehnisses, das ich weder aufzulösen noch fruchtbar zu machen wußte. Es war mir, als müßte alles besser sein, wenn es mir gelänge, einen Dienst am Andenken des Toten zu verrichten und solchermaßen der dunklen, zwischen ihm und mir schwebenden Verbundenheit einen Ausdruck zu gewähren. In meiner Ratlosigkeit ging ich schließlich zu einem Priester, entrichtete eine Gebühr und bat ihn, für Auguste Parmentier Messen zu lesen.

Ich hatte eine Scheu zu überwinden gehabt, bevor ich das Pfarrhaus neben der vorstädtischen Kirche betrat, auf das ich durch einen Zufall aufmerksam geworden war. Ich hatte in der mir zuhause übermittelten Vorstellung gelebt, es gebe unter den Geistlichen der katholischen Kirche zwei Gattungen, die dicken und die dünnen, oder, anders ausgedrückt: die behaglichen Tischfreunde und die düsteren Zeloten, und beide zogen mich nicht an. Jetzt fand ich einen unterrichteten Mann von guter Mittelgestalt und angenehm weltläufigen Umgangsformen. Nachdem ich mein Anliegen vorgebracht hatte, redeten wir noch ein paar Worte miteinander, und zu meiner eigenen Überraschung entschloß ich mich plötzlich, ihm mein Erlebnis zu erzählen. Der Priester hörte mich mit vorgeneigtem Kopfe an. Dann sagte er, als spreche er von etwas Natürlichem und Selbstverständlichem: «Es gibt hier nur eine Erklärung, mein Herr. Ich weiß nicht, wie Sie darüber denken, aber es ist mir nicht zweifelhaft, daß Ihr Schutzengel sich für jenen Traum der Gestalt des Parmentier bedient hat.»

Ich erinnere mich noch genau, welch starken Eindruck mir die Unbefangenheit machte, mit welcher er diese Erklärung vorbrachte. Sein Gedanke war mir fremd, schließlich aber kam ich zu der Meinung, der Sachverhalt lasse sich in der Tat nicht besser ausdrücken als auf diese theologische und zugleich kindlich anmutende Weise; und ich ließ es nur dahingestellt sein, ob die behütende Macht, welche der Priester mit dem Namen Schutzengel bezeichnete, etwas in mir selber oder etwas außerhalb meiner Wirkendes sein mochte. Doch erinnerte ich mich zugleich nicht ohne Betroffenheit daran, daß ja seinerzeit mein Konfirmationsspruch, an den ich freilich seit Jahren nicht mehr gedacht hatte, der folgende gewesen war: «Er wird seinen Engeln über dir Befehl tun, daß sie dich auf ihren Händen tragen und du deinen Fuß nicht an einen Stein stoßest.»

Die drei Falken

Zu jener Zeit, da die Kunst der Falknerei in ihrer letzten Blüte stand, lebte und starb in einer mittleren Stadt des Königreichs Neapel ein Falkenmeister, der einen sehr hohen Ruhm genossen, Erworbenes aber nicht festzuhalten gewußt hatte. Außer einigem bescheidenen Hausrat hinterließ er nichts als drei Falken von allerdings sehr hohem Wert. Um Überlassung dieser Vögel hatten ihm viele große Herren zugesetzt, doch hatte er sich von ihnen nicht trennen mögen als von den letzten Bleibseln und Zeugnissen seiner Kunst. Auch verlieh er sie nicht, und wenn ein reicher Grundherr einer Jagdveranstaltung mit Hilfe dieser Falken einen besonderen Glanz zu geben wünschte, so mußte er den Falkenmeister zur Teilnahme einladen und ihn gelten lassen wie einen jeden anderen Gast.

Nun gab es in dieser Stadt einen Zusammenschluß vornehmer und wohlhabender Männer, dem auch viele ländliche Edelleute angehörten. Die Vereinigung nannte sich Bruderschaft zu St. Georg vom edlen Falken und hatte sich Pflege und Vervollkommnung der Falknerei sowie die Bewahrung einer großherzigen Sinnesart und ritterlicher Sitten zum Ziele gesetzt. Ihre Angehörigen trugen silberne Halsketten, deren kunstvoll geschmiedete Glieder abwechselnd die Gestalt von Falken und von Reihern hatten; so zwar, daß die Falken auf die Reiher zu stoßen schienen. In diese Vereinigung, welche ein großes Ansehen genoß, war der Eingang nicht leicht zu erlangen, und die Kette stand in höherer Schätzung als alle Auszeichnungen, die von Fürsten vergeben wurden. Die Falkenbruderschaft übernahm es, das Begräbnis auszurichten. Es vollzog sich unter großem Zulauf und nicht ohne Prunk; alle Träger der silbernen Kette fanden sich ein, um der Hochschätzung und Dankbarkeit, die sie für den Verstorbenen empfunden hatten, einen Ausdruck zu geben.

Der Falkenmeister, der in jüngeren Jahren aus dem Norden zugewandert war, hatte in der Stadt keine Verwandtschaft. Er war frühzeitig zum Witwer geworden. Sein Sohn, der zum Falkenwesen keine Neigung hatte, erlernte die Kaufmannschaft, verehelichte sich und starb kinderlos; die Frau heiratete einen vermöglichen Seidenhändler und gebar ihm zwei Kinder, eine Tochter und einen Sohn. Alle diese Menschen waren dem Falkenmeister nicht blutsverwandt und hatten auch wenig Umgang mit ihm; doch liebten es der Seidenhändler und seine Frau, etwa wenn vornehme Kunden von Falken und Beizjagden redeten, auf ihre enge Beziehung zu dem Alten hinzudeuten und ihn als den Ihrigen in Anspruch zu nehmen.

Gleich nach der Beisetzung begaben der Seidenhändler und seine Frau sich in die Mietswohnung des Verstorbenen. Sie befand sich in einem schmalen Häuschen, das von innen an die Stadtmauer gebaut war und sie mit den oberen Stockwerken überragte. Aus den Fenstern ergab sich ein weit ausgreifender Blick hinunter in die Ebene mit ihrem Weideland, ihren Ölbaumpflanzungen, ihren Buchen- und Steineichenforsten, welche allmählich wiederum zu Bergzügen mit kühnen und gezackten Gipfeln emporleiteten. Die Stadt selber stand auf einem Felsblock, der gleich jenseits der Mauer sehr steil hinabfiel, und so war hier wohl die rechte Behausung für einen scharfäugigen Mann, der es liebte, in einer Höhe zu wohnen wie ein Gebirgsvogel, weit hinauszuspähen und die Masse des gefiederten Volkes unter sich zu sehen. Im Inneren waren die wenigen Räume eng und dürftig und auch nicht in sehr guter Ordnung gehalten.

Den Seidenhändlersleuten öffnete die alte Magd, die dem Falkenmeister seit Jahren das Haus geführt und ihn auch in seiner letzten Krankheit gepflegt hatte. Sie erklärten ihr, sie seien gekommen, die Verlassenschaft zu betrachten und an sich zu nehmen; denn es könne ja nicht bezweifelt werden, daß sie des Dahingegangenen nächste Verwandten und Erben seien.

Die Magd, ein redseliges und verworrenes Geschöpf mit unordentlichen grauen Haaren, antwortete: «Mein Herr hat in seinen kranken Tagen ein Testament gemacht und es in die Obhut des Herrn Albinelli gegeben, den er auch zum Vollstrecker seines letzten Willens bestimmt hat. Ich bin nicht berechtigt, irgendein Stück fortzugeben, vielmehr habe ich alles unangerührt zu erhalten und auch die Falken zu versorgen, so gut ich es eben verstehe. Herr Albinelli aber hat mich wissen lassen, er werde in den nächsten Tagen die notwendigen Verfügungen treffen.»

Die Seidenhändlersleute sahen einander an mit einer ruckhaften Bewegung der Köpfe, die bei ihnen als zwei lange miteinander Verheirateten fast genau die nämliche war; allein wie auf Verabredung unterließen sie es, ihren Ärger in Worten laut zu machen, denn sie besorgten, die Magd könne ihre Äußerungen zu den Ohren des Herrn Albinelli bringen, und es war ja möglich, daß sie auf sein als des Testamentsvollziehers Wohlwollen angewiesen sein würden.

Sie gingen also ohne weitere Einwendungen durch die Räume, guckten in Schränke und Tischkästen, halb mit Neugier, halb mit Geringschätzung, und die Frau nahm hier und da einen Gegenstand in die Hände, etwa eine Bettdecke, ein Kissen, einen Kochtopf, einen Schemel oder Leuchter, ob sich ihm nicht irgendein Wert abgewinnen lasse. Allenfalls schien ein solcher einem Buche innezuwohnen, das in grünes, goldgepreßtes Leder gebunden war. Es war des Römischen Kaisers Friedrich berühmte, aber im Handel selten erhältliche Schrift über die Kunst des Jagens mit Vögeln, aus dem Latein in die Volkssprache übertragen, und auf die leeren Blätter am Ende hatte der Falkenmeister mit seiner wenig schriftgeübten Hand allerlei Anmerkungen aus seiner vielfältigen Erfahrung eingetragen.

«Dies Buch müßte sich günstig veräußern lassen, man

sollte es einem von der Falkenbruderschaft anbieten», sagte der Seidenhändler zu seiner Frau und fügte hinzu: «Es ist nur schade, daß der Alte es beschmiert hat.»

Die Frau seufzte mit einem Blick zur niedrigen Stubendecke über so viel eigensinnige Torheit des Verstorbenen, und dann gingen beide in Begleitung der Magd zu den Falken. Diese hatten ihre Behältnisse in einem halb offenen Anbau, nach dem Hofe zu. Ohne Verständnis erblickten die Eheleute drei Vögel von so ähnlicher Beschaffenheit, daß sie wohl nur dem Auge eines Falkenkundigen sicher unterscheidbar sein mochten. Es waren großköpfige Tiere von gedrungenem Bau mit sehr langen und spitzen Flügeln. Ihre Farbe war fast ganz weiß, und nur an der Oberseite hatten sie einige schieferblaue, hier und da ins Schwärzliche spielende Flecken. Um den rechten Ständer trug jeder Vogel einen schmalen Metallring mit dem Zeichen des Falkenmeisters. Wie sie unbeweglich auf ihren entrindeten Ästen hockten, da glichen sie einem Zornigen, der sich, um seine Geringschätzung der Umwelt zu bekunden, mit der Kraft seines Willens zur Ruhe gezwungen hat. Das Ehepaar machte allerlei Lock- und Schnalzlaute, allein die Falken wandten ihm keinerlei Aufmerksamkeit zu, und auch der Magd, die vor den Seidenhändlersleuten ihre Vertrautheit mit den Vögeln zeigen wollte, gelang es nicht, sie aus ihrer abweisenden Zurückhaltung zu bringen. Der Seidenhändler fragte die Magd, was es mit den Tieren auf sich habe, und dem Ton der Frage war seine Verstimmung anzumerken.

«Es sind drei Männchen gleichen Alters und gleicher Abkunft», erklärte die Magd, «und nach der Meinung aller Kenner sind sie hervorgegangen aus einer Kreuzung des sehr seltenen isländischen Falken, der ohne Minderung seiner Kräfte von allen das höchste Alter erreicht, mit dem Gierfalken, dem an Geschwindigkeit und Mut keine andere Falkengattung gleichkommt.»

Dies sagte sie mit einigem Stolz, nicht nur auf ihre Kenntnisse, sondern auch auf die Tiere selbst.

«Es sind edle Falken?» fragte, halb gierig, halb unlustig, die Frau des Seidenhändlers, welche dieses Wort manchmal gehört hatte.

«Ja», sagte die Magd ein wenig von oben herab und fuhr lehrhaft fort: «Aber sie sind mehr als das. Denn edel nennt man alle jene Arten der Falken, die sich vorzugsweise von lebender Beute ernähren und diese im Fluge schlagen, statt sie, wie die unedlen tun, vom Boden aufzunehmen. Diese edlen fliegen rasch, wohin sie wollen, aber sie haben nicht die Fähigkeit der langsamer fliegenden unedlen, sich, auf Beute lauernd, eine längere Zeit fast unbeweglich und nur mit ganz geringen Flügelschlägen in der Luft zu halten, was man Rütteln nennt. Die unedlen Gattungen sind in der Mehrzahl.»

Die Seidenhändlersleute fragten noch einiges, was den Wert, die Lebensweise und die Nahrung der Vögel anging. Die Magd antwortete, so gut sie konnte; manches wußte sie auch nicht, denn solange der Falkenmeister gesund gewesen war, hatte er seine Vögel selbst besorgt und keinen anderen Menschen zu ihnen gelassen; und wo sie dann über irgendeine Einzelheit keinen Bescheid zu geben vermochte, da rühmte sie wortreich die Neuerungen und Verbesserungen, die der Falkenmeister für die Hauben und Fußschellen der Falken erfunden hatte, und erzählte rasch allerhand Geschichten, die sie von ihrem Herrn gehört hatte: daß es Falken gegeben habe, um die Könige sich gestritten hätten; für einen seien einmal zwölfhundert Goldstücke geboten worden, für einen andern sieben Hengste von morgenländischer Zucht, für einen dritten ein Landgut von sechshundert Joch Weizenboden.

Die Frau funkelte über dem Zuhören mit den Augen. Zugleich aber schüttelte sie den Kopf und wunderte sich, daß diesen Tieren ein solcher Wert sollte beigemessen werden.

«Man macht viel Wesens aus diesen Geschöpfen», sagte sie zuletzt. «Es ist eine unvernünftige Leidenschaft.»

Der Mann stimmte ihr bei und setzte hinzu: «Darum hat sich ein Handelsmann nicht zu kümmern, solange die Unvernunft der Menschen den Umsatz fördert. Aber dein Schwiegervater war ein Narr. Er hätte sich einen erfahrenen Kaufmann als Ratgeber wählen sollen, dann hätte er ein reicher Mann werden können, da ja Falken seiner Abrichtung bis nach Cypern, Venedig und Lissabon verlangt worden sein sollen. Nun, ich werde mich umhören, wie der Markt gegenwärtig beschaffen ist und an welchen Orten am meisten gezahlt wird. Vielleicht werde ich gut tun, einen Vogel hier zu verkaufen, einen in Neapel und einen in Messina.»

Hierauf nickten die beiden der Magd zu und begaben sich nach Hause.

Es geschah, wie die Magd es angekündigt hatte. Albinelli, ein reicher und ritterlicher Mann, der zu den Vorstehern der Falkenbruderschaft gehörte und gleichzeitig neben anderen ehrenvollen Ämtern innerhalb des Stadtregiments die Nachlaß- und Vormundschaftsangelegenheiten zu verwalten hatte, beschied den Seidenhändler und seine Frau auf eine gewisse Stunde in einen kleinen Saal des Stadtpalastes. Hier fanden sie bereits eine Anzahl von Menschen vor, und die

Frau sagte zu dem Manne: «Was ist das? Sollen die alle mit uns erben?»

Da war der Prior des innerhalb der Stadtmauern gelegenen Klosters zum Heiligen Geist, ein schlanker und auch jetzt, bei vorgerückten Jahren, sich noch sehr aufrecht haltender Mann, der in seiner Jugend der Bruderschaft zu St. Georg vom edlen Falken angehört hatte, dann aber von einer plötzlichen Ergriffenheit ins klösterliche Leben geführt worden war. Seinen Zügen und Händen, vornehmlich aber den Bewegungen der Gliedmaßen war seine gute Abstammung anzumerken, und das alles hob sich sonderbar aus der groben Kutte hervor. Neben ihm saß Amerigo della Ripa, ein wohlhabender, rundlicher Kaufmann, der das Amt eines städtischen Armenpflegers bekleidete. Die Gegenwart dieser beiden erfüllte den Seidenhändler mit Mißbehagen. Doch dünkte es ihn tröstlich, daß die Magd nicht im Saale war; noch auf der Treppe hatten die Seidenhändlersleute gegeneinander ihre Befürchtung geäußert, das Frauenzimmer könne sich während der Krankheit des Falkenmeisters eine weitgehende Berücksichtigung in seinem Testament ausgewirkt haben.

Die Mehrzahl der Anwesenden bestand aus geringen Kaufleuten und Handwerkern, und abseits von ihnen saß selbstvergessen in der Fensterbrüstung Cecco der Hinker, baumelte mit dem gesunden Bein und summte halblaut mit seinem in sich gewandten Lächeln eine Melodie. Die Seidenhändlersleute nahmen Anstoß an seiner Gegenwart, denn dieser Mensch war ein Jungfernkind ohne eine rechte Hantierung, ohne einen ordentlichen Leumund, und so schien er ihnen jeder Liederlichkeit verdächtig. Er erwarb sich seinen Unterhalt als Puppenspieler, in welcher Eigenschaft er sich an überraschenden Eingebungen sehr reich zeigte, als Aushelfer in Schankwirtschaften, als Korbträger und Botengänger – seinem lahmen Bein zum Trotz –, er geigte bei Hochzeiten, wobei er es liebte, Melodien zu erfinden, und verrichtete sonst allerlei Gelegenheitsarbeit. Doch rechneten die Seidenhändlersleute es ihm nicht zur Entschuldigung an, daß er ja um seiner außerehelichen Herkunft willen von jedem Handwerk ausgeschlossen war; und allerdings kam zu dieser Abstammung auch ein gewisser freiherziger, unbekümmerter und für keine gescheite Zukunftsvorsorge tauglicher Wesenszug, der es ihm erschwert hätte, sich in ein immerwährendes Verhältnis der Abhängigkeit zu schikken, wie es doch ein vermögensloser Handwerksgeselle oder Handlungsdiener tun muß.

Die Eheleute hatten indessen jetzt nicht mehr Zeit, ihre Meinungen über seine ungehörige Anwesenheit zu äußern, denn nun kam Albinelli herein, ein großer, zur Fülle neigender Mensch von rötlicher Gesichtsfarbe und hellem Blick, sehr stattlich gekleidet und voll eines heiteren und herrscherhaften Anstandes. Er begrüßte den Prior und den Armenpfleger mit einem Händedruck, die übrigen mit einem wohllaunigen Nicken und forderte alle auf, sich auf die Bänke zu setzen. Die Seidenhändlersleute drängten sich zum Prior und zum Armenpfleger durch, welche ganz vorne saßen, und ließen sich in ihrer Nähe nieder. Albinelli setzte sich auf den erhöhten Platz, den anderen gegenüber, zog ein Blatt Papier hervor und begann:

«Ihr wißt alle, aus welchem Anlaß ich euch hergebeten oder herbeschieden habe», und es war ersichtlich, daß das Wort «hergebeten» den beiden namhaften Männern und, wie die Seidenhändlersleute meinten, auch ihnen selbst, das Wort «herbeschieden» aber den übrigen galt. «Es ist mir eine Ehre», so fuhr er fort, «daß der von uns Gegangene mich mit der Vollführung seines letzten Willens betraut hat. Denn ich habe in ihm einen Lehrmeister und Freund gesehen, und ich weiß, daß er der Ruhm unserer Stadt gewesen ist. Ich schicke nun voraus, daß er alle Freiheit hatte, über seine Habe nach Wohlgefallen zu verfügen, da ja keine natürlichen Erben vorhanden sind.»

Der Seidenhändler stand auf und rief: «Wir sind da», und auch seine Frau erhob sich und blies die Backen auf.

«Unter natürlichen Erben», erläuterte Albinelli ruhig, «versteht das Gesetz leibliche eheliche Abkömmlinge, nahe Blutsverwandte oder solche, die durch Annahme an Kindes Statt von Rechts wegen zu Abkömmlingen und Blutsverwandten geworden sind.»

Viele der Anwesenden lächelten, einige ließen ein kleines Gelächter hören. Der Seidenhändler sah sich zornig um. Er sagte nichts, blieb aber noch eine Weile stehen. Erst als Albinelli mit der Verlesung des Testaments schon angefangen hatte, setzte er sich schnaufend auf seinen Platz, und die Frau tat es ihm nach.

Das Testament begann herkömmlicherweise mit den Worten: «Im Namen der allerheiligsten und ungeteilten Dreifaltigkeit, Amen», und ging dann unter Weglassung der von vielen Testatoren gebrauchten Abschiedsgrüße und redseligen Wünsche sofort auf die Verteilung der Hinterlassenschaft über. Der gesamte Hausrat, alle Kleidungsstücke und Vorräte wurden der Magd zugesprochen. Albinelli wurde gebeten, als Zeichen des Dankes für seine Mühewaltung und als Erinnerungsstück das Buch des kaiserlichen Falkenjägers an sich zu nehmen und in Ehren zu halten. Und nun folgten, von allen mit Spannung erwartet, die Verfügungen über die drei Falken.

«Meine Falken», so hieß es, «sollen alle drei verkauft, und der Erlös eines jeden soll einem anderen Zwecke zugeführt werden. Nämlich von dem Erlöse des einen sind alle Forderungen zu befriedigen, die von Kaufleuten, Handwerkern oder sonstigen Gläubigern erhoben werden. Was nach Abzug dieser Summe verbleibt, das soll den Armen der Stadt zu Wein und Ziegenbraten zugute kommen und, wenn möglich, soll auch eine Musik bei der Mahlzeit spielen. Den Erlös des zweiten bestimme ich dem Kloster zum Heiligen Geist, und es sollen dafür in gebührlicher Anzahl und zu den gebührlichen Zeiten Messen für meine Seele gelesen werden. Der Erlös des dritten ist unter meine Erben zu teilen.»

An dieser Stelle hielt Albinelli einen Augenblick inne und

lächelte ein wenig mit seiner unbefangenen Fröhlichkeit, wie ein Erzähler, dem es Spaß macht, am wichtigsten Ort seiner Geschichte die Neugier der Zuhörer noch für eine kurze Weile zu necken. Dann las er weiter, und es wurde zuerst die Frau des Seidenhändlers als Erbin bezeichnet. Darauf aber hieß es: «Der andere meiner Erben ist jener Cecco, welcher mit einem Übernamen der Hinker genannt wird, und zu welchem ich mich hiermit bekenne als zu meinem zwar außer der ehelichen Ordnung, aber in herzlicher Liebe erzeugten Sohne.» Mit diesen Worten schloß das Testament.

Albinelli schwieg. Der Seidenhändler und seine Frau fuhren auf und taten allerlei Ausrufe der Abwehr und der Empörung. Allein diese wurden von niemandem recht vernommen, weil nach der Gewohnheit ihres Landes die Leute sehr laut ihren Beifall klatschten, und alle Köpfe wandten sich dem Hinker zu, denn von dieser Eröffnung war ein jeder aufs äußerste überrascht, und am meisten wohl Cecco selbst; er hatte gemeint, der Falkenmeister werde ihm als einem armen Teufel oder um seines Puppen- und Geigenspiels willen vielleicht einen getragenen Rock oder höchstenfalls ein paar Silbermünzen vermacht haben. Er schüttelte jetzt den Kopf, als habe er Mühe, das Gehörte zu begreifen und zu glauben.

Heftig atmend ließ er sich von der Fensterbrüstung gleiten und zwängte sich nun mit seinem merkwürdigen Gange, der ein Mittelding zwischen Lahmen und Tänzeln war, durch die aufgeregte Versammlung nach vorne. Bald murmelte er vor sich hin, bald rief er es laut: «Ich habe einen Vater gehabt! Ich bin ein Sohn. Ich bin ein Sohn! Ich bin ein Erbe. Ich bin ein Erbe! Mir gehört ein halber Falke, ein ganzer halber Falke, ein Falke von meinem Vater her.» Und dabei wechselte seine Stimme nicht nur in der Lautstärke, sondern auch in ihrem Ausdruck auf eine eigentümliche Weise, und er lächelte und schnitt allerlei Gesichter, hinter denen vielleicht eine Ergriffenheit oder gar eine Erschütterung verhohlen bleiben sollte, so als schäme er, der doch den Leuten ein Lustigmacher war, sich seiner Empfindungen vor ihnen und vor sich selber.

Als er endlich vor dem Sessel des Herrn Albinelli angelangt war, da fand er diesen in einer Auseinandersetzung mit den Seidenhändlersleuten, welche inzwischen dahin gekommen schienen, völlig an ihre unmittelbare Abstammung von dem Falkenmeister zu glauben.

«Ich teile nicht mit dem lahmen Herumtreiber!» schrie unter zornigen Handbewegungen der Mann. «Es muß ein Unterschied sein zwischen der echt geborenen und der unecht geborenen Nachkommenschaft!»

«Wie ja auch ein Unterschied ist zwischen den edlen Falken und den unedlen», rief die Frau, zu den übrigen gewandt, als wolle sie sich ihres Beistandes versichern. «Edel nämlich, müßt ihr wissen, nennt man alle die Arten, die sich von lebender Beute nähren und sie nicht vom Boden aufheben, wie es die unedlen tun, die auf ihre Beute lauern und sich in der Luft –»

Der Mann unterbrach sie kollernd: «Ich fechte an! Ich klage auf Ungültigkeit!»

Inzwischen hatte sich der Lärm der übrigen gelegt, und sie kehrten nun den Seidenhändlersleuten ihre Aufmerksamkeit zu, einige indem sie über sie lachten, andere indem sie ihnen beruhigend zusprachen. Albinelli wandte sich von dem Ehepaar ab und fragte den Prior und den Armenpfleger, ob sie die Erbschaft annähmen. Beide bejahten.

«Die Magd ist nicht da?» sagte Albinelli. «Ich hatte sie herbeschieden wie die anderen auch. Nun, von ihrer Seite haben wir uns keiner Einwendungen zu versehen. Die Forderungen und Rechnungen der Gläubiger habe ich mit ihrer Hilfe geprüft und richtig befunden. Sie sind nicht so hoch, daß wir nicht mit einem gehörigen Überschuß rechnen dürften, und so wird, denke ich, bei der Mahlzeit auch die Musik nicht fehlen. Nun, und du, Cecco? Nimmst du die Erbschaft an? Oder weigerst du dich auch, mit der anderen Nachkommenschaft zu teilen?»

«Ich nehme an!» rief Cecco zurück. «Und wenn man mir den Kopf deswegen abschlüge, ich nehme an!»

Mittlerweile war weiterhin auf den Seidenhändler eingeredet worden. Die Leute bewiesen ihm, daß er nichts zu erwarten habe, wenn er etwa einen Rechtsstreit anfinge. Und zum Überfluß werde es in einem solchen vornehmlich auf die Meinung des Herrn Albinelli ankommen als des sachkundigen Verwalters der Nachlaßangelegenheiten im Stadtregiment, und dessen Meinung habe er ja kennengelernt. Allmählich beruhigte er sich und mit ihm die Frau. Als Albinelli ihn nun abermals fragte, ob er die Erbschaft annehme, da antwortete er grimmig: «Ja.»

Schon während der Verlesung hatte Albinelli einige Male durch ein kleines Lächeln eines freundschaftlichen und zugleich wehmütigen Spottes ungewollt seine Meinung über das Testament zu erkennen gegeben. Jetzt sagte er, indem er nach seiner Gewohnheit mit der Linken nachdenklich sein starkfleischiges Kinn preßte und knetete. «Der Verstorbene war der Geschäfte und ihrer Förmlichkeiten nicht sehr kundig und hat auch keinerlei Liebe für sie gehabt, das ist dem Testament anzumerken, und es erinnert daran, daß ja auch die Falken sich auf dem Erdboden ungewandt und plump bewegen.» Er hielt einen Augenblick inne und bedachte mit einer lächelnden Rührung, wie der Falkenmeister beim Niederschreiben seiner Bestimmungen sich selber als jener sorgsam abwägende Hausvater erschienen sein mochte, der er zeit seines Lebens nicht gewesen war, und wie er aus diesem Gefühl wohl kinderhaft eine große Genugtuung empfangen hatte; etwa beim Hinsetzen eines Ausdruckes aus der Rechtslehre, den er freilich am unrichtigen Ort und in einem mißverständlichen Sinne anwandte.

Albinelli fuhr fort: «Die drei Vögel sind ihrer Beschaffenheit und ihrem Werte nach etwa gleich. Aber der Erblasser, der ja kein Handelsmann war, hat nicht bedacht, daß von gleichwertigen Dingen sich immer das eine günstiger, das andere ungünstiger verkaufen läßt, je nach der Nachfrage und nach allerlei sonstigen Umständen, und insbesondere gilt das wohl von Sachen, deren Preis nicht durch das Bedürfnis, sondern durch die Liebhaberei bedingt wird. Offenbar hat der Erblasser gewollt, daß jeder der drei Bestimmungen die gleiche Summe zugeführt werde. Da hätte er gut getan zu verfügen, daß der Gesamterlös zusammengelegt und alsdann in drei gleiche Teile geteilt werden sollte. Allein er hat ausdrücklich jedem der drei Zwecke einen Falken bestimmt, und ich halte mich nicht für berechtigt, von seiner Anordnung abzuweichen. Oder er hätte genau bezeichnen können, welche Falken er den einzelnen Bestimmungen zugedacht hat. Auch dies hat er unterlassen, und so wird es sich voraussichtlich ereignen, daß die drei Summen, dem Willen des Erblassers zuwider, untereinander ungleich sein werden. Für den Verkauf habe ich als die zweckmäßigste Form die der öffentlichen Versteigerung gewählt. Ich werde mich an die Ordnung des Testaments halten und es so handhaben, daß der Erlös des erstverkauften Vogels den Gläubigern und Armen, des zweitverkauften dem Kloster zum Heiligen Geist, des drittverkauften den beiden Erben zugewandt wird. Die Reihenfolge aber, in der die einzelnen Vögel innerhalb der nämlichen Versteigerung ausgeboten werden sollen, werde ich durch das Los ermitteln lassen. Der Zeitpunkt der Versteigerung wird öffentlich hier und in anderen Orten bekanntgemacht werden, und bis dahin soll die Magd für die Falken Sorge tragen und jedem Zutritt gewähren, der die Vögel in Augenschein zu nehmen wünscht. Für alle diese Maßnahmen erwarte ich die Zustimmung der hier Versammelten.»

Die Anwesenden erklärten sich einverstanden. Lediglich der Seidenhändler erhob Einwendungen, doch setzte ihm Albinelli auseinander, daß er als Testamentsausführer alle Vollmacht habe, die Einzelheiten nach seinem Bedünken zu ordnen, es sei denn, daß ein etwa vorgebrachter Widerspruch vom Gericht als triftig anerkannt werde. Nun tuschelte der Seidenhändler eine Weile mit seiner Frau, stand dann auf und sagte: «Es ist nicht meine Art, unnütze Schwierigkeiten zu machen, und so stimme ich den Meinungen des Herrn Albinelli bei. Doch erwarte ich zum Ausgleich, daß es gerecht zugehe. Nämlich von dem dritten Falken heißt es nur, daß der Erlös unter die Leibeserben verteilt werden soll, aber es ist nicht gesagt, in welchem Verhältnis die Teilung zu geschehen hat. Meine Frau hat einen Mann, nämlich mich, und zwei Kinder, nämlich meine Tochter und meinen Sohn. Jener Bastard aber, der Hinkende, ist nur einer. Und so scheint es mir der Gerechtigkeit angemessen, daß man uns vier Fünftel des Erlöses zubilligt, jenem aber nur eins. So wird es der Schwiegervater meiner Frau, dem sie immer eine gute und gehorsame Tochter gewesen ist, im Sinne gehabt haben, und Herr Albinelli hat ja selber gesagt, daß der Selige, in dem auch ich meinen Schwiegervater geehrt habe, der Geschäfte, ihrer Förmlichkeiten und klaren Ausdrücke nicht recht kundig gewesen ist; sonst hätte er ohne Zweifel seinen Willen, den ich eben erläuterte, deutlicher offenbart.»

Albinelli wollte ihm antworten, allein er sah sich daran gehindert, denn es trat ein Ratsdiener ein und machte ihm mit leiser Stimme eine Mitteilung. Albinelli nickte und erklärte alsdann der Versammlung, er werde für einige Augenblicke hinausgebeten; nach seiner Rückkehr könne weiterverhandelt werden. Damit verließ er den Saal.

Nun erhob sich unter den Zurückbleibenden eine sehr laute Unterhaltung. Einige hänselten die Seidenhändlersleute, andere suchten ihnen wohlwollend ihren Zorn auszureden und sie zu einem ruhigen Gewährenlassen zu bestimmen; die meisten aber hielten sich an Cecco mit allerhand Späßen und Glückwünschen, und hieran bekundete sich, daß er bei vielen jene rätselhafte Beliebtheit genoß, die sich so oft dem Unnützen, zu keinem vernünftigen Bürgergewerbe Tauglichen zuwendet, obwohl er sie weder umwirbt noch eigentlich verdient; und so dürfen wir in ihr vielleicht ein winziges Abbild der göttlichen Erbarmung erblicken. Wiederum aber war in der Zuneigung der Leute zu Cecco nicht jenes freundschaftliche Wohlwollen, das Gleiche einander entgegenbringen, denn es konnte ja bei diesen selbstgewissen Tagewerkern und Hausvätern keine Achtung für ihn bestehen, und seine Beliebtheit glich ein wenig der eines unterhaltsamen und nicht verantwortlichen Tieres; die Leute hätten ihn ihre Geringschätzung unmitleidig fühlen lassen, wenn es ihm undenkbarermaßen in den Sinn gekommen wäre, eine Gleichberechtigung mit ihnen zu begehren. Sie hatten es gern, einander Bemerkungen und Redensarten zuzutragen, deren er sich in seinen Puppenspielen bedient hatte, und viele empfanden ein entferntes Wohlgefallen an seiner vogelhaften Freiheit; doch gab es auch solche, die gleich den Seidenhändlersleuten in ihm nur einen Tagedieb sahen.

Einige behaupteten jetzt, seine Abkunft von dem Falkenmeister immer geahnt zu haben. Andere setzten ihm mit scherzhaften Fragen zu, was er denn mit dem Gelde zu beginnen gedächte. An seinem Gehaben wollte sich nicht recht abnehmen lassen, ob er von einer übergroßen verwirrenden Freude erfüllt war oder sich selber um seiner neuen und fremdartigen Umstände willen verspottete, oder ob das beides zur gleichen Zeit der Fall war; denn das gehörte ja zu seiner Art, daß er es liebte, sich auch lustig zu machen über sich selbst.

«Was ich beginnen werde?» antwortete er. «Ich werde heiraten, ich werde ein Findelhaus stiften, ich werde alle meine Botengänge in der Tragesänfte machen! Ich werde eine Weinwirtschaft erwerben, ein Speisehaus eröffnen, ich werde eine Musikbande gründen, ich werde ein Dutzend Puppenspieler unter meiner Leitung vereinigen. Ernten werde ich aufkaufen und übers Meer verfrachten. Nein, mit Seide werde ich handeln, mit Seide, Seide, Seide! Aber zuerst werde ich allen meinen Freunden ein Essen geben,

Ziegenbraten und Wein, und es soll eine Musik dabei spielen!»

Albinelli kehrte zurück; sein vollbäckiges Gesicht war geröteter als sonst. Die Gespräche verstummten, Albinelli sagte: «Es hat sich ein Mißgeschick ereignet. Einer der Falken ist entflogen.»

Die Leute rissen die Augen auf, manche gaben einen Laut der Betroffenheit oder Erregung von sich.

«Unser Falke soll entflogen sein?» rief die Seidenhändlersfrau mit zitternder Stimme.

«Wer redet von unserem Falken?» versetzte zornig der Mann und stieß sie mit dem Ellenbogen. «Das ist nicht unserer, das kann unserer nicht sein!»

Albinelli berichtete. Er habe sich gewundert, daß die Magd nicht erschienen sei; nun, ihre Abwesenheit sei jetzt erklärt.

Die Magd war in einer völligen Aufgelöstheit des Gemüts in den Stadtpalast gekommen und hatte Albinelli stammelnd und heulend von dem Geschehenen unterrichtet. Albinelli, der wie alle Vollblütigen zum Jähzorn neigte, schrie sie an und fluchte; fast hätte er sie geschlagen. Gleich danach aber tat sie ihm leid in ihrer Verstörtheit, er mußte sich aus ihrer verworrenen Schilderung überzeugen, daß sich ihr keine rechte Schuld beimessen ließ, und so ging er bald dazu über, ihr beruhigend zuzureden. Ja, auch jetzt vor den versammelten Gläubigern und Erben suchte er sie zu entschuldigen. «Wir wissen doch alle», sagte er, «daß ein edles Tier, wenn sein Herr gestorben ist, manchmal aus all seiner Gewöhnung und Zucht gerät. Scheltet die Magd nicht, sie ist verzweifelt genug, und was ihr an Vorwürfen zu machen war, das habe ich ihr gemacht. Eine weitere Schuld hat sie nicht, sie ist kein Falkenier und konnte für die Vögel nicht besser sorgen, als sie es verstand, und alle drei waren seit dem Tode des Meisters in eine völlige Unordnung gekommen, deren sie sich nicht versehen konnte. Es ist ein Unglück und kein Vergehen.»

Das Unglück war beim Reinigen des Behältnisses geschehen; auf irgendeine Weise mußte die Langfessel sich gelokkert haben. Die erschrockene Magd tat ihr mögliches mit Locken, Pfeifen und Rufen; sie zeigte dem Falken Federspiel und Lockspeise, wie sie bei der Abrichtung gebraucht werden, aber das war umsonst. Der Falke schlug eine Taube über einem benachbarten Hof, danach stieg er auf und blieb verschwunden. Und nun erst begriff die Magd, daß er wirklich fort war. Nur allmählich gewann sie es über sich, in den Stadtpalast zu gehen und Albinelli den Vorfall anzuzeigen.

«Damit sich kein weiteres Unheil ereignet», so schloß Albinelli, «habe ich Auftrag gegeben, die beiden anderen Falken in mein Haus zu schaffen. Außerdem werde ich alles Dienliche versuchen, um den Falken zurückzuerhalten, indem ich seine Flucht bekanntgebe und eine Belohnung aussetze. Aber da wir ja wissen, wie selten sich Rückkehr oder Wiedereinbringung entflogener Falken ereignet, so dürfen wir uns hierauf keine Rechnung machen. Vielmehr muß erwogen werden, wie des Verstorbenen letzter Wille am getreuesten ausgeführt wird, obwohl sein Nachlaß diese Minderung erfahren hat. Unvermeidbarerweise werden einige der Ansprüche, die sich aus dem Testament herleiten, eine Verkürzung erleiden müssen. Doch will ich im vorhinein erklären, daß etwa eine Kürzung der Gläubiger nach dem Gesetz nicht möglich ist, und so haben denn sie einen bevorrechtigten Anspruch. Im übrigen aber erkenne ich jetzt, wie sehr der Falkenmeister in all seiner Geschäftsunkenntnis das Rechte getroffen hat. Hätte er nämlich jeden der Vögel ausdrücklich einer bestimmten Verwendung vorbehalten, so würde eine Gruppe der Bedachten jetzt leer ausgehen müssen. So aber haben wir die Freiheit, den gerechtesten Weg zu suchen. Und nun bitte ich die Versammelten, ihre Meinung zu sagen.»

Als erster nahm der Seidenhändler das Wort. Er stelle, so erklärte er, die Frage, nach welchem Verhältnis der Erlös des einen Vogels unter die Erben zu teilen sei, fürs erste in den Hintergrund und spreche jetzt namens der Gesamtheit dieser Erben. Es sei gewiß, daß hier eine Verkürzung nicht stattfinden könne. Nach göttlichem und menschlichem Recht habe ein jeder die Pflicht, für seine Nachkommenschaft auch über das Grab hinaus zu sorgen. Diese Pflicht habe der Falkenmeister durch sein Testament anerkannt, und an ihrer Erfüllung könne und dürfe er nicht gehindert werden. Daß der Anspruch der Gläubiger nicht angetastet werden könne, das sei ihm als einem Geschäftsmann klar. Und so bleibe nur der Ausweg, den Verlust auf das Armenvermächtnis und das Klostervermächtnis zu verteilen – nach welchem Schlüssel, das solle seine Sorge nicht sein.

«Das ist unmöglich!» rief der Armenpfleger. «Das hieße diejenigen berauben, die ohnehin am übelsten daran sind! Haben die Gläubiger ein Vorrecht nach dem Gesetz, so haben die Armen ein Vorrecht um des Himmels willen. Von allen Erben ist der Seidenhändler der wohlhabendste. Soll er nichts opfern?»

«Wenn ich opfere, so müßte Cecco mitopfern als mein Miterbe», antwortete der Seidenhändler. «Und gehört er etwa nicht zu jenen Ärmsten, deren Beraubung soeben für unmöglich erklärt wurde?»

«Die Magd soll haften, die den Vogel hat entfliehen lassen», sagte die Frau giftig. «Mögen die Armen den Hausrat bekommen und mag das Geld der Armen dem Kloster zufallen.»

Einer der Gläubiger, der, wie er sah, selber nicht Gefahr lief, um das Seine zu kommen, erklärte: «Der Hausrat hat, so höre ich, einen sehr geringen Wert. Die Magd ist arm, bejahrt und von jetzt an unterstandslos. Der Vorschlag kann gar nicht in Erwägung gezogen werden.»

«Es ist nicht zweifelhaft», begann der Armenpfleger wieder, «daß der Erblasser eine Dreiteilung seines Vermögens gewünscht hat. Dieser Wunsch ist durch die Flucht des einen Vogels nicht aufgehoben, und so ist der Erlös der beiden verbleibenden in drei Teile zu teilen. Da der entflogene Falke zum gemeinsamen, noch ungeteilten Eigentum aller Erben gehörte, so ist es billig, daß auch sein Verlust von allen gemeinsam getragen werde.»

Mit diesem Vorschlage brachte der Armenpfleger den Seidenhändler sehr auf; Meinungen und Gegenmeinungen gingen heftig hin und her. Albinelli gab seine eigene Ansicht noch nicht zu erkennen, sondern war einstweilen bemüht, jedem, der etwas sagen wollte, zum Worte zu verhelfen und eine gewisse Ordnung der Aussprache zu bewahren. Cecco, der Hinker, hatte die ganze Zeit über geschwiegen, und man sah es seinem Gesicht an, daß er sich bedrückt fühlte. Einige Male hatten sich abwechselnd der Seidenhändler und seine Frau an ihn gemacht, sich zu ihm herübergebeugt und ihm dringlich ins Ohr geraunt. Narr, der er sei, verstehe er denn gar nicht, daß er mit ihnen am gleichen Strang zu ziehen habe? «Ich rede mit für deinen Nutzen», zischte der Mann. «Tu doch das Maul auf und stimme mir bei!» Aber Cecco schüttelte den Kopf, machte abwehrende Bewegungen mit den Händen und sah ratlos vor sich hin; es war, als habe alle Freudigkeit ihn verlassen.

«Nun, und du, Cecco? Du wirst doch auch eine Meinung haben», sagte Albinelli ermutigend.

«Ich weiß es nicht, Herr», antwortete Cecco verwirrt und mit einer Miene des Widerwillens. «Ich weiß es wirklich nicht. Ich verlasse mich auf die Kenntnis und Gerechtigkeit des Herrn Albinelli.»

Auch der Prior des Klosters zum Heiligen Geist hatte bisher geschwiegen und nur mit einem aufmerksamen Ausdruck seiner klaren und geistigen Augen dem Meinungswechsel zugehört. Erst als der Seidenhändler in seinem harten Eifer zu dem Ausruf gelangte, einen Anspruch des Klosters oberhalb seines eigenen könne er nicht gelten lassen, es liege für die Seelenmessen keine rechtliche Nötigung vor, und seinetwegen dürfe angenommen werden, der entflogene Falke habe die Seele des Abgeschiedenen stracks in den Himmel getragen – erst da erhob sich der schlanke Mann und nahm das Wort.

«Wie alles Göttliche vor dem Menschlichen den Vorrang hat», sagte er, «so muß auch wohl alles, das zum Göttlichen mehr angenähert ist, den Vorrang haben, vor dem, das ihm fernersteht. Auf diese Weise ist es unzweifelhaft, daß der Anspruch der Kirche vor dem Anspruch der sonstigen Erben den Vorrang hat. Dies läßt sich ja auch aus der Reihenfolge der Testamentsbestimmungen mit Klarheit erkennen; und wie beim Falken die zweite Schwungfeder die längste ist, so ist die zweite Bestimmung des Testaments die wichtigste. Es ist billig, daß die Gläubiger am ersten Ort stehen, denn sie haben Arbeiten getan oder Waren hergegeben, um deren gerechten Lohn sie niemand ohne Versündigung bringen kann. An der zweiten Stelle aber steht das Kloster zum Heiligen Geist. Wie das Testament lehrt, erwartet der Erblasser von der Kirche einen Dienst, der ihm um seines Heiles willen offenbar notwendig erscheint. Von den zuletzt genannten Erben hingegen erwartet er nichts, wünscht ihnen vielmehr eine bloße Gefälligkeit zu erweisen. Und so sehe ich denn dem Rechte nach keine andere Möglichkeit, als daß der Erlös des ersten Falken den Gläubigern und Armen, der des zweiten aber meinem Kloster zufällt. Dies ist das Recht, und es hat wie alles Recht auf der Erde zugleich sein Unbilliges. Der Erblasser ist ein Falkenmeister gewesen und ein großherziger Mann, der wenig auf seinen Vorteil sah. Und eine solche Großherzigkeit geziemt einem jeden, der mit edlen Vögeln in eine Beziehung geraten ist oder je mit ihnen Umgang gehabt hat. So ist um des Verstorbenen willen ein Beispiel der Großherzigkeit auch hier zu geben, und darum mache ich namens des Klosters zum Heiligen Geist wiederum ihm eine Schenkung, und zwar in der einzigen Form, die einer mönchischen Gemeinschaft angemessen ist, indem ich erkläre: die Messen für die Seele des Toten sollen in gebührlicher Zahl ohne Entgelt gelesen werden, so als sei die Summe ausgezahlt worden, und das Kloster wird des

Falkenmeisters für immer unter seinen Wohltätern gedenken. Der Erlös des zweiten Falken aber mag den Erben übergeben werden.»

Diese Rede des Priors bewegte die Zuhörer, und selbst die gemeineren Seelen unter ihnen konnten sich ihrer Einwirkung nicht völlig entziehen. Albinelli aber umarmte den Prior und dankte ihm nicht nur namens aller in die Erbschaft Verflochtenen, sondern auch namens der Bruderschaft zu St. Georg vom edlen Falken, deren alten Ruhm er als ihr ehemaliges Glied so großmütig bewährt habe. Die Seidenhändlersleute küßten des Priors Hand und erbaten seinen Segen, und unter solchen Umständen schloß Albinelli die Versammlung.

Am gleichen Tage noch begann er mit den Vorbereitungen der Versteigerung, und er betrieb sie mit Sorgfalt, Leidenschaft und einer erwartungsvollen Freudigkeit. Denn er hatte sich lange bemüht, einen der drei Falken zu erwerben, und hatte seine dringlichen Versuche erst aufgegeben, als er erkannte, daß der Falkenmeister unter keinen Umständen gesonnen war, in eine Trennung von diesen Vögeln zu willigen. Seit dem Augenblick aber, da Albinelli vom Inhalt des Testaments Kenntnis hatte, stand es ihm unerschütterbar fest, daß einer der Falken sein Eigentum werden müsse. Er war reich und trennte sich im Gegensatz zu vielen Reichen leicht vom Gelde. Er war entschlossen, die Mitbewerber zu überbieten, und es wäre nach seinem Herzen gewesen, die Versteigerung schon kommenden Tages vornehmen zu lassen. Doch mochte er sich nicht dem Vorwurf oder Selbstvorwurf einer eigensüchtigen Pflichtverletzung aussetzen, und so sollte die Versteigerung erst in zwei Wochen geschehen, damit auch auswärtige Falkenliebhaber benachrichtigt werden und sich einfinden konnten. Wie das vor jeder öffentlichen Versteigerung hergebracht war, wurde also der städtische Ausrufer mit seinem hölzernen Klappergerät zu wiederholten Malen durch die Straßen geschickt, und er hatte nicht nur Gegenstände, Ort und Zeit der Versteigerung bekanntzumachen, sondern auch die Flucht des Falken auszurufen, seine Kennzeichen zu beschreiben und unter Angabe der ausgesetzten Belohnung zu seiner Wiedereinbringung aufzufordern. Und Briefe nämlichen Inhalts wurden an die außerhalb der Stadt lebenden Glieder der Falkenbruderschaft gesandt, die gleichzeitig zur Besichtigung der beiden Vögel eingeladen wurden. Niemand aber konnte sie mit größerer Anteilnahme und Erregung besichtigen als Albinelli selbst, der sie ja jetzt in seinem Hause hatte und viele Stunden bei ihnen verbrachte, vergeblich bemüht, sich zu entscheiden, welchem von beiden er den Vorzug geben sollte. Sein erster Gang des Morgens, des Abends sein letzter führte zu den Falken. Im übrigen erwuchs ihm in dieser Zeit aus seiner Testamentsvollstreckerschaft noch eine ziemliche Reihe von Obliegenheiten; nicht anders erging es den Erben und insonderheit Cecco dem Hinker.

Cecco hatte während jener Versammlung im Stadtpalast einen Überdruß an all den Förmlichkeiten und umständlichen Erörterungen empfunden und deren Notwendigkeit nicht recht einsehen können, darum hatte er auch das Wort nicht ergreifen mögen. Er war froh gewesen, daß alles mit des Priors Hilfe zu einem guten Ende gekommen war, und er kostete die Freudigkeit weiter aus, bald indem er bedachte, daß er einen auf seine Art hervorragenden Mann zum Vater gehabt hatte – denn es fiel ihm nicht ein, dem Falkenmeister in seinem Herzen einen Vorwurf daraus zu machen, daß er sich nicht bei Lebzeiten zu ihm als seinem Sohne bekannt hatte –, bald indem er allerlei Träumen von seinem neuen Wohlstande und seinem künftigen Leben nachhing. Und hierbei erfüllte ihn sehr lebhaft der Gedanke an eine gewisse junge Witwe, der er seit längerem eine heimliche Neigung zuwandte, ohne daß die Frau ihn bisher viel beachtet hätte; allein wie hätte er das auch erwarten sollen?

Die Witwe war die Tochter eines Metzgers, der an den Falkenmeister eine Forderung hatte und deshalb auch im Stadtpalast gewesen war. Sie selber führte den hübschen

Kramladen ihres Mannes weiter, und der Hinker pflegte hier seine recht bescheidenen Einkäufe zu machen. Als er noch am Tage jener Erbenversammlung mit klopfendem Herzen den Laden betrat, da kam die Witwe geschwind hinter ihrem Tisch hervor, streckte ihm die Hand hin und beglückwünschte ihn mit vielen freundlichen Worten; denn sie wußte durch ihren Vater von der Erbschaft. Und wenn er irgendeinen Wunsch habe – selbstverständlich könne er alles auf Rechnung nehmen, mit dem Zahlen habe es Zeit bis nach der Versteigerung!

Von nun an kam er häufig, ließ sich diese und jene Ware geben, sie plauderten miteinander und gerieten in eine angenehme Vertraulichkeit. Die Witwe sprach davon, wie ihrem Geschäft eine männliche Hand fehle und wie prächtig es sich mit einigem Gelde würde vergrößern lassen. Cecco traute sich freilich noch nicht, ihr unumwunden seine Wünsche zu gestehen, obwohl sie ihm manche Ermunterung zuwandte. Aber er hatte ja noch nicht Zeit gehabt, sich aus seinem bisherigen Stande gänzlich in seinen neuen hinüberzuheben, und das war auch mit mancherlei Schwierigkeiten verbunden. Besonders zeigte es sich, daß mit jener Erbenversammlung und der Erklärung des Priors noch keineswegs alles in die Reihe gebracht war. Da war es gut, daß die Witwe eine hilfsbereite Gesinnung hatte und Ratschläge zu geben wußte.

Der Seidenhändler rühmte vor seiner Frau den christlichen Sinn des Priors, der es abgelehnt habe, sich an unrechter Habe zu bereichern, und sagte, sie könnten mit dem bisherigen Verlauf und auch mit der Flucht des Falken sehr zufrieden sein, denn nun würden doch die beiden verbliebenen Vögel im Werte steigen. Die Frau fragte, ob er seinen Gedanken über das Verhältnis der Teilung aufgegeben habe. Der Seidenhändler erwiderte: «Keineswegs. Ich habe die Absicht, noch heute Herrn Albinelli aufzusuchen und auf vier Fünfteln des Erlöses zu bestehen.»

Albinelli hatte gemeint, nach der Erklärung des Priors

und nach dem Eindruck, den sie hervorgerufen hatte, erübrige es sich, auf kleine Einwände noch Bedacht zu nehmen; und so glaubte er auch fest, der Seidenhändler werde auf seinen unsinnigen Vorschlag hinsichtlich der Teilung nicht zurückkommen, sondern dem Hinker ohne weiteres die Hälfte des Erlöses lassen. Er war erstaunt und entrüstet, als der Seidenhändler bei ihm erschien und ihm erklärte, er müsse gegen die Versteigerung Einspruch erheben, solange die Frage der Teilung zwischen seiner Frau und dem Hinker nicht geklärt sei. Er habe diesen Einspruch im Stadtpalast gültig vorbringen wollen, sei aber daran gehindert worden, da ja Herr Albinelli die Versammlung vorzeitig geschlossen habe.

Albinelli machte ihm Vorhaltungen und ließ ihn seine Geringschätzung merken. Der Seidenhändler beharrte auf seinem Kopf. Zuletzt erklärte Albinelli: «Der Einspruch, wenn er denn überhaupt so genannt werden darf, bezieht sich nicht auf die Tatsache oder Form der Versteigerung, sondern nur auf die vorgesehene Teilung des Erlöses. Also hat er, selbst wenn ein gerichtliches Urteil ihm stattgäbe – doch ist ein solches Urteil nicht denkbar! –, auf die Versteigerung selbst keinen Einfluß. Ich werde darum die Versteigerung vor sich gehen lassen, wie sie anberaumt ist. Falls es dem Einspruch gelingen sollte – es wird ihm nicht gelingen –, einen vorläufigen Gerichtsbeschluß zu erwirken, so kann nach geschehener Versteigerung die Teilung des Erlöses immer noch bis zum Ergehen eines endgültigen Urteils ausgesetzt werden.»

Mit diesem Bescheid entließ er grußlos den Seidenhändler. Dieser entfaltete in den nächsten Tagen eine große Geschäftigkeit. Zwar mußte er sich sehr schnell, nämlich schon beim ersten Gang zur Behörde, davon überzeugen, daß er nicht die geringste Hoffnung haben durfte. Dafür jedoch ließ er sich von einem willfährigen Rechtskundigen ein Gutachten ausarbeiten, nach welchem es sicher schien, daß jedes Gericht ihm Recht geben müsse, selbst wenn die Klage erst nach der Versteigerung eingebracht würde. Eine Abschrift dieses Gutachtens sandte er Cecco zu und schickte ihm wenige Tage darauf einen Mittelsmann, der ihm mit einer Flut rechtsgelehrter Worte einschüchternd darlegte, er müsse den Prozeß verlieren. Der Seidenhändler biete ihm einen Vergleich: Cecco solle sich freiwillig mit einem Drittel des Erlöses begnügen, bevor er im Wege eines Rechtsstreites auf ein Fünftel gesetzt werde, wozu er noch die Kosten würde zu tragen haben.

Cecco hörte ihn an, mißgelaunt und beängstigt, und ließ ihn endlich gehen, ohne eine klare Antwort gegeben zu haben. Der Mann kam wieder. Cecco wich ihm aus, die Sache sprach sich herum, andere Rechtskundige traten auf und boten ihm ihren Rat und ihre Hilfe gegen den Seidenhändler an. Und damit er sich ihrer bediene, stellten sie ihm seine Lage als gefährlich hin. Die Witwe redete auf ihn ein; es gelang ihr mit großer Mühe, ihn von dem Vergleiche abzuhalten, doch war auch sie ein wenig beunruhigt. In seiner Verwirrung tat Cecco schließlich nichts, und das war wohl auch das beste. Mittlerweil kamen allerlei Schriftstücke von Albinelli, die er sich vorlesen lassen mußte und die irgendeine Entscheidung verlangten, Mitteilungen über Kanzleigebühren und Abgaben und darüber, daß bei einer Wiedereinbringung des flüchtigen Vogels die ausgelobte Belohnung von allen Einzelvermächtnissen anteilsweise aufzubringen sei, und dergleichen mehr. Da mußte er denn mit der Witwe beraten, die bei aller Freundlichkeit manchmal ungeduldig wurde, und da mußte er an Unterschriftsstelle seine drei Kreuze unter allerlei Papiere setzen, deren Inhalt ihm nicht verständlich geworden war. Er hatte die Meinung, das alles könne nicht in der Ordnung sein, von Natur sei es einfach und klar: versteigert den Falken und gebt mir mein Geld, aber laßt mich mit allem übrigen zufrieden!

Auch sonst hatten sich seine Lebensumstände geändert. Die Menschen begegneten ihm anders als bisher, viele indem sie ihm auf eine rohe Weise schmeichelten, andere indem

sie ihn an erwiesene Freundlichkeiten erinnerten, deren Wert sie übertrieben. Es wurden ihm Darlehen angeboten und allerlei bewegliche und unbewegliche Besitztümer zum Kaufe vorgeschlagen. Leute luden ihn ein, wollten ihn zu Teilhaberschaften gewinnen, und Väter und Mütter, die bisher an seiner Unehelichkeit ihren Anstoß genommen hatten, stellten ihm aufdringlich ihre Töchter zur Schau und gingen schulterklopfend mit ihm um wie mit einem Schwiegersohn, was wiederum der Witwe zu Vorwürfen Anlaß gab. Dies verwirrende Gewoge, in welchem ein jedes Ding seinen Kaufpreis hatte, setzte ihm zu, und die erste Freudigkeit war erloschen. So wünschte er denn mit großer Ungeduld den Tag der Versteigerung herbei, der all dieser Beschwernis ein Ende geben sollte. Und doch überkam ihn mitunter eine Ahnung, auch die Versteigerung werde ein solches Ende nicht bringen.

In der Stadt, von der ja gesagt wurde, daß sie auf einem Felsenstock errichtet war, ragten die eng aneinander gebauten Häuser sehr hoch und sehr schlank empor, denn der Raum war kostbar. Trotzdem hatte die Stadt einen sehr ausgedehnten Marktplatz, und das, obwohl viele Leute sagten, man solle ihn verkleinern und den freiwerdenden Raum zu Baugrundstücken verkaufen. Besonders wurden solche Stimmen laut aus den Kreisen der Handwerkerszünfte, die, bisher vergeblich, ihren Anteil am Stadtregiment begehrten; ihnen pflegte erwidert zu werden, das hieraus zu lösende Geld würde bald in allerlei kurzlebigen Ausgaben verzettelt sein, der weite Platz aber sei ein Ruhm und ein Stolz für die ganze Stadt und solle das auch für jede künftige Zeit bleiben; er müsse so groß sein, um ein rechtes Verhältnis zu der stolzen Höhe der ihn umgebenden Baulichkeiten zu haben. In der Tat war der Platz mit dem kuppelgekrönten Dom, dem Stadtpalast, den beiden kunstvollen Brunnen und der erhöhten Säulenhalle wie ein Saal, den ein bedeutender Baukünstler aus reifer Gesinnung und aus sicherer Kenntnis aller Maße und Harmonien angelegt hat. Blickte man aus der nach dem Platze zu offenen Säulenhalle hinaus, so gewahrte man zur Linken die ruhevoll geschwungene Domkuppel wie ein Abbild des ruhevollen Himmelsgewölbes und zur Rechten den überaus hohen Turm des Stadtpalastes, der in seiner edlen Schlankheit zum Himmel hinaufschoß wie ein kühner Vogel.

In dieser Säulenhalle, zu welcher eine Reihe von Stufen hinanführte, sollte die Versteigerung stattfinden, und es war an einem hellen, schon frühlingshaften Tage des Monats Februar. Am Vorabend hatte es geregnet; jetzt schien die Sonne, der Himmel war von einem lichtvollen Blau und die Luft von einer großen Reinheit. Unten auf dem weiten Platz drängte sich eine vielköpfige Menge von Zuschauern, und es war ein reichliches Kommen und Gehen auf den Stufen. Oben in der Säulenhalle waren sie alle versammelt, die mit dem Vorgang zu schaffen hatten: Albinelli, der städtische Versteigerer, der Prior, der Armenpfleger, Cecco mit seiner Witwe und die Seidenhändlersleute mit ihren beiden Kindern, einige der Gläubiger und die Magd des Falkenmeisters. Diese bekam wohl hier und da ein hartes oder spöttisches Wort zu hören, doch nahm sie das ergeben in den Kauf und hätte es für unmöglich gehalten, der Versteigerung fernzubleiben. Die Kutte des Priors, die schlichten Kleidungen der einfachen Leute ließen sich von unten her kaum wahrnehmen unter dem ritterlichen Glanz der Kauflustigen und Neugierigen in der Säulenhalle. Denn da hatten sich alle Falkenliebhaber der Stadt eingefunden und sehr viele Herren und Damen, die von auswärts mit ihrer Dienerschaft in die Stadt gekommen waren und von denen sich Gastwirte und Geschäftsleute mancher Einnahme versahen. Reich und buntfarbig bewegte sich alles, was Namen, Herrschaft, Besitz und altes Ansehen hatte, unter Begrüßung und Gesprächen dort oben vor den Augen des Volkes wie auf einer Bühne. Es waren wohlbeschaffene Frauen darunter, gebieterische Greise und ritterliche junge Männer, schlanke und mutige Gestalten, und die silbernen Ketten der Falkenbruderschaft blitzten im Licht, so daß es ein schöner Anblick war; und auch das einfache Volk, das sich häufig von Bedrückungen und Hochmut des Herrenstandes zu Neid und Zorn getrieben fühlte, vergaß solche Empfindungen und freute sich an dem festlichen Schauspiel wie am neu aufgestellten Bilde eines Malers in einer seiner Kirchen.

In der Mitte der Halle, dicht neben den abwärtsführenden Stufen, standen zwei Käfige mit den Falken; auf dem Tische daneben lag allerlei Falknereigerät, ein Schreiber saß dabei, und hier hatte auch der Versteigerer seinen Platz.

Albinelli bat ein sehr junges Mädchen, das in Begleitung des Vaters und der Brüder gekommen war, ihm beim Losen zu helfen. Das Mädchen nickte eifrig und mußte sich oben auf die Treppe stellen, so daß es die Falken im Rücken hatte. Da stand es nun in seinem hellblauen Kleide mit den silbernen Gürtelschließen auf einem für die ganze Volksmenge sichtbaren Platz. Es errötete vor so vielen Blicken, schlug die hübschen schwarzen Augen nieder und lächelte in einer anmutigen Verlegenheit; denn es widerfuhr ihm zum ersten Male, daß es in einer öffentlichen Handlung mitzuwirken hatte.

«Soll dieser Falke, auf den ich zeige, als erster oder als zweiter versteigert werden?» fragte Albinelli.

«Als ... als erster», sagte das Mädchen.

Albinelli trat zu ihr auf die Treppe und dankte ihr. Darauf gab er ihr seinen Arm und führte sie den Ihrigen wieder zu.

Nun winkte er dem Versteigerer, anzufangen, der tat seinen Ausruf, und die Gebote, schon in stattlicher Höhe beginnend, folgten einander sehr geschwind. Das Volk auf dem Platze nahm an einem jeden seinen laut geäußerten Anteil; es war in einem Gemütszustand wie bei einem Pferderennen, und es wurden sogar Wetten abgeschlossen, wem der Vogel zufallen und welche Höhe der Preis erreichen werde.

In diesem hitzigen Kampf um den ersten Falken hielt Albinelli sich gänzlich zur Seite. Die Begierde nach dem Erwerb eines Vogels beherrschte ihn freilich noch in unverminderter Stärke; ja, sie war mit dem Näherrücken der Versteigerungsstunde gewachsen. Allein er war hier gleichsam der Hausherr, und so hielt er es für eine Pflicht der Höflichkeit, den Gästen den Vortritt zu lassen, und dieser Pflicht ordnete er mit einer großen Anstrengung des Willens sein heftiges Verlangen unter. Erst bei der Versteigerung des zweiten Vogels wollte er bieten. Endlich wurde der Falke um einen recht hohen Preis einer verwitweten ländlichen Grundherrin zugeschlagen, der einzigen Frau, welche der Bruderschaft zu St. Georg vom edlen Falken als nahezu gleichberechtigtes Glied angehörte. Der Armenpfleger rechnete nach und fand, daß die nach Abzug der Schulden verbleibende Summe seine Erwartungen noch um einiges überstieg.

Nach einer kurzen Pause sollte die Versteigerung des zweiten Vogels beginnen. «Gib acht», sagte der Seidenhändler zu seiner Frau, «der wird mehr bringen. Albinelli hat noch nicht geboten. Und jetzt treten ja auch meine Männer auf den Plan.» Diese Männer waren einige heruntergekommene und verschuldete Edelleute – denn dem gemeinen Volk stand der Erwerb und das Halten von Beizvögeln nicht zu –, die sich gegen eine Vergütung bereit erklärt hatten, zum Scheine mitzubieten, um den Preis in die Höhe zu treiben. Die Erben und ihr Anhang drängten näher heran. Neben dem Seidenhändler stand mit verkniffenen Lippen seine Frau und hielt an jeder Hand eins ihrer Kinder in Sonntagskleidung. Die Kramhändlerswitwe preßte unter allerlei Ausrufen Ceccos Arm; dann wieder löste sie sich von ihm, lief umher, sprach viel von der Schönheit des Vogels und gebärdete sich sehr wichtig und aufgeregt, als habe sie die Pflicht, durch ihr Gerede die Kauflust und Anteilnahme der Menschen zu steigern. Demgegenüber bekundete der Hinker eine geringe Aufgeschlossenheit. Ja, sein Gesicht hatte einen störrischen Ausdruck, und die meisten der ermunternden oder scherzenden Zurufe, die an ihn gerichtet wurden, ließ er unbeantwortet.

Albinelli gab das Zeichen zum Beginn, und schon nach den ersten Geboten setzte er selber ein. Andere Städter überboten ihn, des Seidenhändlers Leute nannten hohe Zahlen, und das horchende Volk, das ihre Umstände kannte, antwortete darauf mit Gelächter und höhnischen Zurufen. Um ein Haar wäre einem von ihnen der Vogel zugeschlagen worden, denn wie auf Verabredung warteten Albinelli und die übrigen Bewerber einmal fast bis zum dritten Hammerschlage, ehe sie ihr höheres Gebot einwarfen.

Inzwischen war in der Volksmenge unten auf dem Platz eine Bewegung entstanden, deren Ursache von oben her noch nicht erkennbar war. Sie breitete sich aus, sie teilte sich den Menschen in der Säulenhalle mit, und nun trat eine Stokkung in das Ausrufen und Bieten. Der Lärm auf dem Platze schwoll an, die Rufe pflanzten sich weiter und wurden vernehmlicher; und obwohl viele zuerst an ein Mißverständnis oder ein falsches Gerücht hatten glauben wollen, so gab ihnen die Wahrnehmung ihrer Augen gleich darauf die Bestätigung des von den Ohren Gehörten; denn durch eine Gasse, die sich inmitten der Menge bildete, ritt ein ältlicher Grundbesitzer aus der Umgebung der Stadt, der den meisten wohlbekannt war, und hinter ihm ein Jägerbursche, auf dessen Handschuh der entflogene Falke saß, die Haube auf dem Kopf, Fessel und Schelle am Ständer.

Albinelli sagte aufgeregt zu seinem Schreiber: «Notiere das letzte Gebot und den Namen des Bieters. Die Versteigerung wird ausgesetzt.»

Am Fuß der Säulenhalle stiegen die Reiter von ihren Pferden. Sie schritten hinauf, und es war beiden anzusehen, wie sie eine Freude daran hatten, daß sie nun der Mittelpunkt eines solchen geräuschvollen Gewoges von Begrüßung, Verwunderung und Neugier ausmachten. Der Grundbesitzer ließ seinen Burschen erzählen, und dieser berichtete nun, wie sich der Falke durch einen sehr seltsamen Zufall in einer hoch gelegten Schlinge verfangen hatte; ehe er sie noch hatte zerreißen können, hatte der Bursche ihm geschwind ein Tuch gleich einer Falkenhaube über den Kopf geworfen.

Albinelli dankte dem Herrn und ließ dem Burschen die Belohnung auszahlen. Eine Weile noch ging ein sehr belebtes Gespräch in der Säulenhalle hin und her. Jeder wollte den Falken sehen, jeder sich davon überzeugen, daß er in seiner Freiheit keinerlei Beschädigung erlitten hatte. Die Magd trat an ihn heran, betrachtete ihn eine Weile, schüttelte dann den Kopf und sagte mit einem Seufzer: «Viel Ärger und Sorge hast du mir gemacht.»

Nachdem wieder ein wenig mehr Ruhe eingekehrt war, erklärte Albinelli, es solle nun in der Versteigerung fortgefahren werden. Zuvor aber wolle er allen ins Gedächtnis rufen, daß nun der ursprüngliche Zustand und die ursprüngliche Reihenfolge wiederhergestellt seien, und daß die Teilung des Erlöses so zu geschehen habe, wie es vor der Flucht des Falken beschlossen war. «Es sei denn», so fügte er spöttisch hinzu, «einer der Erben habe inzwischen einen anderslautenden Gerichtsbeschluß erwirkt.» Der Seidenhändler sagte nichts. Einige aber lachten.

Die Versteigerung nahm also ihren Fortgang, doch blieben die Gedanken der Leute so sehr dem dritten Falken zugewandt, daß sie sich um die Versteigerung nicht sehr kümmerten. Der Seidenhändler gab seinen Männern einen Wink, mit dem Bieten aufzuhören, denn es war ihm ja nun an einer hohen Bewertung des zweiten Vogels nichts mehr gelegen. Die Frau sagte mißmutig: «Jetzt sind es wieder drei, das wird den Preis drücken.» Der Mann antwortete: «Siehst du nicht, wie sie sich alle um den dritten drängen? Er wird den höchsten Preis von allen bringen.»

Es war merkwürdig, daß seine Flucht, die doch als ein Hinweis auf einen mangelhafteren Grad der Abrichtung hätte gedeutet werden können, dem dritten Falken zum Lobe ausgelegt wurde; es war, als wollte man Kraft und Freiheitssinn in ihr erblicken, und man fühlte sich geneigt, den Geist der Unordnung und Verstörung, der nach dem Tode seines Herrn von ihm Besitz ergriffen hatte, für das

Zeichen seiner edlen Art zu nehmen, und so wollte er manchen als der schönste, der kräftigste und der begehrenswerteste erscheinen.

Auch Albinelli bot nicht mehr mit, alle seine Gedanken waren auf den wiedereingebrachten Flüchtling gerichtet. Er freilich glaubte, nun wieder um der Höflichkeit willen den anderen Bewerbern den Vortritt zu lassen; doch, ihm selber unbewußt, zog ein gebieterischer Drang ihn zu dem dritten Vogel, als hingen für ihn Glück und Leben von dessen Besitz ab, und zugleich fühlte er sich von der Vorsehung dafür belohnt, daß er seine anfängliche Begierde bezwungen und sich zu diesem höflichen Zurücktreten genötigt hatte.

Den zweiten Falken erwarb ein städtischer Liebhaber; der Preis blieb um ein weniges hinter dem des ersten Vogels zurück.

Albinelli nahm die Summe in Empfang. Als die Geldstücke durchgezählt waren, ließ er sie wieder in den leinenen Beutel zurücktun, in welchem sie gebracht worden waren, und übergab den Beutel dem Prior. Der Prior beugte sich über den Tisch und unterschrieb die Quittung. Dann richtete er sich in seiner stolzen Art auf und sagte lächelnd: «Ich habe namens meines Klosters eine Schenkung gemacht, und Schenkungen sollen auch bei veränderten Umständen nicht zurückgenommen werden. Die Messen werden gelesen werden. Und ich möchte auch gelten lassen, was in jener Versammlung einer der Erben, ob auch wohl aus einer anderen Gesinnung, gesagt hat, nämlich der damals entflogene Vogel möge die Seele des Abgeschiedenen in den Himmel getragen haben. Denn man stellt sich die Seele wohl gern unter dem Bilde eines Falken vor als eines dem Himmel zuschießenden Geschöpfes voll ursprünglichen Adels. Den Beutel mit dem Gelde, auf das wir bereits verzichteten, übergebe ich Herrn Amerigo della Ripa, der es für die städtischen Armen verwenden wolle.»

Diese Erklärung des Priors fand viel Beifall und Bewunderung. Der Armenpfleger dankte ihm und nahm den Beutel in Empfang. Manche klatschten in die Hände, und so tat auch Cecco. Die Witwe aber zupfte ihn vertraulich am Ärmel, lächelte ihm zu und sagte: «Der Mann sitzt hinter seinen Klostermauern. Der weiß wenig, was Geld wert ist. Nun, seine Narrheit geht niemanden an als ihn und seine Mitbrüder.»

Darauf ließ Albinelli durch den Versteigerer eine Pause ausrufen, denn es sollte allen eine Muße geboten werden, den dritten Falken gründlich zu betrachten und sich ein Urteil über seinen Wert zu bilden. Unter jenen, die den Trieb hatten, den Falken unter Abnehmen und Wiederaufsetzen der Haube sehr genau in Augenschein zu nehmen, war auch Cecco der Hinker, doch hielt er sich zurück, bis die übrigen Betrachter und Prüfer zu Ende gekommen waren. Endlich trat er an den Tisch heran, auf dem, durch Kurz- und Langfessel gesichert, der Falke hockte, der durch die vielen Menschen und das Gewirr ihrer Stimmen beunruhigt schien. Cecco sah ihn eine längere Weile stumm an und ergriff darauf einen der auf dem Tische liegenden schwergepolsterten Falkenhandschuhe, wie man sie braucht, um die Haut vor den kratzenden Vogelkrallen zu schützen, wenn man einen Falken auf die Faust nimmt. Er legte ihn an und setzte den Falken darauf; und das Tier, das vorher, mit sträubigem Gefieder, zornige und abweisende Bewegungen gemacht hatte, war jetzt ruhig, ja, es gab Zeichen einer vertraulichen Willigkeit zu erkennen. Cecco hielt den behandschuhten Arm halb ausgestreckt, den aufmerksamen Blick auf den Vogel gerichtet, und nun stießen ein paar Leute einander an und sagten erstaunt: «Seht doch! Wie ähnlich er dem Alten ist!»

Cecco achtete nicht darauf. Er nahm dem Falken die Kappe ab und freute sich an den klaren Augen des Tieres, und es erschien ihm als ein Inbild aller königlichen Herzensfreiheit. Die Witwe drängte sich an ihn und sprach von hohen Geldsummen und glücklichen Zukunftsaussichten. Der Seidenhändler, dem Cecco während der ganzen Veranstaltung aus dem Wege gegangen war, rief ihm zu: «Hinker, wie gefällt dir unser Vögelchen? Und wie steht es mit dem Drittel? Du würdest dir bittere Vorwürfe machen, wenn das Gericht dir hernach nur ein Fünftel zuspräche. Lasse dir raten, nimm meinen Vorschlag an.»

Cecco machte mit den Schultern eine Bewegung des Widerwillens. Die Bewegung teilte sich dem rechten Arme mit, der Falke mochte sie spüren und wandte den kräftigen, kurzen Kopf mit den scharfen Augen dem Hinker zu. Cecco winkelte den Arm ein und brachte den Falken seinem Gesicht noch näher. Und wie er das Bild des schönen, edlen Tieres, das kraftvoll und gesammelt auf seiner Faust saß, in sich hineinnahm, da wurde der Ekel in ihm übermächtig: der Ekel davor, daß dieses Stück freien und göttlichen Lebens zu einer Handels- und Streitware gedrückt wurde; der Ekel daran, daß alles um Geld zu Markte stand, und der Schrecken darüber, daß all diese krämerliche Zänkerei ihn selber zu umschließen trachtete und daß vielleicht sein ganzes künftiges Leben von dieser Welt der Kaufpreise und Marktgängigkeiten eingesogen werden sollte. Und er selber mit seinen Plänen und Wünschen erschien sich nicht weniger verächtlich wie ihm der Seidenhändler und in diesem Augenblick auch die geliebte Witwe erschienen.

Cecco atmete schwer. Er hielt den Blick immer noch auf die Augen des Falken gerichtet. Die linke Hand aber glitt an den Ständern des Vogels hinab, als prüfe sie deren festen Bau. Mit ein paar raschen Griffen streifte sie die Fesseln ab. Cecco hob den rechten Arm wie in jener Bewegung, mit welcher der Beizjäger den Falken gegen das Wild anwirft. Es war, als zögere der Falke einen winzigen Augenblick hindurch. Dann spannte er die Schwingen aus, und gleich danach blitzte sein lichtes Gefieder in der Frühlingssonne, hoch oberhalb der Volksmenge des Stadtplatzes.

Einige Sekunden hindurch war es sehr still. Dann hatten sich die Kinder des Seidenhändlers von der Hand der Mutter losgerissen und jauchzten mit ihren hellen Stimmen sehr laut auf, indem sie dem entfliegenden Falken nachdeuteten.

Cecco sah hinter dem Vogel her und lächelte. Und als hätte sich nun augenblicks seine alte Neigung zu jeder Spaßhaftigkeit und Selbstverspottung wieder eingestellt, zwinkerte er halb verzweifelt, halb belustigt, schlug sich mit der Hand gegen die Stirn und rief: «O ich ungeschickter Pinsel! Ich werde nie zu etwas tauglich sein! Da habe ich ihm wahrhaftig die Fesseln gelockert!»

Mittlerweile brausten erregte Aufschreie durch die Halle und über den Platz. Manche aus der Menge stießen törichte Lockrufe aus. Fuchtelnde Hände deuteten zur Höhe. Der Falke aber hatte die Domkuppel, die hohen Häuser, den schlanken Turm des Stadtpalastes bereits unter sich gelassen. Von den schwärzlichen und schieferblauen Flecken seines Gefieders war längst nichts mehr wahrzunehmen. Nur das reine Weiß leuchtete, immer kleiner werdend, silberfarben im blauen und sonnigen Himmel.

Die Seidenhändlersleute und die Witwe lösten sich aus ihrer Erstarrung und wollten sich mit geballten Fäusten zu Cecco hindurchzwängen. Allein er hatte sich gleich nach seinen letzten Worten abgewandt und ging rasch davon, die Stufen hinab und durch die Volksmenge, die sich ihm öffnete. Seine Schritte federten, und niemand dachte daran, daß er ein Hinker war.

Das Augenmerk der Menschen oben in der Säulenhalle aber richtete sich auf Albinelli, und sie kümmerten sich weder um das Wehklagen der Witwe noch um das Wutgeschrei der Seidenhändlersleute, die auf den Prior, auf den Armenpfleger eindrangen und nicht begreifen wollten, daß doch über den Erlös des zweiten Falken unwiderruflich verfügt war. Albinelli stand vorgebeugt und stützte sich auf den Tisch. Der große, schwere Körper zitterte. Viele gewahrten jetzt zum ersten Male die Spuren des beginnenden Alters auf der Haut seines Halses und Gesichtes, das von seiner frischen rötlichen Farbe verlassen worden war. Und so bot er das Bild eines Mannes, dem der Gegenstand seiner leidenschaftlichsten und vielleicht einzigen Begierde ganz nahe vor Augen gestanden ist und plötzlich, da er ihn schon zu greifen meinte, in eine Uneinholbarkeit entrückt wurde. Alle betrachteten ihn voller Mitleid, und sie wußten wohl, daß nur seine vornehme Höflichkeit ihn gehindert hatte, sich gleich den ersten Vogel zu sichern; manche kehrten auch die Blicke schonungsvoll von ihm ab.

Plötzlich hob er den Kopf. Sein Gesicht nahm eine bräunlich-rote Färbung an; die Augen flammten. Er ballte die Fäuste und rief: «Bringt mir den Lumpen her!» und setzte, ein wenig leiser, hinzu: «Er hat mich um meine letzte Freude gebracht.» Aber diese Worte, über denen er kaum die verbissenen Zahnreihen voneinander löste, klangen grimmiger und drohender als der laute Befehl. Danach senkte er wieder den Kopf und bedeckte die Augen mit der rechten Hand, und es war von seinem Gesicht nichts zu erblicken als die Falten der hohen, wölbigen Stirn und das Zucken seiner Mundwinkel.

Ein paar Leute gingen, um den Hinker zu holen. Der Prior sah auf Albinelli und sagte halblaut zu einigen der neben ihm Stehenden: «Das Buch des Kaisers Friedrich kann nicht fortfliegen. Es hat zwar nicht die Kostbarkeit eines solchen Falken, aber seine Kostbarkeit hat es auch. Und wenn von den drei Falken und von allen, die hier versammelt sind, keiner mehr am Leben ist, dann werden Albinellis Nachkommen sich noch an ihm erfreuen und vielleicht von manchen darum beneidet werden.»

Als Albinelli endlich die Hand von den Augen sinken ließ, stand Cecco vor ihm. Albinelli richtete sich aus seiner zusammengesunkenen Haltung auf, holte tief Atem und sagte: «Ich sollte dich wohl schelten, denn du hast mir einen sehr großen Schmerz bereitet. Aber dein verstorbener Vater hat ja Falken nicht gezogen um des Gewinnes willen, obwohl er wie jeder Mensch auch an seinen Lebensunterhalt zu denken hatte. Und wir jagen mit dem Falken nicht nur einer Leidenschaft oder gar Zeitverkürzung zuliebe. Sondern unser aller wahrer Grund ist dieser: daß im menschlichen Herzen etwas beschlossen liegt, welches der Sinnesart des Falken entspricht.»

Mit diesen Worten löste er die silberne Kette der Falkenbruderschaft von seinem Halse und legte sie dem Hinker um.

Es blieb still. Niemand klatschte Beifall. Aber allen bebte das Herz in Ehrfurcht, in Scham oder in Erhebung.